In einer leerstehenden Ferienwohnung auf Wangerooge wird die Leiche eines Mannes gefunden. Die Tötungsart lässt vermuten, dass hierfür das organisierte Verbrechen verantwortlich ist, ein Verdacht, der Ann Kathrin Klaasen und ihr Team sofort in höchste Alarmbereitschaft versetzt. Nur kurz darauf geschieht ein weiterer Mord in einem Tierpark. Nachdem alle Touristen Ostfriesland verlassen mussten, durchsucht die Polizei unter Hochdruck leerstehende Ferienwohnungen. Ein Auftragskiller in Ostfriesland? Wo versteckt er sich?

In ihrem 16. Fall ermitteln Ann Kathrin Klaasen, Frank Weller, Rupert und das gesamte Team aus Norden unter noch nie dagewesenen Bedingungen.

»Da trifft Krimi auf Psychothriller und Gesellschaftsroman ...«
Elisabeth Höving, WAZ

Klaus-Peter Wolf, 1954 in Gelsenkirchen geboren, ist freier Schriftsteller und lebt mit seiner Frau, der Kinderbuch-Autorin und Liedermacherin Bettina Göschl, in Norden, in der Stadt, in der auch seine Kommissarin Ann Kathrin Klaasen lebt. Seine erste Geschichte schrieb er mit 8 Jahren und verkaufte sie sofort für zehn Pfennig. Er hat zahlreiche Auszeichnungen und Preise erhalten, seine Bücher wurden insgesamt über 13 Millionen Mal verkauft und in 26 Sprachen übersetzt, die Verfilmungen der Ann-Kathrin-Klaasen-Romane sind Quoten-Renner zur besten Sendezeit. Klaus-Peter Wolfs Romane sind nicht nur spannende Erzählungen, sondern auch Röntgenbilder einer Gesellschaft, oft liegen Gut und Böse sehr nah beieinander und sind nicht immer eindeutig zu trennen. Wenn der Autor nicht am nächsten Roman schreibt, kann man ihn als *Teebotschafter, Schirmherr für ein Hospiz am Meer oder als ehrenamtlichen Tortentester* vor Ort treffen.

Weitere Informationen finden Sie auf www.fischerverlage.de

KLAUS-PETER WOLF

Ostfriesen STURM

Kriminalroman

Der neue Fall
für Ann Kathrin Klaasen

FISCHER Taschenbuch

MIX
Papier aus verantwor-
tungsvollen Quellen
FSC® C083411

Originalausgabe
Erschienen bei FISCHER Taschenbuch
Frankfurt am Main, Februar 2022

© 2022 S. Fischer Verlag GmbH,
Hedderichstraße 114, 60596 Frankfurt am Main

Satz: Dörlemann Satz, Lemförde
Druck und Bindung: CPI books GmbH, Leck
Printed in Germany
ISBN 978-3-596-70003-5

Wenn man zwischen sich und der Hektik der Welt mal die Tür zumachen will, braucht man nicht unbedingt eine Tür. Manchmal tut es auch eine Bank am Meer ... meine steht gerade in Norddeich...

Hauptkommissarin Ann Kathrin Klaasen,
Kripo Aurich, Mordkommission

»Manche sehen mit Maske einfach besser aus als ohne ... «

Hauptkommissar Rupert, Kripo Aurich,
Mordkommission

»Wir sind analoge Kämpfer in einer digitalen Welt. Aber wir können unseren Instinkten vertrauen. Das haben wir den anderen voraus.«

Hauptkommissar Frank Weller, Kripo Aurich,
Mordkommission

Es war ein triumphales Gefühl, als ihre schlimmsten Alb-träume Wirklichkeit wurden. Jetzt war sie nicht mehr die Gestörte. Die lebensuntüchtige Angstpatientin. Nun waren ihre Therapeuten die Dummen, denn sie hatte recht behalten.

Stolz betrachtete Anke Reiter ihre rissigen Finger. Nie wieder würde sie sich dafür schämen müssen. Vorbei das klammheimliche Verstecken der Hände.

Von wegen Zwangsstörung! Darüber konnte sie nur noch lachen.

Ihr Ehemann, ihre Eltern, ihre Schwester Sabine und drei Therapeuten hatten versucht, ihr einzureden, sie lebe in ei-ner Welt, die es gar nicht gäbe.

Sie hatten sich so viel Mühe gegeben und ihr Brücken ge-baut, in die sorglose Spaßgesellschaft überzuwechseln, in der sie alle zu leben glaubten.

Ihr Mann verkaufte Versicherungen gegen jede Gefahr des Lebens. Als könne man sich mit Geld freikaufen! Für sie war das alles Lug und Trug.

Jetzt befanden sie sich endlich alle in ihrer Welt.

Herzlich willkommen!

Jetzt war sie nicht mehr verrückt, sondern im Nachhinein betrachtet nur klug und vorausschauend. Jede Tagesschau gab ihr recht. Plötzlich war sie nicht mehr krank, sondern die Gesellschaft.

Ihre schlimmsten Befürchtungen waren inzwischen wissenschaftlich bewiesen worden. Es war wie eine Erlösung für sie, als hätte sie die Angst für alle anderen spüren müssen, so, wie der einzig Sehende in einer Gruppe Blinder auf die Gefahren des Weges aufmerksam machen muss.

Die Panikattacken, die Angst vor der Angst, das alles war wie verflogen. Jetzt waren die anderen dran, Schiss zu haben. Ihr ging es zunehmend besser.

Sie fühlte sich innerlich stark genug, das Haus zu verlassen, Auto zu fahren, ja, eine Fähre zu betreten, ohne vorher Tabletten einzuwerfen.

Neuerdings war sie, Anke Reiter, die Starke! Die Visionärin! Nie wieder würde ihr Mann sie blöd anmachen, weil sie Vorräte angelegt, Seife, Klopapier, Nudeln und Konserven gebunkert hatte.

Sie hatte den Keller ganz allein umgebaut. Sven fand die Regale überproportioniert. »Das alles ist viel zu groß«, sagte er immer wieder kopfschüttelnd. »Das ist kein Vorratsraum, das ist ein Katastrophenschutzprogramm.«

Die Tage, an denen sie einfach so, ohne große Probleme, einkaufen gehen konnte, waren mit den Jahren immer seltener geworden. Das machte die Bevorratung schwierig. Vieles hatte sie online bestellt und Svens milden Spott ertragen. Jetzt wäre er froh gewesen, wenn sie jederzeit Zugang zu dem Keller gehabt hätten, den er mit zynischem Gesichtsausdruck »deinen eigenen Supermarkt« genannt hatte. Doch nun saßen sie hier in Norddeich fest, als Gefangene in ihrer eigenen Ferienwohnung. Nun, da sie das Gefühl hatte, endlich frei zu sein und überall hingehen zu können, fürchtete er sich rauszugehen. »Um Himmels willen«, hatte er gerufen und statt aus dem Fenster zu sehen, nur auf sein Handy gestarrt. Es war neuerdings zu einer Art Gebetbuch geworden. Zu einem Orakel, das in unsicherer Zeit die Zukunft weissagen sollte, wobei niemand sagen konnte, wie es wirklich weitergehen sollte.

Wissenschaftler, die nichts wussten, hatten die Regierung übernommen. Blasse, übermüdete Menschen, die ihre Ahnungslosigkeit zum Prinzip erhoben, äußerten Mutmaßungen wie mathematische Gleichungen.

Ironischerweise war der Himmel wolkenlos und lud zu Spaziergängen am Deich ein. Die Nordsee hatte alles Wilde, Ungestüme verloren, ja war fast zu einem Teich geworden. Dabei hatte das Jahr stürmisch begonnen. Ein Orkantief namens Sabine hatte den Kindern schulfrei beschert und den gesamten Bahnverkehr lahmgelegt. Es hieß ausgerechnet Sabine!

Auf Wangerooge war der Strand komplett weggespült worden. Svens Lieblingsinsel hatte es schwer getroffen. Er hatte sogar hundert Euro gespendet, weil die kleine Inselgemeinde nicht in der Lage war, die gewaltigen Kosten allein zu stemmen.

Sie erkannte im Sturmtief Sabine das erste Zeichen. Ihre Ängste wurden Wirklichkeit. Sie hatte sich geweigert, Zug zu fahren. Immer schon! Sie misstraute Menschenmassen und wollte sich nicht in die Abhängigkeit eines anonymen Fahrplans begeben. Im Zug, im Flugzeug oder auf einem Schiff hatte sie nichts mehr in der Hand, war abhängig von dem, was andere taten. Sie ertrug es nicht, so ausgeliefert zu sein. Da war ihr das Auto schon lieber.

Sie stellte sich ihren Wagen vor wie ein Teil ihrer Wohnung, wie ein Zimmer mit Fenstern und Türen. Dort roch es auch nach ihr. Es kamen nicht plötzlich fremde Menschen herein wie in ein Zugabteil. Nur so war es ihr überhaupt möglich gewesen, mit Sven zusammen die Ferienwohnung zu kaufen.

Ein Hotel ging für sie gar nicht. Urlaub auf Balkonien war für sie jahrelang die einzige Möglichkeit. Aber dann hatte sie es geschafft, eine Ferienwohnung in Norddeich als Teil ihres Zuhauses anzuerkennen. Dort musste die gleiche Bettwäsche sein wie in Gelsenkirchen. Selbst das Geschirr war von zu Hause. Die Gardinen ebenfalls. Von ein paar vertrauten Möbelstücken hatte Sven Doubletten organisiert. Das war nicht schwer. Das meiste hatten sie ja bei IKEA gekauft. Das Wohnzimmer in Norddeich unterschied sich kaum von dem in Gelsenkirchen, nur dass sie hier eben näher am Meer waren und manchmal Möwen auf der Fensterbank saßen.

Die Autobahnfahrt war trotzdem jedes Mal ein großes Problem für sie. Sven tankte den Wagen zu Hause voll und fuhr dann, ohne anzuhalten, bis vor die Tür der Ferienwohnung. Einmal – vor gut einem Jahr – hatte er auf einem Autobahnrastplatz gestoppt, um zum WC zu gehen. Sie hatte fast einen Schreikrampf bekommen. Es war ganz fürchterlich für sie gewesen. Das sollte nicht noch einmal vorkommen!

Sie tranken während der Fahrt nichts. Niemals. Obwohl sie natürlich zu ihrer eigenen Sicherheit immer mindestens drei Liter Wasser dabeihatte. Doch der Vorrat wurde nicht angetastet.

Sie redeten kaum. Das Radio lief, und sie brachten es einfach so schnell wie möglich hinter sich. Während der Fahrt bekam sie mehrmals Hitzewallungen und schwitzte zwei-, dreimal alles durch.

Sie wusste, dass Sven es nicht leicht mit ihr hatte, aber er ertrug alles. Er versorgte sie, wenn sie es nicht schaffte, einzukaufen, und freute sich wie ein Schneekönig, wenn sie an einem guten Tag mit ihm über den Dörper Weg bummelte und ein Eis bei *Riva* mit ihm aß. Sie konnten dort im Strandkorb sitzen. Das gab ihr Sicherheit. Strandkörbe halfen ihr, innere Ruhe zu finden.

Sie wusste, was sie an Sven hatte. Ohne ihn hätte sie gar nicht so leben können. Sie belohnte ihn dafür mit sexuellen Dienstleistungen, die bei ihm keine Wünsche offen ließen. Er glaubte, er habe eine leidenschaftliche Frau, aber manchmal kam es ihr so vor, als spiele sie alles nur. Was sie wirklich empfand, hielt sie geschickt zurück. Manchmal war es Widerwillen. Nicht selten sogar Ekel. Dann wieder kam ihr alles echt vor, toll und genau richtig. Plötzlich, aus heiterem Himmel, kamen dann die Attacken zurück. Nackte Panik sperrte sie ins Haus ein. Unmöglich, die Wohnung zu verlassen. Allein beim Gedanken daran wurde ihr schwindlig.

Mit ihren Kochkünsten hätte sie mühelos alle Kandidaten beim *Perfekten Dinner* überflügeln können. Sie sah die Sendung oft und wusste, dass sie besser war, aber sie hätte es nicht ausgehalten, ein Kamerateam in ihre Küche zu lassen und dazu noch Gäste ins Wohnzimmer. Und noch schlimmer – sie wäre niemals in eine fremde Wohnung gegangen, um dort mit fremden Leuten zu essen. Nein. Das konnte niemand von ihr verlangen.

Sven hatte immer wieder lange Radtouren nach Lütetsburg, Greetsiel oder Neßmersiel gemacht, während sie in der Wohnung saß und dicke Romane las, Socken strickte oder Kochrezepte ausprobierte.

Das mit den Radtouren war nun vorbei. Der Aufenthalt in ihrer Ferienwohnung war inzwischen illegal geworden. Sie hatten die letzte Aufforderung, alle Zweitwohnungsbesitzer und Feriengäste hätten die ostfriesischen Inseln und das Festland zu verlassen und nach Hause zu fahren, ignoriert. Nein, sie wollte nicht zurück nach Gelsenkirchen. In ihrem Haus in der Bochumer Straße gab es acht Mietparteien. Zwei standen unter Quarantäne. Sie wollte nicht in das Haus zurück. Wollte die Türklinken nicht anfassen, die Luft nicht einatmen. Nein, sie würde hierbleiben, ganz klar. Hier fühlte sie sich sicher.

Lange Zeit, viele Jahre, war die Wohnung im dritten Stock in der Bochumer Straße ihre feste Burg gewesen. Ihr letzter Schutzort. Jetzt hatte dieses Scheißvirus ihr auch das kaputt gemacht.

Von der Idee der niedersächsischen Landesregierung, die Touristen aus Ostfriesland zu verbannen, fühlte sie sich zunächst gar nicht betroffen. Aber plötzlich ging es nicht nur um Touristen, Hotel- und Pensionsgäste, sondern auch um Zweitwohnungsbesitzer.

Sie hatte ein hartes Nein dazu. Sie wollte sich von hier nicht vertreiben lassen. Irgendeinen sicheren Ort brauchte doch jeder Mensch, und sie ganz besonders.

Mit Clemens und Christina Wewes, den Hausbesitzern, von denen sie die Ferienwohnung vor zwei Jahren gekauft hatten, waren sie praktisch befreundet. Die zwei waren sofort hilfsbereit gewesen und hatten die Garage geräumt, damit Sven ihren Wagen darin parken konnte. Sonst stand der immer auf einem der zwei Parkplätze direkt vor dem Haus. Doch ein Auto mit Gelsenkirchener Kennzeichen kam in diesen Zeiten in Ostfriesland nicht gut an. Es wäre nur eine Frage der Zeit gewesen, bis die Polizei geklingelt hätte.

Der Ostfriesische Kurier mit der Überschrift *Inseln greifen durch* lag auf dem Tisch.

»Touristen und Vermieter machen sich ab Montag strafbar, wenn sie weiter in ihrem Urlaubsgebiet bleiben oder Urlauber beherbergen«, hatte sie ihrem staunenden Sven vorgelesen.

Es gab noch mehr Informationen in der Zeitung, die sie vor kurzem für völlig undenkbar gehalten hätte. Die Sparkasse hatte ihre Filialen geschlossen. Restaurants und Cafés mussten dichtmachen. Dabei stand in derselben Zeitung, in der die verschärften Maßnahmen angekündigt wurden, dass es keine Neuerkrankungen gäbe. 27 Personen im Landkreis Aurich waren positiv getestet worden. 187 weitere standen unter häuslicher Quarantäne.

Der Sohn der Wewes, Niklas, hatte sich sogar angeboten, für sie einkaufen zu gehen, weil Fremde in diesen Zeiten rasch auffielen. Einerseits dachte Anke, ja, so nett sind die Ostfriesen, bieten gleich ihre Hilfe an. Andererseits gefiel ihr das Wort *Fremde* nicht. Sie wollte keine *Fremde* sein. Nicht hier, wo sie gerade begann, sich heimisch zu fühlen. Sie hatte so sehr darum gerungen, sich diesen Ort zu eigen zu machen.

Sie hatte Kaffee aufgebrüht und aus gefrorenen Beeren mit ihrem Pürierstab ein Eis gemacht. Sven mochte Eis. Ihr selbstgemachtes besonders gern. Er schlürfte seinen Kaffee und sagte: »In Gelsenkirchen haben wir den Keller voll, und hier muss einer für uns heimlich einkaufen gehen …«

Sie hatte ihn lächelnd beruhigt: »Nur frische Sachen. Alles andere habe ich …«

Er winkte ab: »Ich weiß.«

Natürlich gab es hier nicht halb so viele Lebensmittel wie im Keller in Gelsenkirchen-Ückendorf, aber trotzdem immer noch genug. Zwölf Stücke Seife hatte er allein gestern gezählt. Nirgendwo gab es noch Desinfektionsmittel zu kaufen. Die Regale waren leer geräubert. Aber seine Frau hatte noch zwei Dutzend 500-ml-Flaschen in der Bochumer Straße und sechs hier.

Er hatte ihr etwas zu sagen, das spürte sie wie einen heraufziehenden Ehekrach. Er bewegte dann immer den Kopf so komisch, als hätte er sich den Hals verrenkt. »Ich muss«, sagte er mit Bedauern in der Stimme, »nach Gelsenkirchen zurück. Ins Büro.«

»Aber«, wandte sie ein, »du kannst doch Home-Office machen, wie alle ...«

Er schüttelte den Kopf. Er hatte weiße Haare, die ihn nicht alt aussehen ließen, sondern reif und attraktiv.

»Es gibt ein paar Dinge, die ich nur im Büro regeln kann. Als Selbständiger ...«

Sie vollendete den oft gehörten Satz für ihn: »... arbeitet man selbst und ständig.«

Er lachte, als hätte er den Spruch gerade zum ersten Mal gehört. Das hatte aus ihm einen erfolgreichen Versicherungsmakler gemacht. Er konnte zuhören, über Witze lachen, die er schon rückwärts furzen konnte, und wenn er eine dumme Frage zum tausendsten Mal beantwortete, dann tat er es so, als sei ihm selten eine intelligentere Frage gestellt worden und er müsse über die Antwort tatsächlich noch nachdenken.

Er breitete die Arme großzügig aus und machte ihr ein Angebot, von dem er wusste, dass sie es ablehnen würde: »Du kannst natürlich mitkommen ...«

»Nein«, wehrte sie ab, »nein, ganz sicher nicht.«

Ihr war mulmig zumute bei dem Gedanken, alleine hier in der Ferienwohnung zu bleiben, als unerwünschte Person in

Ostfriesland. Aber wenn jemand sich darauf verstand, sich einzuigeln und tot zu stellen, dann sie.

»Clemens und Christina sind ja da«, sagte er.

»Mach dir um mich keine Sorgen. Ich komme schon klar. Ich mache niemandem auf und rede mit niemandem. Ich treffe keine Leute und gehe nicht raus ... Ich tue im Grunde alles, was unsere Regierung gerade von uns verlangt ... «

Er gab ihr nicht ganz recht: »Ja«, sagte er vorsichtig, »außer, dass du hierbleibst, was du nicht darfst, machst du wirklich alles richtig.«

Sie widersprach: »Die Wohnung gehört uns. Wir haben sie gekauft, und wir zahlen hier Zweitwohnungssteuer. In diesem Staat ist die Freizügigkeit ein hohes Gut. Jeder darf gehen, wohin er will und sich gewaltfrei überall versammeln.«

Er lachte: »Das musst gerade du sagen!«

»Ach, ist doch wahr«, schimpfte sie. »Das ist der Weg zurück in die Kleinstaaterei. Wo kommen wir denn hin, wenn jeder Landrat das Grundgesetz außer Kraft setzen darf?«

Sie hörte sich selbst gern so reden. Sie klang dann angstfrei. Mehr noch: mutig.

»Es gibt Tote«, sagte er trocken. »Der Kampf gegen dieses Virus ist wie Krieg führen.«

Sie schüttelte sich. »Ich will nichts davon hören.«

Er trank den Kaffee aus und bat sie noch um ein weiteres Eis. Er tat es mehr, um ihr einen Gefallen zu tun. Er wusste, wie gut es ihr tat, wenn er mochte, was sie zubereitet hatte.

»Ich werde in zwei, höchstens drei Tagen zurück sein, Schatz.«

»Ich komme schon klar«, erwiderte sie, und es hörte sich für ihn ein bisschen so an, als würde sie genau das Gegenteil davon glauben. Trotzdem war er erleichtert. Er hatte befürchtet, sie könnte ein großes Drama daraus machen. Das war zum Glück nicht geschehen.

Er hatte nicht vor, ins Büro zu fahren, aber das würde sie nicht herausfinden, denn, da war er ganz sicher, sie würde diese Ferienwohnung nicht verlassen.

Dieser Märzmorgen war erfrischend kalt und wolkenlos. Ann Kathrin Klaasen und ihr Mann Frank Weller gingen auf der Deichkrone spazieren. Ann Kathrin genoss den Blick rüber zu den Inseln nach Juist und Norderney. Die Luft war so klar, dass die Inseln scheinbar näher ans Festland rückten. Es sah aus, als könne man ganz einfach dorthin schwimmen oder bei Ebbe hinlaufen. Die tödlichen Gefahren verbarg die stille Nordsee.

Weil es so menschenleer war, beschlich Weller das kindliche Gefühl, alles würde ihm gehören. So, dachte er, müssen Könige empfinden oder Gutsbesitzer, wenn sie auf ihre Ländereien blicken.

Die Windstille machte die Vogelstimmen umso erlebbarer. Die Vögel hatten sich viel zu erzählen, und es lag auch Streit in der Luft, das hörte er deutlich heraus. Weller fragte seine Frau: »Was fressen unsere an Pommes und Eiswaffeln gewöhnten Möwen eigentlich, wenn keine Touristen da sind und alle Fisch- und Bratwurstbuden geschlossen haben?« Er deutete nach Norddeich in die Stadt.

Aber Ann Kathrin sah aufs Meer und antwortete ihm nicht. Sie war in sich versunken und genoss diese merkwürdige touristenfreie Zeit. Gleichzeitig schämte sie sich aber auch deswegen. Wie konnte sie etwas genießen, das für

so viele Menschen eine Katastrophe war? Für die Feriengäste, die die Inseln verlassen mussten, für die Cafébesitzer,
für die Restaurantmitarbeiter – halt für alle, die vom Tourismus lebten. Viele standen plötzlich vor dem Nichts. Sie
ahnte, dass nun eine Zeit begann, in der Existenzängste die
Menschen fluten würden. Die Aggressivität würde steigen,
aber gleichzeitig – so hoffte sie – würden auch Edelmut und
Barmherzigkeit zunehmen. Diese fundamentale Krise, da
war sie sicher, würde das Beste und das Schlechteste in den
Menschen zutage fördern.

Weller hätte zu gern ein Gespräch begonnen. Er mochte
Anns Stimme. Sie erreichte ihn auf eine wohltuende Weise,
wie Musik, die der Seele guttat. Er zeigte auf die Windräder: »Guck mal, Ann. Wieso drehen die sich, wenn hier kein
Lüftchen weht?«

Ann Kathrin betrachtete versonnen die Ausläufer sanfter
Wellen, die vorsichtig an den Deichbefestigungen leckten, als
wollte das Meer prüfen, ob der Boden auch fest genug war.

Die Nordsee war für Ann Kathrin eine erschreckend le-
bendige Kraft und wie beim Menschen konnte die Stimmung
des Meeres rasch umschlagen. Was gerade noch nach Bade-
spaß und Erholung aussah, konnte schnell zu einer tödlichen
Bedrohung werden.

Wellers Handy spielte *Piraten Ahoi!* Er sah aufs Display
und stöhnte: »Rupert.«

Ann Kathrin ging weiter zu den Schafen. Es waren Hunderte, die jetzt den Deich bevölkerten. Ihr Grasrupfen lag
wie ein Grundgeräusch unter allem. Ein Schäfer war nicht
zu sehen, nicht mal sein Hund.

Sie stellte fest, dass es erstaunlich viele schwarze Schafe
gab. Sie waren jung und standen in einer Gruppe zusammen.

So etwas hatte sie noch nie gesehen. Um die Tiere nicht zu erschrecken, bewegte sie sich vorsichtig. Sie ging ganz langsam auf sie zu. Obwohl sie jede schnelle Bewegung vermied, wichen die Schafe ihr aus. Sie hielten immer den gleichen Abstand zu ihr. Die jungen Tiere einen größeren als die ausgewachsenen.

Ruperts Nachricht brachte Weller sofort auf Trab. Er lief mit dem laut geschalteten Handy auf Ann Kathrin zu. Die Schafe stoben in alle Richtungen auseinander.

Ann Kathrin verzog den Mund und drehte sich zu Weller um. Die Sonne gab ihren Haaren dabei einen wundersamen Glanz, als hätten ihre Haarspitzen zu glühen begonnen.

»Auf Wangerooge kontrollieren die Kollegen gerade die Ferienwohnungen«, rief Weller.

Ann Kathrin hob abwehrend die Hände. Ob alle Touristen vorschriftsmäßig abgereist waren, interessierte sie nicht. »Wir sind«, sagte sie leicht verärgert über die Störung, »die Mordkommission, nicht das Ordnungsamt und auch nicht der Tourismusservice.«

Weller blieb stehen. Er atmete schwer. War er kurzatmig geworden? Ein schlechtes Zeichen in dieser Zeit. Er japste: »Ja, aber in einer nicht geräumten Ferienwohnung haben sie einen Toten gefunden.«

Ann Kathrin wurde hellhörig und guckte, als müsse sie sich für ihr Verhalten entschuldigen. Weller sah das nicht so. Sie hatte völlig recht. Sie waren nicht für jeden Mist zuständig.

Ann Kathrin war immer noch nicht vollständig von der Zuständigkeit überzeugt. »Ist er am Virus gestorben?«

»Keine Ahnung, ob er infiziert war, aber Rupert sagt, ihm wurde der Schwanz abgeschnitten.«

Ann Kathrin hielt Weller die ausgestreckte Hand hin. Er gab ihr das Handy, froh, es loszuwerden. Er guckte in seine Handflächen, als müsse er sich jetzt dringend die Hände waschen.

Wie für Ann Kathrin typisch, hielt sie sich nicht mit langen Vorreden auf. Sie wies Rupert sofort zurecht: »Ich bevorzuge den Ausdruck *entmannt.*«

»Ja, sag ich doch. Sie hat ihm den Schwanz abgeschnitten.«

»Sie? Du gehst von einer Frau aus?«

»Klar, Prinzessin. Kein Mann würde so etwas machen. Also, wenn du mich fragst, sie haben Stress bekommen. Sie ist durchgedreht, hat ihm sein bestes Stück abgesäbelt und ist dann mit den letzten Touristen von der Insel ... Die hatten die Wohnung noch bis nach Ostern gemietet. Das wäre also normalerweise noch gar nicht aufgefallen, wenn nicht ...«

Ann unterbrach ihn: »Bitte nenn mich nicht Prinzessin.«

»Ja, ist ja gut, Prinzessin.«

»Was machst du überhaupt auf Wangerooge, Rupert?«

Vor Weller wichen die Schafe nicht aus. Jetzt, da er ruhig stand, näherten sie sich ihm. Zwei kuschelten sich geradezu an ihn. Ihm gefiel das. Er bückte sich. Weller kniete zwischen einem weißen und einem schwarzen Schaf. Sie rieben ihre Köpfe an seinem. Was für ein Bild, dachte Ann Kathrin und zwinkerte ihm zu. Weller kraulte die Schafe.

»Ich hatte hier sowieso zu tun«, rechtfertigte Rupert sich, »und dann habe ich die Kollegen bei der Überwachung der Abreisen unterstützt. Einige Touristen sind ganz schön sauer gewesen ...«

So wie Rupert: *Ich hatte hier sowieso zu tun* sagte, ahnte Ann Kathrin, dass es um eine Affäre ging. Er hatte immer irgendwo eine Liebschaft laufen.

»Wo«, fragte Ann Kathrin, »befindet sich der abgeschnittene Penis jetzt?«

»Ja, das weiß ich doch nicht. Jedenfalls nicht mehr da, wo er hingehört.«

»Guck in seinem Mund nach«, forderte Ann Kathrin.

Rupert empörte sich: »Ich soll was? Ich bin doch kein Gerichtsmediziner!«

»Hat er Blut im Gesicht?«, fragte Ann Kathrin.

»Ja. Alles voll. Besonders Kinn und Lippen. Ich dachte, sie hat ihm vielleicht eine reingehauen ...«

»Guck nach«, wiederholte Ann Kathrin knapp.

Weller streichelte die Schafe und sprach mit ihnen: »Das Schaf, weil's brav, gilt drum als dumm ...«, reimte er.

Ann Kathrin hörte Rupert herumwuseln und laut atmen. Dann fluchte er: »Scheiße! So eine Scheiße!«

Er hätte es jetzt gar nicht mehr melden müssen, sie wusste auch so, was er gefunden hatte. Es dauerte eine Weile, bis er sich beruhigt hatte. Es war nicht leicht für ihn, zuzugeben, dass sie recht gehabt hatte. Sie ersparte ihm auch das.

»Es muss nicht die eifersüchtige Ehefrau gewesen sein«, folgerte sie.

Weller, der alles mitgehört hatte, erhob sich und kam zu ihr. Ann sagte: »Es ist eine alte Methode des organisierten Verbrechens, jemanden zu bestrafen, der ...«

»Die Frau vom Boss gevögelt hat?«, riet Rupert.

»Nein. Den zu richten, der zu viel redet«, ergänzte Ann Kathrin.

»Du meinst«, fragte Rupert, »es könnte ein Informant von uns sein?«

»Zum Beispiel«, bestätigte Ann. Sie zupfte mit rechts Schafwolle von Wellers Pullover und hielt mit links sein

Handy nah vor sein Gesicht, weil sie sah, dass Weller etwas sagen wollte.

»Wo ist die Frau?«, fragte Weller.

Ann Kathrin reichte ihrem Mann das Handy. Schafwolle hing auch in seinen Haaren. Sie zupfte die Flusen heraus.

Rupert hatte Weller verstanden. »Sie kann nicht weit sein. In ihrer Wohnung, nehme ich mal an. Corona macht uns doch jetzt jede Personenfahndung leicht. Einfacher war es nie. Wo sollen die Leute denn hin, wenn alles geschlossen ist? Sie wird zu Hause sein. Wo sonst? Sie wohnt in Oldenburg in der Maastrichter Straße. Das ist nicht weit vom alten Stadion Donnerschwee, wo jetzt die EWE-Arena ist.«

Weller sah Ann Kathrin an. Eigentlich hatten sie nach dem Deichspaziergang in Norden im Café ten Cate gemeinsam mit Monika und Jörg Tapper frühstücken wollen, aber alle Cafés waren geschlossen worden und durften nur Außer-Haus-Verkauf anbieten. Weller wollte wenigstens Brötchen und ein paar Stückchen Kuchen holen, aber in Ann Kathrins Blick sah Weller, dass auch daraus nichts werden würde.

Niklas Wewes, genannt Niki, war sechzehn Jahre alt und schwankte zwischen völliger Selbstüberschätzung und dem Gefühl, ein Nichts zu sein. Schutzlos ausgeliefert den Kräften einer Gesellschaft, die ihre Willkür als Regelwerk verkaufte. Er fühlte sich auf eine verwirrende Art zu Anke Reiter hingezogen. Ihr selbstgemachtes Eis war ihm im Grunde viel zu sauer. Seine Wangen zogen sich beim Essen zusammen und er hatte Mühe, die Lippen nicht angewidert zu verziehen. Er aß es ihr zuliebe. Nie hätte er gewagt, ihr zu sagen, dass er lieber Stracciatella- oder Sanddorneis von *Riva* mochte. Er tat, als würde sie das beste Eis der Welt machen. Für ihr Ego war das Balsam, und sie gab ihm immer eine Extraportion, die er brav aufaß.

Wenn er zu Besuch kam, lief meist der Fernseher. Sie hatte die Angewohnheit, das Gerät einzuschalten, sobald jemand klopfte oder klingelte. Jetzt flimmerte ein Bericht über die abgesagte Leipziger Buchmesse über den Bildschirm.

Anke Reiter hätte es vehement geleugnet, aber sie machte sich durchaus schick, wenn Niklas kam. Nicht in dem Sinne, wie sie sich für einen Abend im Theater oder im Restaurant aufgebrezelt hätte, dazu fühlte sie sich ohnehin nur sehr selten in der Lage. Und erst recht nicht so, wie für eine Liebesnacht mit ihrem Mann Sven, aber sie warf immerhin einen kurzen Blick in den Spiegel, ordnete ihre Frisur und überprüfte den Lippenstift.

In der Ferienwohnung lief sie gern in einem schwarzen Seidenunterkleid herum, das Sven ihr zum Hochzeitstag geschenkt hatte. Nie hätte sie Niki so geöffnet. Sie redete sich ein, er sei ein Kind für sie, aber doch durchaus auch ein Verehrer. Harmlos zwar, aber ein Verehrer. In seinen Träumen spielte sie gern eine Rolle. Realität würde nie daraus werden.

Jetzt saß er wieder bei ihr und löffelte sein Fruchteis. Er wirkte schüchtern, ja linkisch, wusste nicht, wo er hinschauen sollte. Einem Blickkontakt mit Anke hielt er nicht stand, ohne zu erröten. Seine Wangen brannten dann, als hätte sie ihm ihren heißen Tee ins Gesicht geschüttet. Auf ihre Knie wollte er auch nicht gucken. Er rührte im Eis herum.

Anke cremte sich die Hände ein. Sie machte das ein Dutzend Mal am Tag, aber sie waren trotzdem rau und rissig.

Sie, die von so vielen sozialen Ängsten geplagt wurde, hatte das wohltuende Gefühl, diese Situation voll im Griff zu haben.

Er hatte Ränder unter den Augen.

»Geht's dir nicht gut, Niki? Bist du krank?«, fragte sie.

Er ließ den Löffel im Beereneis stecken, fuhr sich mit der rechten Hand erst durchs Gesicht, dann durch die Haare.

»Haben Sie etwas gehört, Frau Reiter?«

Er verfiel immer wieder ins *Sie* und nannte sie respektvoll *Frau Reiter*, obwohl sie ihm das *Du* mehrfach angeboten hatte. Manchmal gelang es ihm auch, sie *Anke* zu nennen, meist aber erst beim Abschied.

Sie schüttelte den Kopf und winkte ab. Aber er hatte diese Räume gut ein Jahr lang nach dem Tod seiner Oma bewohnt, bis seine Eltern dann das Apartment als Ferienwohnung verkauft hatten.

Natürlich war ein 80 Quadratmeter großes Jugendzimmer übertrieben, und seine Eltern brauchten das Geld. Nach dem Tod der Oma, der das Haus eigentlich gehörte, war er hier oben eingezogen, denn so, wie die Wohnung damals aussah, war sie als Ferienwohnung ungeeignet gewesen. Der Vater scheute einen Umbau und der Mutter graute es davor, im Hochsommer ständig hinter Gästen her zu wischen.

»Die anderen machen Urlaub, und ich soll arbeiten«, hatte sie sich beschwert.

Niklas wusste, wie hellhörig das Badezimmer war.

»Mein Vater«, sagte er, »ist magenkrank. Er übergibt sich öfter. Ich hoffe, es hat Sie nicht zu sehr gestört.«

Sie sah ihn mit einer Mischung aus Mitleid und Verständnis an und wehrte ab: »Nein, nein, keineswegs.« Aber er sah an ihrem Gesicht, dass sie es natürlich gehört hatte.

Die Worte seines Vaters klangen noch in ihm nach: *Ich verrecke, ich geh kaputt ...*

Anke fragte nicht nach der Krankheit des Vaters. Wusste sie etwas?

Niklas wurde wieder schlagartig bewusst, dass er keinem Menschen trauen durfte. Auch ihr nicht. Er würde lieber sterben, als ihr die Wahrheit zu sagen. Er hatte es seiner Mutter versprochen.

Einen Tag vor seiner Einschulung hatte er seine Mutter getröstet. Er hatte ihre Tränen mit einem nicht mehr ganz sauberen Papiertaschentuch aus seiner Hose abgetrocknet. Es klebte noch ein Kaugummirest daran. Das hatte sie zum Lachen gebracht. Oder, genauer gesagt, zu einem flüchtigen Lächeln.

Er hatte die rechte Hand gehoben und ihr sein *großes Ehrenwort* gegeben, niemals zu verraten, was sie ihm anvertraut hatte. Er hatte an dem Tag eigentlich aufgehört, ihr Sohn zu sein und war zu ihrem Verbündeten geworden. Zu ihrem Komplizen.

Am liebsten wäre Niklas jetzt wieder runter zu seiner Mutter gegangen, aber heute war Montag. Immer montags zwischen zehn und elf kam Uwe Spix. Normalerweise war Niklas dann in der Schule und Vater Clemens hatte als Koch in der Hotelküche seine Vorbereitungen für den Mittagstisch zu treffen.

Niklas wusste immer genau, wann Spix kam. Seine Mutter lüftete vorher jedes Mal das Schlafzimmer und bezog die Betten frisch. Sie verbrachte mehr Zeit im Bad und trug, anders als sonst, einen Rock. Spix behauptete immer, Frauenbeine gehörten nicht in Hosen.

Diesmal hatte Niklas eine Falle für Spix vorbereitet. Aber

plötzlich bekam er Angst. Nein, es tat ihm nicht leid. Er bekam einfach nur Angst. Er wäre am liebsten runtergelaufen, um alles zu verändern, zu verstecken, ja ungeschehen zu machen. Aber das ging jetzt nicht mehr.

Was, dachte er, wenn alles auffliegt? Was dann?

Seine Mutter nannte den Drecksack nur *Sphinx*. Vielleicht, weil sie ihn fürchtete und er zwar ein menschliches Gesicht hatte, aber ein Herz aus Stein. Um ihn zu besänftigen, trug sie Röcke. Aber es war für Niklas, als würde man Holz ins Feuer werfen, um es zu löschen.

Frank Weller und Ann Kathrin Klaasen atmeten in Oldenburg vor der Haustür noch einmal tief durch. Neben dem Briefkasten hing ein Insektenhotel, das regen Besuch hatte. Es war immer schwer, eine Todesnachricht zu überbringen. Frank Weller wollte es seiner Frau nur zu gern abnehmen, vermutlich, weil er selbst besonders große Schwierigkeiten damit hatte. Er übte es leise, während eine Wespe um ihn herumschwirrte und immer wieder versuchte, in sein linkes Ohr zu krabbeln.

»Liebe Frau Müller, mein Name ist Frank Weller ... Das ist Kommissarin Klaasen. Wir sind von der Mordkommission und haben Ihnen eine traurige Mitteilung zu machen ... «

Er räusperte sich und sah auf seine Schuhspitzen. Ann Kathrin vertrieb die Wespe an seinem Ohr und berührte dann seinen rechten Arm. »Lass mich das machen, Frank.«

Er war erleichtert, wehrte aber ab: »Nicht nötig. Ich krieg das hin. Man gewöhnt sich nur einfach nie daran ... Es ist echt der mieseste Teil des Jobs.«

Die Wespe versuchte es jetzt am anderen Ohr. Weller hinderte Ann Kathrin daran, die Wespe zu vertreiben: »Nicht, du machst sie nur ganz wild.«

Eine Kreissäge übertönte Wellers Stimme. Am Bahndamm bereinigte die Deutsche Bahn die Strecke. Etwas daran regte Weller auf. Er vermutete, dass dort schon längst kein Zug mehr fuhr: »Hier hatten die klugen Städteplaner die Beverbäke verrohrt, damit ja kein Leben mehr im Bach existieren kann. Außer Ratten natürlich. Die finden so was toll. Jetzt versucht man, das alles mühsam zu renaturieren und nun sägen die auch noch die Bäume und Sträucher ab. Beton heißt die neue Religion.«

Amüsiert betrachtete Ann Kathrin ihren Mann. Er brauchte etwas, worüber er sich aufregen konnte. Er musste sich Luft verschaffen. Der Tod an sich fasste Weller an, und die Art, wie dieser Herr Müller gefunden worden war, ging ihm nahe. Er kam da wohl an eigene Kastrationsängste, vermutete sie.

Frau Amelie Müller öffnete im durchgeschwitzten Sportdress. Um ihren Hals baumelte ein Kopfhörer. Irgendwo im Haus mussten Fitnessgeräte stehen, folgerte Ann Kathrin.

Sie sprach lauter, als sie vorgehabt hatte. Sie hoffte, nicht zu sachlich-kalt rüberzukommen: »Frau Müller?«

Die Frau bewegte sich, als stünde sie noch auf dem Stepper und antwortete unwirsch: »Ja, so heiße ich. Steht ja auf der Klingel.«

Ann Kathrin hatte viele solcher Momente erlebt, aber dieser hier war anders. Manchmal musste sie gar nichts sagen, sich nicht einmal vorstellen und jemand rief gleich den Namen des Opfers aus oder: »Was ist mit meinem Mann?!« Zweimal war jemand kollabiert, noch bevor sie die Todesbotschaft überbracht hatte. Frau Müller dagegen sah aus, als hätte sie vor, die Tür einfach wieder zuzuknallen.

»Ann Kathrin Klaasen. Mordkommission Aurich. Ich muss Ihnen leider mitteilen, dass wir die Leiche Ihres Mannes auf Wangerooge gefunden haben.«

Frau Müller machte einen Schritt auf Ann Kathrin zu und brüllte nach draußen: »Daniel?! Bist du tot auf Wangerooge?«

Menschen reagierten auf solche Nachrichten oft mit Übersprungshandlungen. Ein Vater aus Wittmund hatte einmal, nachdem sie ihm mitgeteilt hatte, sein Sohn sei getötet worden, damit begonnen, im Aquarium Zierfische zu fangen, und behauptet, sein Sohn sei oben in der Badewanne.

Weller wischte sich die feuchten Hände an der Hose ab. Die Wespe ließ ihn jetzt in Ruhe. Ann Kathrin war darauf gefasst, dass die Frau gleich ohnmächtig werden würde. Der Vater aus Wittmund war über dem Aquarium zusammengebrochen und wäre ohne Hilfe vermutlich ertrunken.

Ein Mann in gelben Stiefeln, an denen feuchte Erde klebte, lugte um die Hausecke. Er winkte mit einer Gartenschere. Er hatte wilde, abstehende Haare und sah ein bisschen nach verwirrtem Professor aus.

»Was ist denn jetzt schon wieder? Wenn die Forsythien blühen, müssen die Rosen geschnitten werden!«

»Ist das Ihr Mann?«, fragte Weller und ahnte Schlimmes.

Frau Müller antwortete kurzatmig: »Wenn Sie das Gegenteil beweisen können, sind Sie ein gemachter Mann, Junge!«

Weller zückte sein Handy und rief Rupert an.

Ann Kathrin versuchte noch, Licht ins Dunkel zu bringen. Hinter sich hörte sie Weller mit Rupert schimpfen: »Was bist du eigentlich für ein Idiot?!«

Ann Kathrin fragte Frau Müller: »Sie haben aber eine Ferienwohnung auf Wangerooge, oder ist das auch eine Ente?«

Herr Müller, der aus der Entfernung nur die Hälfte verstanden hatte und wieder zu seinen Rosen zurückwollte, rief, bevor er hinter dem Haus verschwand: »Sag der Torte, wir verkaufen die Wohnung auf Wooge nicht! Wir sind doch nicht bescheuert! Eine Ferienwohnung mit Meerblick gibt es nirgendwo mehr.«

Amelie Müller nickte und grinste Ann Kathrin an: »Da hören Sie es.«

»Wer«, fragte Ann Kathrin, »wohnt im Moment in Ihrer Ferienwohnung?«

»Keine Ahnung«, blaffte Amelie Müller zurück. »Sehe ich aus, als ob ich mich um jeden Scheiß kümmern würde? Ich putze da nicht hinter den Gästen her.«

Ann Kathrin atmete durch und stellte ihre Füße schulterbreit: »Wer übernimmt die Vermietung für Sie?«

»Upstalsboom natürlich. Die machen das toll.«

»Und wer wohnt im Moment in Ihrer Ferienwohnung?«, wiederholte Ann Kathrin.

Frau Müller zuckte verächtlich lachend mit den Schultern: »Na, das weiß ich doch nicht. Die buchen im Internet. Vermutlich ist jetzt aber niemand da. Sie haben das ja verboten!«

»Ich?«

»Ja, Sie sind doch von der Polizei, oder nicht?«

Ann Kathrin blickte sich zu Weller um.

»Nein«, schnauzte Weller ins Handy, »eben nicht! Der schneidet gerade seine Rosen!«

»Wissen Sie, was das für uns heißt?«, fauchte Frau Müller. »Die Leute müssen von der Insel runter, wegen Scheiß-

Corona. Ich bin mir nicht mal sicher, ob es dieses Virus überhaupt gibt. Wer ersetzt uns jetzt den Schaden? Unsere Ferienwohnung ist eine Kapitalanlage. Unsere Alterssicherung! Erst macht dieser Staat die Renten kaputt, und jetzt nehmt ihr uns noch die letzte Einnahmequelle? Aber wir verkaufen trotzdem nicht! Uns kriegt ihr nicht klein! Das hat mein Mann ja wohl gerade klargemacht!« Sie stemmte ihre Fäuste in die Hüften. »So. Ist sonst noch etwas?«

Ann Kathrin zögerte einen Moment und überlegte, ob es besser wäre zu gehen. Aber dann haute sie die Information raus: »Wir haben eine Leiche in Ihrer Ferienwohnung gefunden. Wenn unsere Informationen richtig sind«, schränkte sie vorsichtshalber ein.

»Laber nicht rum!«, schnauzte Weller im Hintergrund. »Wir sind bei den Besitzern der Wohnung. Wie heißt der Feriengast, verdammt nochmal? Du benimmst dich wie der letzte Anfänger, weißt du das ... Nein, der Mann ist nicht tot! Kapier das doch endlich!«

Weller drückte das Gespräch weg und stöhnte: »Was für ein Vollpfosten!«

Frau Müller wiederholte ihre Frage und begann, die Tür zu schließen: »Ja? Ist sonst noch etwas?«

Ann Kathrin sagte es wie eine Ermahnung: »In Ihrer Ferienwohnung liegt ein Toter!«

Die Frau hob beide Arme und schüttelte die Finger: »Ich war's nicht, Frau Kommissarin.«

»Von Mord habe ich nichts gesagt, Frau Müller.«

»Nein, aber dass Sie von der Mordkommission sind«, konterte Amelie Müller hart.

»Wissen Sie, wie die Gäste in Ihrer Ferienwohnung heißen?«

»Nein, hab ich doch schon gesagt! Das macht Upstalsboom für uns. Bin ich denn hier im Wiederholungsverein? Muss man alles zweimal sagen? Ist das eine neue Methode von euch, oder sind Sie nur begriffsstutzig? Man kann die Wohnung online buchen! Ich muss selbst im Internet nachgucken, ob sie für mich frei ist, wenn ich hinwill. Bisher lief das alles sehr gut. Aber jetzt werden die Touristen – von denen wir alle leben – von den Inseln gejagt.« Verbittert fügte sie hinzu: »Es interessiert doch keine Sau da oben, ob uns das wirtschaftlich ruiniert oder nicht.«

Sie schlug die Tür wütend zu. Ann Kathrin wollte sich nicht abwimmeln lassen und noch einmal klopfen, doch Weller berührte sie sanft an der Schulter und sagte: »Lass gut sein, Ann. Bringt doch nichts. Ist einfach die falsche Adresse hier.«

»Und jetzt?«, fragte sie und sah ihn ratlos an.

Sie teilten die Vorliebe für gute Cafés miteinander. Weller breitete die Arme aus und schlug vor: »Jetzt fahren wir ins Café Klinge und genießen dort in Ruhe ein Stückchen Torte.«

So, wie Ann Kathrin guckte, rechnete Weller mit dem Einwand irgendeiner Diätvorschrift. Stattdessen sagte sie: »Die Cafés sind geschlossen, Frank. Buchhandlungen auch. Corona. Schon vergessen?«

»Für Leute wie uns wird es schwierig, Orte zu finden, an denen man sich gerne aufhält«, bedauerte er. Doch das ließ sie nicht gelten: »Der Deich, Frank. Das Meer! Unsere Terrasse ... «

Christina Wewes versuchte, Spix loszuwerden. »Bitte, Uwe, sei doch vernünftig. Niki ist oben und Clemens kann jeden Moment zurückkommen.«

»Hat dein Mann es nicht mehr nötig zu arbeiten?« Sein Tonfall war gereizt, latent aggressiv.

Um Verständnis heischend flüsterte sie: »Wer braucht einen Koch, wenn die Restaurants nicht öffnen dürfen? Und die Schulen sind auch zu. Corona ändert alles.«

»Aber nicht unsere Abmachung.«

»Nicht so laut! Du weißt doch, wie hellhörig hier alles ist …«

Spix lehnte sich gegen das Sideboard und stützte sich mit dem rechten Arm ab, als stünde er hier an der Theke. »Ach, habt ihr etwa noch Gäste? Du weißt schon, dass das illegal ist, oder?«

Christina sagte nichts dazu. Sie spürte seine Ansprüche wachsen. Er hatte gern Macht über Menschen. Zu einer Beziehung auf Augenhöhe war er gar nicht fähig. Er wurde erst frei, wenn er etwas gegen sein Gegenüber in der Hand hatte. Die meisten Menschen seiner Umgebung kannten ihn als eher zurückhaltend, ja schüchtern. Er war fünfzig und zum zweiten Mal geschieden.

Für einige alleinstehende Frauen in Norden und Norddeich war er eine hochattraktive Partie. Je mehr er sie auf Abstand hielt, umso intensiver rangen sie um seine Gunst. Die Damen in seiner Altersklasse wussten, was sie wollten und genierten sich nicht, es zu zeigen oder klar auszusprechen. An seinem Geburtstag wurde er mit selbstgemachten Ostfriesentorten überhäuft. Aber er hatte Probleme, sich auf eine neue Beziehung einzulassen. In seinen beiden Ehen hatte er sich am Ende beherrscht gefühlt, als sei er der Knecht seiner Frau geworden. Das wollte er nicht noch einmal erleben. Im Grunde hatte er Angst vor Frauen, vielleicht versuchte er deshalb, sie zu beherrschen.

Christina Wewes hatte ihn insoweit längst durchschaut. Doch das Wissen nutzte ihr wenig. Er gab ihr gegenüber sogar damit an, dass er in den Sommermonaten, wenn an der Küste Saisonarbeiter benötigt wurden, aber Kellnerinnen und Kellner keine preiswerten Wohnmöglichkeiten fanden, seine zwei Gästezimmer gegen sexuelles Entgegenkommen vermietete. Er war nicht der Typ, der Frauen heimlich an den Hintern grapschte. Er stellte von vornherein klare Bedingungen: tausend Euro pro Monat kalt oder dreihundert Euro pro Monat warm. Aber dann mit einmal Sex pro Woche.

Im letzten Sommer hatte er eine Lehramtsstudentin aus Bochum bei sich und eine polnische Servicekraft aus Lublin. Beide hatten sich auf sein Angebot eingelassen.

Die Polin, die besser Deutsch sprach als so mancher Ostfriese, hatte zwar als Zeichen ihres katholischen Glaubens ein goldenes Kreuz um den Hals hängen, fragte aber bei ihrer Abreise, ob man das Arrangement in der nächsten Saison gleich wieder verabreden könne. Vor zwei Wochen war sie erneut angereist.

Die Studentin aus Bochum hatte ihm beim Abschied ins Ohr geflüstert: »Möge dich der Blitz beim Scheißen treffen, du Mistsau!«

Spix hatte beide Frauen einmal zum Kaffee zu Clemens und Christina mitgebracht. Er fand es toll, mit drei Frauen Pflaumenkuchen zu essen, die alle mit ihm schliefen, aber keine von ihnen wirklich aus freien Stücken. Jede wusste es von der anderen. Auch das gefiel ihm.

Christinas Mann hatte keine Ahnung. Er servierte zum Kaffee stolz seinen selbstgemachten Aufgesetzten mit roten und schwarzen Johannisbeeren aus dem eigenen Garten.

Clemens hielt Uwe für seinen Freund. Aber Clemens glaubte auch, Alkohol sei sein Freund. Er hatte schon vor langer Zeit das Gefühl dafür verloren, was für ihn gut und richtig war.

Spix drehte das Konfirmationsfoto auf dem Sideboard um. Er fand, Clemens und Niklas sollten nicht zugucken. Er klopfte auf das Holz. »Komm«, sagte er, »zieh dich aus. Lass uns ein bisschen Spaß haben.«

»Bist du verrückt? Die Tür kann jeden Moment aufgehen.«

»Wenn es hier nicht mehr geht, dann kommst du ab jetzt zu mir. Ist eh bequemer für mich.«

Sie drehte sich weg und verschränkte die Arme vor der Brust. Sie wusste, warum sie nicht zu ihm gehen wollte. Er hatte ihr von den versteckten Kameras erzählt, mit denen er *seine Mädchen,* wie er die Frauen gern besitzergreifend nannte, fotografiert und gefilmt hatte. Hier in ihrem eigenen Haus hatte sie so etwas wenigstens im Griff. Aber bei ihm wäre sie seinen versteckten Kameras ausgesetzt. In seinen eigenen vier Wänden, fürchtete sie, würde er sich noch ungehemmter aufführen als hier bei ihr. Dort würde er bestimmt noch mehr zum Herrscher, ja zum Besitzer werden.

Als ihr bewusst wurde, in welcher Zwickmühle sie sich befand, seufzte sie unwillkürlich.

»Was ist jetzt, Baby?«, drängelte er. »Bleiben wir bei dir, oder gehen wir zu mir?«

Rupert stand auf dem Balkon in der Ferienwohnung und sah auf die Nordsee. Hinter ihm wurde die Leiche abtransportiert. Bevor der Tatort gereinigt werden konnte, mussten die Kriminaltechniker ihre Pflicht tun. In ihren weißen Schutzanzügen konnte Rupert Männlein und Weiblein nicht unterscheiden. Sie trugen zusätzlich Mund-und-Nasenschutz. Noch ahnte er nicht, dass bald alle für lange Zeit so herumlaufen würden.

In den Talkshows regten sich die einen Politiker darüber auf, dass es nicht genügend Schutzmasken zu kaufen gab, andere bestritten, dass man diese überhaupt brauchte und bezeichneten sie sogar als Virenschleudern.

Rupert hatte bei der ganzen Sache kein gutes Gefühl. So ein Virus war einfach ein Scheißgegner. Man konnte ihn nicht mit einer rechten Geraden ausknocken und auch nicht mit der Heckler & Koch, die in Niedersachsen leider immer noch Dienstwaffe war, in Schach halten.

Inzwischen kannte Rupert den Namen des Toten. Er hieß Heiko Janßen und war aus Emden. Jansen, mal mit einem s, mal mit zwei s oder mit ß, war in Ostfriesland ein gebräuchlicher Nachname. Die Kriminaltechniker hinter Rupert unterhielten sich. Den Stimmen nach eine Frau und ein Mann. Rupert erkannte die zwei durch ihr merkwürdiges Geflachse miteinander. Sie wurden in Polizeikreisen auch *das Pärchen* genannt.

Sie redeten ohne Unterbrechung bei ihrer Arbeit, als würde bei Stille eine Katastrophe drohen. Sie führten regelrechte Zwei-Personen-Stücke auf, kleine Sketche, oder spielten Witze nach. Oft sprachen sie den Text spontan, veränderten ihn immer wieder, wiederholten sich aber auch ständig. Es war ihre Art, mit der Situation umzugehen.

»Wer waren die ersten Menschen?«

»Die Neandertaler.«

»Quatsch! Das waren doch Neandertaler, keine Menschen. Die ersten Menschen kamen aus Afrika. So gesehen waren wir früher alle Schwarze.«

»Aber die ersten zwei Menschen waren Ostfriesen.«

»Ostfriesen? Du spinnst doch! Laut Bibel waren das ja wohl Adam und Eva.«

»Ja, schon klar. Aber Eva war eine geborene Janßen. Wusstest du das nicht?«

Die zwei lachten erst gar nicht über ihre eigenen Scherze, sie machten sie nur – und fertig. Es war eine Überlebensstrategie und schien Rupert gar nicht so verkehrt zu sein. Er mischte sich nicht ein. Er hörte ihnen genauso gelassen zu wie dem Rauschen der Nordsee. Der einzige Rausch, der einen gleich beim ersten Mal süchtig macht, aber trotzdem nicht gesundheitsschädlich ist, ist das Meeresrauschen, dachte er.

Rupert wohnte mit seiner Geliebten im *Hotel Hanken*. Sie wartete auf ihn. Als Kripobeamter durfte er auf der Insel bleiben, obwohl selbst einige sonst so begehrte Handwerker nach Hause aufs Festland geschickt wurden. Aber jemanden von der Mordkommission konnte man schlecht verjagen. Er hatte trotzdem keine Lust mehr zu bleiben. Obwohl er den langen Sandstrand jetzt, da alle Touristen die Insel verlassen hatten, praktisch für sich und seine Freundin allein gehabt hätte, wollte er nach Hause.

Es war ein Jammer … Gerade erst hatte man begonnen, mit großen Kipplastern Sand aus dem Osten der Insel zu holen, um damit den Hauptbadestrand auszubessern. Fast neunzigtausend Kubikmeter Sand hatte die letzte Sturmflut weg-

35

gerissen. Verstörende Fotos der Dünenabbrüche geisterten durchs Netz. Touristen und Inselliebhaber spendeten der so schwer gebeutelten Inselgemeinde Geld. Wie riesige Gräber lagen die Sandhaufen jetzt am Strand und warteten darauf, verteilt zu werden. Der Hauptstrand sollte von Planierraupen vollständig wieder hergerichtet werden. Für den Surfstrand fehlte das Geld. Hier blieb alles abgeflacht. Die nächste Sturmflut würde eine großartige Angriffsfläche finden.

An einigen Stellen hatte das Meer die Dünen unterspült. Eigentlich, dachte Rupert, sind das keine Landschaftsverschönerungen, sondern das ist nötiger Küstenschutz. Die Inseln sind der erste natürliche Schutz für das Festland. Erst verlieren wir auf den Inseln die Dünen, dann brechen die Inseln entzwei und ruck, zuck wird das Festland überflutet. Steigt der Meeresspiegel weiter, ist Münster bald eine Hafenstadt an der Nordsee.

»Heiko Janßen. Heiko Janßen. Heiko Janßen.« Er sprach den Namen mehrmals aus. Woher kenne ich den, fragte er sich. Heiko Janßen aus Emden … Klar, er kannte wenigstens zwanzig Jansen mit einfachem ›s‹, gut ein Dutzend mit zwei ›s‹ und ein paar mit ›ß‹, aber Heiko Janßen … Wieso kam ihm der Name so bekannt vor?

Seine Geliebte rief an. Das Hotel werde geschlossen, und man habe sie gefragt, wann sie gedenke, endlich abzureisen. Ja, betonte sie, man habe *endlich* gesagt und durchaus Druck gemacht.

Verflucht, dachte Rupert, was jetzt? Fahre ich mit ihr zurück oder muss ich noch dienstlich bleiben? Die einfache Frage, die sich ihm stellte, lautete: Befindet sich die Mörderin noch auf der Insel?

Rupert sinnierte. Alle reden immer davon, dass für eine

Frau die Wahrscheinlichkeit, von ihrem eigenen Ehemann umgebracht zu werden, wesentlich höher ist als die, einem Unbekannten zum Opfer zu fallen. Aber wie sieht es für Männer aus? Droht ihnen nicht von ihrer eigenen Ehefrau oder Schwiegermutter die größte Gefahr?

Seine Ehefrau Beate war ein zutiefst friedliebender Mensch, aber ihre Mutter guckte ihn oft so an, als würde sie ihn am liebsten erst vergiften und dann verbrennen.

Die Geschichte mit dem abgeschnittenen Penis ging ganz klar auf eine eifersüchtige Frau zurück. Rupert war bereit, ein Monatsgehalt darauf zu wetten, dass es die Ehefrau war. Nach Angabe der *Inselflieger*, die Rupert zum Glück gut kannte, hatte Frau Janßen die Insel am Samstag um elf Uhr mit 14,5 Kilo Übergepäck in einer ausgebuchten Islander-Maschine verlassen. Fünf Minuten später hatte sie ihren fünf Jahre alten weißen VW Tiguan vom Parkplatz in Harlesiel geholt.

Entweder lag Heiko Janßen seitdem tot im Bett, oder sie war heimlich mit der Fähre zurückgekommen und hatte ihn dann umgebracht. Darüber würde erst der genaue Todeszeitpunkt Auskunft geben. Vielleicht hatte sie auch ein heißes Liebesverhältnis mit einem Segelbootbesitzer oder einem Sportflieger. Es gab viele Möglichkeiten für eine clevere Frau, unerkannt auf die Insel zu kommen und auch wieder von ihr zu verschwinden, davon war Rupert zutiefst überzeugt.

Eigentlich war diese Ferienwohnung bis Ende nächster Woche gemietet worden. Wäre nicht Corona mit den neuen Regeln dazwischengekommen, dachte er, hättest du alle Konten räumen und in Lateinamerika ein neues Leben beginnen können, bevor die Leiche deines Mannes entdeckt worden wäre. Falsche Papiere sind vielerorts in Flughafennähe billig zu haben.

Aber Pustekuchen. Der Flugverkehr war praktisch eingestellt und über den großen Teich kam erst recht niemand mehr. Corona hatte ihren Plan also durchkreuzt. Vermutlich saß sie zu Hause in Emden und machte jetzt einen auf unwissend und unschuldig. Und später dann würde sie die trauernde Witwe spielen.

Rupert hatte vor, ihr einen Strich durch die Rechnung zu machen.

Er beobachtete durchs Fernglas einen Kipplastwagenfahrer, der seinen Sand am Strand ablud. Bis vor kurzem wäre Rupert dieser Beruf langweilig vorgekommen. Sand vom Osten in den Westen zu fahren. Voll hin. Leer zurück. Eine Sisyphusarbeit, gegen die zerstörerischen Kräfte der Naturgewalt, für den Erhalt der Insel. Aber eben auch eine langweilige, eintönige Arbeit.

Jetzt fand Rupert diese Arbeit auf verlockende Weise sinnvoll. Die wussten wenigstens, was sie taten. Sie waren den ganzen Tag an der frischen Luft. Sie sahen das Meer und in der Saison vermutlich auch ein paar scharfe Touristinnen. Er nannte es *das Schaulaufen der Bikinischönheiten an der Wasserkante* und sah gern dabei zu.

Auch er kämpfte gegen zerstörerische Kräfte, gegen Schmutz und Gewalt, aber er musste ständig damit rechnen, selbst attackiert zu werden. Seine Klienten ließen sich nicht so leicht mitnehmen wie der Sand im Osten. Er war auch nicht den ganzen Tag an der frischen Luft und statt Meer, Sand und Bikinischönheiten sah er Akten, Tote und verdreckte Tatorte. Nur eins hatte sein Job mit dem der Arbeiter dort gemeinsam: Sie würden nicht arbeitslos werden, weil garantiert bald die nächste Sturmflut kam. Und Rupert wusste genau, dass er sich auf eins verlassen konnte: Der nächste Mörder stand auch schon irgendwo in den Startlöchern.

Er sehnte sich plötzlich nach seiner Ehefrau Beate und wollte seine Geliebte nur noch schnell loswerden. Er würde für Beate einkaufen gehen. Früher mussten Männer ein Mammut erlegen, dachte er sich, heute, in Corona-Zeiten, reichte es, wenn sie mutig genug waren, sich den Viren im Supermarkt zu stellen, um für ihre Frauen zum Helden zu werden.

Anke Reiter hielt Nikis Nervosität nur schwer aus. Es war, als würde sich seine innere Unruhe auch auf sie übertragen. Am liebsten hätte sie ihn gefragt, ob er nicht mal nach der Waschmaschine gucken könnte, denn die pumpte nicht mehr ab. Auch die Rollläden im Schlafzimmer ließen sich nicht mehr herunterfahren. Manchmal hatte sie das Gefühl, dass sich im Kasten ein Tier eingenistet hatte. Vielleicht klemmte deswegen alles.

Ihr Mann Sven war ein großes Talent in der Versicherungsbranche. Er schaffte es, Lebensversicherungen an arbeitslose Jugendliche zu verkaufen und Sparverträge, die Vermögen aufbauen sollten, an über Achtzigjährige. Aber handwerklich war er überhaupt nicht begabt. Wenn irgendetwas kaputt war, hob er gern die Hände, zeigte seine offenen Handflächen vor und sagte: »Lass das mal lieber jemand anderen machen, Schatz.«

Einiges konnte sie selbst. Sie traute sich sogar zu, die Rollläden im Schlafzimmer zu reparieren. Aber die Kombination Strom und Wasser machte ihr Angst.

Es war nicht ratsam, einen Handwerker anzurufen, weil sie sich in der Ferienwohnung ja gar nicht mehr aufhalten durfte. Die Gefahr, verraten zu werden, war viel zu groß.

Niki sah aus wie ein patenter Junge und würde ihr bestimmt gern zur Hand gehen. Aber statt ihm die kaputte Waschmaschine zu zeigen, fragte sie ihn, ob es für ihn nicht auch schön sei, so mit schulfrei durch Corona. Es sei doch ein bisschen wie hitzefrei. Sie habe sich darüber früher immer sehr gefreut. Ja, sie sagte tatsächlich *früher* und ärgerte sich darüber, weil sie wusste, dass Menschen, die gern *früher* sagten, für Jugendliche oder Kinder sehr alt klangen. Sie wollte in seinen Augen aber nicht alt sein.

Er rang mit den Händen, als würde er ein unsichtbares Tier würgen. Manchmal knackte er ungesund mit den Fingerknöcheln. Sie fragte sich, ob er ein bisschen verliebt in sie war. Sie kokettierte mit dem Gedanken. Sie erinnerte sich an ihre Verliebtheit in der Pubertät. Sie hatte für ihren Deutschlehrer geschwärmt, für Bryan Adams und Robbie Williams.

Da ihr Deutschlehrer ein guter Typ war, der mit ihrer Verliebtheit umgehen konnte, war es ungefährlich für sie und bewahrte sie vor vielen Problemen, mit denen ihre Klassenkameradinnen zu tun hatten, die sich in weniger rücksichtsvolle Männer verknallt hatten. Ungewollte Schwangerschaften. Sex in schmuddeligen Hausfluren. All das war ihr erspart geblieben.

Sie war mit achtzehn noch Jungfrau, als sie Sven traf. Er war ihr erster und ihr einziger Mann. Er hatte sie durch schlimme Krisenzeiten begleitet, war nach der Arbeit einkaufen gegangen, weil sie das Haus wegen ihrer Phobien in den ganz schlimmen Phasen nicht verlassen konnte, ohne Erstickungsanfälle und Herzrasen zu bekommen. Einmal, als sie versucht hatte, ihre Probleme einfach zu ignorieren, war sie an einer Supermarktkasse ohnmächtig geworden.

Tausend Ausreden hatte sie erfunden, warum sie den Wagen nicht in die Werkstatt bringen konnte, warum sie leider nicht zur Geburtstagsparty kommen konnte und warum der Schwimmbadbesuch für sie leider ins Wasser fallen musste. Viele glaubten ihr schon nicht mehr, und einige Freundinnen hatte sie verloren, weil sie die Absagen irgendwann persönlich nahmen. Da war diese Corona-Zeit doch sehr befreiend. Niemand brauchte mehr eine Ausrede. Ihr Leben wurde auf eine verrückte Art einfacher, ja plötzlich richtig.

Da tat so ein harmloser Verehrer wie Niki schon gut. Von ihm ging keine Gefahr aus.

»Ach«, sagte er, »die Schule ... Sport ist eh nicht so mein Ding, und lernen kann ich ja auch zu Hause ...«

»Am Computer?«

Er nickte.

»Und vermisst du deine Klassenkameraden nicht?«

Er zuckte mit den Schultern und machte ein Gesicht, als seien seine Mitschüler in seinen Augen sowieso Idioten oder als gäbe es heutzutage gar keine Klassenkameraden mehr. Wahrscheinlich war auch dies ein Ausdruck, der sie in seinen Augen zu einer alten Frau machte, so wie das Wort *früher*.

Sie wusste, dass sie ihn damit in Verlegenheit bringen würde. Sie fragte ihn trotzdem, oder vielleicht sogar gerade deshalb. Sonst war sie meist die, die durch Fragen rasch in Erklärungsnot gebracht werden konnte. Diese Situation hier, so bildete sie sich ein, hatte sie völlig im Griff.

»Und – hast du eine Freundin?«

Er antwortete nicht, starrte nur auf sein Eis.

»Ich habe nie ein Mädchen hier gesehen«, fügte sie hinzu.

Er räusperte sich zweimal, trotzdem klang seine Stimme belegt, ja heiser, als er antwortete: »Ich … ich konzentriere mich lieber ganz … auf die Schule …«

Sie lächelte, als könne er das unmöglich ernst gemeint haben. »Aber so ein toller Typ wie du ist doch bestimmt für viele Mädchen sehr interessant, oder?«

Er schwieg.

Sie bekräftigte ihren Satz: »Also, wenn ich jetzt an mich früher denke … Ich in dem Alter …« Sie winkte ab, als könne sie gar nicht sagen, wie sehr sie auf ihn abgefahren wäre.

»Ich glaube«, sagte er, »ich muss jetzt gehen.« Dabei sah er aus, als würde er nur zu gerne bleiben. Wie, um es für sich selbst zu bekräftigen, fügte er hinzu: »Es wird Zeit.«

Sie brachte ihn noch zur Tür. Er trug immer eine tiefe Traurigkeit, eine Erschütterung über den Zustand der Welt in sich. Damit erinnerte er sie sehr an sich selbst.

Sie sah ihm nach, als er die Treppe hinunterging. Langsam, fast schlurfend, wie ein alter Mann. Unten vor der Wohnungstür blieb er stehen und zögerte. Er hatte es gar nicht eilig hineinzugehen. Er räusperte sich erneut, jetzt aber demonstrativ laut und streifte seine Schuhsohlen so heftig auf der Kokosfußmatte ab, als wolle er das Wort *Moin* darauf abreiben.

Sie begriff, dass er auf sich aufmerksam machen wollte, ohne zu klopfen. Er schien ihre Blicke zu spüren und sah zu ihr hoch. Sie winkte und schloss rasch die Tür. Es war, als hätte sie etwas gesehen, das absolut nicht für ihre Augen bestimmt war. Er wirkte so peinlich berührt, als hätte sie aus Versehen die Klotür geöffnet.

Vielleicht war das der Moment, in dem ihr klarwurde, dass mit dem Jungen etwas nicht stimmte. Sie nahm es jetzt wahr wie eine Aura des Unheimlichen, die ihn umgab, wie die Vorahnung einer Katastrophe. Keiner naturgegebenen, wie einer Sturmflut, sondern eher einer, die er selbst auslösen würde.

Sie hatte schon einige Male solche dunklen Vorahnungen gehabt. Den Unfalltod ihres Schwagers hatte sie vorausgesehen und auch den Tod ihres Vaters. Ihre Schwester Sabine hatte sie deswegen böse ausgelacht. Für sie war das esoterischer Mist für einfache Gemüter.

Anke sprach mit niemandem mehr über ihre Vorahnungen. Ihr Mann sagte: »Das sind einfach nur Ängste, die du zu Zukunftsvisionen erhöhst.«

Von Zukunftsvisionen hatte sie nie gesprochen. Solche Worte benutzte sie gar nicht. Zukunftsvisionen, das klang nach wissenschaftlicher Formel. Kalt. So waren ihre Ängste aber nicht. Hatte sie nicht in allem recht behalten? Plötzlich kamen Wissenschaftler und fanden Erklärungen für das, was sie schon lange gefühlt hatte: Menschenansammlungen waren gefährlich. Umarmungen unangebracht. Nähe konnte eine tödliche Bedrohung sein.

Kein Wunder, dass sie sich bei Familienfeiern und Restaurantbesuchen mit Svens Freunden fast immer unwohl gefühlt hatte. Dieses eklige Händeschütteln und Küsschen, Küsschen, das alle so liebten, würgte sie schon, bevor es überhaupt stattfand.

Sie hatte immer gewusst, dass etwas daran monströs falsch war. Genauso wie sie jetzt wusste, dass mit Niklas Wewes etwas nicht stimmte. Er bewegte sich sehenden Auges auf eine Katastrophe zu. Er sprach nicht darüber. Vielleicht war es ihm auch nicht wirklich bewusst, aber etwas Schlimmes würde geschehen. Etwas, das gruseliger war als Corona.

Der Satz schoss ihr durch den Kopf. Am liebsten hätte sie ihn herausgeschrien, doch sie würde lieber schweigen und alles für sich behalten. Niemand würde ihr glauben, und sie konnte das Unglück sowieso nicht aufhalten. Sie doch nicht ...

Von Oldenburg aus fuhren Ann Kathrin Klaasen und Frank Weller direkt nach Emden-Wybelsum zum Haus der Familie Janßen.

Unterwegs las Weller Ann Kathrin vor, was an Fakten von Rupert geliefert worden war. Die Kriminaltechniker hatten Herrn Janßens Portemonnaie, Ausweis, Geld und seine Kreditkarten unter dem Boxspringbett gefunden. Der Koffer stand leer herum, die Sachen im Schrank waren ordentlich eingeräumt. Hier schien nichts zu fehlen und Herr Janßen hatte trotz Corona wohl auch nicht vorgehabt, Wangerooge so bald zu verlassen.

Von der Terrasse ihres Einfamilienhauses im Westen der Stadt hatten die Janßens einen unverbaubaren Blick auf den Windpark *Wybelsumer Polder* am Ufer der Ems. Einst gehörte der Windpark zu den größten an Land gebauten in ganz Europa. Weller erinnerte sich daran, dass Tierschützer lange darum gekämpft hatten, den *Wybelsumer Polder* nachträglich zum Vogelschutzgebiet erklären zu lassen. Sie waren aber damit gescheitert.

Vielleicht hatten die Janßens deswegen geradezu trotzig drei Vogelhäuschen auf ihrem Grundstück platziert und auch noch Meisenknödel in eine Birke gehängt, als wollten sie einen Tannenbaum mit Christbaumkugeln schmücken.

Theda Janßen saß mit einem dicken Roman im Garten. Die Vögel zwitscherten, und es war ein Tag ganz nach ihrem Geschmack. Ein spannendes Buch, ein guter Kaffee und dazu ein Stückchen Apfelkuchen mit Äpfeln aus dem Alten Land.

Sie hatte das Kuchenblech gerade erst aus dem Herd geholt. Der Kuchen verströmte seinen Duft. Dazu hatte sie sich Sahne geschlagen. Sie streute noch Zimt auf den Apfelkuchen. Sie mochte ihn mit Zimt und Rosinen, das erinnerte sie an ihre Kindheit.

Frank Weller wurde bei *ten Cate* als ehrenamtlicher Tortentester geführt. Ein Titel, den nur jemand tragen durfte, der einen American Cheesecake mit geschlossenen Augen von einem ostfriesischen Käsekuchen unterscheiden konnte.

Jetzt wurde Frank ganz nervös. Der Duft drang in sein Gehirn ein und forderte Bedürfnisbefriedigung. Frank hätte jetzt für ein Stück Kuchen zum Dieb werden können. Natürlich beherrschte er sich.

Drei Amseln lauerten im Schutz der Rosensträucher auf herunterfallende Krümel, und selbst die Meisen näherten sich, obwohl in der Birke wahrlich genug Futter für sie baumelte.

Wir können ihr schlecht erzählen, dass ihr Mann getötet wurde und dann – weil ihr bei der Schilderung vermutlich der Appetit vergeht – den Apfelkuchen wegessen, mahnte eine Stimme in Weller, während eine andere fragte, wieso eigentlich nicht …

Theda Janßen wirkte leicht nervös. Das konnte aber an dem unerwarteten Besuch liegen. Sie machte den Eindruck einer Frau, die sich auf ein paar entspannende Stunden gefreut hatte und jetzt gestört worden war.

Ann Kathrin begann vorsichtig. Sie wollte keinen weiteren Reinfall wie in Oldenburg erleben. Sie stellte sich zwar als Polizistin vor, vermied aber das Wort *Mordkommission*. Frau Janßen vermutete wohl, es gehe um einen Prozess gegen einen ehemaligen Arbeitgeber, denn sie kommentierte Ann Kathrins Vorstellung mit den Worten: »Sie glauben gar nicht, wie froh ich bin, dass ich da nicht mehr arbeite. Das konnte doch nicht gutgehen …«

Sie bot Weller und Ann Kathrin einen Platz auf der Terrasse an. Um nicht die ganze Zeit nur den Kuchen anzustarren, guckte Weller zu den Windkraftanlagen. Frau Janßen bemerkte das und sagte: »Vor die Wahl gestellt, ein Atomkraftwerk vor die Nase gesetzt zu bekommen oder das da, haben wir uns fröhlichen Herzens für das da entschieden. Wenn da ein Unfall geschieht, werden wir hier jedenfalls nicht verstrahlt.«

»Sie haben eine Ferienwohnung auf Wangerooge gebucht?«, fragte Ann Kathrin.

Theda Janßen nickte: »Ja, mit Meerblick. Jedes Jahr einmal drei Wochen in *Anna Düne*«. Sie deutete auf die Windräder: »So etwas sieht man da auch, aber eben nicht nur die Ems, sondern die Nordsee. Das ist schon ein Unterschied. Mein Mann steht total darauf. Der ist nordseesüchtig.«

»Ihr Mann ist alleine auf Wangerooge?«, hakte Ann Kathrin vorsichtig nach.

»Ja, wir gehen immer ins Apartment 1.20, weil mein Mann ein Gewohnheitstier ist. Ich wäre auch gerne noch geblieben, aber mein Mann hat begonnen, fürchterlich zu schnarchen.«

»Und deshalb sind Sie abgereist?«, wollte Ann Kathrin wissen.

»Ja klar. Er wollte bleiben, aber jetzt muss er ja wohl auch zurück, wie alle. Bin gespannt, ob uns das jemand ersetzt. Wir haben den Urlaub ja im Voraus bezahlt.«

Frau Janßen bot gestisch ihren Kuchen an. Weller freute sich und nickte, Ann Kathrin lehnte ab. Sie fand es taktlos, bei dem, was sie zu sagen hatten, einen Kaffeeklatsch zu halten.

Frau Janßen schnitt Kuchen ab. Langsam beschlich sie das Gefühl, es könne vielleicht doch nicht um ihren ehemaligen Arbeitgeber gehen. Beim letzten Mal waren andere Ermittler hier gewesen. Steuerfahnder. Die hatten sich nicht lange mit Smalltalk aufgehalten.

Weller griff zu und aß gierig aus der Hand. Noch warmer Apfelkuchen! Was für ein Genuss!

Weller schlang zu schnell und verschluckte sich an ein paar Krümeln. Er hustete.

Frau Janßen verschwand in die Küche und kam mit zwei Kaffeebechern und einem Glas Wasser für Weller zurück. Sie reichte Weller das Wasser. Er trank das Glas gierig mit einem Zug leer und stöhnte. Er wischte sich Tränen aus den Augen.

Ann Kathrin sah ihn tadelnd an.

Er wollte nicht länger warten und sprach es aus: »Frau Janßen, es tut uns wirklich sehr leid, aber ich glaube, Ihr Mann ist in der Ferienwohnung tot aufgefunden worden.«

»Mein Heiko?«

Ann Kathrin und Weller schwiegen. Sie wussten, dass sie der Frau jetzt Zeit lassen mussten.

Sie stieß die noch leeren Tassen auf dem Tisch um. Sie setzte sich und streckte die Füße von sich. »Ich dachte immer«, sagte sie, »ich sterbe zuerst. Er war immer so gesund, und ich hatte ständig etwas. Ich habe zwei Krebstherapien überlebt, und jetzt stirbt er?«

»Er ist nicht einfach gestorben«, erläuterte Ann Kathrin. »Er wurde umgebracht.«

»Mein Heiko ist nicht der Mann, der in eine Kneipenschlägerei gerät …«, wandte Frau Janßen ein. In ihr keimte die Hoffnung, es könne alles ein Irrtum sein. »Mein Heiko …«, fuhr sie fort, »ist eher der Mann, der aufs Meer schaut und ein Buch liest. Da sind wir beide gleich.«

Sie suchte nach ihrem Handy. Vermutlich hatte sie vor, ihn anzurufen.

»Er wurde in der Ferienwohnung umgebracht«, erklärte Ann Kathrin.

Ob der Fundort der Leiche auch der Tatort war, stand für Weller noch lange nicht fest. Er kannte das *Anna-Düne*-Gebäude. Der ehemalige Kripochef Ubbo Heide verbrachte dort mehrere Monate im Jahr. Sie hatten ihn immer wieder dort besucht.

Es war unwahrscheinlich, dass jemand Herrn Janßen am Strand umgebracht und dann quer über die Obere Strandpromenade ins Apartment getragen hatte. Selbst spät nachts wäre das ein Problem gewesen. Viele Menschen, die dort Urlaub machten, guckten abends keine Spätfilme, sondern sahen aufs Meer. Genau deshalb wohnten sie da, mit Meerblick. Sie beobachteten die Lichter der Schiffe. Wer kein Zimmer mit Meerblick hatte, hockte gern noch, eingehüllt in Decken, in seinem Strandkorb. Bis gut 24 Uhr war unten der *Friesenjung* geöffnet. Auch dort genossen die Gäste den

Blick in die Weite. Der Eingang stand also praktisch im Zentrum der Beobachtung vieler Menschen.

Es war nicht leicht, mit einer Leiche unbemerkt ins Apartmenthaus zu kommen. Von der Südseite aus erst recht nicht, denn da musste man quer durch die Stadt an den Häuserreihen vorbei, an Hotels und Geschäften.

Nein, vermutlich war der Mord in der Ferienwohnung geschehen. Die Wände dort waren solide. Das ganze Gebäude nicht gerade hellhörig. Außerdem übertönte das Rauschen der Nordsee vieles.

Sie brauchten eine Liste aller *Anna-Düne*-Gäste, dachte Weller und am besten aller Leute, die in den letzten Tagen im *Friesenjung* gefrühstückt oder gegessen hatten. Er erschrak über sich selbst, denn er war kurz in seine Gedanken versunken gewesen und hatte zwar aufmerksam geguckt, aber nicht mehr wirklich zugehört. Das machte er bei Dienstbesprechungen manchmal so, wenn Martin Büschers Ausführungen ihn langweilten. Er war sehr gut darin, scheinbar konzentriert zu lauschen und doch geistig völlig abwesend zu sein.

Ann Kathrin durchschaute ihn dabei immer öfter. Die anderen konnte er gut täuschen. Aber sie nahm auch winzige Veränderungen bei ihrem Mann wahr. Hatte sie es jetzt bemerkt? Wenn ja, dann wäre sie wenig erfreut darüber und würde ihm später auf der Rückfahrt nach Norden die Meinung sagen. Sie war meist ziemlich geradeheraus. Es passte ihr schon nicht, dass er von dem Apfelkuchen gegessen hatte.

Als er das Gespräch wieder wahrnahm, sagte Frau Janßen gerade: »... ich habe bei einem Steuerberater gearbeitet. Da wurden Scheingutachten für Firmen erstellt und zu horrenden Preisen verkauft. Ein Teil des Geldes wurde verdeckt wieder zurückgezahlt. Ich dachte, Sie kommen deswegen.«

»Hatte Ihr Mann etwas damit zu tun?«, fragte Ann Kathrin.

»Nein, mein Mann ist Lehrer. Oberstudienrat. Latein und Physik. Er hat mir nur geraten, zu kündigen und zur Polizei zu gehen. Das habe ich dann auch getan. Ich habe viel zu lange gezögert. Tut mir leid.«

»Hatte Ihr Mann Feinde?«

»Sie meinen, jemanden, der ihn umbringen wollte?« Sie verzog das Gesicht und zuckte mit den Schultern. »Er hat ein paar schlechte Noten verteilt. Er konnte richtig streng sein. Aber er war bei den Schülern beliebt. Nein, Frau Kommissarin ... Ich kenne niemanden, der meinen Mann so sehr gehasst hat ... dass er ...«

Es war, als würde sie erst jetzt begreifen, was Ann Kathrin ihr mitgeteilt hatte. Plötzlich wich alle Energie aus ihr. »Sie meinen wirklich, mein Mann ist tot? Mein Heiko?«

Ihre Frage war wie ein letztes Aufbäumen.

»Ja, Frau Janßen. Es tut uns leid, aber Ihr Mann wurde das Opfer eines Gewaltverbrechens.«

Um auch einmal etwas zu sagen, fügte Weller hinzu: »Ein Raubmord war es nicht. In seinem Portemonnaie haben wir noch 416 Euro gefunden.«

»Warum«, kreischte Frau Janßen, »tut einer so etwas?« Sie sah erst Weller an, dann Ann Kathrin. Dann sackte sie ohnmächtig zusammen.

Uwe Spix hatte einen Räucheraal mitgebracht, eingepackt in zwei Seiten der *Sonntagszeitung*. »Ein Prachtkerl«, lobte er seinen eigenen Fang.

Christina Wewes mochte keinen Aal, aber sie bedankte sich, als habe er ihr ein tolles Geschenk überreicht.

Breitbeinig fläzte Spix sich im Wohnzimmersessel und lud großzügig zu seiner Geburtstagsparty ein. »Ich stelle mir einen gemütlichen Spieleabend vor.«

»Au ja«, freute Christina Wewes sich, klatschte in die Hände und versuchte mit Blicken, ihren Sohn dazu zu bringen, ebenfalls Begeisterung zu heucheln.

Niklas hasste es, wenn seine Mutter so war. Dieses Affektierte. Aufgekratzte. Er fand es furchtbar. Sie lachte zu laut und tat so, als sei jede Belanglosigkeit, die Spix äußerte, entweder ein selten guter Witz oder eine weltbewegende philosophische Weisheit, auf die die Menschheit gewartet hatte. Er badete in einer Welle von Aufmerksamkeit und Beachtung. Er hatte es scheinbar nötig. Niki wurde dann ganz unruhig und hörte sich die Plattheiten an, die Spix als Lebensweisheiten aus seinem ach so reichen Erfahrungsschatz zum Besten gab.

Seine Mutter war eigentlich ein Jeanstyp, wie sie selbst oft über sich gesagt hatte. Aber immer, wenn Spix zu Besuch kam, trug sie einen Rock. Niklas fragte sich, ob da ein Zusammenhang bestand. Verlangte Spix das etwa von ihr? Oder dämonisiere ich ihn jetzt zu sehr, hinterfragte Niklas sich selbstkritisch.

Spix zeigte auf Niki. »Er könnte doch ein bisschen Musik für uns machen.«

Niki erstarrte und wusste nicht, was er tun sollte.

»Du spielst doch Blockflöte?«, fragte Spix ihn.

»Akkordeon. Ich nehme Akkordeonunterricht.«

»Na bitte. Hausmusik ist doch etwas Feines. Macht man heutzutage viel zu selten.«

Er hätte diesen Menschen, der einen auf Freund der Familie machte, am liebsten rausgeschmissen. Der Gedanke, für ihn bei einer Party Musik zu machen, würgte Niklas. Corona gab ihm einen guten Anlass zu protestieren. »Eigentlich«, sagte Niklas sanft, »darf es solche privaten Partys ja gar nicht geben. Nur Menschen aus einem Haushalt sollen…«

Spix lachte und machte eine abwertende Geste: »Du glaubst den Quatsch auch? Aber du bist doch ein intelligenter Junge, Niki!«

Am liebsten hätte Niklas ihn angebrüllt: *Bevor ich für dich Musik mache, breche ich mir lieber die Finger!* Aber er sagte stattdessen: »Ich glaube nicht, dass die Bilder aus Italien Fake News sind.«

Christina Wewes spürte den schwelenden Konflikt. Sie versuchte zu schlichten: »Nichts wird so heiß gegessen, wie es gekocht wird.«

Was für ein Scheißsatz, dachte Niklas. Genauso dumm und unwiderlegbar in seiner Wahrheit wie: *So jung kommen wir nicht mehr zusammen.* Ein Spruch, den er von seinem Vater bei jeder Feier hörte. Eine Ausrede, um dann mal so richtig abzulitern.

Ich müsste mal wieder so richtig ablitern, so erklärte sein Vater gern ein Besäufnis mit Bier. Schnaps trinken war *sich einen hinter die Binde kippen*, nicht *ablitern*. Das hatte Niklas inzwischen zu unterscheiden gelernt. Wenn sein Vater vom *Ablitern* zum *Hinter-die-Binde-Kippen* überging, hatte er immer schon fiebrige Augen. Meist begann er mit Bier und ging erst später zu klaren Schnäpsen über. Wein trank sein Vater nur selten. Es sei denn, er war schon mächtig in Fahrt, dann spielte es keine Rolle mehr, Hauptsache, es knallte so richtig. Sonst sagte er gerne: *Wein nimmt man zum Kochen.*

Clemens Wewes trank oft wochen-, ja monatelang nichts. Dann keimte in Niklas immer die Hoffnung auf, alles könne wieder gut werden. Clemens liebte Musik. Er spielte Gitarre, sang ganz gut und mit zwei Löffeln oder Stöcken in der Hand verwandelte er jede Küche in ein großes Schlagzeug.

Er konnte toll sein, witzig und ein echter Kumpel. Aber er stürzte immer wieder ab und soff sich zusammen, bis er bewusstlos am Boden lag.

Niklas sah seinen Vater schon auf der Feier mit glasigen Augen vor einem Cognacglas sitzen. Spix war Cognactrinker und machte einen auf Edelalkoholiker. Er trank ja nicht jeden Fusel, sondern nur edle Brände. Er redete gern darüber und schnüffelte daran, bevor er trank.

»Wir dürfen nicht zur Schule. Cafés und Restaurants werden geschlossen. Da sollte man vielleicht auch mit privaten Feiern …« Niklas sprach nicht weiter, weil seine Mutter ihn entsetzt ansah. Durfte er Spix etwa nicht einmal in so einer Frage widersprechen?

»Das wird«, sagte er entschuldigend, »abends in jeder Talkshow diskutiert. Es gibt ja praktisch gar kein anderes Thema mehr.«

»Aber wir müssen uns ja nicht auch noch verrückt machen lassen«, gab seine Mutter, in der Hoffnung, damit das Thema zu beenden, zu bedenken.

Spix schmunzelte und spielte einen Trumpf aus: »Was ist eigentlich mit den Reiters von oben? Müssen die ihre Ferienwohnung nicht verlassen, wie alle anderen auch?«

»Haben sie«, log Christina, »haben sie.«

Niklas bekam feuchte Hände. Seine Mutter und er waren gut im Lügen, aber es nutzte ihnen wenig.

»Er ist gefahren. Das habe ich wohl gesehen. Aber er war allein im Wagen«, behauptete Spix.

»Frau Reiter ist auch abgereist«, erklärte Niklas unnötig heftig. »Sie ist schon vorausgefahren. Mit dem Zug.«

Ungläubig musterte Spix Niklas: »Mit dem Zug? Während der angeblich ach so gefährlichen Pandemie? Origineller Gedanke. Im Auto ist man ja safe, denke ich, aber im Zug? Wenn da die Klimaanlage zur Virenschleuder wird, dann…«

Niklas war klar, dass Spix ihn loswerden wollte. Bei seiner Mutter war er sich nicht ganz so sicher, aber er konnte jetzt unmöglich wieder zu Anke Reiter hochgehen. Er musste diesen Spix irgendwie loswerden. Er wollte seine Mutter mit dem nicht alleine lassen.

»Hast du keine Freundin? Keinen Freund? Hängst du den ganzen Tag bei deiner Mutter ab?«, fragte Spix provozierend.

»Meine Freunde und ich besuchen uns im Moment nicht. Wir reden per Skype oder Zoom.«

Das saß. Jetzt kapierte Spix, dass Niklas nicht vorhatte, die Wohnung zu verlassen.

Frau Wewes versuchte zu lächeln. Es misslang ihr.

»Musst du nicht für deine Mutter einkaufen? Im Combi«, scherzte Spix, »soll es wieder Klopapier geben.«

»Wir haben genug Klopapier«, konterte Niklas.

Seine Mutter gab ihm mit den Augen den Wink, er solle verschwinden. Er tat, als habe er es nicht bemerkt. Dafür reagierte Spix, der es genau registriert hatte. Er machte es sich demonstrativ im Sessel gemütlich und fragte, ob es nicht Zeit für eine gute Tasse Tee sei.

Niklas ging in den Flur. Er stand unschlüssig herum. Schon war seine Mutter bei ihm und raunte: »Nun mach es mir doch nicht so schwer ... «

Sie wollte ihm noch einen Abschiedskuss geben, doch er drehte sich brüsk um und verließ das Haus. Er ging eine Weile vor dem Haus auf und ab. Immer wieder sah er hoch zum Fenster der Ferienwohnung. Er hatte das Gefühl, Anke Reiter würde ihn beobachten. Seine Mutter und Spix ganz sicher nicht. Sie waren mit anderen Sachen beschäftigt.

Eine irre Wut stieg in ihm hoch. Zorn auf die ganze, verdammte Erwachsenenwelt und auch auf sich selbst.

Er fuhr mit dem Rad zum Deich. Dort, beim *Haus des Gastes*, wo sonst viele Touristen beim Eis- und Fischbrötchenessen von Möwen belauert wurden, war jetzt kein Mensch. Leer die Strandkörbe. Hunderte Schafe grasten nicht nur auf dem Deich, sondern eroberten sich die Treppen zurück. Sie standen dort so dicht gedrängt, als würden sie auf etwas warten.

Er stellte sein Rad ab und scheuchte die Schafe mit weit ausgebreiteten Armen auseinander. Er schrie dabei und rannte auf sie zu. Blökend stob die Herde in alle Richtungen.

Er lief immer lauter brüllend durch die entstehende Schneise. Dann ließ er sich auf den Boden fallen und weinte.

Er hatte seinen Laptop im Wohnzimmer hinter dem Buchregal versteckt. Die Kamera war eingeschaltet, der Ton ebenfalls. Er zeichnete alles auf.

Auf der Nele-Neuhaus-Sammlung lagen zwei Arno-Strobel-Romane. Er hatte die Kamera so positioniert, dass sie die kleine Lücke dazwischen ausnutzte. Ein Stückchen vom Sofa, vom Tisch und vom Fenster war zu sehen. Aber darauf kam es nicht so sehr an. Wichtig war der Ton. Er hatte die

Hoffnung nicht aufgegeben, etwas über Uwe Spix herauszubekommen, womit er ihn erpressen konnte. Einer wie der hatte garantiert Dreck am Stecken. Irgendetwas musste es in seiner Vergangenheit oder Gegenwart geben, etwas, das ihm peinlich war, ja vielleicht sogar strafbar.

Immer wieder stellte er sich vor, wie es wäre, diesen Mann in der Hand zu haben, statt selbst in seiner zu sein.

Lass uns einfach in Ruhe, würde er ihm sagen. *Hau ab! Wir wollen dich nie wiedersehen!* Nein, mehr würde er nicht von ihm haben wollen. Er sollte einfach nur verschwinden.

Jetzt schämte er sich für das, was er getan hatte. Was, wenn Spix die Kamera bemerken würde? Irgendein Geräusch könnte alles verraten. Außerdem kam er sich vor, als würde er seine Mutter hintergehen. Am liebsten hätte er alles ungeschehen gemacht, und trotzdem hoffte er, damit seine Karten beim Spiel des Lebens zu verbessern.

Später saß er am Osthafen, hinter Ørsted, von wo aus die Offshore-Windparks instand gehalten wurden. Er beobachtete, auf einer Bank sitzend, eine Möwenkolonie, Wildgänse und mehrere Löffler in den Salzwiesen. Er kam sich schäbig vor. Er wusste, wie schreckhaft Schafe waren und dass sie manchmal schon einen Herzinfarkt bekamen, wenn sie von Hunden am Deich angekläfft wurden.

Jetzt verdächtigte er sich selbst, gerade versucht zu haben, so einen Vorfall herbeizuführen. Nein, so einer wollte er nicht sein.

Der Wind trocknete seine Tränen. Das Rad lag vor ihm im Gras.

Ein Fußgänger mit einem freilaufenden Schäferhund kam zielstrebig auf ihn zu. Der Mann suchte Streit, das machte er Niklas allein durch seine Körperhaltung klar. Schon von weitem brüllte er ihn an: »Hier ist Radfahren verboten, Bengel! Hier ist nur für Fußgänger!«

»Nein«, protestierte Niklas, »klar darf man hier Rad fahren. Wir sind hier in Ostfriesland, aber Hunde sind hier verboten! Dies ist ein Vogelschutzgebiet. Überall sind Schilder. Gucken Sie mal.« Niklas zeigte auf eins.

Der Mann schimpfte: »Werd bloß nicht frech, Kleiner!« Er drohte mit dem Zeigefinger.

Niklas stand auf. Der Mann rief vorsichtshalber seinen Hund zur Verstärkung: »Akim! Akim!«

Doch Akim hörte nicht auf sein Herrchen. Er jagte Wildenten.

Niklas bestieg sein Rad und verzog sich in Richtung Hafen. Er wollte keinen Stress mit dem Mann und mit dem Hund schon mal gar nicht.

Er fuhr bei *Noormann's* vorbei. Er nannte den Laden, wie die meisten, noch *de Beer*. Er hätte sich dort eigentlich gerne ein Krabbenbrötchen geholt und hoffte jetzt, dass Corona ihm keinen Strich durch die Rechnung machte.

Er hatte in der Schule einen Aufsatz über diese alte ostfriesische Firma, *de Beer*, geschrieben. Einst hatten dort 600 Krabbenschäler in Heimarbeit gearbeitet. Sein Urgroßvater war einer von ihnen gewesen. Erst seit das professionelle Krabbenpulen zu Hause 1992 verboten worden war, brachte man die Fänge nach Marokko oder Polen.

Er hatte eine Eins für sein Referat bekommen. In der Schule gelang es ihm meist, den aufmerksamen, guten Schüler zu spielen. Niemand durfte merken, was er wirklich für einer war. Niemand. Aber gleichgültig, wie gut seine Noten auch waren, egal, wie sehr er den angepassten, braven

Schüler spielte, der nie Ärger machte, das alles konnte nicht gutgehen. Nicht mehr lange.

Im Grunde, dachte er jetzt, war es noch nie wirklich gutgegangen. Nicht einmal ganz am Anfang. Aber jetzt steuerte alles unausweichlich auf eine Katastrophe zu.

Corona, dachte er, wirkt jetzt wie ein Brandbeschleuniger.

Er fuhr einfach so herum, als sei es wichtig, in Bewegung zu sein. Am Hexenkolk hielt er an, setzte sich auf eine Bank, sah den Enten zu und hielt sein Handy in der Hand, als sei es glühend heiß geworden.

Er konnte sich jederzeit in die Aufnahme einschalten, die zu Hause im Wohnzimmer lief. Einerseits wollte er es, andererseits hatte er Hemmungen, es zu tun. Es kam ihm vor wie Verrat an seiner Mutter, dabei machte er es doch nur, um sie zu beschützen, um endlich eine Waffe in die Hand zu bekommen. Eine Information konnte eine Waffe gegen einen Erpresser sein, so wie Antabus gegen die Aggressionen eines Säufers.

Warum, dachte Niklas, muss immer alles so kompliziert sein? Warum muss man zu solchen Mitteln greifen, um sich seiner Haut zu wehren?

Clemens Wewes wollte nicht gesehen werden. Seine Stammkneipe hatte coronabedingt geschlossen. In Emden wollte er sich aber nicht öffentlich herumtreiben. Hier kannten ihn einfach zu viele Leute. Fast so viele wie in Norden.

Er war an Emden vorbeigerauscht und hatte kurz überlegt, in Jemgum spazieren zu gehen, aber dann war er weiter bis Weener gefahren.

Vom Parkplatz im *Alten Hafen*, wo sonst oft Camping-wagen standen, war jetzt die Sicht auf die Segelboote frei. Als seien sie vor mir geflohen, dachte er grimmig und er-freut zugleich. Der tidenunabhängige Hafen machte einen verschlickten Eindruck auf Clemens Wewes. Es gelang der milden Märzsonne nicht, ihn zu erfreuen. Die Vögel, die mit ihrem Gezwitscher kaum von Fremdgeräuschen gestört wur-den, drangen nicht zu ihm durch, obwohl die Amseln, Rot-kehlchen und Buchfinken sich große Mühe gaben.

Düstere Gedanken quälten ihn. Er war seit sechs Wo-chen – oder waren es schon sieben – arbeitslos. Wie sich das anhörte: arbeitslos.

Das war etwas für andere. Doch nicht für ihn! Er hielt sich für einen der besten, ja innovativsten Köche Ostfries-lands, wenn nicht Niedersachsens. Und nach dem zweiten Bier wurde er zu einem der besten des Landes.

Wenn er diese aufgeblasenen Fernsehköche schon sah! Die hatten doch längst nicht so viel drauf wie er. Er kochte viel raffinierter. Er konnte mit Gewürzen und Kräutern zaubern. Tim Mälzer. Horst Lichter. Christian Rach. Johann Lafer. Alfons Schuhbeck. Das waren Zwerge gegen ihn. Lediglich Nelson Müller ließ er gelten, und Sarah Wiener fand er auch ganz interessant.

Nun hatten sie ihn gefeuert statt mit ihm zu werben. Diese Idioten! Köche konnten heutzutage Popstars werden. Keine Talkshow lief mehr ohne Koch. Je weniger die Menschen selbst kochten, umso lieber sahen sie dabei zu, während sie Fertiggerichte aßen oder auf den Pizzaexpress warteten. *Das perfekte Dinner. Die Kochprofis. Restauranttester. Küchen-duell. Kitchen Impossible. Lecker aufs Land.*

Er hatte bis vor kurzem noch viele der Sendungen aufgenommen, um ja nichts zu verpassen. Er hatte sich hineinphantasiert. Sich vorgestellt, wie es wäre, dabei mitzumachen. In seiner Phantasie war er immer besser als alle anderen. In der Realität fand die Party ohne ihn statt.

Sein letzter Suff hatte ihn den Job gekostet. Wenn er trank, fühlte er sich irgendwann freier. Er wurde zunächst mehr er selbst. Später dann entfernte er sich wieder von sich und wurde zu einem, den er gar nicht kannte. Zu einem, der er auch nicht sein wollte. Aber da war einer in ihm, der brauchte Alkohol, um überhaupt wachsen zu können. Wenn der das Ruder übernahm und das Raumschiff steuerte, dann wuchs Clemens über sich hinaus, wurde größer und klüger. Andere nannten es besserwisserisch oder streitsüchtig. Aber er hatte dann einfach recht und war auch in der Lage, es durchzusetzen.

Er hatte den Gast, der sich über die Königinnenpastete beschwert hatte, mit dem Kopf ins Essen gedrückt. Er hatte den Blätterteig selbst hergestellt, was heutzutage kaum noch jemand machte. Aber er hatte es den Lehrlingen beibringen wollen. Das Hackfleisch vom Kalb mit dem Suppenhuhn waren vom Biohof. Die Champignons erlesen. Die Kombination war perfekt, und die Düsseldorfer Vorstadtschlampe und ihr Stecher beschwerten sich, das Essen sei versalzen! Da waren sie bei ihm aber an der richtigen Adresse!

Er kam gerade von draußen rein, hatte eine geraucht und kurz am Bierchen genuckelt … Sein Lieblingslehrmädchen heulte schon, weil der Typ im Restaurant so einen Aufstand machte. Er hatte herumgeschrien, der Koch sei ein Versager, ja ein Giftmischer. Das Essen sei verdorben, und das habe man mit Salz überdecken wollen. Außerdem sei auf seinem Teller ein Käfer gewesen.

Der Blätterteig knisterte, als er unter dem Druck des Kopfes zerrieben wurde.

Die Frau hatte herumgekreischt, nach der Polizei verlangt und um Hilfe geschrien.

Einige Leute im Restaurant hatten Fotos gemacht. Die Blitzlichter hatten seine Wut noch angestachelt. Er hatte begonnen, mit Königinnenpastete zu werfen.

Die Szene der wirklich guten Köche in Ostfriesland war klein. So etwas sprach sich schnell rum. Trotzdem hatte er in den ersten Wochen noch gehofft, rasch einen neuen Job zu finden. Immerhin war er gut. Ja, einer der Besten. Doch offensichtlich waren einige Leute anderer Meinung als er.

Vielleicht kann ich es vor meiner Familie als berufliche Verbesserung verkaufen, wenn ich nicht mehr in Emden arbeite, sondern in Norden, hatte er sich gedacht und war zum *Smutje* gegangen. Patrik und Kathi Weber betrieben nicht nur das *Smutje*, sondern auch noch das *Dock N° 8*. In beiden Restaurants hätte er gern gearbeitet.

Immerhin hatten die beiden ihn empfangen. Man kannte sich doch. Und sie wussten einen guten Koch zu schätzen.

»Ich würde dich gerne nehmen«, sagte Patrik, »aber dann musst du vorher dein Alkohol- und Aggressionsproblem in den Griff kriegen. Jeder hat eine zweite Chance verdient, aber dafür muss man vorher etwas tun, Clemens.«

Er hatte Patrik angeschrien: »Ich habe kein Alkoholproblem!«

Ein Wort ergab das andere, und schließlich hatte er rumgebrüllt: »Du spinnst ja! Von wegen Aggressionsproblem! Ich habe kein Aggressionsproblem und auch keins mit Alkohol! Ich bin der beste Koch des Landes! Ich bin viel zu gut für diesen Laden!«

»Komm wieder, wenn du deine Probleme im Griff hast«, schlug Patrik vor und begleitete ihn zur Tür.

Ann Kathrin fuhr. Im NDR-Radio lief eine Nachrichtensendung. Gerade kam der dritte Virologe zu Wort.

Weller drehte den Ton ab und guckte schweigend geradeaus. Durch die Windschutzscheibe bekam der Himmel die Farbe von Perlmutt. Es war, als würde Weller nicht in den Himmel schauen, sondern in eine riesige Muschel.

Ann Kathrin wirkte wütend auf Weller. Er fragte sich, was er falsch gemacht hatte. Nur wegen des Apfelkuchens war es sicherlich nicht.

»Ist was, Ann?«, wollte er wissen.

Sie antwortete nicht sofort, was ihn nur noch mehr verunsicherte. Er hakte nach: »Du hast doch etwas, das sehe ich.«

»Ja«, sagte sie, und er rechnete mit einer Abreibung, die aber gar nicht kam. Stattdessen schlug sie sauer aufs Lenkrad. »Es ist doch sowieso so schwer, Freundschaften zu leben. Und jetzt auch noch dieses Scheißvirus! Es ist zum Verzweifeln! Mit Bettina zum Beispiel weiß ich nicht, wie wir es hinkriegen sollen. Wir sind zwar Nachbarinnen, haben uns aber im letzten Jahr kaum gesehen. Entweder war sie auf Tournee oder wir hinter irgendwelchen Verbrechern her. Jetzt musste Bettina wegen Corona ihre Deutschlandtournee abbrechen. Sie sitzt ein Haus weiter im Garten. Ich höre sie Gitarre spielen. Ich summe sogar leise mit. Aber wir dürfen uns mit ihr nicht treffen, weil wir nicht zu einem Haushalt gehören. Ich hätte sie so gerne eingeladen und die Tappers und die Grendels auch … Aber wir können doch als Polizisten nicht gegen die Regeln verstoßen. Das fliegt auf und schafft uns dann ein Legitimationsproblem ... «

Erleichtert sagte Weller: »Ich dachte schon, du wärst böse auf mich.«

Sie lächelte. »Ach Frank, ist das immer noch der kleine Junge in dir, der an den Gesichtern der strengen Eltern abzulesen versucht, ob es heute Abend Prügel gibt?«

Er schluckte. Sie hatte ihm mal wieder tief in die Seele geguckt.

Er setzte sich anders hin und zupfte sein Hemd zurecht. »Ja, vermutlich«, gestand er, »so etwas wird man nie los.«

»Aber du bist jetzt ein erwachsener Mann, Frank, und ich bin weder dein Vater noch deine Mutter.«

»Manchmal rutsche ich durch irgendetwas in meine Kindheit zurück, dann werde ich plötzlich wieder zu dem kleinen Jungen und rekonstruiere mein Familiensystem. Ich besetze die alten Rollen mit Menschen, die gerade da sind.«

»Ich weiß, Frank, ich habe es oft erlebt. Es rührt mich an.«

»Es nervt dich nicht?«

»Nein, es nimmt mich eher für dich ein. Ich bekomme dann ein Gefühl dafür, wie schlimm deine Kindheit gewesen sein muss, und umso mehr Respekt habe ich vor dem tollen Kerl, der aus dir geworden ist.«

Er ließ ihre Worte auf sich wirken. Sie taten ihm gut. Er fühlte sich zwar überhaupt nicht als toller Kerl, dafür aber irgendwie verstanden. Trotzdem war es ihm jetzt unangenehm. Er wollte nicht weiter über sich und seine verkorkste Kindheit reden. Er knüpfte wieder am Gesprächsbeginn an: »Du willst dich also echt an diese hysterischen Regeln halten und deine Freundin nicht sehen, obwohl ihr beide Zeit habt?«

»Ich bin mir nicht einmal sicher, ob die Regeln hysterisch sind oder sehr besonnen. Sie ändern sich ja auch dauernd. Ich möchte Bettina gerne treffen, aber ohne gleich damit gegen Gesetze zu verstoßen.«

»Nur, weil Minister oder Virologen etwas in einer Talkshow äußern, Ann, ist das ja nicht gleich Gesetz. Ich empfinde das mehr so als Vorschläge ...«

Ann lachte herzhaft. Sie hielt bei Georgsheil auf der Auricher Straße an der Ampel und wartete auf Grün. Weller schielte zum *Grill-Friesen* rüber. Ein Fischbrötchen wäre ihm jetzt am liebsten gewesen, aber ein Gyrosteller tat es auch.

Wenn er in die Kälte seiner Kindheit abrutschte, bekam er danach immer Hunger. Er konnte dann mächtige Portionen in sich hineinstopfen, als müsse er das emotionale Loch in sich mit Kalorien füllen.

Ann Kathrin nahm das durchaus wahr, deutete aber auf die Ampel und fragte ironisch: »Dann ist das Rot dort auch nur ein Vorschlag?«

Es gelang ihr, Weller zum Lachen zu bringen. »Na ja«, grinste er, »ich würde es schon als gut gemeinten Ratschlag empfinden.«

Sie bog ab in Richtung Norden, ohne beim *Grill-Friesen* gehalten zu haben.

»Rupert kann da gar nicht vorbeifahren, ohne eine Currywurst zu essen«, behauptete Weller.

»Ich mache uns zu Hause Klütje mit Birnen«, schlug Ann Kathrin vor. Weller mochte diese ostfriesischen Hefeklöße eigentlich gern, und seitdem Ann Kathrin Birnen aus dem eigenen Garten eingekocht hatte, kam sie immer öfter auf die Idee, etwas zu kochen oder zu backen, bei dem die Birnen

Verwendung fanden. Von den zehn Gläsern waren nur noch vier übrig. Aber heute brauchte Weller etwas Herzhaftes.

»Ich koche uns eine Fischsuppe«, versprach er.

»Soll ich noch am Combi anhalten?«

Er schüttelte den Kopf. Er hatte immer alles, was er für eine schnelle Fischsuppe brauchte, in der Tiefkühltruhe. Das war seine Art vorzusorgen. Genug Rotwein, Brennholz und alles für die Suppe. So glaubte Weller, für jede Krise gewappnet zu sein.

Ein neues Wort beherrschte die Medien: *Lockdown*. Weller wäre nicht auf die Idee gekommen, Klopapier zu hamstern. Bei Rotwein, Brennholz und Fisch sah das schon ganz anders aus.

Bettina Göschls Gefühle fuhren Achterbahn. Sie war traurig, weil sie den Kontakt zu ihren Fans vermisste und freute sich gleichzeitig auf ein paar ruhige Tage in Ostfriesland. Sie hatte eine Tournee durch ausverkaufte Theater, Bibliotheken und Stadthallen abbrechen müssen. Großveranstaltungen waren plötzlich verboten. Die Frage war nur: Was war überhaupt eine Großveranstaltung?

Ein Konzert mit 20 000 Besuchern bestimmt. Ein Fußballspiel mit 10 000 auch. Aber war ein literarisch-musikalischer Abend mit 500 Gästen auch eine Großveranstaltung? Was war mit 300 Gästen?

In einigen Landkreisen waren Veranstaltungen ab 1000 Teilnehmern groß. In anderen ab 100. Am größten allerdings war die allgemeine Verunsicherung.

Irgendwann war Bettina Göschl das Telefonieren mit Gesundheits- und Ordnungsämtern leid und sagte von sich aus alles ab. Sie hatte ohnehin meist in der Warteschleife gehangen und musste sich GEMA-freies Gedudel anhören. Jetzt hatte sie es satt.

Pumpwerk Wilhelmshaven. Theater im Fischereihafen in Bremerhaven. Stadttheater Gelsenkirchen. Bis nach St. Gallen hätte die Tournee sie gebracht.

Zu Hause war ihr Kühlschrank leer. Zum Glück hatte sie in den guten Zeiten ein bisschen Geld zurückgelegt. Ihr brachen, wie vielen Künstlerfreunden, mit einem Mal praktisch alle Einnahmen weg. »Von hundert auf null«, die Worte hörte sie von Kolleginnen jetzt ständig. Telefongespräche mit verzweifelten Künstlerfreunden hatten ihre Stimmung gedrückt.

Sie beschloss, erst einmal einzukaufen. Sie nahm das Fahrrad. Für später am Abend verabredete sie mit Ann Kathrin eine Zoom-Konferenz. Ein digitaler Ersatz für ein Treffen am Kamin. Bis vor kurzem hätte sie über so einen Vorschlag noch gelacht.

Rupert hatte sich das Chaos nicht ganz so schlimm vorgestellt. Jetzt, da er im Combi einkaufen wollte, sah er mit Bestürzung, was damit gemeint war, wenn Politiker von *zusammenbrechenden Lieferketten* sprachen.

Ein trauriges Ergebnis der Globalisierung war doch, dass viele Waren gar nicht mehr in Deutschland hergestellt wurden. Zahlreiche Medikamente zum Beispiel. In den Apotheken wurde bereits einiges knapp. Schutzimpfungen gegen Pneumokokken, von der Ständigen Impfkommission empfohlen, gab es schon nicht mehr. Dass mal eine Impfung gegen Lungenentzündung unmöglich werden würde, hatte bisher nicht zu Ruperts Vorstellung von einem funktionierenden Staat oder Gesundheitssystem gehört.

Aber was er dann im Combi sah, entsetzte Rupert wirklich.

Am Eingang wirkte noch alles ganz normal. Frisches Obst und Gemüse. Genug von allem. Ein paar Regale sahen allerdings schon schwer geräubert aus. Es gab kaum noch Konserven. Wurden in Ostfriesland Bratheringe und Rollmöpse knapp? Das konnte er kaum glauben. Aber richtig krass sahen die Tiefkühltruhen aus. Drei waren ganz leer. Nichts mehr lag drin, nicht einmal Eiswürfel. An einer hing ein Zettel: *Defekt*.

Rupert ahnte Schlimmes. Der Zusammenbruch des Wirtschaftssystems kam also schneller als erwartet. Dafür verhielten sich die erstaunlich wenigen Kunden sehr diszipliniert. Sie schoben ihre Einkaufswagen durch die fast leeren Regalreihen, auf der Suche nach Dingen, die es noch gab. Druckerpapier und Buntstifte waren im Sonderangebot, da griffen einige zu. Klopapier und Desinfektionsmittel gab es nicht.

Mit ein paar Tomaten, Zwiebeln, einer Flasche Scotch und einer Dose Erdnüsse stand Rupert bedröppelt an der Kasse. Er wollte der drohenden Apokalypse gelassen begegnen. In Krisensituationen, das wusste er, wurden Helden geboren. Legenden entstanden, wenn Katastrophen die Welt erschütterten, ja, der Untergang drohte. Er wollte diese Chance nutzen, um zum Helden, zur Legende zu werden. Er wusste nur noch nicht genau, wie er es anstellen sollte. Erst einmal Ruhe bewahren, dachte er sich, bloß nicht durchdrehen. Dem Schicksal gelassen ins Auge schauen, wie er es bei Hollywoodhelden gelernt hatte.

An der Kasse gelang ihm das noch. Er lobte die hübsche Supermarktmitarbeiterin: »Sie sind eine Heldin. Ohne tapfere Frauen wie Sie würde diese Gesellschaft sofort zusammenbrechen. Sie stehen an vorderster Front.«

Sie lächelte geschmeichelt, und er zwinkerte ihr zu: »Bleiben Sie gesund. Die Frisur steht Ihnen übrigens hervorragend.«

Den Nachsatz: *Sie süße kleine Zuckerschnecke* klemmte er sich lieber. Er war ganz stolz auf sich, so tapfer – wenn auch mit geringer Ausbeute – an der Seuchenfront eingekauft zu haben. Aber draußen, als er die Waren in den Wagen lud, machte er sich wütend Luft.

Bettina Göschl hielt mit dem Rad neben ihm. Sie begrüßte ihn freundlich: »Moin, Herr Chefermittler.« Er platzte los: »Wollen Sie einkaufen, Frau Göschl?«

»Nein, ich singe ab jetzt hier auf dem Parkplatz. In Hallen darf ich ja nicht mehr auftreten«, scherzte sie.

»In den Combi brauchen Sie gar nicht reinzugehen, die haben praktisch nichts mehr. Nur noch Gemüse.«

Bettina Göschl guckte ihn amüsiert an.

Er fragte sich, was bitte daran lustig sein sollte. »Wenn Sie es genau wissen wollen, Frau Göschl: Wir sind am Arsch. Aber so was von ... Stellen Sie sich mal vor, die Pandemie dauert länger, ein paar Wochen ... Was dann? Die Leute werden plündern. Es gibt ja schon jetzt nichts mehr einzukaufen.«

»Das kann auch daran liegen«, erklärte Bettina gelassen, »dass nebenan der neue Combi eröffnet. Die räumen da drüben nur noch den Rest aus.«

Rupert blickte sich um. Tatsächlich. Die ganze Häuserfront hatte sich verändert. Aus dem Supermarkt neben dem alten Combi kamen die Leute mit vollen Einkaufswagen.

»Ja ... Ich, ähm ... «

»Sie gehen wohl nicht so oft einkaufen, was?«, fragte Bettina.

»Stimmt«, gab er zu, »das macht normalerweise meine Frau.«

Bettina zeigte auf seine Tomaten: »Und die zieht auch selbst Tomaten ... «

»Ja, jetzt, wo Sie es sagen ...«, stöhnte Rupert.

Das ist doch wieder typisch, dachte er. Frauen machen aus Siegen Niederlagen. Wieso, fragte er sich, habe ich nicht gesehen, dass hier alles neu gebaut wurde? Okay, ich war lange nicht hier, aber gerade, als ich aufs Gebäude zufuhr, hier geparkt habe, da ... Er erinnerte sich an die hübsche Radfahrerin mit den Hot Pants, der er hinterhergeguckt hatte, statt auf die veränderte Architektur zu achten.

Frauen, dachte er. Was machen sie mit uns Männern?

Als Bettina Göschl nach Hause in den Distelkamp fuhr, sah sie auf der anderen Seite des Radwegs Niklas Wewes. Sie grüßte ihn freundlich. Er nickte ihr zu. Er wirkte gedrückt, als würde ihn eine düstere Wolke umgeben.

Sie überlegte, ob sie rüberfahren und ihn ansprechen sollte. Er hatte sich vor vielen Jahren als ihr größter Fan geoutet. Bei einem Konzert vor dem *Café ten Cate* konnte er jedes Lied laut mitsingen. Seinen Lieblingssong *Piraten Ahoi!* hatte er auf seinem Handy als Klingelton, genau wie

Frank Weller. Zweimal hatte er sie besucht und sich – ganz aufgeregt – den neuen Band der *Nordseedetektive* von ihr signieren lassen. Inzwischen war er aus dem *Nordseedetektive*-Alter heraus, und Kinderlieder sang er vermutlich auch nicht mehr.

Es ging ihm nicht gut, das konnte Bettina selbst auf die Entfernung erkennen. Vielleicht hat er Liebeskummer, dachte sie. Dafür ist er ja jetzt genau im richtigen Alter.

Sie spürte, dass ihm die Begegnung unangenehm war. Er wirkte wie jemand, der vor etwas auf der Flucht war.

Sie sah sich noch einmal nach ihm um. Er war mit dem Rad gestürzt. Es gab keinen ersichtlichen Grund für den Unfall. Auf die Entfernung sah es aus, als wäre er einfach mit dem Rad umgekippt.

Bettina Göschl fragte sich, ob der Junge ohnmächtig geworden war. Sie radelte sofort in seine Richtung, um ihm zu helfen. Als sie bei ihm ankam, raffte er sich gerade auf.

»Niki? Was ist los? Hast du dir weh getan?«

Seine Antwort kam heftig, unwirsch: »Nein, alles gut!«

So kannte sie ihn gar nicht. Mehrmals hatten sie sich nett unterhalten. Aber damals war er noch klein gewesen und hatte Superheld werden wollen. Einmal hatte er sie sogar gefragt, ob er sie mit seinem Akkordeon begleiten dürfe.

An seinem linken Ohr klebte Blut. Schon saß er wieder auf dem Rad und trat heftig in die Pedale.

Bettina sah am Rande des Radwegs ein Handy liegen. Sie hob es auf und rief hinter ihm her: »Niki? Ist das deins? Ich glaube, du hast dein Handy verloren!«

Er bremste und drehte abrupt um.

Er bedankte sich nicht. Er riss ihr das Handy aus der Hand, als habe sie es stehlen wollen.

Bettina fragte sich, ob er vielleicht auf den Kopf gefallen war oder noch unter Schock stand. »Ist alles in Ordnung?«, fragte sie. »Soll ich dich nach Hause bringen?«

Er fuhr sie an: »Nein! Ich komm schon klar! Danke!«

Sie hob die Hände und sagte: »Okay, okay.«

Aber das sah er schon nicht mehr. Er beeilte sich wegzukommen.

Als Bettina zu Hause angekommen war und ihre erste Zoom-Konferenz mit Ann Kathrin hatte, die sich keine fünfzig Meter Luftlinie von ihr entfernt auf ihrer Gartenterrasse befand, erzählte sie Ann Kathrin davon. Auch sie kannte Niklas und seine Mutter von einigen Begegnungen. »Außerdem«, sagte Ann Kathrin, »kocht ihr Mann sehr gut.«

Ann Kathrin beruhigte Bettina. Jugendliche in dem Alter seien halt manchmal so. Daran konnte sie sich gut erinnern. Auch ihr Sohn Eike hatte eine Phase gehabt, in der er Erwachsenen gegenüber sehr verschlossen, ja abweisend gewesen war.

»Später«, sagte Ann Kathrin, »ändert sich das wieder. Die Jugendlichen brauchen das wohl. Dieses scharfe Abgrenzungsverhalten Erwachsenen gegenüber hilft ihnen, eine eigene Persönlichkeit zu entwickeln. Es ist wohl so etwas wie Autonomiebestreben.«

»Das kam mir heftiger vor, Ann«, sagte Bettina. »Als stünde er unter gewaltigem Druck und hätte vor etwas Angst.«

»Hauptsache, er pfeift sich nicht irgendwelche Drogen rein. In dieser Phase sind die Kids besonders gefährdet«, behauptete Ann Kathrin.

Uwe Spix versprach sich noch einiges von dem Tag. Er war sich jetzt ganz sicher, dass diese scheue Ostfrieslandliebhaberin, Anke Reiter, oben war. Die Ferienwohnungsbesitzerin, die sich selbst in normalen Zeiten kaum mal blicken ließ, als sei es der Prinzessin nicht zuzumuten, sich unters normale Volk zu mischen, blieb jetzt erst recht völlig unsichtbar. Den Willen einer solchen Diva zu brechen, darauf freute er sich ganz besonders.

Er lümmelte auf dem Sofa herum. Es war bequemer als der Sessel. Er suchte Blickkontakt zu Christina. Sie guckte demonstrativ an ihm vorbei auf die Tapete, auf den Teppich oder auf das Buchregal. Hauptsache nicht in sein Gesicht.

»Schau mich an«, forderte er herrisch. Sie tat es vorsichtig zögernd.

»Komm! Jetzt wollen wir beide ein bisschen Spaß haben. Zieh dich aus. Aber guck dabei nicht so gelangweilt in die Weltgeschichte! Schau mich dabei an! Lächle! Du tust das schließlich für mich.«

Sie begann, sich für ihn zu entkleiden. Sie wusste, wie er es am liebsten hatte. Ihn dabei anzusehen fiel ihr am schwersten.

»Lächeln!«, befahl er. »Lächeln!«

Es gelang ihr nicht. Er wurde ungehalten. »Du sollst mich anstrahlen, verdammt nochmal! Komm! Los! Steig auf den Tisch, und himmle mich an. Das kann doch nicht so schwer sein! Hast du in den langen Ehejahren verlernt, wie das geht? Richtig mit den Augen zu flirten?«

Verglichen mit ihm, dachte sie, ist mein Clemens gar nicht so schlecht. Der säuft wenigstens nur alle paar Wochen und ist den Rest der Zeit ganz okay. Aber Uwe ist immer ein

Arschloch. Dazu braucht der keinen Schnaps. Der ist einfach so. Ein Dreckskerl vor dem Herrn.

»Verdammt nochmal, so macht es keinen Spaß! Versuch, mir zu gefallen! Zeig mir, dass du es willst!« Es erboste ihn, dass sie nicht in seinem Sinne bei der Sache war. »Die ungezogene Ehefrau möchte wohl gerne bestraft werden, was?«

Spix öffnete den Gürtel seiner Hose und zog ihn langsam durch die Schlaufen.

Sie schüttelte den Kopf. »Nicht, Uwe. Lass das. Ich hatte schon beim letzten Mal Probleme. Ich kann ihm das mit den Striemen nicht erklären …«

Er lachte. »Du willst mir doch nicht erzählen, dass er dich noch nackt sieht?! Spiel jetzt bloß nicht die geliebte, begehrte Ehefrau. Zwischen euch beiden läuft doch schon lange nichts mehr. So, und jetzt will ich keine Ausreden mehr hören. Zeig mir, was du draufhast – oder willst du lieber in den Knast? Glaub mir, Süße, da sind sie nicht so nett zu dir wie ich.«

Noch bevor die Pressekonferenz zum Mordfall auf Wangerooge stattfand, standen alle wesentlichen Informationen bereits auf dem Online-Portal der Nordwest-Zeitung, und E-Paper-Abonnenten konnten ein Interview mit der polnischen Kellnerin lesen.

Sie behauptete, Herrn und Frau Janßen ganz gut zu kennen. Die beiden kämen jedes Jahr. Sie schilderte das Opfer als »freundlichen Mann, der immer ein Lächeln für alle übrig hatte. Ein zufriedener Gast, der gerne großzügige Trinkgelder gab.« Er habe dem Personal auch schon mal einen Zwanziger oder gar einen Fünfziger zugesteckt, wenn er zufrieden gewesen sei, versicherte sie.

Kurz nach der NWZ-Veröffentlichung tuckerte eine Kurzmeldung über *dpa,* und wenige Minuten später berichteten viele Nachrichtenportale.

Um die offizielle Pressekonferenz der Polizei hatte es ein kurzes Gerangel gegeben. Zunächst war sie auf Wangerooge angesetzt worden, was aber in der aktuellen Lage unmöglich war. Da die Insel zum Landkreis Friesland gehörte, sollte die Pressekonferenz dann in Jever stattfinden, dem Sitz der Kreisverwaltung. Dort gab es in der Ziegelhofstraße aber heftige Probleme wegen eines Wasserrohrbruchs, und gleichzeitig fand ein Motorradfahrertreffen statt, das untersagt werden musste. Also waren die Kollegen aus Aurich und Wittmund behilflich, zumal Rupert ohnehin als Erster am Tatort gewesen war.

Eine solche Pressekonferenz hatte es weder in Ostfriesland noch in Friesland je gegeben. Das Team der Kripo saß Vermummten gegenüber. Noch war das Maskentragen keine Pflicht, sondern nur eine Empfehlung, es gab ja noch gar nicht genug zu kaufen. Trotzdem tauchten gleich mehrere Journalisten mit selbstgemachten Masken auf.

Holger Bloem hatte einen schwarzen Schlupfschal, den man auch als Stirnband benutzen konnte, zum Mund-Nasen-Schutz umfunktioniert. Als er die Polizeiinspektion in Aurich betrat, scherzte Weller: »So machst du jedem Bankräuber alle Ehre, Holger. Ich hätte dich kaum erkannt.«

Holger Bloem lästerte: »Ja, dass ich mal eine Sparkasse oder eine Polizeiinspektion vermummt betrete, hätte ich mir vor kurzem auch noch nicht träumen lassen.«

Rupert hatte eigentlich vorgehabt, zu schwänzen und den Tag mit seiner Ehefrau Beate zu verbringen, doch zu Hause war gerade seine Schwiegermutter zu Besuch. Mit seiner Geliebten lief es momentan nicht so gut, da kam ihm die Pressekonferenz ganz recht. Meist fand sich danach ein Journalist, der später einen ausgab, um bei einem Bierchen noch ein paar Informationen mehr zu bekommen. Einige hofften, so etwas zu erfahren, das bei der Pressekonferenz verschwiegen worden war.

Martin Büscher bat Ann Kathrin, Weller und Rupert zunächst in sein Büro. Die Pressesprecherin Rieke Gersema schenkte derweil für die *Damen und Herren von der Presse* Orangensaft ein. Außerdem gab es Tee und für jeden eine Deichgrafkugel.

In Büschers Büro warteten schon Jessi Jaminski und Paul Schrader. So wie die beiden aussahen, hatte Martin Büscher ihnen gerade eine klare Ansage gemacht. Er bebte vor Wut, versuchte aber, freundlich, ja, sachlich zu klingen, wodurch er sich piepsig und heiser anhörte, ein bisschen, als hätte er einen über den Durst getrunken.

»Woher wissen die«, fragte er, nachdem er die Tür geschlossen hatte, »dass dem Toten der Penis abgeschnitten und in den Mund gesteckt wurde?« Dabei sah er Rupert an, als wäre die Antwort für ihn jetzt schon klar. »Und dass der Tote noch Socken trug, ist jetzt auch bekannt«, schimpfte Büscher.

Rupert hob die Arme wie jemand, der sich ergibt, und behauptete: »Von mir jedenfalls nicht. Ich kann schweigen wie ein Grab, das wisst ihr doch alle, Leute. Vielleicht hat einer von den Kriminaltechnikern geredet. Da war wieder dieses fröhliche Pärchen am Werk, die wollten, glaube ich, eigentlich zum Kabarett, haben sich dann aber aus Versehen bei uns beworben ...«

»Das ist hier nicht witzig, Rupert!«, zischte Büscher und wendete sich dann gestisch an Weller und Ann Kathrin. Weller schüttelte nur den Kopf, Ann Kathrin reagierte auf solche Anwürfe erst gar nicht. Deshalb ging Büscher sie direkt an: »Wir wissen alle, dass Holger Bloem und du ...«

»Na? Sprich es aus. Was ist mit Holger Bloem und mir?«

Rupert grinste: »Habt ihr was zusammen laufen?« Er guckte Weller an. Der verdrehte die Augen.

»Dass ihr gut befreundet seid, weiß jeder«, sagte Büscher.

Ann Kathrin entgegnete ihm: »Aus deinem Mund klingt das wie ein Vorwurf. Ich habe mit Holger heute noch gar nicht gesprochen.«

Polizeikommissaranwärterin Jessi Jaminski, die Jüngste in der Runde, fragte: »Was ist denn überhaupt so schlimm daran?«

Büscher ballte die Faust und biss in seinen Faustrücken. Ann Kathrin erklärte ihr: »Wir halten immer gerne eine Information zurück. Etwas, das niemand weiß, nur wir und der Täter.«

»Warum?«, fragte Jessi.

Rupert sprang ein. Er fand, es sei seine Aufgabe, ihr das Grundwissen beizubringen: »Weil es immer irgendwelche Schwachköpfe gibt, die eine Tat gestehen, die sie nicht begangen haben. Besonders bei spektakulären Sachen sind immer sofort ein paar Spinner da und schreien: *Ich war's!*«

Jessi guckte, als könne sie es nicht glauben. »Und warum?«

»Warum sie das tun, kann uns im Grunde egal sein, Jessi. Das ist mehr ein Fall für unsere Psychologin. Aber wir müssen ihnen dann nachweisen, dass sie es nicht waren«, erläuterte Ann Kathrin. Das leuchtete Jessi sofort ein. Trotzdem fügte Rupert noch hinzu: »Denn sonst läuft ja der richtige Mörder weiterhin frei herum, während ein anderer seine Strafe absitzt.«

Weller versuchte, die Prozedur abzukürzen: »Draußen warten die Journalisten, Freunde. Wir sollten jetzt rausgehen und mit ihnen sprechen. Gibt es etwas anderes am Tatort, das kein Außenstehender weiß, sondern das nur der Täter wissen kann?«

Da Rupert der Einzige von ihnen war, der den Tatort und den Toten persönlich gesehen hatte, blickten ihn jetzt alle an. Rupert zuckte mit den Schultern. In Schraders Richtung sagte er: »Das ist wieder mal typisch. Wenn sie nicht mehr weiterwissen, dann wollen sie von mir die Lösung für alle Probleme.«

»Wenn wir nichts weglassen können, können wir ja vielleicht etwas hinzudichten«, schlug Jessi vor.

Sie blickte in betretene Gesichter.

»Wie meinst du das?«, hakte Büscher nach.

»Na ja, es kommt doch nur darauf an, jemandem, der es nicht war, beweisen zu können, dass er es nicht war.«

Ann Kathrin kapierte sofort. »Sie hat recht.«

Rupert lachte: »Ja, sollen wir behaupten, der Tote hätte eine Pappnase aufgehabt, oder was?«

»Nein«, sagte Ann Kathrin, »aber wir werden behaupten, es habe ein Kampf stattgefunden, bei dem eine Tasse Kaffee an die Wand geworfen worden sei. Die Tasse ging kaputt, der Kaffeefleck klebte an der Wand.«

Büscher pfiff anerkennend.

Jessi freute sich, dass ihre Idee ernst genommen wurde. Sie hüpfte auf und ab. »Und wenn dann einer die Tat gesteht und sagt, *ja, er hat eine Kaffeetasse nach mir geworfen, die klatschte gegen die Wand*, dann wissen wir, dass er lügt.«

»Genau«, bestätigte Ann Kathrin, doch Rupert hatte einen Einwand: »Nicht er, Jessi. Es ist eine Sie. Glaub mir, diesmal scheidet die Hälfte der Bevölkerung aus. Das war eine Frau. Getrieben von Männerhass.«

»Versuchen wir es so«, schlug Büscher vor und ging zur Tür. Er räusperte sich. Er musste wieder die Beherrschung über seine Stimme gewinnen. Er wollte die Pressekonferenz nicht so piepsig und heiser eröffnen. Er hustete.

Rupert raunte hinter ihm: »Ich wäre damit vorsichtig, Martin. Wer hustet, gerät gleich in den Verdacht, Corona zu haben.«

»Da will ich lieber keinen Anlass zu Spekulationen geben«, krächzte Büscher und putzte sich vorsichtshalber noch mal schnell die Nase.

Kinder sollten ihre Mütter nicht so sehen. So etwas sollte überhaupt nicht geschehen. Niemals. Nirgendwo.

Niklas hatte Material gegen Spix sammeln wollen, doch nun kam es ihm vor, als hätte er seiner eigenen Mutter etwas angetan.

Er wusste nicht, wohin mit sich und seiner Wut. Er konnte Scham und Wut auch nicht mehr voneinander unterscheiden. Etwas tobte in ihm und wollte heraus. Er hatte das Gefühl, etwas kaputtschlagen zu wollen. Gern hätte er bei Spix die Scheiben eingeworfen oder sein Auto mit einem Vorschlaghammer bearbeitet. Er tat das alles nicht und fühlte sich deswegen auch noch als Versager. Als Feigling.

Die Dinge konnten nicht so bleiben, wie sie waren. Es musste sich etwas verändern. Das Ganze durfte sich nicht wiederholen. Niemals.

Er konnte mit dem Film nicht einfach zur Polizei gehen und denen sagen: »Wann verhaften Sie diesen Verbrecher endlich?!« Er würde damit seine Mutter ausliefern und sich selbst natürlich auch. Wahrscheinlich würde Spix sogar behaupten, das Ganze sei freiwillig geschehen und nicht mehr als ein Spiel gewesen, an dem die untreue Ehefrau eine Menge Spaß gehabt habe. Der Sohn hätte alles nur missverstanden. Ja, so würde er es hindrehen und dabei schmierig grinsen.

Nein, Niklas konnte seiner Mutter das nicht antun. Er durfte sie solchen Befragungen durch die Polizei erst gar nicht aussetzen. Überhaupt sollte sie nie erfahren, dass er diesen Film besaß. Er hatte ihr praktisch zugesehen, während sie sich so schlimm erniedrigen lassen musste, um ihr gemeinsames Geheimnis zu schützen.

Das war vielleicht das Grausamste für Niklas. Die Vorstellung: Sie tat es für ihn.

Es lief seit Jahren so, ja, war längst zur gelebten Routine geworden. Sollte er den Film löschen? Aber damit konnte er nicht alles ungeschehen machen. Das war doch auch nur wie wegucken. Alles unter den Teppich kehren. Immer deutlicher reifte in ihm die Gewissheit, dass sowieso eines Tages alles herauskommen würde.

Er versuchte, sich abzulenken, um nicht verrückt zu werden. Andere hätten vielleicht Drogen genommen, aber das war für ihn kein Fluchtweg. Er wäre sich dann vorgekommen, als würde er seinen Vater nachmachen und ihm damit auf verrückte Weise recht geben. Nein, Alkohol war für ihn kein Mittel der Wahl. Er hasste schon alleine den Geruch. Er konnte nicht mal ein Eis mit Rumrosinen essen, ohne dass ihm schlecht wurde. So einen *Ossibecher* hatte Lukas, ein Klassenkamerad, letzten Sommer ausgegeben. Niklas war zur Geburtstagsparty eingeladen gewesen. Da konnte er sich doch nicht blamieren, wollte mitmachen. So sein wie die anderen. Dazugehören.

Es war gründlich schiefgegangen. Er wollte am liebsten gar nicht mehr daran denken, wie sehr er sich blamiert hatte. Manchmal träumte er aber davon und sah dann seinen Vater, der ihn auslachte.

Sein Leben kam ihm vor wie eine Rolltreppe abwärts, die in einem verfallenen Kaufhaus immer tiefer führte. Mit jedem Stockwerk wurden der Verfall und Gestank schlimmer. Ganz unten wartete ein Höllenschlund.

Die Rolltreppe wurde schneller. Es gab keinen Ausweg. So sicher, wie auf den Sommer die Herbststürme folgten und dann der Winter, so sicher steuerte sein Leben auf eine unabwendbare Katastrophe zu.

Niklas beobachtete das Haus an der Itzendorfer Straße. Spix war also wieder zu Hause. Obwohl es noch hell war, brannte im ganzen Haus Licht. Stromsparen war nicht gerade sein Ding.

Vielleicht war es ein gutes Omen, dass Spix hier wohnte. Während der Neujahrsflut 1720 war Itzendorf vollständig zerstört worden. Viele Menschen kamen damals ums Leben. Die schwere Sturmflut hatte den Westermarscher Seedeich an mehreren Stellen durchbrochen. Itzendorf war nicht mehr zu halten gewesen und wurde ausgedeicht. Der Straßenname erinnerte noch daran.

Niklas stellte sich eine gewaltige Sturmflut vor, die wie ein göttliches Strafgericht donnernd heranrollte und Spix samt seinem Haus mitriss. Alles andere sollte stehen bleiben.

Ach, wenn das doch nur möglich wäre! Die Menschen würden sich fragen, was geschehen war. Wie konnte es sein, dass nichts sonst beschädigt wurde? Nicht einmal die Blumen in den umliegenden Vorgärten wurden abgeknickt, nur ein Haus vollständig zerstört. Und in den feuchten Trümmern der tote Besitzer.

Als er klein war, hatte Niklas oft gebetet und auf ein Wunder gehofft. Da ging es noch nicht um Spix, sondern um seinen Vater. Er hatte gehofft, der Alte würde endlich erkennen, dass er mit Alkohol nicht umgehen konnte.

Immer wieder hatte er dem lieben Gott Angebote gemacht:

Wenn ich meinen Teller leer esse ...
Wenn ich in der Schule zum Klassenbesten werde ...
Wenn ich beim Sport die Urkunde hole ...
Wenn ich verspreche, nie wieder Fernsehen zu gucken ...
Wenn ich keine Bonbons mehr esse ...
Wenn ich jeden Abend drei »Vaterunser« und drei
»Gegrüßet seist du, Maria« bete ...

Auch das hatte nichts geholfen. Sie waren als katholische Familie in diesem evangelischen Landstrich ohnehin schon etwas sehr Besonderes. Der saufende Vater machte sie erst recht zu Außenseitern.

Wenn sie auf Bitten der Mutter an Heiligabend an der Christmette teilnahmen, dann waren mehr Zugereiste in der Kirche als Ostfriesen. Die meisten kamen aus Vietnam. Einige andere aus dem Ruhrgebiet.

Er hatte sich unter den Vietnamesen immer wohlgefühlt.

Irgendwie machten diese sogenannten *Boat People* ihm Mut. Denen war es doch auch gelungen, ihr Leben zu verlassen, übers Meer zu fliehen, in eine andere Kultur hinein, und sich in einem Land ein neues Leben aufzubauen, dessen Sprache sie erst lernen mussten.

Gab es so etwas auch für ihn und seine Mutter? Die Möglichkeit für einen Neuanfang? Irgendwo auf der Welt?

Manchmal hatte er davon geträumt, einfach mit ihr abzuhauen, keine neue Adresse zu hinterlassen und die Ausweise zu verbrennen, damit sie niemals von ihm gefunden werden konnten.

Als er die Hoffnung aufgegeben hatte, sein Vater könne sich jemals wieder bessern, begann er, von einem Leben ohne ihn zu träumen. Er verstand nicht, warum seine Mutter bei ihm blieb. Andere ließen sich doch auch scheiden, heirateten vielleicht sogar neu, versuchten, ihr Lebensglück zu gestalten. Doch sie saßen hier fest wie verflucht.

Er schlich sich näher ans Haus heran.

Spix hatte wohl immer noch nicht genug. Er saß jetzt auf der Terrasse im Strandkorb. Er hatte einen Cognacschwenker bei sich stehen. Auf den Knien balancierte er seinen Computer und sah sich Pornos an. Nein, nicht irgendwelche Pornos, die er sich aus dem Internet heruntergeladen hatte, sondern selbstgedrehte kleine Sexfilmchen, in seinem eigenen Haus aufgenommen.

Er fühlte sich unbeobachtet und amüsierte sich glänzend.

Niklas pirschte sich so nah an ihn heran, dass er sogar die Zimmereinrichtung auf dem Bildschirm erkennen konnte. Er kannte die Frau flüchtig, die dort im Badezimmer auf der Toilette beobachtet worden war. Sie war eine Studentin aus Bochum, die während der Saison in Norddeich als Kellnerin gearbeitet hatte. Niklas mochte sie. Er war ihr mehrfach auf dem Radweg begegnet. Sie hatte ihn immer nett behandelt und ihm erzählt, er würde an einem der schönsten Flecken der Erde aufwachsen. Im Weltnaturerbe.

Dieser Film war ein wichtiger Hinweis für Niklas. Wenn ich ihn töten will, dachte er, dann darf ich es nicht in seinem Haus machen. Die Gefahr ist viel zu groß, dass ich dabei aufgenommen werde. Hat er deshalb immer überall das Licht an? Garantiert ist der ganze Laden mit Kameras verseucht, damit er seine schmutzigen kleinen Filmchen von den Mieterinnen drehen kann.

Was war das nur für ein schrecklicher Mensch? Wie konnte man heimlich Menschen bei intimen Handlungen aufnehmen?

Du verkommene Sau, dachte er, und gleichzeitig schämte er sich noch mehr, weil er gerade etwas Ähnliches getan hatte, wenn auch aus anderen Gründen.

Wenn Clemens Wewes sich seinem Wohnhaus näherte, geschah manchmal etwas in ihm. Es war eine Veränderung, die er mit jedem Kilometer spürte. Eigentlich hätte er froh sein müssen, nicht erwischt worden zu sein, denn er hatte viel mehr getrunken, als die Polizei einem Autofahrer zubilligte. Er hatte keinen Unfall gebaut und war in keine Polizeisperre gekommen.

Für ihn galten diese Regeln sowieso nicht, fand er. Andere konnten vielleicht nicht mehr Auto fahren, wenn sie ein paar Gläschen getrunken hatten. Er dagegen hatte das Gefühl, sich klar zu trinken. Sein Blick auf die Welt wurde nicht etwa vernebelt, sondern er sah dann alles überdeutlich. Er glaubte, eher im nüchternen Zustand unfallgefährdet zu sein. Nie sah er die Welt klarer, als wenn er einen gewissen Alkoholpegel erreicht hatte. Sehr weit dahinter wurde es dann wieder undeutlich, verschwommen, ja dunkel. Aber so weit war er noch lange nicht. Dazu fehlte mindestens noch ein halber Liter Schnaps.

So, wie er jetzt war, konnte er sein Zuhause nicht ertragen. Nichts gefiel ihm hier, weder die Farbe der Möbel noch die Art, wie sie angeordnet waren. Am liebsten hätte er alles umgeräumt, ja kaputtgeschlagen. Er nannte es manchmal: *Ich habe Lust, die Möbel gerade zu rücken.*

Er veränderte dann aber nicht wirklich etwas, sondern meckerte über alles und suchte einen Schuldigen. Eine Person, die er für alles verantwortlich machen konnte.

Tief in sich drin wusste er, dass er wütend auf sich selbst war. Doch das konnte er in diesem Zustand nicht spüren, sondern immer erst am Ende, wenn der Kater kam, wenn ihm alles weh tat und er sich dem Tod sehr nahe fühlte. Dann wollte er am liebsten seine Frau und seinen Sohn auf Knien um Verzeihung bitten.

Er tat es nicht, aber er spürte den Impuls. Er wusste dann, dass er wieder Mist gebaut hatte und er verachtete sich dafür.

Er hielt mit quietschenden Reifen vor dem Haus. Wenn er getrunken hatte, konnte er immer schneller fahren als in nüchternem Zustand. Denn dann war es für ihn, als würde alles in Zeitlupe ablaufen. Er fand sein Reaktionsvermögen dann unglaublich viel besser als das der anderen Autofahrer, schimpfte über sie und hoffte, man würde denen den Führerschein abnehmen.

So, wie er den Wagen abgestellt hatte, blockierte er jetzt zwei Parkplätze. Das war angemessen für ihn. Eine Art Machtdemonstration. Die brauchte er für sich selbst.

Im Wagen fühlte er sich noch stark, doch sobald er sein Haus betrat, schlug seine Stimmung um. Er sah sich einer Verschwörung aus Verachtung ausgesetzt. Er musste denen jetzt mal zeigen, wo der Hammer hing und wer hier das Sagen hatte. Zu viel lief schief. Zu lange schon.

Er brauchte eine Weile, bis er die Tür geöffnet hatte. Natürlich wusste sie längst, dass er da war. Sie verkroch sich und ignorierte ihn.

Er rief sie: »Christina! Christina! Christina!«

Er stand im Flur herum wie an einer Bushaltestelle, wenn einem der Bus vor der Nase weggefahren war. Sein Zorn wuchs.

Seine Frau ließ sich nicht blicken.

»Schön, so freundlich empfangen zu werden!«, brüllte er. Er breitete die Arme aus und drehte sich. Wie zufällig lehnte er sich gegen die Schlafzimmertür und drückte die Klinke herunter. Na bitte. Abgeschlossen. Sie hatte sich also mal wieder schmollend zurückgezogen. Wahrscheinlich lag sie mit einem ihrer Schmöker heulend im Bett.

Was sollte ein Mann, der mit so einer Frau verheiratet war, auch anderes tun, als sich zu besaufen?

»Ich habe in Emden in den Sack gehauen! Jawoll! Ich habe gekündigt! Die sind mich nicht wert! Sollen sie doch sehen, wie sie klarkommen!«

Er hörte Rascheln hinter der Tür. Na bitte. Das reichte, damit Madame sich erhob.

Sie öffnete die Tür einen Spalt und sah ihn an. »Du hast getrunken«, sagte sie.

Er klatschte ihr Beifall. »Bravo! Bravo! Wie bist du darauf bloß gekommen? Was bist du doch für eine intelligente Frau! Ja, ich habe einen genascht! Das steht mir doch wohl zu?! Weißt du, was das heißt, den ganzen Tag in einer heißen Küche herumzustehen? Nie ist genug Platz da, ständig meckern die Gäste: *Oh, das Steak ist zu blutig! Nein, das Steak ist mir nicht blutig genug! Ist das Brot denn auch glutenfrei? Wieso ist der Matjes nicht warm? Ist das Öl auch kaltgepresst? Ist der Kakaopudding auch laktosefrei?*«

Sie wollte die Tür wieder schließen, doch er hatte bereits seinen Fuß in die Lücke geschoben. Sie rümpfte die Nase. »Du wolltest doch keinen Schnaps mehr trinken.«

Er tippte sich gegen die Stirn: »Richtige Drinks machen den Kopf frei! Ich sehe dann die Dinge, wie sie wirklich sind.«

»Das Ich«, sagte sie leise, »ist alkohollöslich.«

»Was ist denn das wieder für ein Scheiß?« Er stieß die Tür auf.

Das Holz krachte gegen ihren Ellbogen. Das Gelenk schwoll sofort an und schmerzte. Sie rieb sich den Arm.

Sie merkt nie, dass ich gar nicht nach Küche rieche, dachte er. Sie denkt immer nur an sich und vergöttert ihren Sohn. In den letzten Wochen hat sie nichts bemerkt. Ich könnte eine zweite Familie haben und einen ganz anderen Beruf. Sie kriegt das sowieso nicht mit ... Oder sie weiß es die ganze Zeit schon und verschweigt es mir, weil sie mir die Peinlichkeit nicht ersparen will, es ihr zu gestehen.

Er lachte demonstrativ. Er versuchte, Jack Nicholsons Lachen zu imitieren. Den fand er immer großartig. Aber er wusste, dass er es nicht hinkriegte und nur wie eine Karikatur von Nicholson wirkte.

Er schnippte mit den Fingern und steppte ein paar Schritte, um zu zeigen, wie fröhlich er war. »Es gibt was zu feiern, Süße«, lachte er. »Ja, da staunst du, was? Ich habe nämlich nicht nur gekündigt, sondern auch einen neuen Job. Im *Smutje*! Patrik Weber hat mich gefragt, ob ich lieber im *Smutje* arbeiten möchte oder im *Dock*. Ich habe mich dann fürs *Smutje* entschieden. Ich werde die Küche dort aufpeppen und ganz neue Impulse setzen. Weg von diesem Ostfriesischen ... Wer braucht denn bitte schön ein Grünkohlpesto? Richtiges Pesto kommt aus Italien! Ich werde ...«

»Du fängst wirklich in Norden an zu arbeiten?«

»Ja, da staunst du, was? Und ich habe gleich gesagt, dass ich nicht zu so einem mickrigen Gehalt zu haben bin, dass Patrik schon ein paar Euro drauflegen muss, wenn er einen wie mich haben will!«

Sie ahnte, dass er entweder log oder sich etwas anderes dahinter verbarg. Sie war daran gewöhnt, dass er Lügengeschichten erzählte. Den Wahrheitsgehalt herauszufinden war eine ganz besondere Übung für sie. Etwas an seinen Geschichten stimmte immer, aber selten das, was er besonders groß herausstellte.

»Sie haben dich erwischt, und du hast deinen Führerschein verloren, deshalb brauchst du eine Stelle in Norden, stimmt's?«, fragte sie, denn sie wusste, dass er in Emden bisher eigentlich ganz zufrieden gewesen war. Er redete über seine Lehrmädchen manchmal, als sei er geradezu verliebt in sie.

»Du weißt es also gar nicht«, grinste er.

»Was?«

»Sie haben mir den Lappen bereits vor einem halben Jahr abgenommen. Letzten Winter, genauer gesagt.«

Sie erschrak. »Du fährst die ganze Zeit ohne Führerschein?«

»Ich kann fahren«, tönte er. »Besser als die meisten, die einen Führerschein haben und keinerlei Punkte in Flensburg, weil sie immer nur so langsam durch die Landschaft tuckern, als sei ihr Auto eine Sprengladung, die man vorsichtig bergen muss und die beim kleinsten Geruckel explodieren kann.«

Er fand, dass das ein super Vergleich war und klatschte sich auf die Schenkel. Vom vielen Reden hatte er jetzt Durst. Er zog den Schlüssel aus der Schlafzimmertür, steckte ihn ein und ging in die Küche zum Kühlschrank. Er öffnete ihn, fischte zwei Bierflaschen heraus und hebelte den Deckel der einen mit dem der anderen ab.

»Bitte, Clemens«, sagte sie, »du hast genug. Hör jetzt auf.«

Er knallte die Flasche auf den Küchentisch. Das waren genau die Reden, mit denen sie ihn in Rage brachte. Gönnte sie ihm denn gar nichts? Kein bisschen Spaß? War er nur dazu da, um zu arbeiten? Immer ging es nur um sie und die Affenliebe zu ihrem Sohn. Er war hier eine Art Geldbeschaffungsmaschine, mehr nicht.

Sie sah es seinem Gesicht an. Die Aggression in ihm wuchs.

Noch versuchte er, Scherze zu machen, log sich Geschichten zusammen, bauschte sein Leben zu einem erfolgreichen Abenteuer auf. Aber bald schon würde die Aggression siegen.

Anspielend darauf, dass er den Schlafzimmerschlüssel eingesteckt hatte, sagte sie: »Ich kann mich ja im Wohnzimmer hinlegen, wenn du ins Schlafzimmer willst.«

»Ich hatte eigentlich gedacht«, giftete er zurück, »dass wir beide uns noch einen schönen Abend machen.«

»Ich bin müde, mir geht's nicht so gut.«

»Oh, Madame hat Migräne?«, fragte er und verbeugte sich spöttisch vor ihr.

Er richtete sich wieder auf und hielt eine Hand an sein Ohr. Er lauschte. Dann nahm er einen kräftigen Schluck aus der Flasche und rief, Bierschaum verblasend: »Wo ist denn mein Sohn Niki? Etwa zu Hause? Verkriecht sich die graue Maus wieder? Oder hat er tatsächlich endlich eine Freundin? Traut er sich, neben seiner Mutter eine zweite Frau in sein Leben zu lassen?«

»Rede nicht so«, bat sie und hielt sich die Ohren zu.

»Ist doch wahr!«, schrie er. »Du erstickst ihn mit deiner Affenliebe! Da ist gar kein Platz für eine andere! Und sei doch mal ehrlich – du würdest vor Eifersucht platzen, wenn er endlich mit einem schönen Mädchen nach Hause käme. Das traut sich der Junge doch gar nicht!!! Der wird noch schwul, nur um seiner Mutter keinen Kummer zu machen!«

»Du müsstest dich mal reden hören«, sagte sie. »Schrecklich. Einfach schrecklich. Schämst du dich denn gar nicht? Die Reiters hören doch jedes Wort, wenn du so laut bist!«

Er legte beide Hände an die Lippen, als könne er sie so zu Lautsprechern verstärken und rief gegen die Decke: »Ich bin weder homophob noch ausländerfeindlich! Mir geht lediglich die Affenliebe meiner Frau zu ihrem Sohn auf den Sack!«

Noch bevor Niklas seinen Vater schreien hörte, wusste er, dass es heute wieder rundgehen würde. Er sah den Wagen vor dem Haus parken, und das reichte aus. In nüchternem

Zustand hätte sein Vater den Wagen niemals so abgestellt, den rechten Vorderreifen halb auf der Steinkante, die den Vorgarten umrahmte. Wenn sein Vater zu viel Alkohol im Blut hatte, ging er nachlässig mit den Dingen um, als hätten sie keinen Wert für ihn. Dann dauerte es immer noch ein, zwei Stunden, bis er so weit war, Dinge mutwillig zu zerstören.

Niklas stellte sein Rad ab und beeilte sich, ins Haus zu kommen. Seine Mutter hatte dem Alten offensichtlich noch nichts gegeben. Er musste sie nicht fragen. Er sah es ihr an. Sie hatte bereits alles vorbereitet und eine offene Schachtel mit Mon-Chéri-Pralinen auf dem Küchentisch stehen.

Seine Eltern standen sich schon wie zwei verfeindete Parteien gegenüber. Jetzt würde es ihr schwerfallen, ihm etwas einzuflößen. Das Mittel war zwar geruchs- und geschmacksneutral, konnte aber im Bier auffallen, weil es manchmal zu Schaumentwicklungen führte.

Sie hatten vieles ausprobiert. Weinbrandbohnen waren am besten.

Er wusste sofort, welche Praline sie präpariert hatte. Nachdem sie die kleine Tablette hineingedrückt hatte, versuchte sie immer, das Loch in der Schokolade zu schließen, so dass nicht zu viel heraussuppte. Sie nahm dafür Nutella.

Er tat noch immer so, als würde er gern Nutella zum Frühstück essen, dabei war das schon lange nicht mehr sein Ding. Doch sie brauchten schließlich eine Begründung dafür, warum immer ein Glas davon zu Hause herumstand.

Die Praline mit der Piemont-Kirsche aß Clemens Wewes besonders gern. Zu Weihnachten, zum Geburtstag, zu vielen Anlässen wurde er damit beschenkt.

Niklas und seine Mutter gaben vor, diese Pralinen widerlich zu finden, denn sie mussten verhindern, von ihm genötigt zu werden, auch eine zu essen. Einmal hatte seine Mutter sogar behauptet, gegen Piemont-Kirschen allergisch zu sein, sie bekäme davon fürchterliches Jucken und Hautausschlag.

Die vorbereitete Praline hatte Christina Wewes wieder in das rosafarbene Papier eingepackt und dann verdreht in die Schachtel zurückgelegt. So machte sie es immer. So wusste jeder von ihnen, welche Praline präpariert war. Sie und Niklas hatten kleine Rituale entwickelt, routinierte Abläufe, damit ihnen keine Fehler unterliefen.

Niklas nahm die Praline und wickelte sie vor den Augen seines Vaters aus dem Papier. Er wollte sie ihm einfach zwischen die Lippen schieben. So etwas hatte er schon oft getan. Als kleiner Junge war es ihm leichter gelungen.

Er fragte sich, warum der Vater noch nie misstrauisch geworden war. Vielleicht hatte er schon Teile seines Verstands versoffen, beruhigte Niklas sich.

Doch heute wollte er nicht. Er schüttelte den Kopf. »Ich lass mich von dir doch nicht füttern wie ein Pferd!«

Niklas versuchte einen Scherz: »Wer füttert schon Pferde mit Mon Chéri? Denen gibt man doch Möhren.«

»Gut, dass du kommst. Ich rede gerade mit deiner Mutter über dich.«

Christina Wewes hob abwehrend die Hände. »Bitte, Clemens! Wir können das doch ein anderes Mal besprechen. Jetzt ist nicht der richtige Zeitpunkt. Du hast schon etwas getrunken und ...«

Clemens erhob seine Faust und drohte seiner Frau.

»Papa, hör auf! Wir wissen doch alle, wie das jetzt weitergeht«, bat Niklas. Die Praline begann zwischen seinen Fingern zu schmelzen.

Seine Mutter sah das Problem, nahm ihm das Mon Chéri ab, steckte es sich zwischen die Lippen und sagte: »Komm, mein Schatz, wir vertragen uns wieder. Küss mich.«

Es klang komisch, wenn sie so sprach. Piepsig, wie eine nervige Comicfigur. Sie stieß mit der Zunge gegen die Praline.

Für einen Moment fürchtete Niklas, es könne schiefgehen. Wenn seine Mutter zu hoch gepokert hatte, dann ... Er durfte gar nicht daran denken ...

Der Branntwein in der Zartbitterschokolade reichte aus, um die Wirkung der Tablette voll zu entfalten. Sein Vater war ein harter Hund, der überstand so etwas. Aber um seine Mutter machte er sich wirklich Sorgen. Einmal, es war schon ein paar Jahre her, hatte sie befürchtet, der Vater hätte Verdacht geschöpft. Ihm war aufgefallen, dass mit der Kuvertüre irgendetwas nicht in Ordnung war. Er hatte Nutella an den Fingern gehabt. Er glaubte nun, seine Frau hätte alte Mon Chéri gekauft oder sie seien falsch gelagert worden. Um zu verhindern, dass er sie genauer untersuchte, hatte Christina ihm die Weinbrandbohne abgenommen und sie sich mit den Worten: »Was du immer hast! Die ist doch köstlich!« selbst in den Mund gesteckt. Eine halbe Stunde später waren sie kurz davor gewesen, den Notarzt zu rufen, so dreckig ging es ihr. Sie erbrach sich nicht einfach, nein, ihr Kreislauf versagte. Sie war zusammengebrochen. Sie wollte auf keinen Fall ins Krankenhaus, sie hatte Angst, dort würde alles herauskommen.

Damals war die Legende von der Piemont-Kirschen-Allergie entstanden.

Doch diesmal ging alles gut. Der Alkoholpegel seines Vaters war noch nicht auf dem Niveau, dass ihn die reine Aggression beherrschte. Er schwankte noch zwischen dem

Wunsch, geliebt zu werden, und dem, seine Familie zu vernichten und wieder ein freies Junggesellenleben zu führen.

Er stahl seiner Frau mit den Zähnen die Praline zwischen den Lippen weg, zerkrachte sie in seinem Mund, als sei es ein Triumph für ihn, dass er nun die Kirsche und den alkoholischen Inhalt genießen konnte, dann drückte er seine Frau fest an sich. Dabei drehte er Niklas den Rücken zu.

Niklas sah auf den Messerblock. Es wäre ein Leichtes gewesen, jetzt das Fleischmesser oder das Brotmesser herauszuziehen und es dem Vater in den Rücken zu stechen.

Er tat es nicht.

Seine Mutter zwinkerte ihm zu. Sie war stolz auf ihren Sohn. Sie hatten das gemeinsam mal wieder gut hingekriegt.

Ihr Mann schob sie auf den Küchentisch. Er spielte jetzt ganz den wilden, verliebten Halbstarken. In der Rolle gefiel er sich besonders gut, wenn er leicht angeheitert war, wie er diesen Zustand nannte.

Er befummelte seine Frau und schob ihr die Zunge zwischen die Lippen. Sie sah dabei ihren Sohn an. Der fand das nicht nur eklig, sondern machte sich auch Sorgen, dass seine Mutter noch zu viel von dem explosiven Alkohol-Antabus-Gemisch mitbekommen könnte, das noch an der Zunge seines Vaters klebte.

Niklas räusperte sich laut und sagte: »Ich lass euch dann jetzt wohl mal besser alleine.«

Sein Vater drehte sich zu ihm um: »Guck dir das ruhig an, da kannst du was von lernen, Kleiner. Du wirst ja nicht immer nur an Mamis Rockzipfel hängen wollen, oder? Machen dich Mädchen überhaupt nicht an?«

»Was weißt du denn schon über mich?«, antwortete Niklas.

Seine Mutter blickte ihn flehentlich an. Das war die falsche Antwort gewesen. Jetzt galt es, Clemens zu beschwichtigen. Das Mittel brauchte bestimmt noch zehn bis zwanzig Minuten, bevor es seine volle Wirkung entfaltete und ihn ausschaltete. Ab dann würde er zu einem Häufchen Elend werden, auf allen vieren zur Toilette kriechen, seine Gedärme würden den Alkohol aus ihm herauspressen und alles, was sich sonst noch in ihm befand.

Die nächsten Minuten waren besonders gefährlich. Christina wusste das aus Erfahrung. Sehr rasch würde er spüren, dass es mit ihm bergab ging und er bald schon auf Hilfe angewiesen wäre. Dann demütigte er sie gerne vorher noch einmal und stellte klar, dass sie großes Glück hatte, einen so tollen Kerl zu haben wie ihn. Er machte das auf seine Art, die sie mindestens so abscheulich fand wie die von Uwe Spix.

Anke Reiter lag in dieser Nacht noch lange wach. Die Brüllerei unten im Haus zerrte an ihren Nerven. Es kam ihr dann immer so vor, als würde sie selbst angeschrien.

Die Brech- und Würgelaute, wenn Clemens Wewes sich übergab, empfand sie fast als Erlösung. Sie wusste, dass es jetzt vorbei war.

Ihr Herz ging auf, wenn sie an Niklas dachte. Natürlich würde er bald wieder ein selbstgemachtes Beereneis von ihr bekommen.

Sie wünschte sich ihren Mann Sven an die Seite. Mit ihm war vieles einfacher. Er tröstete sie, wenn sie traurig war. Beruhigte sie, wenn sie Angst hatte. Ging einkaufen, wenn sie sich unter zu vielen Menschen unwohl fühlte. Und er verdiente genug Geld, so dass es ihnen beiden gutging.

Sie lektorierte und übersetzte Kinderbücher. Das brachte nicht viel, gab ihr aber das Gefühl, etwas Sinnvolles zu tun. Das Beste an der Arbeit war: Niemand erwartete von ihr, dass sie im Kostüm im Büro erschien. Das wäre ihr unmöglich gewesen. Der Gedanke, regelmäßig mit Arbeitskollegen essen zu gehen, in einer Kantine zu sitzen oder an Besprechungen teilzunehmen, war ein Albtraum für sie.

Es gab im Grunde nur noch zwei Orte, an denen sie sich wohlfühlte: in Gelsenkirchen in ihrer Wohnung und hier in Norddeich.

Wenn es dunkel wurde, fiel es ihr leichter rauszugehen. Das Meer hatte schon eine große Anziehungskraft. Sie schloss die Augen und stellte sich vor, wie die Wellen immer wieder vergeblich versuchten, den Deich hochzurollen.

Im Dunkeln, wenn die Gegend menschenleer war und andere sich vielleicht fürchteten, alleine spazieren zu gehen, dann kam sie sich wie befreit vor. Wenn es ihr gelang, nachts bis an den Deich zu kommen, empfand sie Freiheit. Am schönsten war es für sie bei Ebbe. Wenn das Wasser abfloss, hatte sie das Gefühl, als könnte sie ihre Sorgen, Nöte und Ängste hineinwerfen und das Meer würde all das, was sie bedrückte, wegspülen, hinausziehen in die Tiefe. Schuldgefühle und Versagensängste versickerten dann irgendwo zwischen Juist und Norderney im Schlick. Die Vorstellung von der reinigenden Kraft des Meeres gefiel ihr.

Am liebsten hätte sie Sven angerufen und mit ihm geredet. Seine Stimme wirkte so beruhigend auf sie. Doch sie fürchtete, seine Mailbox könne anspringen. Das empfand sie jedes Mal wie eine Zurückweisung, als würde man ihr die

Tür vor der Nase zuknallen. Besser war es, dass er sie anrief, wenn ihm danach war.

Sie konnte jetzt nicht schlafen. Der Lärm unten hatte sie zu sehr aufgewühlt. Sie nahm sich den Ausdruck des Fantasy-Romans, den sie aus dem Englischen übersetzen sollte. Die ersten zweihundert Seiten waren schon fertig.

In vielen Fantasy-Büchern, dachte sie, kommt ein weißer Drache, wenn die Helden in einer schlimmen Situation sind und nicht mehr weiterwissen, und rettet alle. Im Leben wartet man auf diesen Scheißdrachen meistens vergeblich.

Für Sven Reiter waren die sozialen Phobien seiner Frau inzwischen Alltag geworden. Er konnte gut damit umgehen, ja sog sogar gewissen Honig daraus. Er wusste immer, wo seine Frau war, ganz im Gegensatz zu einigen seiner Freunde, bei denen sich Eifersuchtsdramen abspielten, weil es offensichtlich ein neuer Trend bei jungen Männern war, verheiratete Frauen zu verführen.

Er selbst hatte seit drei Jahren ein Verhältnis mit Jara. Es war ziemlich unkompliziert. Sie war fünf Jahre jünger als er und arbeitete mit ihm in der Versicherungsagentur zusammen. Sie hatte zunächst viele neue Kunden gebracht und ihren gesamten Bekanntenkreis mit Hausrat-, Lebens-, Berufsunfähigkeits- und Unfallversicherungen versorgt. Ihr Mann, Florian, war am Stadttheater. Nein, kein Schauspieler, kein Sänger. Sie nannte es abwertend: *Der macht nur die Technik.*

Besonders abends hatte ihr Mann viel zu tun. So hatten Sven und sie genug Zeit füreinander.

Sie liebte die ostfriesischen Inseln genauso wie er. Er fuhr mit ihr nicht nach Wangerooge. Die Insel hatte er für seine Frau reserviert, sofern die sich mal mit ihm auf die Fähre traute. Aber alle anderen Inseln standen ihnen zur Verfügung. Offiziell fuhr sie dann zu einem Kompaktseminar Schadensregulierung »Souverän und sachlich auf Unmut und Ärger reagieren«.

Jara liebte Musicals. Schon zweimal war Sven mit ihr in Hamburg gewesen, und sie hatten sich Der König der Löwen und Mamma Mia! angeschaut. Dort wohnten sie im Hotel Wedina. Sie mochte dieses Literaturhotel in der Gurlittstraße, in dem schon viele Schriftstellerinnen und Schriftsteller übernachtet hatten. Die Hausbibliothek war voll mit signierten Exemplaren.

Immer wieder griff Jara eins heraus und rief: »Sieh mal, das ist doch von Henning Mankell, Frederick Forsyth oder Nele Neuhaus.«

Doch diesmal ging das alles nicht. Das Wedina war, wie alle anderen Hotels, für normale Touristen oder Urlauber geschlossen. Lediglich Geschäftsreisende durften dort übernachten. Sie vermieteten dort sogar einige Zimmer als Home-Office für Menschen, die zu Hause unmöglich arbeiten konnten, aber in ihre Firmen nicht mehr hineindurften. Als Liebeslaube für Pärchen eigneten sich im Moment leider auch die besten Hotels überhaupt nicht.

Die ostfriesischen Inseln waren komplett zu, und so war Sven sehr froh, dass er seine Frau in Norddeich in der Ferienwohnung lassen konnte. Immerhin hatte er dadurch mit Jara in Gelsenkirchen eine sturmfreie Bude.

Er wälzte sich nicht gerne mit einer anderen Frau im Ehebett, das widersprach seinen Moralvorstellungen, was er selbst kurios fand. Er formulierte es auch und lachte über sich selbst. Er trieb es lieber mit Jara in der Küche oder im Wohnzimmer. Sie dagegen fand es besonders prickelnd im Ehebett.

Zu ihr nach Hause konnten sie nicht, denn ihr Mann hatte durch die Schließung des Theaters jetzt eine Menge Freizeit, und er wusste auch schon genau, was er damit tun wollte: Er begann, die Wohnung umzugestalten.

Ihr Wohnzimmer wirkte sowieso schon wie eine Filmkulisse. Der Fernsehsessel war ein Thron, der Tisch sah aus, als würden sich dort die Ritter der Tafelrunde treffen.

Innerhalb Gelsenkirchens bewegte Jara sich jetzt nicht gern mit Sven, denn sie wusste nie, wo ihr Mann und seine Kolleginnen und Kollegen sich herumtrieben. Das Theatervolk war sehr geschwätzig. Wer mit wem warum schlief, war hier ein beliebtes Thema.

Jara wusste nie, wann Florian wo war. Sven dagegen konnte sich bei seiner Anke völlig sicher sein. Manchmal musste er mehr tun als nötig und fand es ganz schön nervig mit ihr, aber die meiste Zeit über machten ihre psychischen Einschränkungen aus ihm einen freien Mann. Jara gegenüber konnte er behaupten, seine Frau gar nicht verlassen zu können, denn sie brauche ihn ja so sehr.

Jara hatte das sofort akzeptiert. Er war sich auch gar nicht mehr so sicher, ob sie wirklich mit ihm zusammenleben wollte oder es nicht auch ganz angenehm fand, zwei Männer zu haben. So hatte wenigstens immer einer Zeit für sie.

Das Leben mit ihrem Mann wurde erträglicher durch ihren Liebhaber. So konnte sie ihrem Mann die Theaterwelt lassen und spielte ihm zu Hause ein eigenes Stück vor: Die liebende, treue Ehefrau, die unter ihrem selbstverliebten Chef litt, der herrisch war und auch außerhalb der normalen Arbeitszeit viel zu viel Einsatz von ihr verlangte. Je mehr sie auf Sven schimpfte, umso weniger Verdacht schöpfte ihr Mann. Und er hatte eine Ehefrau, die nicht ständig an ihm herumnörgelte, wenn er nachts lange wegblieb.

Sven ging es ähnlich. Durch Jara konnte er seine Frau Anke mit ihren Macken und Phobien leichter lieben. Jara und er gaben sich gegenseitig, was ihnen in ihren Ehen fehlte.

Die Tiere in *Birgits Tiergarten* mussten weiterhin versorgt werden, auch wenn die Besucher mit den raschelnden Päckchen voller Futter, die an der Kasse für 1,50 Euro erworben werden konnten, ausblieben. Eigentlich waren für heute zwei Schulklassen und eine Kindergartengruppe angemeldet gewesen. Aber jetzt war Home-Schooling angesagt, und das fand nicht im Tierpark statt.

Die Tiere merkten etwas. Sogar die Wellensittiche wirkten eingeschüchtert. Sie rieben ihre Köpfe aneinander, aber machten längst nicht so viel Lärm wie sonst. Die Hängebauchschweine schnüffelten suchend herum. Vermissten sie nur die Leckerli der Besucher oder gar deren Gerüche? Zu essen bekamen sie genug, doch dieses Rascheln, wenn die Touristen ihre Futterpäckchen öffneten, fehlte ihnen.

Birgit Philipps war gelernte Maschinenbauzeichnerin. Sie hatte sich mit Unterstützung ihrer Familie diesen kleinen privaten Zoo gekauft. Der Vorbesitzer war verstorben. Wäre die Familie Philipps nicht gekommen, würden hier heute statt Tiergehege vermutlich Wohnhäuser stehen.

Jetzt stolzierten fünfundzwanzig Pfauen herum. Das kleine, weiße Bennett-Känguru war rasch zu einer Zoo-Attraktion geworden. Touristen kamen in den Ferien mit ihren Stadtkindern, die glücklich waren, Tiere riechen und anfassen zu können. Ein Junge aus Dortmund stotterte zur Verblüffung seiner Eltern nicht mehr, wenn er mit Ziegen oder Ponys sprach.

Birgit war bereit, alle Hygieneregeln sofort umzusetzen, nur um wieder öffnen zu können. Die Kinder brauchten ihrer Meinung nach den Kontakt zu den Tieren. Jetzt wurde ihr deutlich, wie sehr auch die Tiere den Kontakt zu den Menschen suchten.

Ein Pfau mit petrol leuchtendem Gefieder folgte ihr. Er zog seine gut eineinhalb Meter lange Schleppe aus Oberschwanzfedern hinter sich her. Schafe stupsten sie zur Begrüßung an.

Im hinteren Teil des Parks, bei den Stachelschweinen, sah sie einen Mann auf der Bank sitzen. Wo kam der Besucher her? Er war in einen blauen Schlafsack gehüllt, oder schützte sich da jemand gegen die morgendliche Feuchtigkeit mit einer Plastiktüte? Hatte der Mann dort übernachtet?

Mit einer Mischung uns Empörung und Neugier näherte sie sich ihm: »He! Was machen Sie da? Der Park ist für Besucher geschlossen!«

Er reagierte nicht.

Die Stachelschweine interessierten sich auch für den Mann. Sie hätten ihn zu gern angeknabbert, aber er befand sich nicht in ihrem Gehege, sondern davor.

Der blaue Pfau hinter Birgit schlug sein fächerförmiges Rad. Es sah um diese Jahreszeit noch nicht so imposant und farbenprächtig aus wie im Sommer, aber sein Radschlag diente auch nicht der Balz, sondern der Gefahrenabwehr. Er nahm eine Bedrohung wahr. Er setzte seine Federn in Be-

wegung und erzeugte ein rasselndes Geräusch, das den Angriff einer Schlange oder das Fauchen eines Raubtiers imitierte.

Birgit erkannte, dass dort auf der Bank ein nackter Mann,
in einem blauen Plastikmüllsack eingehüllt, saß. Der Wind
ließ ein eingerissenes Stück wie eine Fahne gegen sein Gesicht knattern.

Der Pfau rettete sich ängstlich mit einigen Flügelschlägen
auf einen Baum.

Birgit erkannte, dass der Mann tot war. Sie musste nicht
erst seinen Puls fühlen. Es gab keinen Zweifel. Da war viel
Blut zwischen seinen Beinen und etwas hing aus seinem
Mund …

Jessi Jaminski holte Rupert in aller Herrgottsfrühe zum Einsatz ab. Sein Gesicht war noch vom Kissen verknautscht.

Beate hatte das Telefon gehört. Sie war nackt aus dem Bett
gestiegen, rasch in das Oberhemd ihres Mannes geschlüpft
und damit ins Wohnzimmer gegangen, um den Anruf ent-
gegenzunehmen. Sie hatte versucht, ihren Rupert mit einem
Kuss zu wecken, aber der war sofort wieder eingeschlafen.

Jetzt brachte sie ihm einen Kaffee ans Bett. Jessi hupte
draußen schon.

Rupert sprang aus dem Bett, zog noch halb blind und
schlafend Beates Schlafanzugoberteil an und sprang rasch
in seine Hose. Heute musste es eben auch mal ohne Unterwäsche gehen.

Beate lief ihm mit dem Kaffeebecher hinterher. Rupert
stieg mit dem Kaffee in der Hand ein. Jessi fuhr grinsend los.

»Die rosa Streifen stehen dir besser, als ich dachte«, sagte sie.

Jetzt bemerkte Rupert den Irrtum. »Fahr zurück«, forderte er. »Sofort!«

Jessi gehorchte. Sie bremste hart und wendete. Dabei verschlabberte Rupert Kaffee. Braune Flüssigkeit lief in langen, heißen Rinnsalen zu seinem Bauchnabel hinunter. Es tat verdammt weh, und er fluchte wie ein Seemann, den der Klabautermann holen will, oder einer, dessen Heuer nicht ausbezahlt wird.

Beate stand schon vor der Tür und schwenkte ein weißes Hemd. Rupert zog sich bei offener Autotür auf der Straße um.

Peter Grendel ging mit seinem Hund spazieren. Er staunte nicht schlecht und grüßte freundlich: »Moin!«

»Glotz nicht so«, knurrte Rupert, ohne Peter anzusehen. »Ich bin im Einsatz!«

»Sieht man«, grinste Peter.

Als Rupert und Jessi in Rechtsupweg ankamen, waren schon zwei Journalisten vor Ort. Holger Bloem vom *Ostfriesland Magazin* und Lasse Deppe von der *Nordwest Zeitung*. Eigentlich war ein Fototermin für eine Filmcrew vereinbart, die einen Kriminalroman verfilmen wollte, der in Ostfriesland spielte. Barnaby Metschurat und Christian Erdmann, die beiden männlichen Hauptdarsteller, waren schon da. Der Dreh fiel wegen der Pandemie aus. Das Fotoshooting sollte aber trotzdem im menschenleeren Park stattfinden.

Rupert und Jessi machten mit den Schauspielern Selfies. Sie stand auf Erdmann, was Rupert ein wenig fuchste. Er fand, dieser Metschurat hatte viel von ihm.

Metschurat trug einen Mund-Nasen-Schutz. Darauf stand: *Rupi*.

Rupert fragte: »Wie kommt man denn an so etwas?«

»Hat mir ein Fan geschickt«, antwortete Metschurat stolz.

»Bestimmt ein weiblicher«, riet Rupert ein bisschen neidisch.

»Stimmt«, gab Metschurat zu.

Ann Kathrin und Weller waren schon hinten im Park bei der Leiche.

»Das ist kein Zufall«, stellte Ann Kathrin fest.

»Was?«, fragte Weller und betrachtete die Leiche genauer.

»Der Fototermin mit den Schauspielern. Der Mörder muss das genau gewusst haben, und dann hat er versucht, die Leiche hier pressewirksam zu präsentieren.«

Weller zog sich geräuschvoll die Gummihandschuhe an. Er öffnete den blauen Müllsack ein Stückchen und lugte vorsichtig hinein, als könne ein bissiges Tier herausspringen und ihn anfallen.

»Dachte ich mir doch …«, brummte er.

»Was dachtest du dir?«, wollte Ann wissen.

»Der hat auch noch die Socken an«, sagte Weller.

»Diesmal können wir schlecht behaupten, es seien Kaffee- oder Rotweinflecken an der Wand gewesen. Und die Presse war sowieso schon vor uns da«, bedauerte Ann.

»Holger und Lasse sind in Ordnung«, behauptete Weller. »Die beiden machen keinen Mist. Sie werden keine Fotos bringen, die uns die Fahndung erschweren. Ich habe ihnen aber Interviews versprochen.«

Ann Kathrin wusste, dass Weller gerne Deals mit Presseleuten machte, sie selbst war aber unwillig: »Dafür ist Rieke zuständig.«

»Ja«, lachte Weller, »aber sie wollen natürlich gerne von uns Infos aus erster Hand. Ist doch auch eine tolle Geschichte für die Presse. Überleg mal: *Filmtatort wird zum Realtatort! Kriminalfilm abgesagt. Echter Mord vor Ort!*«

»Dürfen die Filmleute eigentlich noch hier sein?«, fragte Ann.

Weller wusste Bescheid. »Metschurat und Erdmann waren schon hier. Teile der Filmcrew auch. Die kommen ja schon oft vor dem Dreh. Die meisten sind natürlich inzwischen wieder abgereist. Die beiden nehmen aber noch diesen Fototermin hier wahr … «

Zwei Kriminaltechniker kamen in ihren Astronautenanzügen aufs Gelände. Dicht hinter ihnen Rupert, Jessi, Christian Erdmann und Barnaby Metschurat.

Birgit Philipps zeigte ihnen den Weg und bot an, für alle Kaffee zu kochen.

Sie liefen an einer Schubkarre vorbei, die neben dem Weg zwischen zwei Bäumen abgestellt war. Darin saß ein Pfau, der die Gruppe kritisch beäugte.

Rupert tönte großmäulig: »Dann zeig ich euch jetzt mal, Jungs, wie ein richtiger Kommissar Polizeiarbeit macht. Da lernt ihr was für eure Filmgeschichten. Unsere Leichen sind nämlich echt, und das Blut ist auch kein Ketchup.«

»Wir bevorzugen Theaterblut«, stellte Erdmann klar, »wir nehmen keinen Ketchup.«

Jessi deutete auf den Toten. Sie wollte etwas sagen, bekam aber zunächst kein Wort heraus.

Rupert hielt in einer großen Geste inne. Er stellte Jessi stolz vor. Man hätte denken können, sie sei seine Tochter oder seine Geliebte.

»Unsere Jessi ist als Ermittlerin ein echtes Naturtalent und eine ausgezeichnete Boxerin aus dem Norder Boxclub. Wo unsere Jessi hinhaut, da ... «

Jessi unterbrach ihn mit einem Ausruf: »Ich kenne den!« Sie sog Luft ein, als hätte sie Angst, gleich zu ersticken.

»Du kennst ihn?«, hakte Ann Kathrin nach.

Lasse Deppe zog sein Aufnahmegerät aus der Tasche und schaltete es ein. Holger Bloem schrieb mit.

»Der hat in Aurich in der Burgstraße Flugblätter verteilt. Irgend so einen rechtsradikalen Mist. Ich habe den Flyer zunächst angenommen. Ich wusste ja auch nicht, was das für ein wirres Zeug war. Ich dachte, es ginge um die Neueröffnung der Markthalle oder so.«

Jessi sprach nicht weiter. Sie japste, als hätte die Rede sie zu sehr angestrengt.

Ein tierischer Laut, der von niemandem wirklich zugeordnet werden konnte, erklang. Er hatte etwas Klagendes an sich. Ann Kathrin kam es vor, als würde ein Tier den Toten beweinen. Vielleicht ein Esel ...

»Und dann?«, fragte Ann Kathrin.

»Dann habe ich das Flugblatt zerrissen. Er hat hinter mir her geschimpft. Ich bin zurück und habe ihm die Meinung gegeigt. Immer mehr Leute blieben stehen. Er hat versucht, die irgendwie einzuwickeln und plötzlich einen auf freundlich gemacht, als sei ich ein dummes, kleines Mädchen und er müsse mir die Welt erklären. Er hat mich gefragt: *Was sagen Sie denn zu den vielen Flüchtlingen in Ostfriesland?* Ich hab gesagt: *Moin.*«

Bloem und Deppe grinsten.

»Moin?«, fragte Rupert.

»Ja, Moin sag ich zu allen Leuten«, erklärte Jessi.

Rupert glaubte jetzt, den anderen erläutern zu müssen,

was Jessi getan hatte: »Unsere Jessi! Sie sagt einfach *Moin*! Versteht ihr?! Mit *Moin* kann man viel ausdrücken! Sie diskutiert nicht lange mit dem Typen rum. Sie sagt …«

Weller stieß Rupert an: »Ist ja gut, Mensch!«

Lasse Deppe fragte: »Was glauben Sie, Frau Klaasen, warum das Opfer in einem Müllsack steckt?«

»Vermutlich wollte der Täter uns damit sagen, dass er Müll entsorgt hat«, antwortete Ann Kathrin.

Weller fügte hinzu: »Bei den Stachelschweinen! Er wollte, dass wir uns genau darüber Gedanken machen, warum er das getan hat.«

Deppe hakte nach: »Ja, ist der Mörder ein Philosoph oder was? Vermuten Sie politische Motive?«

»Oder wegen der Tötungsart vielleicht auch ein sexuelles Motiv?«, ergänzte Bloem die Frage.

»Im jetzigen Stadium ist das alles nur Spekulation«, erklärte Ann Kathrin.

Rupert baute sich wie für ein Foto vor dem Toten auf. Er wollte etwas Bedeutendes sagen, aber ein KTUler schob ihn weg, weil er im Weg stand und griente: »Lasst uns jetzt erst mal hier unsere Arbeit tun, verdammt!«

Rupert tönte in Richtung Schauspieler und Journalisten: »Meine Kollegin Klaasen und ihr Mann sprechen immer von *Er*, als sei der Täter männlich. Wir gehen angesichts der Umstände der Tat allerdings eher von einer Täterin aus. Ich meine … welcher Mann würde denn einem anderen …«

»Es reicht, Rupert!«, zischte Ann Kathrin.

Weller spottete: »Vielleicht waren es auch zwei Frauen oder eine ganze Frauengruppe. Der Typ hier wiegt gut neunzig, wenn nicht hundert Kilo. War gar nicht so einfach, den hierherzuschleppen.«

Ann Kathrin zeigte auf die Schubkarre. Der Pfau fühlte sich gemeint. Er flatterte ein paar Meter weiter. Den Rest des Weges stolzierte er.

»Hat der Mörder«, fragte Rupert, »dem vielleicht auch die langen, bunten Federn ausgezupft?«

»Nein«, sagte Birgit Philipps, »das ganz sicher nicht. Die volle Pracht entwickeln die Tiere erst im Juni, Juli, August ...«

»Na, da hat der Pfau ja noch mal Glück gehabt«, kommentierte Rupert.

Er hatte noch drei weitere Kandidaten auf seiner Liste. Einen, Wolfgang Fröhling, sollte er im Urlaub auf Mallorca ausknipsen. Nein, nicht einfach von den Klippen ins Meer werfen. Der Mord musste als solcher zur Kenntnis genommen werden.

Andere Auftraggeber forderten von ihm, es wie einen Unfall aussehen zu lassen. Aber genau das durfte jetzt nicht so sein. Die Strafe war als Einschüchterung gedacht, sollte eine abschreckende Wirkung haben.

Das Problem war, durch die Berichterstattung in der Presse wussten jetzt die möglichen Kandidaten, dass sie mit einem Besuch des Sensenmanns rechnen mussten. Sie würden wachsam sein und versuchen, sich zu schützen. Aber es war schwer für sie zu entkommen.

Das Reisen war im Moment für alle ein Problem. Der geplante Mord auf Mallorca konnte so nicht durchgeführt werden. Die ganze Aktion musste neu gedacht werden. Statt Mallorca dann eben Oldenburg.

In der Humboldtstraße in Bürgerfelde ließ es sich bestimmt aushalten. Fröhlings Altbauwohnung war geräumig, mit hohen Decken. Zweimal die Woche radelte er zum Pferdemarkt und kaufte dort ein. Der Feinschmecker bummelte manchmal eine Stunde lang herum, bis er die besten Tomaten oder Pilze gefunden hatte. Er scherzte mit den Händlerinnen, probierte Nüsse oder Käse, wo es nur ging. Man kannte ihn, und er mochte es, gekannt zu werden.

Auf Mallorca besaß er eine kleine Finca mit Oliven- und Orangenbäumen. Gern brachte er von dort etwas mit und verteilte die Gaben stolz als kleine Geschenke.

Er verstand es, das Leben zu genießen, aber er würde bald schon sterben. Da nutzte ihm alle Bildung nichts und auch nicht seine guten Manieren.

Fröhling ging zu allen Vorsorgeuntersuchungen, denn er liebte das Leben. Er rauchte nicht und ernährte sich vegetarisch. Er fuhr viel Rad und nahm nur selten den Wagen. Er trainierte regelmäßig, aber all das war jetzt nutzlos geworden, denn sein Tod war beschlossene Sache. Er hatte es sich selbst zuzuschreiben.

Der Sensenmann grinste: Den nächsten Frühling wirst du nicht mehr erleben … Leider wirst du deine Finca nicht mehr wiedersehen. Ich muss deine Leiche wohl unter die Pferde legen.

Diese Betonskulptur von Heinrich Schwarz sollte daran erinnern, dass einst hier wirklich Vieh- und Pferdehandel betrieben worden war. Im Grunde war sie ideal dafür. Da gehörte eine Leiche hin.

Die Nazis hatten den Pferdemarkt in *Platz der SA* umgetauft, aber trotz ihrer Aufmärsche dort war es für die Oldenburger immer der Pferdemarkt geblieben. Aus der

Militärakademie war ja inzwischen auch das Standesamt geworden.

Nein, vor das Standesamt würde er die Leiche des eingefleischten Junggesellen nicht legen. Humor war nicht sein Ding. Er wollte Angst verbreiten. Sie sollten nicht lachen, sondern sich fürchten.

Da Zeitungen heutzutage keine Fotos von übel zugerichteten Leichen mehr veröffentlichten, hoffte er auf ein paar Handyfotos in den sozialen Netzwerken. Bevor die gelöscht wurden, war die Schockwirkung schon da.

Es gab viele Gründe zu schweigen. Einige schwiegen aus Liebe oder Loyalität. Beides war aber oft brüchig und verging wie Verliebtheit. Andere schwiegen, weil man ihnen mit Geld das Maul stopfte. Die wurden dann immer gieriger. Wirklich Verlass war nur auf Menschen, die aus Angst schwiegen. Angst war viel beständiger als Liebe oder Loyalität.

An Freundschaft glaubte er sowieso nicht. Abhängigkeiten wurden oft als Freundschaft kaschiert, weil das alles erträglicher machte.

Wolfgang Fröhling würde bald für immer schweigen. Und seine Finca auf Mallorca musste leider verwildern.

Einen Richter umzubringen, hatte etwas Ironisches an sich, fand er. Der, der so oft über das Schicksal anderer entschieden hatte, über dessen Schicksal entschieden nun andere. Der Gedanke gefiel dem Sensenmann.

Er hatte sich lange mit der Tradition seines Berufs beschäftigt. Eigentlich war Scharfrichter die treffende Bezeichnung. Es war seit dem Mittelalter ein anerkannter Beruf. Sie waren im Grunde wie Beamte und wurden damals mit entsprechenden Privilegien bedacht. Den Lohn mussten meist die Familien der Hingerichteten aufbringen.

Es gab ganze Henkerdynastien. Der Vater bildete den Sohn aus. Genauso wie es in vielen anderen Berufen auch üblich war. Kaum einer wusste damals mehr über den menschlichen Körper als die Scharfrichter und Folterknechte. Vor der Vollstreckung der Todesstrafe ging es oft darum, Geständnisse zu erpressen. Im Nebenberuf waren einige Scharfrichter als Heiler, Zahnreißer oder Chirurgen tätig.

Er war ein Freiberufler. Heutzutage drängten zu viele Amateure in die Branche. Sie nannten sich *Hitmen* oder ironisch *Problemlöser*. Sie waren gedungene Mörder. Bei der ersten Verhaftung verrieten sie ihre Auftraggeber und legten im Gerichtssaal filmreife Heularien über ihre verpfuschte Kindheit hin. Gern ließen sie sich bekehren. Einige wurden schon wenige Wochen nach ihrem letzten Mord zu Predigern.

Er dagegen hatte für diese Typen nur Verachtung übrig. Er hatte nicht vor, sich lebendig erwischen zu lassen.

Er wollte sich einen Namen machen. Ja, zur Legende werden! Es gab berühmte Namen in seiner Branche. *Geier* zum Beispiel. Der war sein Vorbild. Gefährlich. Gnadenlos. Erfolgreich. Seinen Namen sprach niemand laut aus. Man guckte über die Schulter, bevor man ihn erwähnte. Einige behaupteten, *Geier*, das sei gar keine reale Person, sondern ein hochprofessionelles Team, das sich nur so nannte, damit die Verfolgungsbehörden einen Einzelgänger jagten, während eine Gruppe sich mit Auftragsmorden die Taschen vollstopfte.

Er glaubte so etwas nicht. Dieser *Geier* war wie er. Ein einsamer Wolf, der Aufträge annahm.

Henker waren schon lange keine Beamten mehr. Er fühlte sich wie ein Raubtier. Er wollte kein Gehalt. Er machte Beute und ja, verdammt, er tat es für Geld. Machten das nicht alle? Von der Prostituierten bis zum Priester? Vom Popstar bis zur Oberstudienrätin? Von der Ministerin bis zu ihrem Fahrer?

Er misstraute allen, die behaupteten, es nicht für Geld zu tun, sondern eine höhere Instanz vorschoben. Egal, ob Gott oder das Wohl der Allgemeinheit. Er glaubte nicht an höhere Ziele. Er war seine eigene Partei. Er kämpfte für sich und damit basta. Er kaufte sich, was ihm gefiel: Frauen. Autos. Urlaubsreisen. Schöne Essen in guten Restaurants.

Er konnte sich vieles leisten, und er gönnte sich von allem gern das Beste. Er kam sich dann wertvoll vor. Statt sich an edle Ziele zu verschwenden oder für andere Menschen liebevoll aufzuopfern, pflegte er sich selbst.

Corona machte es ihm gerade schwer. Reisen in warme Länder, wo er sich am Pool kühle Drinks servieren ließ, fielen leider flach. Essen in guten Restaurants auch. Selbst die Bordelle waren geschlossen. Es war, als sei sein Geld wertlos geworden.

Er hoffte, dass die Scheißzeit bald vorbei sein würde. Er wollte sein altes Leben zurück. Vielleicht war dieser Wunsch das Letzte, das ihn noch mit dem Rest der Gesellschaft verband. Aus ihm einen von ihnen machte. Wie die meisten sog er jede Information gierig auf, die eine Veränderung versprach. Auch er hoffte auf einen Impfstoff oder wenigstens ein Medikament. Bis dahin wollte er die Zeit nutzen und seine Arbeit erledigen. Als Nächstes den Richter.

Wolfgang Fröhling hatte beim ersten Mord auf Wangerooge noch nicht daran gedacht, dass er selbst bald dran sein könnte. Aber was der Journalist Lasse Deppe jetzt in der Nordwest-Zeitung aus Birgits Tiergarten in Rechtsupweg berichtete, machte ihm Sorgen.

Er war ein richtiger Zeitungsleser. Er hatte die *NWZ* abonniert, den *Freitag* und die *Zeit*. Sonntags kaufte er sich gern, wenn er Brötchen holte, die *Frankfurter Allgemeine Sonntagszeitung* oder die *Welt*. Mit einem Kaffee im Sessel zu sitzen und Zeitung zu lesen war für ihn der Inbegriff von Entspannung. Von der NWZ hatte er zusätzlich ein Online-Abo, denn manchmal wurde dort auch über seine Entscheidungen berichtet und das wollte er gern lesen, bevor er im Gericht erschien.

Nicht immer schrieben sie nur positiv über ihn. Damit konnte er umgehen. Das gehörte zu einer Demokratie dazu. Dieser Lasse Deppe hatte vor einigen Wochen ein Interview mit ihm gemacht. Er hatte geglaubt, die Lokalzeitung wäre auf der Suche nach ein paar spannenden Geschichten aus dem Leben eines Richters, aber weit gefehlt. Es wurde ein Gespräch über rechtsphilosophische Fragen und Herausforderungen. Es ging um Gut und Böse. Recht und Unrecht. Sie hatten sich gut verstanden und statt der vereinbarten Stunde dauerte das Treffen länger als drei Stunden.

Im Laufe der Zeit war Fröhling jedoch vorsichtig geworden. Ahnte dieser Deppe etwas? Wollte der ihn aufs Glatteis führen? War dieses tiefe Gespräch über Rechtsgrundsätze nur der Versuch, ihn gesprächig zu machen? Ihn unvorsichtig werden zu lassen?

Umschiffte der Journalist die kritischen Fragen, um ihn in Sicherheit zu wiegen? Täuschte er Harmlosigkeit nur vor?

Wahrscheinlich, dachte Fröhling, war es nur mein schlechtes Gewissen, das sich da meldete. Ich hatte Angst, von ihm überführt und vorgeführt zu werden.

In Wirklichkeit war dann aber alles sehr fair abgelaufen. Der Journalist Lasse Deppe hatte ihm das Gespräch sogar zum Autorisieren zugeschickt, bevor es gedruckt wurde.

Im Grunde ging es um Fragen wie:

Kann sich ein Richter sicher sein, wirklich Recht zu sprechen?

Wie ist es, so oft belogen zu werden?

Engen Gesetze die Menschen ein, oder machen sie sie frei?

Das war die schwierigste Frage für ihn gewesen. Er hatte geantwortet: »Recht und Gesetz schützen den Bürger vor Willkür. Deshalb dürfen Gesetze auch nie rückwärts gelten. Was ich heute legal tue, kann nicht plötzlich morgen bestraft werden. Schutz vor Willkür heißt auch: Rechtssicherheit. Ich muss immer wissen, ob das, was ich mache, strafbar ist oder nicht. Rechtssicherheit macht Menschen frei.«

Er hatte viel Zuspruch für das Interview bekommen. Vielleicht berührte ihn der Mord im Tierpark deshalb so sehr, weil er den Journalisten kannte, der darüber berichtete. Jedenfalls beschlich ihn das Gefühl, das Ganze habe mit ihm zu tun. Hatten sich die beiden Ermordeten mit denselben Leuten eingelassen wie er?

Er besaß eine alte *Walther PP* mit kurzem Schlitten. Vielleicht sollte er sie in Zukunft besser bei sich tragen, wenn er abends spazieren ging. Als Richter hätte er bei einem Angeklagten dafür wenig Verständnis gehabt. Es war noch gar nicht lange her, da hatte er einen Delinquenten belehrt: »Waffenbesitzkarte hin oder her, wer mit einer geladenen Pistole aus dem Haus geht, hat auch vor, sie zu benutzen.«

Für ihn selbst sah er das anders. Er würde die *Walther* nur in Notwehr einsetzen. Ja, er gestand es sich ein: Er fühlte sich bedroht.

Er griff sich an die Geschlechtsteile. Noch war alles da.

Sie tranken gemeinsam Kaffee und gaben Interviews. Sie fütterten sogar ein paar Ziegen und Hängebauchschweine.

Rupert war der Meinung, eins der Stachelschweine würde Ann Kathrin ähnlich sehen und eins der Hängebauchschweine Dirk Klatt vom BKA.

Weller deutete an, dass Rupert kurz davor war, sich einen Satz heißer Ohren einzufangen.

Nachdem sie die Journalisten verabschiedet hatten, überließen sie den Tatort den *Jungs und Mädels von der Spusi*, wie Rupert die Kriminaltechniker und Spurensicherer gern nannte.

Birgit Philipps begleitete sie zum Parkplatz. Ann Kathrin betrachtete ein Schild, auf dem fürs Parken um eine Spende gebeten wurde. Wo, fragte sie sich, gibt es denn so was noch?

Bei den Autos rückte Weller mit der Sprache heraus. Er winkte Birgit Philipps noch und sagte dann, wie zu sich selbst: »Der Tote heißt Jakob Bauer. Er wohnt in Aurich Wallinghausen. Nicht weit vom Krankenhaus entfernt.«

Jessi Jaminski kam sich sofort blöd vor. Sie war mit ihrem Wissen gleich vor allen herausgeplatzt. Weller hatte gewartet, bis sie unter sich waren. Niemand tadelte sie. Das war auch gar nicht nötig. Sie begriff auch so.

Weller fuhr fort: »Er hat mich angezeigt.«

»Er dich?«, lachte Rupert.

Weller nickte. »Ist schon ein paar Jahre her. Damals war er noch wesentlich leichter und sportlicher. Er ist mir durch Hakenkreuzschmierereien aufgefallen.«

»Und dann hat er dich angezeigt?«, erkundigte Jessi sich ungläubig.

Weller sagte nichts, verzog nur den Mund.

Rupert sprach für ihn: »Weil er ihm eine reingehauen hat ...«

»Nein«, protestierte Weller, »habe ich nicht!«

»Warum nicht?«, fragte Rupert.

Weller stöhnte: »Er hat es nur behauptet. In Wirklichkeit ist er abgehauen. Ich hinterher. Und dann ist er ...«

Rupert fiel Weller ins Wort: »Zufällig mit dem Kopf gegen eine Häuserwand gelaufen ... Kann ja jedem mal passieren.«

»Nein«, verteidigte Weller sich, »ist er nicht. Er ist unglücklich gestolpert und ...«

Wieder mischte Rupert sich ein: »Mit dem Kopf gegen die Wand geknallt!« Rupert klatschte sich mit der Rechten gegen den Kopf, um das zu demonstrieren.

»Red nicht so einen Mist, Rupert. Nachher glaubt die junge Kollegin den Quatsch noch.« Zu Jessi gewandt, sagte Weller: »Er ist unglücklich gestolpert. Ich habe ihn nicht verdroschen.«

»Warum eigentlich nicht?«, wiederholte Rupert seine Frage und fuhr fort: »Ich meine, Leute, wenn die erst einmal an die Macht kommen, dann machen die uns fertig. Dann müssen wir vor jedem Briefkasten strammstehen. Besser, wir hauen denen in die Fresse, solange es noch geht.«

Ann Kathrin reichte es: »Es gibt sicherlich auch andere Möglichkeiten, sie zu stoppen.«

»Ja?«, fragte Rupert gespielt erstaunt.

»Wir fahren jetzt nach Wallinghausen«, schlug Ann Kathrin vor. »Und ihr«, sie zeigte auf Rupert und Jessi, »in die Polizeiinspektion. Ich will alles über diesen Jakob Bauer erfahren, was ihr herausbekommen könnt.« Sie zählte es auf: »Freunde. Feinde. Kontostand. Irgendwelche Zusammenhänge zu dem Opfer auf Wangerooge, Heiko Janßen. Ich will wissen …«

Rupert unterbrach sie, während er gleichzeitig in den Wagen flüchtete: »Alles über seine Frauen, Ex-Frauen, sexuellen Neigungen. Lieblingsorte, Stammkneipen. Wo isst er seine Currywurst und …«

Jessi startete den Wagen und warf ein: »Oder vielleicht ist er ja auch Vegetarier.«

»Nein, so einer ist kein Vegetarier«, lästerte Rupert.

»Warum nicht? Ich dachte, Hitler war auch Vegetarier?«

»Ja«, grinste Rupert, »und Antialkoholiker und Nichtraucher, aber der hatte auch nicht so einen Bierbauch und solche Schweinebacken wie dieser Bauer.«

Sie fuhren vom Platz. Rupert war erleichtert wegzukommen. Das hatte weniger mit dem Toten zu tun, als vielmehr mit Ann Kathrin und Weller. Irgendwie war die Stimmung heute besonders explosiv, fand Rupert. Er sah im Rückspiegel sorgenvoll zu den beiden.

Weller stieg in den Twingo. Mit trotzig vor der Brust verschränkten Armen saß er auf dem Beifahrersitz und guckte wie ein kleiner Junge.

Ann Kathrin lenkte den Wagen. Jede Fahrt kam ihr vor wie die letzte. Der Motor stotterte. Sie liebte dieses alte Auto und wurde ein bisschen von Wehmut ergriffen, denn sie spürte, dass seine Zeit gekommen war.

Es war nicht weit, doch Weller kam es endlos vor. Ann Kathrin verließ den Kreisverkehr an der zweiten Ausfahrt. Sie sah zu ihrem Mann rüber. Er schmollte immer noch. Als sie Richtung Friedeburg abbog, sagte sie: »Gleich sind wir da.«

»Ich kenne mich in Aurich aus«, antwortete Weller patziger, als er wollte.

»Hast du mir vorher noch irgendetwas zu sagen, Frank?«

»Ja.«

»Was?«

»Ich hab ein mieses Gefühl bei der Sache. Etwas stinkt mir gewaltig, Ann. Als würden wir gleich in eine Güllegrube fallen.«

Sie mochte seine bildreiche Sprache. Er las Romane. Sie fand, das merkte man seiner Sprache deutlich an.

»Irgendwie«, sagte Weller, »kommt es mir vor, als hätte ich alles falsch gemacht. Als wollte uns jemand darauf hinweisen, was wir für erbärmliche Versager sind.«

So hörte er sich oft an, wenn er von seiner Kindheit geträumt hatte oder ihn Erinnerungen an seinen strengen Vater quälten.

Sie ließen die Tür ganz korrekt von einem Schlüsseldienst öffnen. In der Wohnung erwartete sie ein staubiges Chaos. Aufeinandergestapelte Umzugskisten mit Aufklebern und Pizzakartons, an denen Käse klebte. Senfverschmierte Pappteller. Zerknüllte Getränkebecher mit braun verschmierten Plastikdeckeln lagen auf dem Boden, als würden sie aus dem Polypropylenteppich wachsen.

Lärmdämmende Eierkartons klebten an den Wänden. Ein großes Fotokopiergerät und zwei Boxen einer überdimensionierten Musikanlage fielen Weller zuerst auf.

»Kein Mensch kauft heute mehr so große Boxen …«, behauptete Weller.

Ann Kathrin watete durch den Verpackungsmüll zu einem IKEA-Regal. Sie sah sich die Bücher an.

Weller registrierte neben dem Sofa, auf dem der Besitzer offensichtlich in Ermangelung eines Kleiderschranks seine saubere Wäsche aufbewahrte, einen Hundeschlafplatz. »Ganz praktisch«, stellte Weller zynisch fest. »Er hat einen Stapel für schmutzige Wäsche in der Ecke da, und die sauberen Sachen wirft er dann dorthin. Fragt sich, was ist in seinem Kleiderschrank, oder hat er gar keinen?«

Ann Kathrin blätterte in einem Buch. Der antisemitische, rassistische Text widerte sie in seiner dreisten Brutalität an.

Weller arbeitete sich ins nächste Zimmer vor. Hier war alles wesentlich aufgeräumter. An der Wand hing ein großes, gerahmtes Hitlerporträt hinter Glas. Daneben kleiner, aber auch gerahmt, Göring, Himmler und ein paar Generäle, deren Namen Weller aber nicht auf Anhieb hätte nennen können, obwohl sie ihm bekannt vorkamen.

»Das ist doch Admiral Dönitz, oder?«, fragte Weller. Da er keine Antwort erhielt, fuhr er fort: »Den hatte Hitler zu seinem Nachfolger ernannt.«

Ann Kathrin kam in den Raum und schaute sich die Bilder an. »War das nicht der Chef der Kriegsmarine, der verboten hat, dass die Besatzungen versenkter Schiffe gerettet werden?«

»Davon träumen heute auch wieder einige...«, grummelte Weller.

Die meisten Möbel waren aus Eiche. In einer Ecke vier aufeinandergestapelte Kästen Bier. Auf dem Tisch Bierkrüge mit Zinndeckeln, zwei volle Aschenbecher und ein Stapel Flugblätter.

Ann Kathrin machte Fotos mit ihrem Handy. Weller

brummte: »Rupert hatte recht. Ich hätte ihm doch eine rein-hauen sollen.«

Ann Kathrin verstand Wellers Empörung, versuchte aber, sachlich-professionell zu bleiben: »Diese Wohnung ist nicht der Tatort. Keine offensichtlichen Kampfspuren, obwohl die Räume einen verwahrlosten, ja verwüsteten Eindruck machen.«

Weller öffnete einen Eichenschrank. Seine Eltern hatten früher einen ähnlichen im Schlafzimmer gehabt. Darin fand er mehrere Gewehre. Zwei doppelläufige Flinten. Eine Armbrust.

Unter einer Decke auf dem Boden des Schranks entdeckte er ein Sturmgewehr. »Das ist ein G27 mit Zielfernrohr. Der Typ hat ein vollautomatisches Sturmgewehr mit hoher Feuerkraft. Ich glaube, fünfhundert bis sechshundert Schuss pro Minute können damit abgefeuert werden«, empörte Weller sich.

Auch davon machte Ann Kathrin Bilder. »Hier«, sagte sie, »wuchsen Hass und Missgunst. Die haben etwas geplant, Frank.« Sie zeigte auf die Bierkrüge: »Der war nicht allein mit seinem Wahnsinn ...«

»Glaubst du an einen Streit innerhalb der Szene?«, fragte Weller. Sie verzog die Lippen. Weller demonstrierte, was er dachte. Er versuchte es mit verschiedenen Stimmen. Als Schüler hatte er mal in einer Theatergruppe mitgemacht. Der Lehrer hatte seine Ausdrucksstärke gelobt, aber einen Text auswendig zu lernen lag Weller nicht, deswegen war er wieder rausgeflogen.

»Ich bin euer Führer!«

»Nein, ich!«

»Wieso du?«

»Ich will Führer sein!«

»Kommt, Jungs, streiten wir uns nicht. Wir können uns ja abwechseln.«

»Schnauze, du defätistischer Vaterlandsverräter! Es kann nur einen Führer geben!!!«

Weller guckte seine Frau an, als wolle er Applaus für seine gelungene Aufführung. Sie zeigte aber keine Regung.

»So?«, fragte er.

Sie schüttelte den Kopf. »Die Tötungsart passt nicht, Frank. Diese Leute neigen doch eher zu Exekutionen. Waffennarren benutzen gerne ihre Waffen.« Sie deutete auf die Schusswaffen.

»Was läuft hier, Ann?«

Sie rieb sich die Oberarme. »Mir wird hier ganz kalt. Komm, wir versiegeln die Hütte und übergeben sie an die Spusi.«

Ann Kathrin zeigte auf die Zinnbierkrüge und Aschenbecher: »Daran gibt es bestimmt genug DNA.«

Kripochef Martin Büscher bekämpfte seinen nervösen Magen mit Schwarztee und Sanddornkeksen. Er wirkte übernächtigt. Seine Hautfarbe hätte Weller als blutleer bezeichnet, Ann Kathrin Klaasen als grau. Er machte ein sorgenvolles Gesicht.

Klatt vom BKA saß aufgekratzt neben ihm. Er stand mächtig unter Strom.

»Was macht denn der hier?«, raunte Weller Ann Kathrin zu. Er konnte diesen Klatt, der sich immer öfter in Norden herumtrieb, nicht leiden.

Rupert fühlte sich wohl am runden Tisch. Er thronte eingerahmt zwischen zwei schönen Frauen, der Kommissaranwärterin Jessi Jaminski und der Pressesprecherin Rieke Gersema. Er fand, dass er besser aussah als alle anderen Männer hier im Raum und das tat ihm gut. Die Zeit, bis es endlich begann, nutzte er, um seine Muskulatur anzuspannen und wieder zu lockern. Er hatte sich diese Art des Trainings bei langen Sitzungen angewöhnt. So blieb er fit.

Er aktivierte gerade seine Rücken- und Pomuskulatur, als der Chef die Versammlung eröffnete, indem er mit dem Löffel gegen seine Teetasse schlug. Büscher hatte immer noch nicht begriffen, dass dies bei den Ostfriesen als Sakrileg galt. Jeden feinen Haarriss im Rosengeschirr schrieben sie inzwischen ihm zu.

»Heiko Janßen aus Emden-Wybelsum wurde tot auf Wangerooge in einer Ferienwohnung gefunden. Jakob Bauer aus Aurich-Wallinghausen im Tierpark in Rechtsupweg. Art und Umstände der Taten machen deutlich, dass wir es mit ein und demselben Täter zu tun haben. Gibt es noch mehr Gemeinsamkeiten?«

Jessi Jaminski meldete sich: »Beide Opfer sind Männer!«

»Gut. Weiter«, forderte Büscher und drehte seine Hand in der Luft, als wolle er etwas beschleunigen und erwarte nun fundiertere Daten.

»Beide sind um die fünfzig.«

Klatt gähnte demonstrativ und guckte Jessi an, als erwarte er wesentlich mehr und wüsste es auch bereits. Er hatte mit jungen Frauen sowieso ein Problem. Sie erinnerten ihn rasch an seine Tochter, die mit einem linksradikalen Schwiegersohn nach Hause gekommen war, der Polizisten für Knechte des staatsmonopolistischen Kapitalismus hielt.

Rupert sah Jessi aufmunternd an. Sie sollte ruhig fortfahren. Er fand, sie machte das eigentlich ganz gut.

»Beide wohnten in Stadtteilen, die mit dem Buchstaben W beginnen.«

Dafür erntete Jessi amüsierte Blicke. Sie erklärte: »Wybelsum und Wallinghausen.«

»Ja, meinetwegen. Weiter ...«, forderte Büscher ungeduldig.

»Beide wurden außerhalb ihrer Wohnung ermordet.«

Ann Kathrin hielt es kaum aus, Jessi so schwimmen zu sehen. Sie erinnerte sich daran, wie schwer es am Anfang für sie in diesem Männerverein gewesen war. Sie sprang der jungen Kollegin zur Seite: »Stimmt, Jessi!«

»Ja, weiter. Wir müssen vorwärtskommen«, zeterte Büscher.

Klatt stimmte ihm zu. Den Kollegen aus Wiesbaden machte die ostfriesische Gelassenheit eh rasend. Er fixierte Weller. Klatt wusste, dass Weller nur darauf wartete, ihm einen Spruch reinzudrücken. Er sagte es trotzdem mit einem Seufzer: »Leute, wir haben es mit einem Doppelmord zu tun. Mir geht das alles hier viel zu langsam!«

»Wir sind nicht langsam«, konterte Weller, »wir sind gründlich.«

Ann Kathrin stimmte ihm gestisch zu.

»Außerdem ist es kein Doppelmord, es sind zwei Morde«, korrigierte Weller Klatts Aussage.

Rieke Gersema beugte sich über den Tisch und nahm sich einen Sanddornkeks vom Teller. Sie führte ihn bis zu ihrem Mund, biss dann aber nicht rein, sondern erinnerte sich an ihre Diät. Sie legte den Keks auf ihren Notizblock, leckte sich zwei Krümel von der Oberlippe und kramte eine grüne Tupperdose aus ihrer Handtasche. Dies geschah sehr geräuschvoll. Niemand sprach. Alle sahen ihr zu, als würde sie ein vergessenes Beweismittel hervorzaubern.

Sie öffnete die Frischhaltebox. Darin lagen Möhren und Gurken, zu handlichen Stückchen geschnitten. Sie fischte eine Möhrenstange heraus, die von der Form her an holländische Frietje erinnerte und auch so schön knusprig knackte, als sie davon abbiss.

Ungefragt nahm Ann Kathrin sich auch ein Möhrenstückchen aus der Box und ließ es zwischen ihren Zähnen krachen. Es hatte etwas von Frauensolidarität an sich, wie die beiden jetzt kauend da saßen. Klatt empfand das als Provokation gegen sich persönlich.

»Ich finde«, betonte Ann Kathrin, »Jessi geht sehr korrekt induktiv vor.«

»Instinktiv?«, hakte Rupert nach.

»Induktiv«, erklärte Ann Kathrin geduldig. »Alte Ermittlermethode. Wir sammeln alle Fakten und leiten dann daraus eine Theorie ab. Im Gegensatz zu den Leuten, die erst eine Theorie haben und sich dann die Fakten zusammensuchen, um alles passend zu machen.«

Weller grinste: »Das nennt man deduktiv.«

Rupert nickte wissend und tat, als hätte er sich gerade nur verhört.

Ann Kathrin und Weller hatten nun genügend Zeit für Jessi rausgeschunden, dass sie nachdenken und fortfahren konnte. Sie schwitzte und erlebte das alles als Prüfungssituation, ganz so, als könne sie hier durchs Abitur fallen. Sie würde sich so bald jedenfalls nicht wieder in einer brenzligen Situation als Erste zu Wort melden.

Sie räusperte sich: »Herr Bauer hat einen klar rechtsradikalen Hintergrund. Über das erste Opfer, Herrn Janßen, ist so etwas nicht bekannt.« Sie blickte hilfesuchend zu Ann Kathrin, weil sie nicht wusste, ob sie die Information weitergeben durfte. Sie war echt verunsichert.

Ann Kathrin nahm es ihr ab: »Das hat eine Anfrage bei den Kollegen beim Verfassungsschutz ergeben. Herr Janßen gilt eher als links-grün, ohne dabei Mitglied irgendeiner Partei zu sein. Er ist als Lehrer durchaus eine anerkannte ...«

Rupert mischte sich ein. Er hatte das Gefühl, hier sonst zu wenig Beachtung zu bekommen. Seiner Meinung nach waren nun alle Fakten bekannt. Er begann zu spekulieren: »Wenn wir die Tötungsart berücksichtigen und was dann mit dem besten Stück der Männer geschehen ist, frage ich mich, ob wir es nicht vielleicht mit einer radikalfeministischen Antifagruppe zu tun haben.«

Er blickte in die Gesichter der anderen, um zu erahnen, wie sie auf seine Theorie reagierten. Er konnte aus ihren Pokergesichtern nichts ablesen. Also entwickelte er seine Phantasie weiter: »Ein bekannter Rechtsradikaler wird zu Biomüll im blauen Sack. Das ist selbsterklärend. Aber der andere, eher Linke, das passt scheinbar nicht zusammen. Aber was, wenn wir in den nächsten Tagen herausfinden, dass der saubere Oberstudienrat etwas mit einer Schülerin hatte? Und schon gerät er ins Visier der radikalen feministischen Frauen. Sie glauben, dass unsere Gesetze zu schlaff sind und wir zu blöd und nehmen das Recht selbst in die Hand. Sie stoppen so einen Neonazi und dann einen Pädophilen.«

Weller warf seinen Kugelschreiber ärgerlich auf den Tisch und brummte: »Das ist dann jetzt eher deduktiv gedacht ...«

Rupert lehnte sich zurück und streckte die Beine aus. Er war stolz auf sich.

Büscher tadelte ihn: »Wir sollten uns hüten, aus einem Mordopfer jetzt einen Verdächtigen zu machen. Es gibt keinerlei Hinweise darauf, dass Herr Janßen pädophil war. Er ist ein Opfer! Er darf von uns nicht zum Täter gemacht werden.«

Rupert blies schwer aus. Er kam sich ungerecht behandelt vor.

Ann Kathrin belehrte Büscher freundlich: »Die Spekulation, bei der erst einmal jeder Gedanke erlaubt ist, gehört bei uns zur Methode der Ermittlung. Das Nachdenken darüber, was wäre wenn, hat uns hier in diesem Raum schon oft weitergebracht.«

Rupert freute sich über ihre Worte.

Weller setzte nach: »Allerdings wurden wir dabei meistens besser versorgt. Es gab nicht nur diese krümeligen Kekse, sondern Marzipan, Baumkuchen oder ein paar Stückchen Torte.«

Büscher verzog angesichts der Kritik den Mund. »Von *ten Cate*. Ich weiß ... «

Rupert pflichtete Weller bei: »Anderswo ziehen sie sich eine Linie Koks. Wir brauchen zum Denken etwas Süßes.«

Klatt plusterte sich auf: »Mir ist keine Polizeistation bekannt, in der gekokst wird.«

Rupert lachte: »Na, da sehen Sie mal, wie weit Sie schon rumgekommen sind in diesem Land, Herr Klatt.«

»Vielleicht«, warf Jessi ein, »ist auch alles viel einfacher, und beide haben nur dieselbe Frau sehr zornig gemacht. Zum Beispiel, weil sie beide etwas mit ihr hatten.«

»Womit wir wieder bei einem weiblichen Täter wären«,

betonte Rupert. Gestisch sprach er Jessi großes Lob aus. Das bedeutete ihr viel. Für sie war Rupert immer noch ein Vorbild, was niemand sonst hier im Raum begriff.

Am Morgen nach so einer Nacht kam es Niklas immer so vor, als würde die Küchenuhr besonders laut ticken. Er saß als Einziger am Frühstückstisch. Seine Mutter stand am Spülbecken, das Gesicht zur Tür gerichtet, als könne jeden Moment ein Gespenst hereinkommen.

Der Tisch war für drei gedeckt. Alles ganz ordentlich. Akkurat. Messer und Gabel in exakt dem gleichen Abstand. Dabei war klar, sie selbst konnte sowieso nichts essen und ihr Mann, sofern er es bis in die Küche schaffen sollte, ebenfalls nicht.

Es war schon fast eine Verpflichtung für Niklas zu frühstücken. Damit brachte er einen Hauch Normalität ins Haus.

Seine Mutter briet ihm zwei Spiegeleier. Sie sprachen nicht.

Über kurz oder lang würden sie eine neue Regelung finden müssen. Der Apotheker, der sie bisher mit dem verschreibungspflichtigen Mittel gegen alle Vorschriften beliefert hatte, war vor ein paar Wochen pensioniert worden. Er hatte Frau Wewes noch eine Packung ausgehändigt. »Wir machen uns alle strafbar«, hatte er gesagt, »und jetzt kann ich Ihnen leider nicht länger helfen.« Er wusste, wie es sich anfühlte, bei einem alkoholkranken Menschen groß zu werden. Seine Mutter war Alkoholikerin gewesen.

Unausgesprochen klaffte zwischen Christina und ihrem Sohn eine offene Frage, wie eine abgrundtiefe Schlucht: wie weiter? Was, wenn er die letzte Pille geschluckt hat?

Clemens schleppte sich stöhnend durch den Flur zur Toilette. Er hustete und spuckte. Jetzt war er auf Unterstützung angewiesen, brauchte Wasser, Kamillentee, Zwieback. Er wurde unterwürfig, bat um Verzeihung, fragte weinerlich, ob er Mist gebaut habe, denn am Morgen danach tat er gern so, als könne er sich nicht mehr wirklich an das erinnern, was geschehen war.

Jetzt blieb er im Türrahmen stehen, als sei die Küche vermintes Terrain. Allein der Geruch der im Fett brutzelnden Spiegeleier bereitete ihm Unwohlsein.

»Ich trinke nie wieder etwas«, behauptete er ungefragt und wiederholte die bekannte Lüge gleich dreimal. Er war zittrig. Mit seinen blutunterlaufenen Augen sah er schlimm aus. Die Kotzerei führte bei ihm oft dazu, dass kleine Äderchen platzten und das Weiße in beiden Augen sich rot färbte. Nach zwei, drei Tagen wurde es besser. Zunächst links, dann rechts.

Jetzt sah er aus wie einem Horrorfilm entsprungen. Ein Opfer, das nur knapp den Monstern entkommen konnte und nun den nächsten Angriff befürchtete.

Christina kam mit der Pfanne zum Tisch und ließ die zwei Spiegeleier auf den Teller ihres Sohnes gleiten. Niklas tröpfelte Maggi darauf und aß mit übertrieben gespieltem Genuss. Sein Vater hielt sich den Mund zu und lief zur Toilette. Dort machte er laute Geräusche. Christina schloss die Küchentür und schaltete das Radio ein.

Niklas raunte: »Ich weiß, wo der Apotheker das Zeug versteckt.« Er hatte diesen Satz in den letzten Tagen mehrfach zu seiner Mutter gesagt. Es klang für sie wie eine Ankündigung, fast, als hätte ihr Sohn vor, in die Apotheke einzubrechen, um die restlichen Antabus zu stehlen. Er sagte es nicht, aber es schwang mit, als würde er nur auf eine Aufforderung seiner Mutter warten oder wenigstens eine Ermunterung.

Sie sagte einfach nichts dazu, als hätte sie ihn gar nicht gehört. Alles wurde immer schlimmer. Wie ein Strudel, der sie und ihre ganze Familie unaufhaltsam hinabzog. Sie wollte nicht, dass ihr Sohn zum Einbrecher wurde. Aber ohne Antabus ging es auch nicht. Es gab andere, frei verkäufliche Mittel, aber die waren nicht stark genug und auch nicht geschmacksneutral.

Im Radio berichtete Annette Radüg über den zweiten Mord. Christina mochte den Rocksender Radio 21 sehr, und sie hörte auch gerne die Annette-Radüg-Show. Sie war froh, als Annette wieder Musik auflegte. Überhaupt waren ihr in persönlichen Krisenzeiten Nachrichten zuwider. Sie brauchte dann etwas Positives. Guten Rock gab es hier rund um die Uhr, Musik, die sie an bessere Zeiten erinnerte, als sie jung war, verliebt und voller Träume. Jetzt lief *Clash, London Calling*, gefolgt von *Stairway to Heaven* von *Led Zeppelin* und dann *Born to run* von *Springsteen*.

Ihr Mann brüllte aus dem Bad: »Mein Kopf! Meinst du, ich weiß nicht, dass du die Musik laut drehst, damit du mich nicht hörst? Du weißt doch, welche Kopfschmerzen ich habe?! Warum bist du so grausam?«

Sie schaltete das Radio aus. Gleich wurden wieder die Geräusche ihres Ehemanns dominant. Er schloss, wenn es ihm schlechtging, nie die Badezimmertür hinter sich, sondern hielt sie sperrangelweit geöffnet, als sei es ihm wichtig, dass alle mitbekamen, was mit ihm los war. Manchmal war es, als wolle er ihnen damit ein schlechtes Gewissen machen oder zumindest um Mitleid heischen.

Die Morde interessierten Niklas. Er suchte auf seinem Handy nach Informationen. Er wurde rasch fündig. Es gab sogar ein Interview mit Ann Kathrin Klaasen im Netz. Lasse Deppe hatte sie für die *NWZ* interviewt und Holger Bloem sprach für den *Kurier* mit Kommissar Weller. Beide Interviews liefen auf ein und denselben Sachverhalt hinaus: Es gab eine mysteriöse Mordserie. Ann Kathrin Klaasen war sich sicher, dass der Täter weitermachen würde, wenn es nicht gelänge, ihn rechtzeitig zu stoppen. Kommissar Weller formulierte es vorsichtiger, schloss das aber auch nicht aus.

Die Faszination, die die Morde auf ihren Sohn ausübten, missfiel Christina Wewes. »Iss, Junge«, sagte sie. »Es gibt so viele Verrückte auf der Welt, nicht nur deinen Vater. Verglichen mit dem Mörder ist der ja noch harmlos.«

Uwe Spix klingelte diesmal nicht bei Wewes, sondern drückte den Knopf neben dem Schildchen *Ferienwohnung*.

Er war gut gelaunt. Es versprach, ein schöner Tag zu werden. Die milde Frühlingssonne spornte die Vögel zu einem vielstimmigen Konzert an. Zwei Rotkehlchen, die er nicht sah, wohl aber am Gezirpe erkannte, begleiteten ihn. In der Nähe seines Hauses nistete seit gut zwei Jahren ein Rotkehlchen, das nachts, besonders bei Vollmond, laut und melancholisch sang. Der Vogel verschwand tagsüber gern in der dichten Hecke, wenn Spix sich ihm näherte. Zwischen ihm und dem Tier war inzwischen eine Art Beziehung entstanden, so glaubte er. Er streute für »seinen Vogel« sogar geschälte Sonnenblumenkerne auf den Boden vor die Hecke.

Er wusste nicht, ob ein Männchen oder ein Weibchen bei ihm wohnte. Jedenfalls waren es jetzt zwei, und die hatten ihn bis hierhin verfolgt oder es gab in Norddeich inzwischen eine erstaunliche Rotkehlchenpopulation.

Er fühlte, dass die Vögel ihn meinten. Als hätten sie ihm etwas zu sagen und er könne mit ihnen sprechen. Er wusste, dass es nicht so war, aber er kam sich gern vor wie Tarzan, der Held seiner Kindheit. Weil es in Ostfriesland nicht so viele große, schwarze Schimpansen gab, redete er halt mit Rotkehlchen.

Anke Reiter öffnete nicht. Er wusste genau, dass sie da war. Er hatte ihren Schatten am Fenster gesehen.

Er klingelte erneut. Diesmal ließ er den Finger länger auf dem Knopf.

Anke lief vom Wohnzimmer in die Küche und von dort zurück ins Wohnzimmer. Sie wusste nicht, was sie tun sollte und schämte sich ob ihrer Hilflosigkeit.

Was wollte dieser Mann von ihr? Sie kannte ihn. Er kam fast jeden Montagmorgen, nachdem Herr Wewes und sein Sohn das Haus verlassen hatten. Er war kein guter Mann. Er hatte eine miese Ausstrahlung, fand sie. Da war etwas Böses in seinem Blick. Aber sie konnte ja die Nähe von Menschen sowieso nicht gut ertragen. Mit nur ganz wenigen Ausnahmen.

Sollte sie Sven anrufen? Sie wollte sich nicht lächerlich machen. Sie war doch eine erwachsene Frau. Sie musste damit fertigwerden, wenn jemand bei ihr klingelte.

Sollte sie ihm öffnen?

Nein. Niemals. Sie durfte ja eigentlich gar nicht hier sein. Alle Zweitwohnungsbesitzer hätten längst die Heimreise antreten müssen.

Ihr Herz klopfte schneller. Sie legte eine Hand auf ihre Brust und eine an ihren Hals.

Verdammt – was will der von mir?

Sie beschloss, sich ganz still zu verhalten und einfach nicht zu öffnen. Sie wunderte sich über sich selbst, weil ihr plötzlich bewusst wurde, dass sie sich wie damals als kleines Mädchen verhielt. Sie setzte sich hinter dem großen Sessel auf den Teppich, zog die Beine an den Körper und umschlang sie.

Im Treppenhaus wurden Stimmen laut: »Wie oft soll ich es denn noch sagen, Herr Blockwart?! Die Reiters sind nicht oben in der Ferienwohnung. Sie sind zurück nach Gelsenkirchen.«

»Hast du gerade Blockwart zu mir gesagt? Du verfluchter Rotzlöffel!«, brüllte Spix.

»Wie nennt man denn sonst einen Treppenterrier, der das Verhalten der anderen überwacht, um sie zu denunzieren?«, konterte Niklas mit zittriger Stimme.

Anke hörte Schnaufen. Gepolter. Dann Christinas Stimme, die behauptete, ihr Sohn habe das alles nicht so gemeint. Durch Corona lägen halt bei allen Menschen die Nerven blank.

Das geschieht alles nur meinetwegen, geißelte Anke sich. Weil ich mich nicht an die Regeln halte und für mich eine Extrawurst will, nur deshalb gibt es Streit und Geschrei.

Sie nahm ihren Mut zusammen und sprang auf. Bis zur Tür hielt die Energie der Tapferkeit sie aufrecht, dann verließ sie der Bekennermut. Sie wünschte sich Sven zurück. Sie hatte das Gefühl, von der Situation völlig überfordert zu sein und gleichzeitig war da in ihr die Forderung, sie müsse allein mit all dem fertigwerden. Sie schämte sich vor sich selbst und kam sich vor wie die letzte Versagerin.

Ihre Hände begannen zu jucken. Sie wusste plötzlich nicht mehr, ob sie abstoßend war oder ob sie selbst nur den Rest der Menschheit als abstoßend empfand. Aber sie hielt den Streit da unten nicht länger aus. Es sollte aufhören. Sofort!

Jemand würgte und übergab sich laut.

»Das ist Hausfriedensbruch«, schimpfte Niklas.

Die Stimmen kamen näher. Anke hörte laute Schritte. Da stampfte jemand die Treppe hoch. Stoff riss.

Es klopfte heftig an der Tür. Jedes Klopfen war wie ein Schlag in ihre Eingeweide. Es tat weh.

»Frau Reiter? Hier Uwe Spix. Ich bin ein besorgter Bürger. Ich weiß, dass Sie da sind. Sie haben kein Recht, hier zu sein. Glauben Sie, wir wollen hier Ihretwegen zum Hotspot werden? Fahren Sie nach Hause! Sie gehören hier nicht hin!«

»Lassen Sie Frau Reiter in Ruhe!«

Vor der Tür gab es ein Gerangel, und heftiges Stöhnen war zu hören. Anke wurde bewusst, dass sie nicht einmal die Polizei anrufen konnte. Sie war eine Illegale geworden. Sie erinnerte sich an das Plakat, das sie in Schalke gesehen hatte. Es hing im Schaufenster eines ausgeräumten Ladenlokals:

Kein Mensch ist illegal. Nirgendwo!

Doch, dachte sie. Ich. Hier.

»Die Ruhrpöttler schleppen uns das Virus hier rein! Der ganze Scheißtourismus fällt uns jetzt auf die Füße. Die sollen alle abhauen und nach Hause gehen, wo sie hingehören!«

Klatschten da Ohrfeigen, oder waren es Faustschläge?

Ankes Knie gaben nach. Sie sackte an der Tür zusammen. Sie hielt sich die Ohren zu. Ihre schlimmsten Ängste wurden gerade Wirklichkeit.

»Na bitte.« Ann Kathrin klappte die Akte zu. Weller saß ihr am Schreibtisch gegenüber. Er studierte die neuen Pandemiepläne und fragte sich, welche Auswirkungen das alles auf den Polizeialltag und ihr ganz normales Leben haben würde. Er versuchte, im Gesicht seiner Frau zu lesen, was sie mit »na bitte« hatte sagen wollen. Er wartete jetzt einfach ab, was sie ihm erzählen würde. Sie hatte etwas entdeckt, das war klar.

»Vielleicht«, orakelte Ann Kathrin nach einer kurzen Denkpause, »liegt unser Rupert ja gar nicht so falsch.«

»Womit? Rupert erzählt viel, wenn er Frauen beeindrucken will ... «

»Gegen Bauer liegen zwei Anzeigen seiner Ex-Freundin vor. Er hat sie verdroschen, beleidigt und bedroht.«

»Wer hätte das gedacht«, spottete Weller, »wo dieser Bauer doch sonst so ein Sensibelchen ist und immer nur an das Gute im Menschen geglaubt hat.«

Ann Kathrin mochte es nicht, wenn Weller zynisch wurde, aber die ständige Beschäftigung mit üblen Gestalten und schlimmen Verbrechern konnte aus jedem einen Zyniker machen.

»Doch jetzt kommt es«, fuhr sie fort und erhob sogar den Zeigefinger. »Unser grün angehauchter Oberstudienrat aus Emden-Wybelsum ... «

»Latein und Physik«, warf Weller ein. Es klang aus seinem

Mund, als könnte man Menschen, die Latein und Physik unterrichteten, eh nicht trauen.

Ann Kathrin wusste, dass Weller in beiden Fächern schwach gewesen war. Sie legte die rechte Hand auf die Akte und kämmte sich mit der linken die Haare aus dem Gesicht. »Vor knapp vier Jahren wurde er von einer Schülerin angezeigt. Er habe sie sexuell belästigt.«

Weller pfiff. Das war als Anerkennung für Rupert gemeint.

»Sie hat ihn erst nach dem Abi angezeigt«, fuhr Ann Kathrin fort.

»Und er wurde freigesprochen«, riet Weller.

»Nein, es kam erst gar nicht zum Prozess. Sie hat die Anzeige zurückgezogen.«

»Das heißt nichts«, behauptete Weller.

»Seine Frau hat es nicht mal erwähnt«, gab Ann Kathrin zu bedenken.

Das wunderte Weller nun gar nicht: »Wir haben ihr gerade die Nachricht vom Tod ihres Mannes überbracht. Sie wird keinen Zusammenhang gesehen haben und – offen gestanden – sehe ich auch keinen … Oder willst du jetzt ernsthaft dieses Mädchen befragen?«

Ann Kathrin lächelte. »Sie ist kein Mädchen, Frank, sie ist eine junge Frau mit Abitur. Und sie hat auch einen Namen: Rena Köller. Sie studiert an der Carl-von-Ossietzky-Universität Kunst, Medienwissenschaft und Politik.«

Weller beeindruckte das wenig, aber er grinste: »Dann schick nicht Rupert. Der blamiert uns. Intellektuelle Frauen machen ihn immer nervös.«

»Befrag du sie«, schlug Ann Kathrin vor.

»Soll ich jetzt nach Oldenburg fahren?«

»Willst du ihr eine Vorladung schicken und dann eine

Woche warten, bis sie mit ihrem Anwalt hier aufkreuzt?«, konterte Ann Kathrin.

»Warum sollte sie?«

»Sie hat, glaube ich, nicht die besten Erfahrungen mit unserem Rechtssystem gemacht, Frank. Sonst hätte sie die Anzeige doch nicht zurückgezogen ...«

Weller setzte sich anders hin, als würde sein Bürostuhl an einer Stelle zu heiß werden. Er fand aber keine bequemere Position. Er stützte sich auf dem Schreibtisch auf und hob den Hintern an. Er saß nicht mehr wirklich, aber er stand auch noch nicht richtig. »Für dich ist er also schuldig, und sie wurde nur schlecht behandelt und deswegen ...«

Ann Kathrin hob die Hände. »Okay, fahre ich halt hin.«

Jetzt machte Weller sich gerade. »So habe ich das nicht gemeint. Wir können ja auch gemeinsam ...« Er sah fast verlegen auf die Uhr. »Ich brauche vorher aber etwas Anständiges ...«

»Zu Gitti?«, fragte Ann. Aber Weller hatte schon einen anderen Plan. »Nein, heute nicht. Ein Krabbenbrötchen könnte mich aufbauen oder ein Fischbrötchen. Am besten beides.«

Die Vorstellung allein zauberte schon ein Lächeln auf sein Gesicht und ließ ihn zufrieden aussehen, als würde er gerade am Deich stehen, aufs Meer schauen und sich auf den Sonnenuntergang freuen.

»Hoffen wir mal, dass du irgendwo etwas bekommst, Frank. Lokale und Buchhandlungen sind zwangsweise geschlossen.«

Weller kam das im Moment absurd vor. Irreal. Als würde er gleich schweißnass aus einem Albtraum erwachen.

»Kennst du das, Ann?«, fragte er. »Man weiß im Traum

genau, dass man träumt, aber man hat trotzdem Angst und schafft es nicht, aufzuwachen und sich einfach einen Kaffee zu kochen.«

»Ja, und ob ich das kenne«, antwortete sie.

»So fühle ich mich gerade. Nur, dass ich jetzt weiß, dass es leider kein Traum ist, sondern ich wach bin. Das ist alles Wirklichkeit ... «

Rena Köller wohnte in Wildeshausen an der Hunte. Sie fuhr jeden Tag mit dem Rad zur Uni. Gut vierzig Kilometer hin und auch wieder zurück hielten sie fit.

In der Wohngemeinschaft lebten mit ihr zwei Sportstudentinnen und eine Yogalehrerin. Fit und gesund zu sein war hier ein klar definiertes Lebensziel. Obst, Gemüse, Eiweißdrinks und selbstgebackenes Brot spielten eine große Rolle.

Fett war hier nur der dicke Buddha aus Stein im Vorgarten. Er hatte fast Lebensgröße und meditierte. Weller empfand die tiefe Gelassenheit, die die Figur ausstrahlen sollte, in der jetzigen Situation einerseits beruhigend, andererseits fühlte er sich geradezu davon verspottet.

Eine Regenbogenfahne ersetzte im Fenster links neben der Eingangstür die kurzen ostfriesischen Häkelgardinen, die alle anderen Fenster zierten. Der Garten war auf eine gepflegte Art verwildert. Auf dem Klingelschild aus Ton vier Frauennamen und eine Friedenstaube.

Weller kam das Ganze vor wie aus der Zeit gefallen, zurück in die Achtziger, in die Hochzeiten der Friedensbewegung, als es darum ging, in Europa einen Atomkrieg der Supermächte zu verhindern.

Ann Kathrin bemerkte: »Eine Frauenwohngemeinschaft. Sie haben das Haus von Oma oder den Eltern geerbt.«

Ann Kathrin blieb vor der Tür stehen, ohne zu klingeln. Weller ging einmal ums Haus herum. Links im Carport stand zwar kein Auto, dafür aber fand Weller vier Fahrräder. »Sie sind zu Hause«, folgerte er.

Ann Kathrin streckte den Arm aus, um zu klingeln. In dem Moment öffnete sich die Tür. Eine junge Frau mit Stirnband, wippendem Pferdeschwanz, in Laufkleidung mit nicht ganz billigen Joggingschuhen stand vor ihnen. Sie bewegte sich, als sei sie bereits mitten im Lauf.

»Ich war's nicht«, sagte sie der erstaunten Ann Kathrin Klaasen ins Gesicht. »Ich wollte jetzt laufen. Tut Ihnen bestimmt auch gut. Wollen Sie mit, oder bin ich verhaftet?«

Weller kam vom Schuppen her auf die beiden zu. Er hatte ihre Worte gehört und fragte verblüfft: »Sieht man es uns von weitem an? Oder haben Sie uns erwartet?«

»Beides«, antwortete Rena Köller und lächelte, als hätte Weller eine verdammt dämliche Frage gestellt. So, wie sie ihn ansah, hielt sie ihn jetzt für einen harmlosen Idioten.

»Sie wissen also, warum wir hier sind?«, fragte Ann Kathrin.

Die junge Frau hüpfte von einem Bein aufs andere und machte dabei kreisende Bewegungen mit den Schultern. Sie legte ihren Kopf von links nach rechts, dabei wurde Weller klar, wie steif sein eigener Nacken war. Er hätte diese Übungen nicht so locker hingekriegt.

»Er wurde auf Wangerooge umgebracht. Oder glauben Sie, dass es Selbstmord war?«, fragte Rena Köller.

»Wir haben seinen Namen nicht veröffentlicht«, stellte Ann Kathrin klar.

Rena blies Luft aus und versuchte, an Ann Kathrin vorbeizukommen. Doch die versperrte ihr den Weg: »Woher wissen Sie, dass Ihr ehemaliger Lehrer ... «

Weiter kam Ann Kathrin nicht. Rena sprang mit einem Ausfallschritt links neben Ann Kathrin und joggte nun los. Ann Kathrin und Weller hinter ihr her.

Ann Kathrin hielt mühelos mit. Rena sprach beim Laufen, als würde es sie nicht im Geringsten anstrengen: »Ich habe heute Morgen eine Einladung von ehemaligen Schulfreundinnen bekommen. Sie sammeln für einen Kranz, wollen einen gemeinsamen Nachruf veröffentlichen.« Sie tippte sich an die Stirn.

Ann Kathrin fragte: »Und da wenden die sich ausgerechnet an Sie?«

»Ja, ich bin nicht gerade ein Fan von ihm, aber ich war eben auch seine Schülerin, dachten die sich wohl.«

Der Wind kräuselte das Wasser der Hunte. Ein Schwarm kleiner Fische auf der Flucht vor einem Hecht sprang aus dem Wasser und bildete einen silbrigen Regenbogen. Weller nahm das zum Anlass, stehen zu bleiben und kurz Luft zu holen. Er rief hinter Rena Köller her: »Nun bleiben Sie doch mal stehen, verdammt nochmal! Man könnte das auch als Fluchtversuch werten!« Doch die beiden Frauen kümmerten sich gar nicht um ihn, sondern liefen einfach weiter.

Weller starrte ins Wasser. Gern hätte er jetzt hier gesessen und geangelt. Er fühlte sich den beiden Frauen auf eine peinliche Art unterlegen.

Die Frauen hatten jetzt schon gut fünfzig Meter Vorsprung und bewegten sich in einer uneinholbaren Leichtigkeit, während es Weller so vorkam, als müsse er sich jeden Schritt mühsam abringen. Es war ein schwerfälliges Stampfen. Er konnte jetzt auch nicht mehr hören, was die beiden miteinander besprachen.

»Warum haben Sie Ihre Anzeige gegen Herrn Janßen zurückgezogen?«

»Ich habe ein Alibi. Ich war mit meinen Mitbewohnerinnen zusammen. Wir haben gemeinsam gekocht und *Babylon Berlin* in der Mediathek geguckt.«

»Das war nicht meine Frage«, sagte Ann Kathrin. »Außerdem ist Ihr Alibi falsch.«

Rena Köller blieb abrupt stehen und starrte Ann Kathrin an. »So? Wie kommen Sie denn darauf?«

»Wir haben den Zeitpunkt des Todes nicht bekannt gegeben. So etwas geschieht nur in schlechten Kriminalfilmen. Das ist Täterwissen. Ich glaube Ihnen gerne, dass Sie mit Ihren Freundinnen gemeinsam gekocht und ferngesehen haben, aber ich frage mich, woher Sie wissen, wann der Mord geschehen ist.«

»Weiß ich ja gar nicht.«

»Warum behaupten Sie dann so einen Mist?«

»Weil ich weiß, dass meine Mitbewohnerinnen jederzeit für mich lügen würden.«

»Sie belasten sich damit nur selbst, Frau Köller. Ist Ihnen das klar?«

»In Wirklichkeit, Frau Kommissarin, sind Sie doch nur neidisch darauf. Solche Freundinnen hätten Sie auch gerne, stimmt's?«

Als sie das Wort *Freundinnen* sagte, malte sie Anführungsstriche in die Luft, als würde sich hinter dem Wort unausgesprochen etwas anderes verbergen.

Ann Kathrin stemmte die Fäuste in die Hüften, stand ganz still, während die Verdächtige weiterhin den Laufrhythmus beibehielt, ohne sich von der Stelle zu bewegen. Sie hob jetzt ihre Knie abwechselnd bis zu ihrer Brust. Auf jeden Fall wollte sie Ann Kathrin demonstrieren, dass sie nicht bereit war, sich von ihr bei ihrem Sporttraining stören zu lassen.

»Darf ich Ihre Frage so verstehen«, hakte Ann Kathrin nach, »ob ich gerne solche Freundinnen hätte, die skrupellos genug wären, um einen Mord zu decken?«

»Nein. Freundinnen, die Sie gut genug kennen, um zu wissen, dass Sie unschuldig sind. Und die jederzeit bereit sind, für Sie zu lügen, wenn Sie in Schwierigkeiten geraten.«

»Sind Sie denn in Schwierigkeiten?«, fragte Ann Kathrin.

»Verdächtigen Sie mich denn?«, konterte Rena Köller.

»Eigentlich wollte ich nur wissen, warum Sie die Anzeige zurückgezogen haben.«

»Weil seine Frau mich angefleht hat, ich solle ihr Leben nicht zerstören.«

Damit hatte Ann Kathrin nicht gerechnet. Jetzt erreichte Weller die beiden. Ann Kathrin warf ihm einen Blick zu, der ihm wortlos klarmachte, dass er jetzt störte.

»Ein Gespräch unter Frauen. Ich verstehe«, brummte er, drehte sich um und entfernte sich ein paar Meter.

»Er kann ruhig dabeibleiben und zuhören. Ich habe nichts gegen Männer«, lächelte Rena Köller und fügte hart hinzu: »Solange sie sich anständig benehmen.«

»Frau Janßen ist also zu Ihnen gekommen und hat Sie angefleht?«

»Ja, und sie hat mir zehntausend Euro geboten. Das darf ich aber nicht sagen. Oder muss man der Polizei auch dann die Wahrheit sagen, wenn man versprochen hat, es nicht zu tun?«

»Zehntausend Euro«, wiederholte Ann Kathrin die Summe.

»Ich habe dann aber fünfzig bekommen und dafür unterschrieben, dass ich die Anzeige zurückziehe, weil ich alles nur erfunden habe. Ich darf Ihnen das aber wirklich nicht erzählen, Frau Kommissarin. Wir haben das beim Notar gemacht, und es wurde Stillschweigen vereinbart. Sie wollen doch nicht, dass ich Ihretwegen alles zurückzahlen muss, oder? Erst hat die Polizei schlampig gearbeitet, so dass nur noch Aussage gegen Aussage stand, und jetzt wollen Sie mich doch nicht auch noch um mein Geld bringen, oder?«

»Er hat Sie also wirklich sexuell belästigt?«

Rena Köller sah Ann Kathrin von oben bis unten an, als könne sie durch ihre Kleidung hindurchsehen. Ann Kathrin fühlte sich wie beim letzten Mal im Flughafen, als sie sich ganz sicher war, kein Metall am Körper zu tragen und es trotzdem beim Scannen gepiepst hatte.

»Belästigt ist gut«, spottete Rena Köller, stellte sich anders hin und verkündete es, indem sie die Finger zu einem angedeuteten Schwur erhob: »Seine Frau hat mir keine fünfzigtausend Euro gezahlt, nur weil ich so 'n knackigen Arsch habe.«

Die Verletzung und gleichzeitige Verachtung, die aus der jungen Frau sprachen, berührten Ann Kathrin. »Wann waren Sie zum letzten Mal auf Wangerooge?«, fragte sie.

Rena Köller hob die Arme und schüttelte ihren Körper aus. Eine Übung, die Ann Kathrin aus dem QiGong kannte: Wenn der Baum versucht, Schmutz und Ungeziefer loszuwerden.

»Ich war noch nie in meinem Leben auf Wangerooge. Als

Kind ein paarmal auf Juist. Da habe ich reiten gelernt. Aber sonst sind die ostfriesischen Inseln nicht so meins. Da sind mir die Kanaren lieber, vor allen Dingen im Winter.«

Ann Kathrin verabschiedete sich freundlich. »Schöne Grüße an Ihre Mitbewohnerinnen. Es ist immer besser, wenn man der Polizei einfach die Wahrheit sagt. Das ist nämlich unsere eigentliche Aufgabe: die Suche nach der Wahrheit.«

Rena Köller grinste bitter, als würde sie Ann Kathrin kein Wort glauben.

Ann Kathrin drehte sich noch einmal zu der Verdächtigen um und fragte: »Gibt es vielleicht noch andere Frauen, denen Ähnliches widerfahren ist wie Ihnen?«

»Sie meinen, die auch von seiner Frau so nett beschenkt wurden? Keine Ahnung!«

Trotzdem ließ Ann Kathrin nicht locker: »Hatte jemand einen Grund, Herrn Janßen zu töten?«

Rena Köller vertrieb eine Wespe, die sich für ihren Pferdeschwanz interessierte. »Das müssen Sie herausfinden, Frau Kommissarin.«

»Ja, da haben Sie vermutlich recht«, gab Ann Kathrin zu und drehte sich zu Weller. Sie machte ein paar langsame Schritte. Ann Kathrin hatte die Erfahrung gemacht, dass auch die verstocktesten Menschen immer noch etwas sagen wollten, wenn sie spürten, dass das Gespräch vorbei war. Manche Leute versuchten, den Eindruck zu korrigieren, den sie glaubten, hinterlassen zu haben oder wollten sich in besserem Licht präsentieren. Deswegen verließ Ann Kathrin Verhöre immer langsam, so dass die befragte Person noch eine Möglichkeit hatte, etwas loszuwerden.

Auch in diesem Fall lag sie richtig. Rena Köller rief hinter ihr her: »Er konnte ein Arsch sein, war streng und hat die

Mädchen meist bevorzugt. Aber die meisten mochten ihn, denn bei dem hat man wirklich was gelernt!«

Ann Kathrin ging weiter, ohne sich zu Rena Köller umzudrehen und fragte sich, warum sagt sie mir das? Warum ist ihr das wichtig? Wenn jemand die ganze Zeit gelogen hat, ruft er einem manchmal die Wahrheit hinterher, dachte sie, damit wenigstens ein Satz stimmt. Gleichzeitig kam ihr die Aussage von Rena Köller schlüssig und wahrhaftig vor.

Am anderen Ufer der Hunte lauerte ein Graureiher bewegungslos auf seine Beute. Ann Kathrin und Weller bemerkten ihn erst, als er seinen Schnabel in ein Rotauge schlug.

Das Wort *Graureiher* war in diesem Fall wirklich falsch, fand Weller. Der Vogel war schneeweiß. Er kannte graue, schwarze, silbrige Fischreiher, aber so ein leuchtend weißes Tier hatte er noch nie gesehen.

Clemens Wewes erholte sich schneller als erwartet. Die Wut half ihm, sich nicht klein zu fühlen, mies und schuldig, wie meist. Der Tag danach, bis in den frühen Nachmittag hinein, war sonst grauenhaft. Er konnte nur Wasser trinken. Nichts anderes half. Aber auf keinen Fall gekauftes Mineralwasser aus der Flasche. Nicht einmal das gute *St. Ansgari* behielt er bei sich. Das ostfriesische Leitungswasser rettete ihm manchmal das Leben. So zumindest fühlte es sich für ihn an. Es tat gut, wenn es kalt in der von der Magensäure verbrannten Speiseröhre runterlief. Alles war innen wie verätzt.

So, dachte er, muss es sich anfühlen, wenn man Salzsäure getrunken hat.

Erst spuckte er grünes Gift aus. Später dann wurde alles

gelblich. Dann farblos. Der widerliche Geschmack blieb und wurde mit jedem Aufstoßen reaktiviert.

Die wackligen Knie, das Zittern der Hände, der Schluckauf, das alles verflog, wenn er nicht mehr weinerlich, kriecherisch war, sondern angriffslustig herumbrüllte. Es war nicht völlig weg, aber er fühlte sich besser. Er konnte noch keine feste Nahrung zu sich nehmen, aber die Wut setzte Kräfte in ihm frei, die ihm wieder festen Stand gaben.

Seine Stimme hörte sich noch seltsam an. Kratzig. Piepsig. Nicht wie die eines erwachsenen Mannes, sondern ein bisschen klang er wie eine verrückte Comicfigur.

Seine Frau Christina machte fahrige Bewegungen. Zum zweiten Mal seit wenigen Stunden stieß sie ein Glas um und stellte sich ungeschickt beim Aufwischen an. Sie, die Ordentliche, hatte etwas schlampig Unorganisiertes an sich, bewegte sich, als sei sie sich ihrer Körpermaße nicht mehr bewusst. Ja, als stecke sie in einem falschen Körper, dessen Reichweite ihr nicht klar war.

Normalerweise fühlte er sich morgens wie ein Straftäter auf der Anklagebank. Heute war es anders. Er verteidigte sich nicht, suchte keine Entschuldigung, bat nicht um Verzeihung. Nein, er ging zum Angriff über. Er richtete seinen Zeigefinger auf Niklas. Der Junge schien plötzlich ein anderer geworden zu sein. Er war nicht mehr der schüchterne kleine Streber. Auch nicht mehr Muttis Liebling, der sich bemühte, nicht zu schnell erwachsen zu werden, weil er Angst hatte, dann ausziehen und für sich selbst sorgen zu müssen.

Einerseits war Clemens stolz auf seinen Sohn, weil er gezeigt hatte, dass ein ganzer Kerl in ihm steckte. Einer, der bereit war, für sich einzustehen und in einem Konflikt nicht gleich einknickte, wenn der andere laut wurde. Andererseits konnte er es natürlich nicht dulden, dass sich der Sohne-mann als Herr im Haus aufspielte und seinen Freund raus-warf.

Er brüllte Niklas an: »Du wirst jetzt zu Onkel Spix gehen und dich bei ihm entschuldigen!«

»Werd ich nicht!«

Mit dem klaren, unverfrorenen Widerspruch hatte Clemens Wewes nicht gerechnet. Er räusperte sich. Er wollte die Sache jetzt in einem Ton klarstellen, der keinen weiteren Protest zuließ. Auf keinen Fall durfte er sich mit dieser heiseren Micky-Maus-Stimme äußern. Die elende Kotzerei griff die Kehlkopfschleimhaut an. Räusperzwang, Reizhusten und Stimmbandprobleme waren direkte Folgen. Er fühlte sich wie innerlich vergreist.

Er hustete und baute sich bedrohlich vor seinem Sohn auf. Doch bevor er so weit war, ihn niederzubrüllen, setzte Niklas seinen Frechheiten die Krone auf: »Und er ist nicht mein Onkel!«, stellte er klar und funkelte seinen Vater rebellisch an.

»Aber du bist mein Sohn, und solange du deine Füße unter meinen Tisch stellst, wirst du deine Eltern und deren Freunde mit Respekt behandeln!«

Etwas geschah mit seinem Sohn. Er konnte es ihm im Gesicht ansehen. Clemens rechnete mit einer harten Gegenwehr. Vielleicht würde der Kleine endlich erwachsen werden. Leider lehnte er sich gegen seinen Vater auf, statt zu ihm zu halten.

Niki hatte etwas auf der Zunge, hielt es aber noch zurück. Er drehte sich um und biss sich in den Handrücken.

Ich könnte dir ja mal ein Video von deinem Freund Spix zeigen, dachte Niklas. Er würde es nicht tun, weil er damit gleichzeitig seine Mutter bloßgestellt hätte. Er unterdrückte den Impuls, diese Bombe platzen zu lassen.

Christina legte ihrem Sohn eine Hand in den Rücken. Die Berührung war ihm unangenehm. Er rückte von ihr ab.

Sie drehte sich zu ihrem Mann um. »Unser Niki ist doch sonst gar nicht so.« Sie stand jetzt zwischen den beiden, Rücken an Rücken mit Niklas. »Uwe hat Niki das bestimmt nicht übelgenommen. Er weiß doch, dass er ein Guter ist. Wir sind im Moment alle ein bisschen nervös und aufgebracht. Die Nerven liegen blank.«

Clemens' Magen machte üble Geräusche. Er versuchte, sie zu übertönen. Manchmal war sein Darm lauter als seine angeschlagene Stimme. Heute nicht.

»Er wird sich entschuldigen!«, donnerte Clemens.

»Dachte ich mir, dass du zu ihm hältst und nicht zu mir«, rief Niklas vorwurfsvoll. Er sah dabei aus, als würde er sich hinter seiner Mutter verstecken. Das war ihm durchaus bewusst, und er wollte diesen Eindruck gern vermeiden. Er versuchte, seine Mutter zur Seite zu schieben. Vielleicht zum ersten Mal im Leben war er bereit für die Konfrontation mit seinem Vater.

Die Mutter ließ sich nicht so einfach verdrängen. Sie stand immer noch schützend vor ihm und sagte zu seiner Verteidigung: »Das ist doch nur wegen der Reiter, weil die nicht nach Hause will und er ihr versprochen hat, für sie einkaufen zu gehen und so ... Der Junge hat halt ein gutes Herz.«

Clemens Wewes lachte höhnisch: »Gutes Herz?! Der Bengel ist verschossen in das Weib!«

Clemens wollte mit seinem Sohn direkt reden, doch seine Frau wich nicht.

Er hüpfte hoch, um über ihre Schulter hinweg zu rufen,

als könne Niklas ihn sonst nicht verstehen: »Deshalb hast du dich so verändert! Bravo! Herzlichen Glückwunsch! Hat sie dich zum Mann gemacht? Wurde ja auch Zeit. Ich hätte dir zwar ein Mädchen in deinem Alter gegönnt, aber so eine reife Frau ist vielleicht gar nicht so schlecht fürs erste Mal. Die wissen wenigstens, was sie tun. Bei mir war es die Freundin meiner Mutter. Sie wohnte zwei Straßen weiter.«

»Clemens!«, rief Christina Wewes, aber er nahm ihre Ermahnung nicht ernst, sondern drehte jetzt erst richtig auf. Er prahlte: »Ich hab ihr den Garten gemacht und mit ihr Weihnachtsplätzchen gebacken. Ihr Mann, die Flasche, hat nie was gemerkt. Ich bin ihr heute noch dankbar. Sie hat mir Sachen beigebracht ...«

Das Geschehen in seinem Magen lenkte ihn ab. Er griff sich mit beiden Händen an den Bauch. Sein Gesicht verzerrte sich. Er stürmte zur Toilette.

Christina wollte die Chance nutzen, um auf ihren Sohn einzuwirken. »Gib nach. Du musst jetzt klein beigeben. Ich verstehe dich ja, aber du kannst das nicht gewinnen.«

»Warum nicht? Müssen wir uns immer alles gefallen lassen?«

Sie flüsterte: »Der Spix weiß alles. Wenn der uns in die Pfanne haut, dann geh ich ins Gefängnis, Niki. Willst du das?«

Natürlich wollte er das nicht. Er fand die Frage unfair. So ließ sie ihm keine Wahl. Er musste nachgeben.

Er hörte nicht ohne Genugtuung, wie sein Vater sich übergab.

Seine Mutter sah ihn mit einem flehenden Blick an: »Bitte, Niki, tu es für mich. Manchmal ist es besser, den untersten Weg zu gehen.«

»Den untersten Weg?«

Sie berührte seinen Arm und nahm seine Hand. Sie wollte, dass er ihr in die Augen sah. Sie waren voller Wasser.

Einerseits rührte ihn das, andererseits keimte der Verdacht in ihm auf, dass seine Mutter die Tränen als manipulatives Mittel gegen ihn einsetzte. Was hatte er nicht schon alles getan, um sie glücklich zu machen? Um ihre Tränen zu trocknen?

»Ja«, sagte sie, »den untersten Weg. Es ist der sicherste. Manchmal ist es besser, seinen Stolz zu überwinden und nachzugeben. Du weißt doch, Niki, der Klügere gibt nach.«

Er stampfte mit dem Fuß auf. »Deshalb beherrschen ja auch die Schwachköpfe die Welt, Mama. Aber wir sollten sie ihnen nicht einfach kampflos überlassen.«

»Die Heldenpose steht dir nicht, Niki. Helden gehen unter. Sie scheitern und sterben. Der siegreiche Held ist eine Erfindung aus Hollywood. Wer überleben will, passt sich an.«

Sie hielten vor ihrem Haus im Distelkamp im Norden. Sie stiegen nicht aus, sondern bestaunten eine Möwe, die die Videokamera attackierte, die den Eingang und zwei Fenster überwachte.

»Wahrscheinlich will das Tier nicht gefilmt werden, wenn es unsere Einfahrt zuscheißt«, scherzte Weller.

Ann Kathrin reagierte nicht.

Weller fuhr fort: »Möwen haben schließlich auch ein Recht auf Privatsphäre. Vermutlich verstößt die Kamera aus Möwensicht gegen die Datenschutzbestimmungen.«

Sonst lachte sie gern über seine Witzchen. Oft gelang

es ihm, sie aufzuheitern. Heute nicht. Vielleicht, weil sie merkte, dass er mehr seine eigene Stimmung aufhellen wollte und nur den Spaßvogel spielte, ohne es wirklich zu sein.

Ann Kathrin wirkte merkwürdig unentschlossen auf Weller, als wisse sie nicht, wohin mit sich. Ein Zustand, den er von sich selbst sehr gut kannte, den er aber ihr nicht so ohne weiteres zugeschrieben hätte.

Sie erinnerte ihn plötzlich an den weißen Fischreiher, den sie an der Hunte gesehen hatten und der vermutlich viel zu auffällig war, viel zu sehr glänzte, um erfolgreich zu jagen. Oder er bekam bloß die unvorsichtigen, blöden Fische, von denen es aber vermutlich auch noch genug gab.

»Am liebsten«, sagte Ann Kathrin, »würde ich nackt ins Watt laufen und mich voll in den Matsch fallen lassen. Mich so richtig einsauen, am ganzen Körper und im Gesicht.«

Weller wusste, dass der Serienkiller Dr. Bernhard Sommerfeldt es oft nach einem Mord so gemacht hatte. Es war ein Reinigungsritual für ihn. Wollte Ann Kathrin ihm damit sagen, dass sie Mordlust empfand?

»Und dann würde ich am liebsten im Priel schwimmen. Nichts reinigt so sehr wie eine Naturgewalt«, schwärmte sie.

»Priele«, sagte Weller sachlich, »sind gefährlich. Das reißende Wasser kann einen ins offene Meer ziehen.«

Sie legte den Kopf in den Nacken und atmete tief durch, als sei sie bereits im Watt und könnte den Wind auf der Haut spüren.

Weller öffnete die Fahrzeugtür. Die Möwe floh und schiss auf die Windschutzscheibe. »Willkommen zu Hause«, brummte Weller.

Ann Kathrin stieg nicht aus. Er stand schon bei der Haustür und steckte den Schlüssel ins Schloss.

»Was ist, Ann?«

Sie bewegte sich langsam, ja schwerfällig. Sie schien kaum etwas mit der sportlichen Frau zu tun zu haben, die gerade noch ein Verhör beim Joggen an der Hunte geführt hatte.

»Wir werden bald das nächste Opfer finden, Frank. Wer immer diese Männer so zugerichtet hat, ist längst noch nicht fertig mit seiner Arbeit.«

»Woraus folgerst du das, Ann?«

»Erstens, weil es bestimmt noch viele Arschlöcher gibt, die es in seinen Augen verdient haben, so zu sterben, und zweitens, weil er sie uns so prahlerisch präsentiert.«

»Komm rein. Ich mache uns eine Fischsuppe.«

Immerhin reichte die Vorstellung, sich von ihm bekochen zu lassen, aus, dass sie aus dem Wagen ausstieg.

»Wir müssen das Prinzip, nach dem er sie aussucht, verstehen. Dann wissen wir, wer als Nächstes dran ist ...«

Weller fiel auf, dass Ann Kathrin an einen Mann dachte. An eine Art Rächer, den sie noch nicht kannten.

Er stand schon in der Küche und zerhackte Zwiebeln, als er sie wie beiläufig fragte: »Wer sagt uns, dass dieser Bauer nicht auch einer unserer Oldenburger Studentinnen sein Flugblatt in die Hand gedrückt hat?«

Ann Kathrin saß mit angezogenen Beinen auf einem Küchenstuhl am Fenster, nah bei der Heizung, und sah Weller beim Kochen zu. Auf dem Tisch dampfte Kaffee in einem Becher mit der Aufschrift: *Polizei Aurich Wittmund.*

»Und du meinst, dann haben die bei einem netten Mädelsabend beschlossen...« Ann Kathrin sprach nicht weiter. Weller ergänzte: »Reinen Tisch zu machen.«

»Was wissen wir über ihre Mitbewohnerinnen?«, fragte Ann Kathrin.

Weller brutzelte Zwiebeln und Knoblauch in Olivenöl an. Er liebte die Röstaromen in der Fischsuppe. »Das sind clevere junge Frauen. Ich glaube nicht, dass die so blöd sind, jetzt der Reihe nach Typen umzubringen, mit denen sie mal Probleme hatten.«

»Was werden sie stattdessen tun?«

Frank zuckte mit den Schultern.

»Du müsstest es eigentlich am besten wissen. Du hast doch zwei Töchter in dem Alter«, sagte Ann Kathrin.

»Meine Mädels morden zwar nicht, aber wenn du mich so fragst: Sie werden versuchen, uns zu verblüffen, und etwas tun, womit wir garantiert nicht rechnen. Das machen meine Töchter jedenfalls immer so.«

Ann Kathrin nippte am Kaffee. »Haben wir genug, um sie überwachen zu lassen?«

»Traumtänzerin! Dazu brauchen wir nicht nur einen richterlichen Beschluss, sondern auch gut zwei Dutzend Leute. Beides werden wir nicht bekommen.«

Niklas Wewes hatte sich in seinem Zimmer eingeschlossen. So einfach wie früher war es nicht mehr. Er konnte sich nicht unter der Bettdecke verkriechen. Es war ihm nicht einmal möglich, die Augen zu schließen. Als Kind hatte er es manchmal geschafft, sich wegzuphantasieren. In seinen Heldenträumen wurde er dann ein starker Ritter, der die Schwachen beschützte. Die Kinder vor allen Dingen, aber auch die Frauen. Oder er wurde zum Piraten, der dem bösen König trotzte und ihm das Gold stahl.

Dann hatten Bettina Göschls Piratenlieder ihm gutgetan.

Er kannte sie alle auswendig und grölte sie mit, im *Chor der Meuterer*, dem er sich zugehörig fühlte. In seinen Tagträumen führte er ein wildes, freies Leben. Er scheute kein Duell und konnte mit seiner scharfen Klinge gut umgehen. Er wurde zum Helden und kämpfte für eine gerechte Sache.

Aber das funktionierte jetzt nicht. Sobald er die Augen schloss, sah er hässliche Szenen. Sein Vater in bedrohlichem Zornesausbruch. Oder wie er sich in Krämpfen auf dem Sofa krümmte, winselnd um Kamillentee bettelnd.

Der lüsterne Spix tyrannisierte mit seinen verkommenen Wünschen seine Mutter, und sie tat, was er von ihr verlangte, und erniedrigte sich.

Nein, er durfte die Augen nicht schließen. Er konnte sich im Moment nicht vorstellen, jemals wieder zu schlafen. Wie ein Tier, das sich durch seinen Darm fraß, nagte die Vorstellung an ihm, als Nächstes würde Spix sich an Anke Reiter heranmachen und sie mit seinen Wurstfingern begrapschen.

Sein Magen rebellierte, als hätte er Antabus auf Eierlikör geschluckt. Im selbstgemachten Eierlikör ließen sich die Tabletten gut unbemerkt verabreichen, aber die Gefahr war zu groß, dass Clemens seine Frau nötigte, einen mitzutrinken, denn bei ihrem Kennenlernen hatte ihr selbstgemachter Eierlikör eine wichtige Rolle gespielt. Bei ihrer Hochzeit gab es sogar eine Eierlikörtorte.

Nein, das Zeug war zu gefährlich und beim letzten Mal, als sie ihm das Antialkoholgift im Eierlikör verabreicht hatten, wäre er nach eigenen Aussagen fast gestorben. Sie waren kurz davor gewesen, den Notarzt zu rufen, weil sein Vater die Augen so komisch verdreht hatte und nicht mehr ansprechbar gewesen war.

Niklas drückte sich die Fäuste in den Unterleib und krümmte sich. Er schmeckte den Magensaft, der über die Speiseröhre hochgepresst wurde. Fühlte sich sein Vater so? Roch er deshalb so widerlich aus dem Mund?

Versuchst du, fragte Niklas sich, zu werden wie er, um sich besser in ihn hineinversetzen zu können?

Er hielt die Luft an, bis ihm schwindlig wurde. Das hatte er schon als kleiner Junge oft so gemacht. Ohnmächtig zu werden war manchmal sein letzter Befreiungsversuch.

Er hatte immer wieder versucht, Tagebuch zu schreiben, um sich über seine Gefühle klarzuwerden. Manchmal kam es ihm so vor, als würde er sich selbst Satz für Satz Boden unter die Füße schreiben, um nicht völlig den Halt zu verlieren. Dann wieder fehlten ihm Sätze. Er wurde sprachlos. Stattdessen malte er und kritzelte die Kladde voll mit Messern, Zangen, Pistolen ...

Tötungsphantasien beherrschten ihn zunehmend mehr und machten ihm Angst. Er malte Spix und seinen Vater. Zwei tote Männer mit Klingen in der Brust.

Er stach sich mit der Spitze des Bleistifts in die Fingerkuppe und rieb sein Blut auf die gemalten Körper. Die Kladde versteckte er zwischen seinen Schulbüchern.

So schwer es ihm manchmal fiel, sich mit Worten auszudrücken, so sehr war die Bildsprache seins geworden. Die großen Graffiti-Sprayer, die Straßenkünstler, waren zu seinen Helden geworden. Ihnen fühlte er sich zugehörig.

Einige seiner Bilder prägten das Stadtbild in Norden, Hage und Aurich. Er sprühte nicht einfach irgendwo etwas hin. Er plante es lange, skizzierte sein Vorhaben, wählte die passenden Farben und Motive.

Eine alte, kaputte Registrierkasse fürs Finanzamt. Einen

Wasserträger, aus dessen Eimern Flüssigkeit schwappte, fürs Gerichtsgebäude. Von Privathäusern ließ er die Finger, aber Autos verschönerte er schon mal.

Es hatte ihm jedes Mal Erleichterung verschafft, eine tiefe innere Befriedigung. Er bedauerte auch nicht mehr, dass seine Sprayaktionen illegal waren. Vielleicht machte gerade das den Reiz aus.

Nie nahm er einen anderen mit. Er wollte keine Komplizen. Niemand sollte die Möglichkeit haben, ihn jemals zu verraten.

Das verdammte Beherbergungsverbot machte alles sehr kompliziert. Er hatte zwar verschiedene Ausweise und Visitenkarten, aber jeder, der sich aus beruflichen Gründen in ein Hotel einbuchte, musste Nachweise erbringen und Kontrollen befürchten.

Er reiste gern als Location-Scout einer Filmproduktionsfirma. Dann wunderte sich niemand, wenn er ganze Straßenzüge ausspionierte, nach Öffnungszeiten fragte, auf Dächern herumkraxelte oder sich an seltsamen Orten herumtrieb und Fotos machte.

In der Rolle des Location-Scouts Philipp Tatie gefiel er sich. So musste er sich keine Privilegien erschleichen. Nein, sie wurden ihm aufgedrängt! Restaurantbesitzer wollten ihr Lokal nur zu gern für einen Dreh zur Verfügung stellen und manche von ihnen hatten schöne Töchter, die zum Film wollten. Menschen gerieten ihm gegenüber – wenn er als Tatie auftrat – in einen gewissen Selbstdarstellungszwang. So musste er wenigstens nichts über sich erzählen.

Gegenüber von Wolfgang Fröhlings Wohnung gab es ein Haus, in dem im oberen Stock ein Flurfenster freien Blick in das Wohnzimmer des Richters bot.

Er hätte auf dem Dachboden sogar eine noch bessere Schussposition gehabt, aber er konnte sein Präzisionsgewehr bei diesem Auftrag nicht einsetzen. Einen Richter durch einen Kopfschuss in seiner eigenen Wohnung hinzurichten löste ganz andere Ermittlungen aus als einer, der ohne Geschlechtsteile an einem öffentlichen Platz gefunden wurde. Das eine sah nach einer professionellen Hinrichtung aus, das andere nach einer wütenden Rache.

Sie würden eine Verbindung zwischen den drei Taten suchen. Er wusste, wie so eine Fahndung ablief. Jeder Schlaumeier versuchte, seine Vermutungen durch Fakten abzusichern, ja, durch Indizien zu beweisen. Er würde ihnen Indizien liefern. Mehr als genug. Aber er konnte sich diesen Fröhling nicht in dessen eigener Wohnung vornehmen und ihn dann durch den Flur nach draußen schleppen. Die Eingangstür wurde mit einer Videoanlage überwacht. Das alles war viel zu riskant.

Er musste ihn draußen schnappen und erledigen. Aber das war schwierig in diesen Zeiten. Der Richter igelte sich ein. Hatte er nur Angst vor dem Virus oder ahnte er, dass er der Nächste werden sollte?

Er musste ihn herauslocken aus seinem Bau, das war klar …

Die dicken Regenwolken hielten sich nicht lange an der ostfriesischen Küste. Ein scharfer Nordwestwind zerfetzte sie und trieb sie vor sich her wie Hunde eine aufgescheuchte Schafherde.

Der feuchte Asphalt glänzte schwarz im Licht von Niklas' Fahrradlampe. Er fuhr zu Uwe Spix. Nein, er war nicht bereit, ihn um Verzeihung zu bitten. Er fühlte sich dazu gezwungen, ja genötigt.

Viel lieber hätte er ihn kreuz und quer durch die Wohnung geprügelt und ihm so richtig Angst gemacht. Zitternd vor Angst sollte er endlich einsehen, dass er sie in Ruhe lassen musste. Seine Mutter und Anke Reiter, oder am besten gleich alle Frauen. Er war ein Teufel für Frauen.

Doch Niklas wusste, dass er dafür nicht der Richtige war. Nicht stark genug, nicht skrupellos genug, um diesen Spix zu stoppen. Er hatte nichts gegen Spix in der Hand, das sich verwenden ließe, ohne anderen Menschen zu schaden. Die Videoaufnahme würde seine Mutter vernichten, das war ihm klar.

Er überlegte, was er Spix sagen wollte. Er würde sich groß vor ihm aufbauen, wenigstens das, und ihm dann tapfer in die Augen blicken. Jawohl, das würde er tun, und dann eine klare Ansage machen: *Bitte lassen Sie meine Mutter in Ruhe, Herr Spix.*

Ja, er würde ihn siezen, um klarzumachen, dass es zwischen ihnen keine freundschaftlichen Bande gab und familiäre schon mal gar nicht.

Vielleicht, so überlegte er, während er an einem parkenden Auto mit NOR-Kennzeichen vorbeiradelte, sollte er das *Bitte* weglassen. Mit *Bitte* zu beginnen, ist so arschkriecherisch, tadelte er sich selbst.

Ich fordere Sie hiermit auf, meine Mutter und Frau Reiter in Ruhe zu lassen.

Wahrscheinlich würde Spix nur schmierig grinsen.

Niklas suchte etwas, womit er dem Mann drohen konnte.

»Sonst schlag ich Ihnen die Zähne ein«, brüllte er wie zur Probe in die Nacht. Neben ihm flatterten Dohlen auf. Er versuchte es gleich noch einmal. Es musste überzeugend klingen. Aber was, wenn Spix das Angebot annahm und es auf einen Faustkampf ankommen ließ?

War eine andere Drohung besser? Zum Beispiel: *Ich zünde dir die Hütte an ...*

Er fuhr auf das Haus in der Itzendorfer Straße zu. Vorsichtig bremste er ab und versteckte sich hinter einem parkenden VW-Bus.

Spix verließ gerade das Haus. Er bestieg sein Fahrrad. Er hatte seine Angelutensilien dabei. Na klar. Spix war leidenschaftlicher Nachtangler. Es gab einen Platz am Norder Tief, den bezeichnete er als *Mein Aalloch*. Es war schwer zugänglich und am besten mit dem Boot zu erreichen, aber er kannte einen Schleichweg. Diese Geschichte hatte Niklas mehrfach von ihm gehört. Fuhr er jetzt dorthin?

Manchmal fischte Spix auch an der Leda, und einmal war er vor Mauritius im Indischen Ozean auf Blue-Marlin-Jagd gegangen. Damit gab er gerne an.

Jetzt, mit dem Fahrrad und der wippenden Angelrute auf dem Rücken, ging es wohl eher zum Norder Tief. Niklas folgte ihm mit gebührendem Abstand.

Spix trug eine Warnweste mit reflektierenden gelben Streifen. Er fühlte sich sicher. Er blickte sich nicht um. Mit seiner Weste war er leicht zu verfolgen. Als er sein Rad bei ein paar Sträuchern abstellte, hätte Niklas ihn fast verloren. Spix verschwand im Gestrüpp.

Niklas lehnte sein Rad an einen Baum und blieb lange Zeit

unbeweglich stehen. Er konnte Spix nicht mehr sehen, aber er hörte das Bimmeln eines Aalglöckchens, als Spix seine Angel präparierte. Etwas platschte ins Wasser. Die Sterne spiegelten sich im Kanal und zwischen den Lichtern erschien dann irgendwann ein leuchtendes grünes Knicklicht, das wie ein streichholzgroßer Finger aus dem Wasser ragte. Es sollte den Biss des Fisches anzeigen, aber es verriet auch den Standort des Anglers.

Niklas verlor jedes Zeitgefühl. Er hätte nicht sagen können, ob er seit fünf Minuten oder seit einer Stunde hier stand. Er fühlte sich kaum bewegungsfähig.

Er atmete nur und spürte, dass jetzt, hier, heute Nacht, am Norder Tief, sein Leben eine neue Wendung nehmen würde. Er hätte nicht sagen können, ob zum Guten oder zum Schlechten, aber etwas geschah gerade. Etwas, das alles verändern würde. Morgen würde vieles anders sein. Die Veränderung hatte bereits begonnen.

Er tastete sich jetzt vorsichtig durchs Gestrüpp, runter zum Kanal. Er blieb an Dornen hängen, die seine Kleidung einrissen. Aber das interessierte ihn nicht. Er war ganz darauf konzentriert, die große Auseinandersetzung zu bestehen, auf die jetzt alles hinauslief.

Hinter den Sträuchern, zwischen zwei Bäumen, gab es eine lichte, ja fast gemütliche, wenn auch schwer zugängliche Stelle am Ufer, wo sich Angler mit wenigen Brettern einen Sitzplatz und einen kleinen provisorischen Steg gebaut hatten.

Spix goss eine Flüssigkeit auf den matschigen Boden. Niklas verstand nicht, was der Mann da machte. Er fischte im Moment mit zwei Ruten. An einer Angelspitze war das Aalglöckchen befestigt, die Schnur der Teleskopangel führte zu dem Knicklicht.

Ohne sich zu Niklas umzudrehen, sprach Spix plötzlich. Niklas stand wenige Meter hinter ihm.

»Setz dich ruhig zu mir, Junge, aber sei leise. Vertreib mir die Fische nicht.«

Seine Worte entmutigten Niklas sofort. Er hatte ihn also doch bemerkt und sich wahrscheinlich über ihn amüsiert. Jetzt gab er gleich klare Anweisungen und legte damit deutlich fest, wer hier der Chef im Ring war.

Niklas hörte sich sagen: »Was machen Sie da?«

Spix zupfte einen fetten Wurm aus dem Boden und betrachtete ihn im Mondlicht. Er hielt ihn hoch, und es sah fast aus, als wolle er ihn essen. »Wenn man ein bisschen Spülmittel auf den Boden gießt, kommen die Würmer aus ihren Löchern und man kann sie ernten. Siehst du, hier ist wieder einer. Setz dich. Willst du ein Bier?«

»Nein, danke«, sagte Niklas, setzte sich aber vorsichtig auf ein Brett.

»Ich habe auch Kaffee«, schlug Spix vor. Er sprach, als seien sie gute Kumpels. Den Streit schien es nie gegeben zu haben.

Niklas sah Spix dabei zu, wie er mit einer Nadel einen Wollfaden der Länge nach durch den Wurm zog. Auf dem Faden krümmten sich schon mehrere andere Würmer.

Spix arbeitete ruhig und präzise. Niklas würgte.

Es gefiel Spix, das Erschrecken des Jungen zu sehen, und er amüsierte sich darüber, wie angewidert Niklas aussah. Mit sanfter Stimme flüsterte Spix: »Ich fische ohne Haken. Man nennt das Pöddern. Hast du nie gehört, was? Ist ein alter Anglertrick. Die Aale stürzen sich auf solche Wurmbündel. Das ist für die ein Festmahl. Die Erfüllung all ihrer Träume. Man kann sie dann einfach aus dem Wasser ziehen.

Die sind in ihrer Gier so doof, die sterben lieber, als loszulassen.«

Spix fädelte weitere Würmer auf und bot Niklas gestisch an, die Arbeit für ihn fortzusetzen. Niklas lehnte ab.

»Ist dir das eklig?«, grinste Spix.

Niklas nickte nicht einmal. Er ließ den Blick übers Wasser schweifen. Das Knicklicht zuckte. Es tanzte plötzlich auf dem Wasser und verschwand dann kurz.

»Ich wusste gar nicht, dass du so etepetete bist.« Spix machte betont tuntige Bewegungen.

Niklas sagte nichts und fragte sich, ob er nicht besser einfach wieder gehen sollte. War es nicht idiotisch von ihm gewesen, Spix überhaupt hierher zu folgen? Er konnte zu Hause einfach behaupten, er habe sich bei ihm entschuldigt.

»Typisch Muttersöhnchen. Hätte ich mir ja denken können.« Spix hob die Teleskopangel aus dem Ständer und setzte einen harten Anschlag. Die Rute bog sich. Die Schnur surrte von der Rolle. Das Knicklicht sauste jetzt knapp unter der Oberfläche gegen die Strömung durchs Wasser.

»Na bitte! Der hat gebissen! Auf Fischfetzen. Hier gibt es große Hechte. Ich habe schon einige überlistet.« Spix hielt Niklas die Angel hin: »Willst du ihn drillen?«

Niklas lehnte auch das ab.

Spix schüttelte über so viel Unverstand den Kopf und drehte seinen Fang heran. Er murmelte etwas Abfälliges wie: »Die Jugend von heute ...«

Der Hecht leistete ihm Widerstand und nahm sich ein paar Meter Schnur. Aber das half ihm nicht. Er hatte den Drillingshaken zu tief geschluckt.

Spix kurbelte ihn näher ans Ufer. »Warum bist du gekommen, wenn du nicht fischen willst, Junge?«, fragte er.

Niklas verschluckte sich am eigenen Speichel. »Bitte lassen Sie meine Mutter und Frau Reiter in Ruhe.«

Spix lachte und zog den Hecht über seinen Kescher. »Sonst?«, fragte er neugierig, während er den Hecht an Land warf. Der silbern glänzende Raubfisch biss um sich und schlug heftig mit dem Schwanz. Mit seiner Bierflasche verpasste Spix dem Tier einen Hieb auf den Kopf. Der Hecht zuckte kurz und lag dann still.

Zufrieden betrachtete Spix seinen Fang. »Eigentlich wollte ich ja auf Aal gehen, aber ich lege immer noch eine Hechtrute aus. Das gehört sich einfach so. Ja, ich weiß, der Hecht ist eigentlich noch zu jung. Aber was kann ich denn dafür, wenn der in der Schonzeit beißt und sich nicht an die Regeln hält?«

Er fand seinen Witz gut und lachte darüber. Er zog ein langes, finnisches Fischmesser und schlitzte den Hecht auf. Er riss ihm die Innereien aus dem Körper und warf sie ins Wasser. »Das lockt die Aale an. Gleich wird es hier von Aalen nur so wimmeln. Das wird eine große Nacht, mein Lieber. Wirst schon sehen … «

Er rieb sich vor lauter Vorfreude die Hände. Er putzte Hechtschleim und Blut an seiner Hose ab, weil er ein Handtuch vergessen hatte oder unnötig fand.

»So, und jetzt zu dir, mein Freund. Was ist dein Problem?«

»Bitte lassen Sie meine Mutter und Frau Reiter in Ruhe!«, wiederholte Niklas tapfer, ohne Zittern in der Stimme.

Spix nahm einen Schluck Bier und stöhnte orgiastisch: »Du bist scharf auf die Reiter, und sie lässt dich nicht ran?« Er feixte: »Jetzt willst du ihr gegenüber den Helden spielen, damit sie die Beine für dich breitmacht? Och, Junge, du verstehst echt nichts von Frauen. Aber ich lern dich gerne an, wenn du willst ... «

Niklas dachte nicht nach. Es war eine Affekthandlung, sie entsprang keiner Überlegung. Er schlug Spix ins Gesicht.

Für einen kurzen Moment schien die Welt stillzustehen. Am liebsten hätte er es rückgängig gemacht, aber das war nicht mehr möglich.

Da war ein Geräusch, wie der Nachhall des Schlages. Das Echo einer Hand, die in ein Gesicht knallt.

Spix guckte zunächst amüsiert und verzog seine Lippen langsam zu einem breiten Grinsen. Er wischte sich mit dem Handrücken über die getroffene Stelle. Jetzt war dort ein Blutstreifen zu sehen. Vermutlich war es nicht sein eigenes, sondern das des Hechtes.

Spix schlug heftig zurück, Niklas taumelte. Er sah tatsächlich Sterne. Er hatte das immer für eine Redensart gehalten, aber jetzt passierte es ihm wirklich.

Er wollte sich irgendwo abstützen, griff aber nur in einen Busch. Dornen stachen in seine Finger. Trotz des Schwindelgefühls stürzte Niklas sich auf Spix. Sie fielen gemeinsam hin. Ihre Füße berührten kurz das Wasser. Sie wälzten sich am Boden. Mal lag Niklas oben, mal Spix. Sie zerquetschten die zu einer Kette aufgespießten Würmer unter sich.

Dann standen sie wieder, und Spix hatte plötzlich das Messer in der Hand. Er drohte damit. Niklas trat danach. Seine Hose schnitt ein. Niklas war unerfahren genug, in die Klinge zu greifen, als Spix zustach. Die Verletzung war nicht so schlimm, wie es aussah. Niklas' rechte Hand blutete heftig.

Spix ließ das Messer fallen. Vielleicht vor Schreck, vielleicht, weil es ihm unangenehm war und er es ungeschehen machen wollte.

Niklas trat nach Spix. Der sprang zurück, verlor das Gleichgewicht und landete wieder auf dem Boden. Diesmal kniete Niklas auf ihm. Verrückt vor Angst und Schmerz würgte er seinen Gegner.

Spix schlug nach Niklas. Er bäumte sich unter ihm auf, doch irgendwann erlahmte seine Gegenwehr. Er starb, und das Letzte, was er hörte, war das Bimmeln eines Aalglöckchens. Die passende Totenmusik für einen passionierten Angler wie ihn.

Bisher hatte Wolfgang Fröhling geglaubt, er sei ein freier Mann. Jetzt begriff er, dass er einfach nur einsam war. Dieser Lockdown machte es ihm deutlich. Plötzlich erschien ihm eine Familie erstrebenswert. Lange hatte er eine Frau oder gar Kinder nur als Einengung seiner persönlichen Freiheit empfunden. Als Klotz am Bein oder, wie ein Kollege es noch vor kurzem gesagt hatte: »Nach der Hochzeit ist der Euro nur noch fünfzig Cent wert.«

Er konnte zwar tun, wonach ihm war. Aber geschlossene Restaurants und Kneipen verdarben ihm den Spaß.

Schon früh hatte er begriffen, dass er Beziehungen zu Frauen nicht auf Augenhöhe führen konnte. Er fühlte sich nur frei, wenn er dafür bezahlte. Er brauchte in Liebesdingen wie auch im Beruf klare Regeln und Strukturen.

Seit inzwischen elf Jahren war er Stammkunde bei Alexandra. Es war schon fast so etwas wie eine feste Beziehung daraus geworden. Er gratulierte ihr zum Geburtstag und kaufte ihr Weihnachtsgeschenke. Es war ja in gewisser Weise etwas Festes zwischen ihnen.

Es ging nicht nur um Sex. Er bekam eine Menge mit von ihr. Die schwere Trennung von ihrem Partner, mit dem sie einen Sohn hatte, der aber jeden Kontakt zu seiner Mutter verweigerte. Eine Weile, als sie einsam und verlassen war, hatte zwischen ihnen sogar unausgesprochen die Frage gestanden, ob aus ihrer Beziehung nicht mehr werden könnte ... Der Richter und die Hure. Welch ein Gedanke!

Er war dann fast erleichtert gewesen, als sie wieder geheiratet hatte.

Sie sprach nie über ihren neuen Mann. Höchstens mal über ihren Ex.

Die Bordelle hatten jetzt Zwangspause, aber sie hatte nie in einem öffentlichen Bordell gearbeitet, sondern in einer Privatwohnung in Wilhelmshaven. Sie besuchte am liebsten Kunden in Hotels. Das war sicherer. Sie traf sich nie mit ihm in Oldenburg. Hier war er als Richter viel zu bekannt. Da fuhr er lieber die knappe Stunde zu ihr an den Jadebusen.

Während ihrer Trennung waren sie sogar einmal im Störtebeker-Park spazieren gegangen und hatten gemeinsam auf einer Parkbank gesessen. Tränen waren über ihre Wangen gelaufen, und sie hatte kurz den Kopf an seine Schulter gelegt. Aber das war ihm eigentlich schon zu viel Nähe gewesen. Gerade hatten sie es noch in seiner Lieblingsstellung getrieben. Sie hatte die heiße Geliebte gespielt und ihm die schweinischen Sachen zugeflüstert, die ihn so rattendoll machten, aber ihren Kopf an seiner Schulter, diesen Moment der emotionalen Berührung hielt er nur schwer aus. Da gab er ihr lieber hundert Euro extra.

In den letzten zwei Jahren hatten sie begonnen, miteinander zu telefonieren. Nicht nur, um Termine abzusprechen. Es war auch jenseits von Telefonsex. Er erzählte ihr einfach, was in ihm so vorging. Andere hatten dafür vielleicht einen Freund oder eine Freundin. Er eben sie.

Eine Staatsanwältin, die für ihr toughes Auftreten bekannt war, ging offen damit um, dass sie seit Jahren in Therapie war. Sie nahm sogar an Gruppensitzungen teil und hatte einmal dafür frei bekommen. Bei einem gemeinsamen Abendessen im *Hafenhaus* hatte sie ihm davon erzählt.

Im Laufe des Gesprächs wurde ihm klar, dass es nicht absichtslos geschah. Hier öffnete sich nicht einfach jemand, nein, hier sollte ihm eine Brücke gebaut werden, sich auch in therapeutische Behandlung zu begeben. Ständig redete sie davon, wie gut ihr das tue. Dabei schnitzte sie an ihrem Steak herum, als hätte sie lieber etwas anderes gegessen. Fast hätte er ihr sein Wolfsbarschfilet mit Muschelragout angeboten, weil sie so auf seinen Teller starrte.

Er konnte ihr doch schlecht sagen: *Ich brauche keinen Therapeuten, ich habe Alexandra. Ich gehe zu einer Prostituierten.*

Er aß mit Heißhunger, fragte sich aber, ob er sich vielleicht den Mund nur so vollstopfte, um nicht viel reden zu müssen. Er wusste die Antwort nicht. Es schmeckte auch verdammt gut.

Sie erzählte ihm von ihrem verkorksten Leben, von ihrer Essstörung und den Phobien. Er tat, als sei das alles gut bei ihm aufgehoben, und er fände es *ganz normal*. Er lobte ihren Umgang damit und betonte, niemand müsse sich deswegen schämen, im Gegenteil, es sei gut, frei darüber zu reden. Aber er selbst verbot sich, ihr zu sagen, dass er eine eheähnliche Beziehung zu einer Professionellen unterhielt, weil er nur lieben konnte, wenn er den Preis dafür vorher kannte.

Die Scheine, die er Alexandra gab, machten ihn frei. Wenn

er ging, wollte er nichts schuldig bleiben. Alle Ansprüche gegeneinander sollten abgegolten sein. Das brauchte er. Wenn er dann danach – natürlich alleine – durch die Straßen flanierte, irgendwo einkehrte und ein Bier an der Theke trank, dann fühlte er sich durchtrieben und frei.

Doch jetzt, heute, in seiner Wohnung, während alle gastronomischen Betriebe geschlossen hatten, da kam ihm das alles jämmerlich vor. Er fühlte sich erbärmlich. Er hatte nicht einmal Lust, für sich zu kochen.

Er öffnete einen edlen Bordeaux, um seine Stimmung zu heben. Der Wein war verkorkt. Auch das noch! Fast dreißig Euro die Flasche und dann das.

Der Richter und Gourmet in ihm beschloss, die angebrochene Flasche samt Korken in *Jacques' Weindepot* zurückzubringen. Er war dort nie enttäuscht worden, aber dieser Chateau Latour war ganz einfach verkorkt, da gab es kein Vertun. Natürlich würde der Wein zurückgenommen werden, aber andererseits kam ihm das so kleinkrämerisch vor. Er war dort immer gut beraten und freundlich bedient worden.

Er goss den Wein ins Spülbecken und kam sich dabei großzügig vor, als würde er eine Strafe gegen einen geständigen Täter zur Bewährung aussetzen.

Er sah aus dem Fenster. Die Straße unten war menschenleer. War das, was er da gerade spürte wie einen Hautausschlag, Sehnsucht nach Zweisamkeit? Dieses Jucken auf der Haut und dieses Grummeln im Magen, als hätte er etwas Falsches gegessen, etwas, gegen das er allergisch war?

Sollte er Alexandra in seine Wohnung einladen? So nah hatte er sie noch nie an sich herangelassen. Seine Wohnung war ihm heilig. Einmal hatte er für einen neuen Kollegen gekocht und noch eine Richterin mit ihrem Mann dazu eingeladen. Nie wieder! Seine Wohnung war ihm danach ganz fremd vorgekommen, wie entweiht.

Er öffnete eine andere Flasche Wein. Ja, der war perfekt!

Er lümmelte auf dem Sofa herum, die Füße auf dem Tisch, neben sich ein Buch von Regula Venske. Er hatte sie im Fernsehen reden hören. Sie hatte als PEN-Präsidentin über inhaftierte Schriftsteller und Journalistinnen gesprochen. Er fand ihre Worte klug. Jetzt wollte er etwas von ihr lesen. Das Buch hieß *Mein Langeoog.*

Er kannte die Insel, die jetzt gerade niemand besuchen durfte, gut.

Er legte die Linke auf das Buch und führte mit der Rechten das Weinglas zu seinen Lippen. Er schloss die Augen. Er spazierte geistig durch die Wilhelmshavener Südstadt, wie er es oft nach einem Besuch bei Alexandra getan hatte. Die Kaiser-Wilhelm-Brücke hatte ihn immer angezogen. Die größte Drehbrücke Europas übte, nachdem er bei seiner Alexandra gewesen war, immer eine große Anziehungskraft auf ihn aus.

Es gab am Südstrand gute Restaurants, und er genoss den Blick auf die Nordseebucht. Einmal – sonntagnachmittags – hatte er sich, weil es regnete, ins Aquarium und Urzeitmeermuseum zurückgezogen. In der Dunkelheit vor den Becken mit diesem beständigen Blubbern im Ohr hatte es sich angefühlt, als müsse er sein Leben ändern. Ein Taschenkrebs schabte mit seinen Scherenfingern an der Scheibe, als wolle er durch das Glas dringen, um ihn zu schnappen und zu verspeisen.

Später, draußen, war ihm eine Hochzeitskutsche auf der Kaiser-Wilhelm-Brücke entgegengekommen. Er hatte dem Pärchen zugewinkt, als sei es ihm bekannt, und zum ersten

Mal seit vielen Jahren spürte er, dass er feuchte Augen bekam. Er erklärte es sich mit dem Wind, wusste aber, dass er sich damit selbst belog.

Um die inneren Bilder loszuwerden, guckte er in Regula Venskes Langeoog-Buch. Vielleicht sollte er Alexandra nach der Pandemie dorthin einladen. Sie konnten ja offiziell zwei verschiedene Zimmer nehmen. Einerseits für die Leute, andererseits aber auch, weil er nicht wusste, wie lange er es mit ihr oder überhaupt mit einem anderen Menschen in einem Raum aushielt.

Er rief sie an. Es meldete sich nur die Mailbox mit dieser betont sexualisierten Stimme, als sei sie dauergeil und brauche es ganz dringend.

Er mochte diese Ansage nicht. Alexandra klang dann wie die Frauen in den Werbespots für Telefonsex. Irgendwie lächerlich.

Er las sich in dem Buch fest. Er ahnte nicht, dass er beim Lesen durch ein Zielfernrohr beobachtet wurde.

»Ich könnte ihn jetzt mühelos ausknipsen«, sagte der Scharfrichter, der sich zur Zeit Philipp Tatie nannte. »Ich habe ihn voll im Visier.«

»Nein. Wir wollen die klare Serie.«

Tatie hörte seinen Auftraggeber, als würde er neben ihm stehen. Diese Headsets wurden immer besser.

»Wer konnte denn mit diesem Scheißlockdown rechnen? Ich kann ihn schlecht aus seiner Wohnung holen.«

Die Reaktion kam betont gelassen. Jetzt war es schon fast so, als sei die Stimme in seinem Kopf: »Wir haben Zeit ...«

»Ich hasse es, wenn Dinge sich unnötig in die Länge ziehen.«

»Dann lock ihn heraus und erledige deinen Job. Benimm dich nicht wie ein Anfänger.«

Sein Auftraggeber beendete das Gespräch. Er gab sich immer betont cool, als könne ihm niemand etwas. Er zahlte gute Prämien und feilschte nie lange herum, aber er hatte auch klare Vorstellungen von dem, was er wollte.

Einerseits empfand Tatie das als Herausforderung, andererseits engte es ihn in seinen Entscheidungsspielräumen ein. Er fragte sich, ob sein Auftraggeber das alles nur tat, um zu zeigen, wer hier der Chef war oder ob er wirklich einen raffinierten Plan verfolgte, der über reine Einschüchterung hinausging.

Tatie handelte jetzt nach dem Motto: Wer zahlt, bestimmt.

Er packte sein Gewehr sorgfältig wieder ein und verließ ohne Eile das Gebäude. Er beschloss, heute im Auto zu übernachten. Das schien ihm angesichts der Lage die beste Lösung zu sein.

Fenja und Leevke trainierten seit zwei Jahren im Norder Ruderclub auf dem Norder Tief. Sie waren in ihrem Zweier-Gig perfekt synchron. Sie atmeten sogar synchron. Insgeheim träumten sie davon, als Zweier an den Olympischen Spielen teilzunehmen. Sie brauchten keinen Steuermann, und wenn, dann hätten sie sowieso eine Steuerfrau genommen.

Im männerdominierten Rudersport umgab die zwei muskulösen jungen Frauen der Nimbus zukünftiger Stars. Sie hatten alles, was dazu nötig war. Talent besaßen viele, aber die beiden Frauen trainierten diszipliniert und richteten ihr ganzes Leben auf den Rudersport aus.

Ihre Ernährung war eine Mischung aus Mathematik und Verzicht. Alles hatte Punkte, wurde gewogen, bewertet und in einer App getrackt, wie sie es nannten. Sie aßen praktisch nur Eiweiß und Gemüse. Dazu gab es Powerdrinks, in fettarmer Milch angerührt.

Sie starteten gutgelaunt im Morgennebel am Bootshaus. Wenn es so aussah, als würden weiße Wolken auf dem Wasser kleben, mochten sie den Kanal am liebsten. Es war für sie, wie in feuchter Zuckerwatte zu fahren. Ja, der Nebel hatte einen Geschmack. Nicht süßlich wie Zuckerwatte, aber auch nicht salzig wie das Meer. Der Nebel schmeckte leicht metallisch, nach Kupfer, nassem Gras und Nüssen.

Sie ruderten durch eine erwachende Fisch- und Vogelwelt. Ein Habicht flog dicht über ihren Köpfen zum anderen Ufer. Die Strömung war nur schwach. Am Ufer glitzerte der Tau im Gras, als hätten die Grashalme diamantene Spitzen.

Irgendwo, vom Boot aus unsichtbar, rupften Kühe die Wiese ab. Der Wind wehte die Kaugeräusche über das Wasser. Dort, wo sich die Äste der Trauerweide tief über den Kanal beugten, jagte ein Eisvogel. Fenja und Leevke beobachteten ihn, wie er einen Tauchstoß ausführte. Der kleine blaue Vogel schoss aus dem Wasser wieder hoch. Eine Tropfspur begleitete ihn, während er seine Beute im Flug dicht über dem Kanal in Sicherheit brachte. Es schien, als sei sein Schnabel jetzt ums Doppelte verlängert. Doch der zappelnde Gründling hatte keine Chance zu entkommen.

Nicht einmal dem jagenden Eisvogel gelang es, Fenja und Leevke aus dem Rhythmus zu bringen. Sie hörten ein Glöckchen bimmeln. Es musste irgendwo am Ufer zwischen den

Sträuchern sein. Die Gegend um sie herum hatte um diese Zeit etwas Verwunschenes an sich. Wenn man sich darauf innerlich einließ, befand man sich rasch in einem Märchen.

Jeden Moment hätten Trolle oder Feen am Ufer auftauchen können, doch was die beiden dann sahen, ließ sie ihre Trainingseinheit jäh unterbrechen: Eine nackte männliche Leiche starrte sie aus weit aufgerissenen Augen an.

Weller unterbrach Ann Kathrin nicht gerne bei ihren morgendlichen Yogaübungen auf der Terrasse. Sie löste gerade ihre Verspannungen beim Sonnengruß. Sie stand auf Zehenspitzen. Ihr Hintern reckte sich zum Himmel und die Handflächen berührten den Boden.

Sein Versuch, gut in den Tag zu starten, begann mit einer Tasse Kaffee und einem Romankapitel. Gegenüber den Sorgen der Hauptfigur kam ihm sein Leben geordnet und ruhig vor. Er konnte sein Buch einfach zuklappen. Ann Kathrin fiel es schwerer, ihre Dehnungsübungen zu beenden. Er riskierte, dass sie sauer auf ihn werden würde.

»Wir haben eine weitere Leiche.«

Sie verharrte in ihrer Stellung und fragte: »Wo?«

»Die Einschläge kommen näher …«

Sie veränderte ihre Haltung und baute sich vor ihrem Mann auf. Ihre Haare gefielen ihm.

Sie nahm ihm wortlos den Kaffeepott ab, als hätte er ihn ihr gebracht. Sie ignorierte den Aufdruck *Frank*. Sie trank daraus und fragte dann: »Liest du gerade einen Antikriegsroman?«

Er schüttelte den Kopf und spielte auf den Kaffee an: »Schmeckt er dir?«

Sie guckte auf den Becher. »Trinkst du aus meiner Tasse, oder warum bringst du mir deine?«

»Was spielt das noch für eine Rolle, wenn man verheiratet ist? Mein Becher, dein Becher ...« Er ging in die Küche und goss für sich einen Pott mit der Aufschrift *Ann hat immer recht* voll. Sie folgte ihm durch den Flur. Im Türrahmen blieb sie stehen und betrachtete den gedeckten Frühstückstisch.

»Daraus wird ja dann wohl nichts«, folgerte sie.

»Ich dachte«, grummelte Weller, »wir machen es uns gemütlich.«

Ann Kathrin griff sich eine Scheibe Dinkelbrot aus dem Körbchen, brach davon ein mundgerechtes Stück ab und fragte: »Und – wohin geht die Reise?«

»Zum Norder Tief.«

»Da könnten wir ja das Rad nehmen ...«

Weller gefiel der Gedanke nicht, dass die Mordkommission mit dem Rad vorfuhr. Sie sah es ihm an und stieß ihm aufmunternd in die Seite: »Nun sei doch nicht so spießig ...«

Weller brummte etwas Unverständliches.

»Komm, sei doch mal spontan, Frank«, forderte Ann.

»Okay«, grinste Weller. »Radeln wir.«

Er ging voraus zu den Rädern. Sie kaute hinter ihm immer noch an ihrem Brot.

Er sprach mit sich selbst und machte seine Frau nach: »Sei doch mal spontan, Frank ...«

Rupert interessierte sich viel mehr für die zwei Ruderinnen als für den nackten Toten. Sie waren wirklich muskulös. V-förmige breite Rücken und Oberarme, um die sie so mancher Polizist in der Polizeiinspektion beneidet hätte. Trotzdem zitterten beide. Fenja versuchte, durch tiefes, gleichmäßiges Atmen ihre Angstsymptome zu bekämpfen. Die Trockenheit in Mund und Rachen raubten ihr die Sprache. Leevke war mindestens so blass wie der Tote und krümmte sich vor Magenschmerzen.

Rupert hätte gern ein Gespräch begonnen. Er fragte sich, ob er mit einem Kompliment starten sollte. Er wusste, dass man dabei heutzutage vorsichtig sein musste. Es konnte schnell falsch verstanden werden. Gerade seine Chefin Ann Kathrin Klaasen bestand darauf, dass zwischen einer professionellen Frage, einem Kompliment und einer sexistischen Anmache eine klare Grenzlinie verlaufen musste.

Er war sich nicht sicher, ob der Satz: *Ich steh auf starke Frauen* eine klasse Ermutigung war, sozusagen ein verbales Schulterklopfen, indem er sie daran erinnerte, dass sie doch starke Frauen waren, oder begab er sich damit schon auf dünnes Glatteis und lief der Gefahr entgegen, nicht nur auszurutschen, sondern auch noch einzubrechen?

Das Aalglöckchen bimmelte wie verrückt. Ein Fang zerrte an der straff gespannten Schnur. Auf dem Boden lag ein stattlicher Hecht. Schon ausgenommen.

Weller und Ann Kathrin kamen mit dem Rad. Sie winkten zunächst von der anderen Uferseite. Rupert war sich nicht klar darüber, ob die zwei sich von dort aus einen besonderen Überblick verschaffen wollten oder ob sie nur versehentlich falsch gefahren waren. Er kannte die zwei schon lange, aber er wusste bei beiden oft nicht, wo er mit ihnen dran war.

Weller machte mit seinem Handy vom anderen Ufer aus Fotos. Rupert musste sich beherrschen, um nicht zu winken und »Huhu« zu rufen.

Weil die beiden Frauen ihn verunsicherten und ihm dieses Gebimmel am frühen Morgen auf den Keks ging, hob er die Angel aus dem Ständer und drillte den Aal heran.

Zwei KTUler in ihren Schutzanzügen kamen. Es war *das Pärchen*, die Witzeerzählerin und ihr Partner. Die Frau meckerte gleich Fenja und Leevke an, was sie am Tatort zu suchen hätten. Sie würden alles platt treten und verunreinigen.

»Wir suchen hier gar nichts«, maulte Fenja zurück. »Im Gegenteil. Wir haben etwas gefunden. Nämlich die Leiche da!«

Der Mann pflaumte Rupert an: »Ist jetzt hier kein besonders günstiger Zeitpunkt zum Angeln!«

»Wir können den Aal doch nicht elend verrecken lassen«, erwiderte Rupert.

Der Aal kämpfte hart um sein Leben, doch Rupert drehte ihn ran. Er war gut einen Meter lang und, wie Rupert schätzte, fast drei Kilo schwer.

Rupert bedauerte, keinen Hakenlöser dabeizuhaben. Er fragte sich, ob er sich bei den Angelutensilien des Opfers bedienen dürfte, um das Tier waidgerecht zu töten. Vermutlich würde das KTU-Pärchen ein Riesending daraus machen und sich tierisch aufspielen, aber immerhin stand hier Tierschutz gegen Tatort und Beweissicherung.

Was war das höhere Gut? Jedenfalls konnte er den Aal nicht weiter am Haken zucken lassen.

Rupert hatte Schwierigkeiten, ihn festzuhalten. Er war glitschig und schillerte bräunlich grün. Schleim von seiner Haut klebte jetzt schon an Ruperts Ärmel.

Er schielte zu dem finnischen Fischmesser, das nahe beim Toten lag.

»Denk nicht mal daran«, warnte ihn die KTUlerin.

»Ja, soll ich den Aal erschießen?«, fragte Rupert sie und deutete auf seine Dienstwaffe.

»Mach, was du für richtig hältst, aber fass hier nichts an«, ermahnte sie ihn.

»Überhaupt, was wird aus dem Hecht? Der kann doch schlecht in die Asservatenkammer kommen«, fragte Rupert und hatte auch gleich einen Vorschlag: »Ich kenne ein gutes Hechtrezept. Hecht im Speckmantel. Und wenn ihr erst meinen Räucheraal probiert habt, dann … «

Leevke übergab sich hinter Rupert.

»Na, das nenne ich mal eine Tatortverunreinigung«, schimpfte der KTUler und schob Leevke unsanft weg. Sie wäre fast ins Wasser gefallen.

Als Ann Kathrin und Weller am Tatort ankamen, befragte Ann Kathrin zunächst die beiden jungen Frauen und ließ ihnen Decken besorgen.

Weller sah sich den Aal an und sagte zu dem Tier: »Nun sei doch nicht so dämlich. Du hast gar keinen Haken im Maul. Lass einfach los und bring dich in Sicherheit.«

Als hätte der Aal ihn verstanden, schlängelte er sich in Richtung Wasser. Zwei dicke Würmer an einem abgerissenen Wollfaden baumelten aus seinem Maul.

Rupert staunte und hielt den Mund.

Weller untersuchte die Gegend um den Tatort und fand das Fahrrad des Opfers. Eine weiß-graue Türkentaube mit dem typisch schwarzen Nackenring saß auf dem Sattel, als würde sie dort brüten. Weller verscheuchte sie und machte sich Notizen.

Rupert guckte sich jetzt, da Ann Kathrin mit den Ruderinnen beschäftigt war, das Opfer genauer an. Aufgeregt rief er: »Ich kenne den!«

Ann Kathrin drehte sich zu ihm um und fragte ungläubig, auf Bauer, das Opfer aus dem Tierpark, anspielend: »Hat er dir etwa rechtsradikale Flugblätter in die Hand gedrückt?«

Leevke und Fenja fühlten sich in Ann Kathrins Nähe besser. Sie rückten links und rechts an sie heran, als würden sie geradezu körperlichen Kontakt suchen. Ann Kathrin kannte das von Menschen, die unter Schock standen. Die einen brauchten Berührung, die anderen ertrugen sie überhaupt nicht.

»Nein«, antwortete Rupert, »ich kenn den von Porno-Karaoke.«

»Woher?«, staunte Ann Kathrin entsetzt.

»Porno-Karaoke. Das ist wie normales Karaoke, nur besser. Also, da singt man nicht, sondern man stöhnt zum Stummfilmporno. Und die Pärchen werden ausgelost ... «

Ann Kathrin hob die Hände und stoppte Ruperts Ausführungen: »Ja, danke! Ich kann mir das vorstellen.«

Leevke und Fenja wechselten kurz Blicke. Sie waren sich einig, dass Männer offensichtlich noch blöder waren, als sie ohnehin schon gedacht hatten.

Rupert fragte Ann Kathrin: »Warum gucken die so? Die haben bestimmt auch schon dabei mitgemacht.«

Ann Kathrin ermahnte Rupert, indem sie nur streng seinen Namen aussprach. Er nickte, als hätte er begriffen.

»Also, wie heißt das Opfer?«, wollte Ann Kathrin wissen.

»Ja ... äh ... Keine Ahnung. Er hat jedenfalls den zweiten Platz belegt. Der konnte hecheln wie ein läufiger Waschbär.«

»Das interessiert mich nicht! Name und Adresse wären aber schon hilfreich.«

»Uwe!«, rief Rupert. Er sah aus, als hätte er eine Erleuchtung gehabt. »Genau! Uwe ... Dingsbums.«

»Uwe Dingsbums?«, wiederholte Ann Kathrin in der Hoffnung, ihm könne doch noch der komplette Name einfallen. Allerdings fragte sie sich, ob jeder beim Porno-Karaoke wirklich die richtigen Personalien angab.

Weller konnte weiterhelfen: »Der gute Mann hat ganz pflichtbewusst seinen Fischereischein im Angelkoffer.« Weller blätterte darin. »Uwe Spix heißt er und wohnt nicht weit von hier in der Itzendorfer Straße, beim alten Dörper Weg.«

Ann Kathrin sprach mit Leevke und Fenja: »Ich habe schon einen Wagen gerufen. Unsere Kollegin Marion Wolters wird Sie gleich nach Hause bringen.«

»Aber das kann ich doch machen«, schlug Rupert vor. Ann Kathrin ignorierte ihn und bot den beiden Frauen an: »Falls Sie psychologische Betreuung wünschen, wir haben Spezialisten für solche Fälle ...«

Beide winkten ab.

Ann Kathrin sah Weller an. »Wir fahren dann jetzt zur Itzendorfer Straße. Hat er eine Frau? Angehörige?«

»Keine Ahnung«, gab Weller zu und wippte mit dem Ausweis in seiner Hand. »Das steht hier natürlich nicht drin.«

Ann Kathrin und Weller gingen zu ihren Fahrrädern. Rupert rief ihnen hinterher: »Ja, und was wird jetzt aus dem Fang? Wir können doch den guten Fisch nicht einfach so verderben lassen!«

Es war Mitte März, aber es duftete bereits wie im Mai. Das Blau des Himmels hatte eine unergründliche Tiefe. Das Wetter lockte vergeblich Besucher an die Küste. Ein sanfter Wind wehte die letzten braunen Blätter über die Straße, während die Natur bereits zu neuem Leben erwachte. Der Raps blühte. Ann Kathrin und Weller radelten an einem gelben Meer vorbei.

Ann Kathrin hatte ein ganz komisches Gefühl, als sie sich über den Radweg an der Norddeicher Straße dem Haus in der Itzendorfer Straße näherten. Es war, als würde der Fall jetzt eine entscheidende Wendung nehmen oder kurz vor seiner Auflösung stehen.

Sie spürte nicht dieses Kribbeln, bevor sie attackiert wurde, das sonst manchmal wie ein Luftzug über ihre Haut huschte, wenn sie die drohende Gefahr witterte. Das war jetzt nicht so. Trotzdem überprüfte sie den Sitz ihrer Dienstwaffe.

Sie stellten die Räder am Tor ab und klingelten. Im Haus war alles ruhig. Kein Licht brannte. Weller wollte schon wieder gehen, aber Ann Kathrin schlug vor: »Lass uns rein.«

Sie begründete das nicht weiter. Weller ersparte ihr auch gern jede Argumentation: »Wetten, der wohnt alleine in dem großen Haus? Seine Frau hat ihn garantiert längst verlassen«, vermutete er.

»Hätte ich auch, wenn mein Mann beim Porno-Karaoke mitmacht«, raunte Ann Kathrin und fügte grinsend hinzu: »Und dann nur den zweiten Platz belegt.«

In dem Moment ging im oberen Stockwerk ein Licht an. Eine Frau erschien am Fenster. Sie blieb hinter der Gardine versteckt stehen, lugte aber nach unten.

»Da will jemand nicht gesehen werden«, kombinierte Weller und klingelte erneut.

Es dauerte eine ganze Weile. Über Wellers und Ann Kathrins Köpfen flogen gut fünfzig Wildgänse in V-Formation Richtung Norderney. Die Gänse flatterten tief und waren laut, als würden sie Ann Kathrin und Weller zum Mitkommen auffordern.

Weller rief: »Öffnen Sie bitte! Kriminalpolizei!«

Nichts passierte.

Erst nach dem dritten Klingeln öffnete Dana Dymna vorsichtig die Tür. Das Erste, was Weller auffiel, war das goldene Kreuz um ihren Hals. Es wirkte auf ihn nicht einfach wie Schmuck, sondern eher wie ein Statement oder ein Schutzsymbol.

Sie war auf eine natürliche, ungeschminkte Art eine schöne Frau. Vielleicht fünfzig Jahre alt, plus minus vier, fünf Jahre. Sie glaubte, die Kripo sei ihretwegen gekommen. Sie wollte keinen Ausweis und keine Dienstmarke sehen. Sie ergab sich sofort in ihr Schicksal und platzte mit ihren Sorgen heraus: »Ich weiß, dass ich eigentlich nicht hier sein darf. Ich wäre auch lieber in Lublin bei meiner Familie. Aber ich bin die Einzige, die Geld verdient. Wie soll ich zurück? Die Grenzen sind jetzt ein Problem, und wenn die Arbeit hier wieder losgeht, wie komme ich dann zurück nach Norddeich? Niemand weiß doch, wie es weitergeht.«

Ann Kathrin beruhigte die Frau: »Wir kommen nicht, um Ihren Aufenthaltsstatus zu überprüfen. Als polnische Staatsbürgerin haben Sie das Recht, in Deutschland zu arbeiten.«

Die Frau griff sich erleichtert ans Herz und öffnete die Tür ein Stückchen weiter.

»Wie ist Ihr Name?«, fragte Weller.

»Dana Dymna. Für Sie gerne Dana.«

»Wir kommen wegen Herrn Spix.«

Dana nickte: »Er ist mein Vermieter, aber jetzt ist er nicht zu Hause. Er wollte zum Fischen. Er angelt gerne nachts.«

»Er ist ermordet worden«, sagte Ann Kathrin und fuhr gleich fort: »Dürfen wir uns drinnen mal umsehen?«

Dana ließ die beiden ins Haus. Sie war froh, dass es nicht um sie ging, und Ann Kathrin hatte den Eindruck, dass der Mord an Spix sie weder wunderte noch erschreckte.

»Muss ich jetzt hier raus?«, fragte sie ganz praktisch.

»Dazu sehe ich erst mal keine Veranlassung«, antwortete Ann Kathrin. »Hat Herr Spix Ihnen gegenüber erwähnt, dass er sich bedroht fühlt?«

»Nein. Er war nicht sehr gesprächig. Manchmal habe ich mit ihm Zeit verbracht, wenn er Fisch gefangen hatte zum Beispiel. Wir haben dann auch gemeinsam gekocht. Er hat aber nicht viel geredet.« Leise fügte sie in Ann Kathrins Richtung hinzu: »Er war kein guter Mann ... Bestimmt hatte er Feinde. Ich kenne die aber nicht.«

Weller guckte sich im Haus um. Ann Kathrin unterhielt sich in der Küche mit Dana Dymna. »Wie meinen Sie das – kein guter Mann?«

»Na, so etwas spürt man doch als Frau.«

Ann Kathrin ahnte, dass sich hinter ihren Worten leidvolle Erfahrungen verbargen. »Ist er Ihnen gegenüber zudringlich oder übergriffig geworden?«

Dana schüttelte heftig den Kopf.

Weller öffnete eine Tür neben der Küche und stand vor schwarzen Samtvorhängen. Er musste den Durchgang mit den Händen ertasten. Es gelang ihm, die schweren Vorhänge zu teilen. Er schlüpfte hindurch und betrat einen dunklen Raum.

Er fand den Lichtschalter nicht. Er suchte die Taschenlampenfunktion auf seinem Handy und tastete mit dem Lichtkegel das Zimmer ab.

Auch die Fenster waren durch schwarze Vorhänge verdeckt. Ein großer Bildschirm dominierte den Raum. Links, rechts und darüber waren weitere kleine Bildschirme aufgebaut. In der Mitte des Raumes stand ein drehbarer Ledersessel. Daneben ein kleines Tischchen. Darauf ein Glas, ein Notizblock, mehrere Stifte und ein neues Tablet. Zahlreiche Speichersticks lagen herum.

Es gelang Weller ohne große Mühe, den Bildschirm einzuschalten. Hier war sich jemand ganz sicher. Keine schützenden Passwörter versperrten den Zugang. Auf Knopfdruck ging alles los, als würde man ein Fernsehgerät einschalten.

Der Bildschirm war in acht Quadrate eingeteilt. Weller sah links oben im Quadrat ein zerwühltes Bett. Die anderen Quadrate waren schwarz. Das Ganze erinnerte ihn an die Videoüberwachungsanlage, mit der sie ihr Haus im Distelkamp gesichert hatten. Weller hätte jetzt sofort auf seinem Handy jede Tür und jedes Fenster überprüfen können. Aber natürlich hatten sie keine Kamera im Schlafzimmer.

Weller wählte auf seinem Handy Ann Kathrins Nummer. Er hörte nebenan das Seehundjaulen. Sie ging sofort ran. »Ja? Frank?«

»Bitte geh doch mit Frau Dymna mal in ihre Räume. Lass dir mehr vom Haus zeigen.«

Ann Kathrin tat sofort, was Weller verlangte. Sie ging davon aus, dass er wusste, was er tat. Er war hochprofessionell. Freundlich bat sie Dana, ihr die Räume zu zeigen, die sie bewohnte. Dana war zwar bereit dazu, genierte sich aber und bat um Nachsicht, weil sie nicht aufgeräumt habe und alles so unordentlich sei.

Sie ging vor Ann Kathrin die Treppe hoch. Überall da, wo sie das Licht einschalteten, erschienen sie sofort bei Weller auf dem Bildschirm. Er konnte sie von einem Zimmer ins andere gehen sehen. Jedes Mal ploppte ein neues Quadrat auf.

»Was suchen Sie denn?«, fragte Dana Dymna.

»Ich mache mir nur ein Bild von der Lage hier.«

»Ich habe nichts Unrechtes oder so ... Ich schmuggle nichts«, behauptete Dana händeringend.

Ann Kathrin versuchte, sie zu beruhigen. »Wir leben doch in der EU«, lachte sie. »Was soll man denn da überhaupt noch schmuggeln?« Plötzlich fiel ihr dann doch so einiges ein: »Außer Produktfälschungen vielleicht, Waffen, Drogen und na ja ...« Sie winkte ab, als hätte sie kapiert, dass sie sich vergaloppiert hatte. »Aber das alles suchen wir bei Ihnen nicht, Frau Dymna.«

Weller betrachtete die vier hinzugekommenen Quadrate. Da war noch Platz auf dem Bildschirm. Es befand sich oben garantiert noch eine weitere Wohnung.

»Geh doch bitte mal ins Bad, Ann«, schlug er vor.

Ann Kathrin fragte Dana, ob sie mal ihr Bad benutzen dürfe. Die war sofort einverstanden, aber trotzdem deutlich verunsichert, weil ihr klar war, dass dort etwas kontrolliert werden sollte.

Auf dem Wäscheständer, neben der Waschmaschine, hingen T-Shirts und zwei Strumpfhosen. Dana zog die Sachen rasch vom Ständer.

»Ist schon okay«, sagte Ann Kathrin, »bei mir sieht es auch nicht anders aus. Ist doch alles ganz normal. Aber ich kann verstehen, dass Ihnen diese Besichtigung unangenehm ist. Sie müssen dem nicht zustimmen. Ich habe keinen richterlichen Beschluss.«

»Alles gut … Jemand hat ihn wirklich umgebracht?!«

»Ja. Deshalb ermitteln wir.«

Weller meldete sich: »Danke, Ann, es reicht. Bitte komm runter, ich muss dir etwas zeigen. Ich bin im Raum unten rechts neben der Küche.«

Die Lagebesprechung sollte, das war zumindest eine Überlegung, komplett als Zoom-Konferenz stattfinden. Martin Büscher entschied sich aber doch für ein kurzes Treffen, wenn auch nur in kleiner Besetzung. Einzelne Spezialisten sollten per Zoom zugeschaltet werden. Im Besprechungsraum war ein großer Computerbildschirm aufgebaut worden. Neue Zeiten erforderten eben neue Maßnahmen.

Carola, die Ehefrau des ehemaligen Kripochefs Ubbo Heide, hatte begonnen, für die Belegschaft Mund-Nasen-Schutz-Masken zu nähen. Ubbo Heide brachte die Geschenke gemeinsam mit seiner Frau in die Polizeiinspektion, dazu noch ein großes Tablett voller Kuchen von *ten Cate*. Zweifellos hoffte er, in die Ermittlungen, sozusagen ehrenamtlich oder als Berater, mit einbezogen zu werden. Martin Büscher passte das nicht, aber alle anderen begrüßten ihn, als sei er hier immer noch der Boss.

So eine unangefochtene Autorität möchte ich auch einmal werden, dachte Büscher, und sei es nur für ein, zwei Tage. Er befürchtete aber, bis zu seiner Pensionierung so eine Verehrung nicht mehr genießen zu können.

Weil die Treppe für Ubbo im Rollstuhl ein Problem war und es in dem alten Gebäude des nordwestlichsten Polizeikommissariats auf dem Festland keinen Fahrstuhl gab, wurde die Besprechung ins Erdgeschoss nach unten verlegt. Martin Büscher war schon erleichtert, als Carola versprach, ihren Mann später wieder abzuholen. Sie wolle jetzt ein bisschen bummeln gehen.

Die Besprechung sollte nach Osnabrück übertragen werden, von wo aus sich ein wachsendes Spezialistenteam aus Mordermittlern einschalten wollte. Auf den schwarzen Atemschutzmasken, die Rupert und Weller mehr trugen, um dem pensionierten Chef eine Freude zu machen, als aus Überzeugung, war links unten in Gold das *ten-Cate*-Wappen. Rupert lästerte: »Hat Carola hier alte Tischdecken von *ten Cate* verarbeitet?«

Ubbo zuckte mit den Schultern. Wahrscheinlich hatten Jörg und Monika Tapper den Stoff gespendet.

Ruhig erklärte Ubbo Heide: »Noch sagen die Regierungsvertreter, dass man keine Masken braucht, ja sogar, dass sie schädlich sind. Das machen die nur, weil sie versäumt haben, Vorräte anzuschaffen. Sobald sie genug Masken haben, werden die zur Pflicht werden, Freunde, darauf könnt ihr euch verlassen. Solange es keinen Impfstoff gibt, ist das der beste Schutz, den wir haben. Benutzt sie. Wir brauchen euch alle gesund. Da draußen läuft ein Mörder frei herum und legt einen ziemlich schnellen Takt vor. Drei Tote in drei Tagen.«

Das war wohl gleich auch so etwas wie die Eröffnungsansprache.

Dirk Klatt vom BKA sagte gar nichts, nahm aber gerne ein Stückchen Torte vom Tablett. Er war der sahnige Typ und häufte die Gabel jedes Mal erstaunlich voll. Aber seine Hand war nicht mehr besonders ruhig. Man konnte noch nicht von einem Zittern sprechen, eher von fahrigen Bewegungen. Es sah noch nicht nach Parkinson oder einem essenziellen

Tremor aus, aber Weller fragte sich schon, ob Klatt bei einer Schießübung noch wirklich gut abschneiden könnte.

Rieke Gersema hatte wieder ihre Frischebox mit Gemüse dabei, entschied sich aber jetzt für ein Stück Eierlikörsahnetorte. Bevor sie den ersten Bissen probierte, sah sie schon aus, als würde sie das schlechte Gewissen quälen, weil sie vorhatte, gleich alle Regeln und Beschränkungen über Bord zu werfen.

Ann Kathrin hielt einen Stuhl neben sich für Weller frei. Er riss alle Fenster auf. »Stoßlüften«, kommentierte er sein Tun.

Klatt und Büscher gaben sich Mühe, Kamera und Bildschirm so zu positionieren, dass die Übertragung funktionierte. Die ersten Gesichter aus Osnabrück waren schon auf dem Bildschirm zu sehen.

»Diesmal«, sagte Ann Kathrin, »ist der Fundort ganz klar der Tatort. Der Täter muss entweder gewusst haben, dass Herr Spix dort angelt, oder er ist ihm gefolgt. Wir haben im Haus von Herrn Spix ein paar interessante Sachen gefunden.«

Ann Kathrin guckte Weller an, der sich jetzt setzte. Sie übergab an ihn, als sei es ihr unangenehm weiterzusprechen. Weller übernahm gern: »Wir haben es mit einem Mann zu tun, der sich auf vielfältige Weise strafbar gemacht hat. Er vermietet wohl Wohnungen an Saisonarbeiterinnen. Ausschließlich an Frauen, möchte ich betonen. Deren Zimmer sind mit Videokameras verwanzt. Wir haben jede Menge Material gefunden. Das alles zu sichten wird Monate dauern. Er stand wohl darauf, Frauen zu erniedrigen. Einige haben dabei mitgespielt. Ob freiwillig oder nicht, können wir noch nicht sagen.«

Ann Kathrin verdrehte die Augen, als sei das doch wohl gar keine Frage.

Rupert, der bisher genüsslich Apfelkuchen gegessen hatte, wischte sich über die Lippen. Er zählte auf: »Wir haben einen Lehrer, der nicht ganz sauber mit seinen Schülerinnen umgegangen ist, und einen Neonazi. Jetzt einen Angler – für einige Leute sind das ja Tierquäler –, der heimlich schmutzige Filmchen dreht. Also, wenn ihr mich fragt, verdichtet sich die Vermutung, dass hier eine Männer killende Rachetruppe von Frauen unterwegs ist. Mein Täterprofil lautet: weiblich, zwischen fünfundzwanzig und vierzig. Vegetarierinnen. Antifaschistinnen. Und sie sind mit Sicherheit feministisch drauf, wahrscheinlich in einer Gruppe organisiert.«

Ann Kathrin ging darüber weg, als hätte er das gar nicht gesagt. »Das Opfer ist ähnlich zugerichtet wie die anderen, allerdings hat der Täter hier sein Ritual abgebrochen, bevor ... «

Rupert spottete: »Sie spricht immer noch vom *Täter* ... Wir sollten uns diese Frauen-WG vornehmen!«

»Warum hat er es abgebrochen? Hat er ihm nichts abgeschnitten? Hatte er nichts im Mund?«, fragte Rieke und sah ihren Kuchen jetzt ganz anders an.

»Der Täter ist gestört worden«, vermutete Ann.

»Von den zwei Ruderinnen?«, wollte Klatt wissen.

»Nein. Schon vorher. Die beiden Frauen haben nichts gesehen«, antwortete Ann.

Rupert lachte: »Ich hätte an seiner Stelle die Sache auch im Dunkeln zu Ende gebracht und nicht gewartet, bis der Tag anbricht.«

»Da ist etwas dran«, gab Ann Kathrin zu.

»Die Frage ist also, wer oder was hat ihn gestört? Gibt es

vielleicht einen Zeugen – einen anderen Nachtangler zum Beispiel?«, warf Weller ein.

Rupert ergänzte: »Wo hätte er die Leiche denn gerne abgelegt? Vor der Ludgeri-Kirche? Oder direkt hier vor der Polizeiinspektion?«

»Gibt es Abdrücke? DNA? Was sagt die Spurensicherung?«, fragte Klatt und klang genervt. Immer, wenn er etwas sagte, guckte er zum Bildschirm. Er war auf Wirkung bedacht, erzielte aber vermutlich nicht die erhoffte.

»Jede Menge«, sagte Ann. »Die Auswertung läuft.«

Büscher bat um Aufmerksamkeit und las etwas vor. Rieke schluckte laut. »Das Sturmgewehr im Schrank von diesem Jakob Bauer aus Aurich konnte zurückverfolgt werden. Die Waffe wurde bei der Bundeswehr gestohlen. Bei einer Inventur im letzten Jahr fiel das auf. Bei einer Eliteeinheit fehlen zweiundsechzig Kilogramm Sprengstoff. Gut sechzigtausend Schuss Munition und mehr als hundert Dienstwaffen, darunter auch Sturmgewehre, Maschinengewehre sind weggekommen. Die Waffe aus Bauers Schrank stammt aus den Beständen. Seine Munition, etwa tausend Schuss, konnte noch nicht definitiv der fehlenden Bundeswehrmenge zugeordnet werden, aber ich glaube, wir können davon ausgehen, dass … «

Ann Kathrin staunte. »Wie, bewacht das da keiner? Konnten die das bei der Bundeswehr einfach so klauen?«

»Nein«, beschwichtigte Büscher, »da wird vermutlich nicht wirklich etwas weggekommen sein. Also, ich meine, es wurde höchstens einiges falsch verbucht … Zum Beispiel … Es vergisst jemand, was einzutragen oder … «

»Oder es wurde auf dem Weihnachtsmarkt verkauft«, schlug Rupert vor.

Klatt räusperte sich und schielte zur Kamera. »Wir gehen nicht von einer strafbaren Handlung aus, sondern von einem Irrtum. Von menschlichem Versagen ... «

Ann Kathrin ging scharf dazwischen: »Wenn da nur etwas falsch verbucht und nichts gestohlen wurde, dann hat also Jakob Bauer gar kein Sturmgewehr im Schrank liegen, sondern wir hatten eine Halluzination?«

Bevor Klatt antworten konnte, setzte Weller nach: »Hatte diese Elitetruppe nicht sowieso ein paar Probleme wegen rechtsradikaler Mitglieder, die dann aufgeflogen sind?«

»Das hat mit unserer Sache aber nichts zu tun«, behauptete Klatt. Der Rechtfertigungsschweiß stand ihm auf der Stirn. Er schob seinen Finger zwischen Hals und Hemdkragen, um sich Luft zu machen.

Ann Kathrin regte sich auf: »Um die Zusammenhänge nicht zu sehen, muss man aber ganz schön blind sein!«

»Oder man will sie nicht sehen«, zischte Weller wütend.

Rupert hob die Arme. »Aber Leute! Regt euch doch nicht auf. Das sind alles ganz nette, brave Jungs. Die haben halt ein paar Sachen verloren. Das kommt davon, wenn Mutti früher immer das Zimmer für sie aufgeräumt hat und plötzlich macht das keiner mehr und sie sollen alles selber machen ... « Rupert deutete auf das Tablett mit den restlichen Tortenstückchen und sprach bewusst überdeutlich und langsam, als hätte er Sorge, sonst nicht verstanden zu werden. »Ich hätte euch ja auch gerne was angeboten, aber das ist ja bei diesen Videokonferenzen und Zoom-Gesprächen genau die Scheiße. Man kann so schlecht einen ausgeben ... « Er nahm sich selbst noch ein Stück.

Dana Dymna galt in ihrer Familie als willensstark und durchsetzungsfähig. Sie hatte ein abgebrochenes Germanistikstudium hinter sich und zwei erwachsene Kinder. Während andere noch das Für und Wider abwogen und sich nicht entscheiden konnten, ergriff sie gern die Gelegenheit beim Schopf.

Nimm, was der liebe Gott dir anbietet und mach das Beste draus war ihr Lebensmotto. Sie hatte sich immer schnell für einen Weg entschieden und wenn er sich als falsch erwies, kehrte sie eben wieder um.

Der Mutige muss auch den Mut haben, sich einzugestehen, dass er Fehler gemacht hat. Das hatte sie von ihrem Vater gelernt. Aber jetzt saß sie in diesem leeren Haus in Norddeich, ganz nah an der Küste, und wusste nicht weiter. Am liebsten hätte sie alles ungeschehen gemacht.

Sie trank Leitungswasser, um ihren Kreislauf zu stabilisieren. Sie befürchtete, dass jetzt alles herauskommen würde. Sie hatte sich zwar widerwillig auf dieses Tauschgeschäft eingelassen, am Ende aber sogar so getan, als würde es ihr Spaß machen, denn dadurch wurde ihr vieles leichter. Sie war dann nicht wirklich sie, sondern spielte eine Frau. Eine, die sie nicht war.

Natürlich wusste sie, dass er sie filmte. Er hatte ihr aber hoch und heilig versprochen, das sei nur für ihn privat. Er lasse sie immerhin auch in seinem Haus wohnen, und sie dürfe sogar seine Wäsche waschen. Das sei auch ein intimer Akt.

Sie lebte ein bisschen wie in zwei Ehen, redete sie sich ein. Eine in Deutschland und eine in Polen. Sie verdiente sogar genug Geld, um das Studium ihrer Kinder zu unterstützen. Doch wenn jetzt alles herauskam, wie würde sie dastehen? Wie eine Prostituierte!

Dann konnte sie unmöglich nach Lublin zurück. Ihren Mann würde es umbringen, und ihren Kindern könnte sie nicht mehr in die Augen sehen. Sie hatte ihnen doch immer die fleißige, treue, gottesgläubige Mutter vorgespielt. Und jetzt das ...

Sie hatte den Jungen auf dem Fahrrad gesehen, der Uwe Spix gefolgt war. Ja, dieser Niklas war nicht einfach zufällig vorbeigeradelt. Er hatte sich sogar hinter einem Wagen versteckt, um von Spix nicht gesehen zu werden.

Sie kannte Niklas. Spix ging manchmal seine Eltern besuchen. Einmal hatte er sie sogar mitgenommen. Es war ein fürchterlicher Abend gewesen, fand sie. Aber sie hatte perfekt die polnische Servicekraft gespielt.

Einerseits kam sie sich vor wie eine Verräterin. Wie Judas. Andererseits war dieser Junge nicht Gottes Sohn. Je schneller der Fall gelöst werden könnte, umso eher wäre sie aus dem Spiel. Je länger die Ermittlungen dauerten, umso schwieriger würde es für sie werden.

Sie musste aus dem Fadenkreuz heraus. Sie wusste ohnehin nicht genau, wohin mit sich. Hierbleiben konnte sie schlecht. Zurück nach Polen würde es auch nicht so ohne weiteres gehen.

War sie für ihren Mann und ihre Kinder eigentlich mehr als eine Melkkuh, fragte sie sich. Sie fühlte sich elend. Auf eine unschuldige Art schuldig. Um als nährende Mutterkraft zur Verfügung zu stehen, musste sie ihre Ehre beschmutzen lassen. Das Geld würde nicht mehr lange reichen. Sie hatte mit ihrer freundlichen Art ihr Gehalt durch Trinkgelder fast verdoppelt. Manche Gäste kamen nur, um von ihr bedient zu werden. Vielleicht redete sie sich das auch nur ein, weil sie daraus ein bisschen Selbstbewusstsein ziehen konnte ...

Sie war so verunsichert … Die Welt um sie herum geriet ins Trudeln.

Sie packte ihren Koffer. Sie wollte bereit sein, ohne genau zu wissen, wofür.

Sie duschte lang und heiß und zog sich frische Wäsche an.

Was jetzt, fragte sie sich. Was jetzt? Soll ich die Kommissarin anrufen und ihr sagen, was ich gesehen habe?

Nein, Niklas fühlte sich nicht als Held. Es ging ihm dreckig. Er kotzte mehr als sein Vater nach Antabus auf Alkohol. Wie oft hatte er davon geträumt, Spix umzubringen? Nun, da er gehofft hatte, vernünftig mit ihm reden zu können, war es geschehen.

Manchmal hatte er auch darüber nachgedacht, seinen Vater zu töten, damit sie endlich frei wären. Er hatte die Hoffnung längst aufgegeben, es könnte seiner Mutter jemals gelingen, sich von ihrem Mann zu trennen. In Gedanken hatte er seinen Vater vermutlich öfter getötet als Spix. Aber das waren doch nur Spinnereien …

Die Gedanken waren wirklich frei. Nie hatte er daran geglaubt, es wirklich in die Tat umzusetzen. Manchmal hatten solche Vorstellungen ihn aus der Ohnmacht befreit. Mehr nicht. Es war wie ein Durchatmen, sich einmal nicht mehr als Opfer zu fühlen, sondern als Held.

Die Wirklichkeit hatte nichts Heldenhaftes an sich.

Seine Mutter kam ins Zimmer, ohne anzuklopfen, obwohl sie das eigentlich schon vor langer Zeit so vereinbart hatten. Sie brachte ihm eine Mischung aus Kamillen- und Pfefferminztee. Beides selbst im Garten angepflanzt.

Sie zog zwei Pfefferminzsorten in Töpfen. Schokominze und die englische Sorte Mitcham. Sie mischte die Blätter und gab Kamille dazu. Das bekam Clemens von ihr, wenn er völlig fertig nichts mehr in sich hatte, das er ausbrechen konnte. Deshalb sagte er manchmal *meine Kräuterhexe* zu ihr.

Jetzt sollte Niklas davon trinken. Er tat es und spürte, dass es ihm half, obwohl der Tee noch viel zu heiß war. Es war, als würde er die Liebe seiner Mutter trinken.

Sie hatte gestern Nacht, als er nach Hause gekommen war, sofort begriffen, was geschehen war. Sie hatte die Schnittwunden in seiner rechten Hand desinfiziert, verbunden, und ihn dann genötigt, die blutigen Sachen auszuziehen und in die Badewanne zu steigen. Sie hatte sofort alles in die Waschmaschine gestopft und ihm frische Sachen rausgelegt. Dann war sie zu ihm ins Badezimmer gekommen. Er hatte fast apathisch im Schaumbad gesessen. Sie hatte in seinen Haaren herumgezupft, in denen immer noch Blut klebte. Sie hatte ihm die Haare gewaschen, wie früher, als er noch ein kleiner Junge gewesen war. Er hatte es zugelassen und geradeaus gestarrt.

Ja, er war erleichtert gewesen, weil sie die Handlungsführung übernommen hatte. Sie hatte auf dem Badewannenrand gehockt und ihn aufgefordert zu erzählen. Das war ihm schwergefallen. Er hatte kaum mehr gesagt als: »Er ist tot. Ich habe ihn umgebracht.«

»Das darf nie jemand erfahren«, hatte sie eindringlich gefordert. Dann hatte sie sich vor die Wanne gekniet. Schaumwölkchen klebten an ihren Händen und hingen in ihren Haaren. »Das muss für immer unser beider Geheimnis bleiben.«

Er hatte sie mit fiebrigen, feuchten Augen angesehen. Wenn er etwas von Kindesbeinen an gelernt hatte, dann, ein

Geheimnis für sich zu behalten. Eins, das er nur mit seiner Mutter teilte.

Früher hatte Tatie oft im Auto geschlafen. Das hatte ihm wenig ausgemacht. Sein Auto bezeichnete er gern als sein *Living Space* oder *Habitat*. Es war noch gar nicht lange her, da glaubte er, Wohnungen seien nur etwas für angepasste Spießer. Was konnte besser sein als ein Lebensraum mit ordentlich PS unter der Haube? Im Auto fühlte er sich sicher, heimisch und gleichzeitig auf der Flucht.

Aber inzwischen war er in die Jahre gekommen. Er brauchte nachts ein richtiges Bett. Nicht zu weich. Jetzt hatte er im unteren Rückenbereich Schmerzen, als ob ihm jemand im Schlaf einen Baseballschläger ins Kreuz gehauen hätte.

Er stand vor dem Fahrzeug und bog sich durch. Verdammt, das tat weh. Für den Ernstfall hatte er immer sein Fläschchen Novaminsulfon, kurz Novalgin genannt, im Handschuhfach. Ein Schluck aus der Flasche half, jeden Schmerz für eine Weile zu unterdrücken, und gleichzeitig wurden die Hände ruhig. Ein Scharfschütze mit zittrigen Fingern war eine Lachnummer.

Das Zeug machte zum Glück nicht müde. Er war einmal schwer verletzt auf Novalgin fast zweihundert Kilometer durch die Nacht gefahren, hin zu einem befreundeten Arzt. Etwas in ihm sträubte sich trotzdem dagegen, vor dem Frühstück ein Schmerzmittel zu schlucken. Er brauchte Kaffee und sehnte sich nach Rühreiern mit Speck. Aber mehr als einen Becher Kaffee mit Plastikdeckel und ein Käsebrötchen würde er wohl kaum auftreiben können.

Wenn überhaupt ... Es gab in Cafés höchstens einen Verkauf über die Theke. Er, der ein ausgedehntes Frühstück in einem guten Café oder Hotel so sehr liebte, musste sich nun damit begnügen.

Vor der Bäckerei stand eine Schlange. Die meisten hier hielten schon den Mindestabstand ein. Mindestabstand! Das neue Modewort.

Er guckte, wie alle hier, auf sein Handy. Die einen pflegten wartend ihre Facebook-Seite oder sahen sich Fotos auf Instagram an, die anderen suchten die neuesten Pandemienachrichten. Statt für eine gute Bezahlung des Pflegepersonals zu sorgen oder Masken für die Bevölkerung, brachten die Politiker ersatzweise den Bürgern bei, wie man sich richtig die Hände wäscht.

Tatie sah sich die neuen Inzidenzen an. Ein Wort, das bis vor kurzem noch gar nicht zu seinem Sprachschatz gehört hatte und plötzlich Allgemeingut geworden war. Da ploppte eine Nachricht auf, die ihn irritierte: »Der perverse Serienkiller«, der seine Opfer verstümmelte, hatte angeblich im Norder Tief erneut zugeschlagen und einen Nachtangler getötet.

Tatie hatte ohnehin einen schlechten Geschmack im Mund. Ihm fehlten Zahnpasta und ein bisschen Wasser zum Gurgeln. Er war auf die Nacht im Auto nicht vorbereitet gewesen. Vor dem ersten Kaffee war er ohnehin ungenießbar, aber das hier machte ihn richtig sauer. Wer pfuschte ihm da ins Handwerk? Was bedeutete das?

Schon erhielt er eine Nachricht seines Auftraggebers: *Was sind das für Extratouren?*

Anke Reiter hatte zwar den Blick in die Weite, aber ihre inneren Spielräume verengten sich. Sie kannte das. Sie starrte aus dem Fenster in den Himmel. Sie beobachtete den Formationsflug der Zugvögel. Es war die Zeit der Wildgänse. Gern wäre sie mit ihnen geflattert. Aber sie blieb eben doch in ihrem Sessel kleben und war froh, wenn sie es bis zur Küche schaffte.

Der Streit im Flur, der Auftritt von Spix und die ganze bedrohliche Aufregung drum herum hatten ihr schwer zugesetzt. Sie ging nicht einmal mehr unbeschwert bis in die Küche. Sie schlich sich hinein, um sich verstohlen einen Tee zu kochen, als sei das verboten und könne mit schlimmen Strafen geahndet werden.

Sie kannte sich gut genug, um zu wissen, wie es weitergehen könnte. Schon einmal hatte die Angst sie so sehr im Griff gehabt, dass sie nicht einmal mehr in der Lage gewesen war, in Gelsenkirchen die Wohnungstür zu öffnen. Ein Gang zur Mülltonne war ihr nur noch im Dunkeln möglich gewesen, später dann gar nicht mehr.

Mit ihrem Mann zusammen fühlte sie sich trotzdem noch gut. Zwar nicht in Gesellschaft mit anderen, nicht im Theater, Restaurant oder auf Partys, aber immerhin konnte sie sich mit ihm in der ganzen Wohnung frei bewegen.

Als es ganz schlimm geworden war, damals, kurz nach der Hochzeit, da war sie von der Angst auf wenige Räume beschränkt worden. Zunächst hatte sie den Hausflur nicht mehr betreten können. Am Schluss verließ sie das Schlafzimmer praktisch nicht mehr, sondern hielt sich eigentlich nur noch im Bett auf.

Sven hatte eine befreundete Psychologin hinzuziehen wollen. Eine Frau, die bei ihm versichert war. Aber für eine

Angstpatientin, die das Haus nicht verlassen kann, ist der Weg zur Psychologin ein unüberwindbares Hindernis, selbst, wenn deren Praxis nur zwei Straßen weiter liegt. Sogar eine Therapie per Skype hatte Sven ihr vorgeschlagen.

Ihr Selbstbewusstsein war nicht größer als das einer Stubenfliege, hatte sie damals über sich selbst gesagt und auf dem Tiefpunkt fühlte sie sich geradezu amöbenhaft. Nur langsam hatte sie sich die Welt zurückerobert. Der Weg bis nach Ostfriesland war verdammt hart gewesen. Jetzt ging die Spirale wieder abwärts. Sie musste das irgendwie aufhalten. Sie wollte nicht wieder eingekerkert von Ängsten im Bett landen und die geschlossene Tür anstarren.

Sie stellte sich vor, wie es wäre, mit Sven auf dem Deich spazieren zu gehen. Alleine war das jetzt undenkbar für sie, aber mit ihm und dann am besten im Dunkeln, ja, das würde gehen! Sie wollte die Welt nicht wieder verlieren.

Sie schrieb ihm eine Nachricht: *Bitte komm zurück! Es geht wieder los …*

Eine gefühlte Unendlichkeit verging, während sie einundneunzig Sekunden lang auf ihr Handy glotzte. Dann war seine Antwort da: *Das geht jetzt nicht, Süße. Du bist stärker, als du denkst! Glaub an dich!*

Sie unterdrückte den Impuls, das Handy gegen die Wand zu werfen. Sie sah zu den Gänsen. So frei, dachte sie, möchtest du dich bewegen können. Als Teil des Ganzen und doch autonom, mit jedem Flügelschlag.

Sven, ich brauche dich, schrieb sie und fühlte sich mies dabei, ja erpresserisch. Er antwortete nicht einmal. Das war seine Art, ihr zu zeigen, wie wichtig er sich selbst fand, dachte sie.

Es dauerte nicht lange, und sie sah in seinen Worten nicht

nur ein Beharren auf der Bedeutung seiner Arbeit, sondern es schimmerte für sie auch durch, wie unwichtig sie selber war. Dieses Gefühl würde sich im Laufe der Abwärtsspirale immens aufblasen und zu einem vorherrschenden Gedanken in ihrem Kopf werden: *Du bist nichts, und du hast auch keinerlei Rechte auf dieser Welt. Niemand mag dich, nicht einmal du selbst.*

Ja, das alles kannte sie. Sie wusste, wohin die Reise ging. Das durfte nicht sein.

Sie schrie laut. Sie kannte diesen inneren Ort nur zu gut. Sie wollte da nicht mehr hin.

Sie musste raus aus der Wohnung und unter Menschen. Sofort!

Sie zog sich warm an. Es war ein überstürztes, hektisches Anziehen. Zwei dicke Strumpfhosen übereinander, dazu Wollsocken. Ein Sweatshirt, darüber zwei Pullover. Eine Jacke und dann noch einen Mantel. Kleidung als Ritterrüstung.

Sie konnte sich kaum bewegen, so fest saßen die Sachen an ihrem Körper. Sie kam damit bis zur Tür. Dort brach sie weinend zusammen.

Der Mann, der sich momentan Philipp Tatie nannte, war unterwegs nach Norden. Er musste wissen, was dort los war. Oder stellte ihm jemand eine Falle? Wollte ein anderer Hitman sich ins Gespräch bringen? Waren hier Geier oder Sommerfeldt am Werk, die ihn vorführen wollten? Machten sie sich über ihn lustig? Wollte Sommerfeldt damit klarstellen, dass Ostfriesland sein Gebiet war?

Er hatte im Internet inzwischen alles über die Morde gelesen, was veröffentlicht worden war. Zwei Journalistennamen tauchten immer wieder auf: Holger Bloem und Lasse Deppe. Beide waren nah an dem Fall dran.

Holger Bloem galt als Spezialist für Serientäter und die Schönheit der ostfriesischen Landschaft. Er war mit seiner Berichterstattung über den falschen Arzt Dr. Sommerfeldt berühmt geworden. Lasse Deppe galt als knallharter Rechercheur und hatte sich als Gerichtsreporter einen Namen gemacht.

Tatie hatte das Gefühl, als seien die beiden auf seiner Spur. Er fürchtete Journalisten wesentlich mehr als die Polizei, denn er konnte sie weniger gut einschätzen. Wenn Journalisten erst einmal die Story ihres Lebens witterten, dann konnten sie unermüdlich und sehr einfallsreich sein. Einen Acht-Stunden-Tag gab es für sie dann nicht.

Tatie wollte zu der Stelle, wo dieser Nachmachermord geschehen war. Er stellte sein Auto am Alten Zollhaus in Norden ab. Dort, auf der Terrasse des historischen Backsteingebäudes, hatte er mit Blick aufs Wasser und die Boote mal hervorragend italienisch gegessen. Er konnte die kleinen frittierten Sardinen jetzt noch schmecken. Als Hauptspeise hatte er Scaloppine al Gorgonzola. Er wäre jetzt gerne bereit gewesen, das Doppelte für das Gericht zu zahlen, aber der Laden war coronadicht.

Er sah sich die Gegend erst mal genauer an. Das Gelände sondieren, nannte er das. Die Doornkaat-Flasche als Denkmal am Stadteingang gefiel ihm. Ein solides Essen wäre ihm jetzt aber lieber gewesen, und er brauchte ein Bett. Noch eine Nacht im Auto war einfach nicht drin.

Weller und Ann Kathrin radelten an ihm vorbei zum Tatort. Er hielt die beiden Radfahrer für Polizisten. Er kannte aus dem Fernsehen Autoverfolgungsjagden und tolle Stunts bei der Gangsterjagd. Er hatte verdeckte Überrollbügel im Auto, um einen Crash und ein Überschlagen des Fahrzeugs besser zu überstehen. Die Ostfriesen hier fuhren Fahrrad. Sollte er sie etwa als Gegner ernst nehmen?

Sie untersuchten die Gegend rund um den durch Flatterbänder gesperrten Tatort. Er beobachtete die beiden eine Weile fast amüsiert. Jetzt sah es für ihn aus, als würden sie anhand der gefundenen Spuren den Mord nachstellen, wobei die Frau das Opfer spielte und der Mann den Täter. Er fand es fast süß. Ein Bild für ihre Rückständigkeit und Hilflosigkeit. Nein, vor denen hatte er keine Angst.

In Zeitungsberichten wurde der Name des toten Anglers nicht genannt, aber bei Facebook gab es verschiedene Gruppen wie:

Du bist norddeichverrückt, wenn …

I love Norddeich oder

Wi sünd Ostfreesen un dat mit Stolt

Dort wurde bereits um Uwe Spix getrauert, und es war von einem *feigen Mord* die Rede. Ein Serienkiller bedrohe alle Anglerfreunde, behauptete da jemand. Ein organisiertes Nachtangeln wurde sogar abgesagt. Er fand Fotos von zwei Ruderinnen, die die Leiche angeblich gefunden hatten.

»Uwe Spix«, sagte er wie zu sich selbst, um den Klang des Namens zu überprüfen. »Uwe Spix … Was bist du für einer?«

Er brauchte nur Sekunden, dann hatte er seine Adresse. Ein Hurra auf das Internet!

In Norden fuhr er zunächst zum Combi. Er musste sich im Supermarkt verpflegen. Am Eingang stand ein Security-Mann und forderte ihn auf, einen Einkaufswagen als Abstandshalter zu benutzen und bat ihn, sich ein Tuch um den Mund zu wickeln, wenn er keine Maske dabeihabe.

Ein brummiger Mann mit selbstgemachtem Mundschutz lief hechelnd an Tatie vorbei. Auf seiner Maske stand: *Mamis Waldi.*

Tatie kaufte sich Obst und Mineralwasser, Schokoriegel, Käse und Nüsse.

Das Haus in der Itzendorfer Straße gefiel ihm. Er fragte sich, ob es jetzt bald zum Verkauf stehen würde. Nach dem Schock des Lockdowns sagten sich vermutlich viele Stadtmenschen: *Beim nächsten Lockdown habe ich einen Garten, oder ich wohne am Meer. Am besten sogar beides.*

Hier in Norden-Norddeich konnte man es bestimmt aushalten, solange es genügend Wasser und Strom gab. Die riesigen Supermärkte waren für große Touristenströme gebaut worden. Die wenigen Einheimischen verloren sich zwischen den riesigen, vollgepackten Regalen. Jetzt, da er sich so unbehaust fühlte, keimte die Sehnsucht nach einem eigenen Heim in ihm auf.

Eine Frau trat aus dem Haus und rollte die blaue Mülltonne zur Straße.

»Moin«, sagte er so freundlich, wie dieser Tag es nur zuließ.

»Guten Morgen«, gab sie zurück. Sie sah ihn nicht wirklich an. Der Boden und der Mülleimer waren wohl interessanter als er, oder sie schämte sich für irgendetwas. Trotzdem war er überzeugt davon, dass sie gleich reden würde. Die Ostfriesen galten zwar als wortkarg, aber sie war keine

Ostfriesin, das hörte er an ihrer Aussprache, und eine Ostfriesin hätte sicherlich nicht »Guten Morgen« gesagt. Die
sagten zu jeder Tages- und Nachtzeit »Moin«.

Sie drehte sich zum Haus um. Die Tür stand offen. Er
konnte in den Flur gucken. An einem Kleiderständer hingen
Regenjacken.

»Ihre Kollegen waren schon hier. Ich habe ihnen alles erzählt«, sagte sie, und es hörte sich an wie eine durchschau-
bare Lüge.

Er schwieg und betrachtete sie wohlwollend. Sie hatte
diese Anmut, die aus Reife kommt. Augen, die Wissen aus-
strahlten, weil sie schon viel gesehen hatten. Sie wusste
Gutes und Schönes zu schätzen, denn sie kannte auch die
hässlichen Seiten des Lebens. Sie war eine Frau zum Verlie-
ben, wenn er zu so etwas fähig gewesen wäre. War er aber
nicht.

Ihre Bewegungen, ihre ganze Art, hatten etwas, das ihm
sehr gefiel. Etwas Beschützenswertes. Er hatte lange nicht
mehr so empfunden und fragte sich, ob er in der Lage wäre,
sie zu töten oder ihr weh zu tun. Er konnte es nicht genau
sagen. Leichtgefallen wäre es ihm bestimmt nicht. Dieser
Gedanke erschreckte ihn. Er durfte solche Gefühle nicht zu-
lassen. Ein Profi wie er musste in der Lage sein, kühl und
berechnend zu töten. Jedermann.

Sie hatte durch seine Skrupel unausgesprochen Macht
über ihn. Allein das wäre Grund genug gewesen, sie umzubringen. Er steckte die Hände in die Hosentaschen, als
wären ihm die Finger zu kalt geworden. Ihr Gesicht sagte
ihm, dass sie seine Handlung als Unhöflichkeit empfand. Er
zog die Hände sofort wieder aus den Taschen und rieb sie
aneinander.

»Nein, im Grunde doch nicht alles …« Sie biss sich auf die Unterlippe, was auf ihn hocherotisch wirkte. Sie blickte sich um wie ein scheues Reh und schlug vor: »Kommen Sie …«

Sie ging voran. Er folgte ihr. Noch im Garten sagte sie: »Besser, wir reden drinnen.«

Er schmunzelte. Weit und breit war nämlich kein Mensch zu sehen.

Will sie mich verführen, fragte er sich.

Sie schloss die Tür hinter ihm. Er konnte vom Flur aus in die Küche gucken, doch sie ging vor ihm die Treppe hoch.

Was sollte das? Er begrub die Freude auf einen Kaffee und sah stattdessen dem Spiel ihrer Beinmuskulatur zu. Sie trainierte zwar in keinem Studio auf dem Stepper, aber als Servicekraft legte sie jeden Tag einen gefühlten Marathonlauf mit vollem Tablett hin.

Die Tür zu ihrem Schlafzimmer war einen Spaltbreit offen. Er konnte im Vorbeigehen ihr Bett sehen. Sie riss sich aber keineswegs die Klamotten vom Leib und zerrte ihn hinein, wie etwas in ihm gehofft hatte, sondern ging in eine kleine Wohnküche und bot ihm dort einen Platz an. Sie klemmte sich auf die Sitzbank hinter den Tisch. Er nahm den Plastikstuhl davor.

Auf der kleinen Arbeitsplatte stand Filterkaffee in einer Glaskanne. Sie langte im Sitzen hin. Von ihrem Platz aus konnte sie in der winzigen Küche das Besteck erreichen, den Brotkasten und das spärliche Geschirr.

Er sog den Kaffeeduft ein. Sie goss einen Becher für ihn voll.

»Milch oder Zucker?«, fragte sie und er lehnte dankend ab.

Die Kette an ihrem Hals war zu dünn, um sie damit zu

erwürgen. Das Kreuz hätte ihn nicht gehindert. Er tadelte sich selbst für seine Gedanken. Aber so war er. Er analysierte sofort genau die Schwächen und Stärken seines Gegenübers. Er dachte bei fast allen Menschen, die ihm nahe kamen, sofort darüber nach, wie er sie am schnellsten töten könnte, obwohl er das gar nicht vorhatte. Es war wie ein Zwang.

Sie blies über ihren Kaffee. Die Oberfläche kräuselte sich.

Ann Kathrin Klaasen hatte ihr beim Abschied eine Visitenkarte gegeben mit den Worten: »Falls Ihnen noch etwas einfällt, Frau Dymna ... «

Diese Visitenkarte legte Dana Dymna nun auf den Tisch. »Ich wollte«, sagte sie stockend, nach den richtigen Worten suchend, »Ihre Kollegin sowieso anrufen. Es ist schwer für mich. Ich verrate nicht gern einen Menschen. Aber ich will die ganze Wahrheit sagen ... «

Er lehnte sich entspannt zurück. Der unbequeme Stuhl knarrte. Tatie hatte schon auf Bierkästen und Umzugskartons besser gesessen. Es gefiel ihm, dass sie ihn für einen Polizisten hielt. Er schlürfte seinen Kaffee und fixierte sie über den Rand der Tasse.

»Als Herr Spix zum Nachtangeln gefahren ist, habe ich den jungen Wewes gesehen. Er ist ihm mit dem Fahrrad gefolgt.«

Tatie lächelte und verhielt sich bewusst wie ein Polizist: »Das kann ein Zufall gewesen sein.«

Sie schüttelte den Kopf. »Ich fürchte nicht. Niklas hat sich hinter einem Auto versteckt und Herrn Spix beobachtet.«

»Sie kennen den Jungen?«

»Ja, ich war mit Herrn Spix dort mal zu Besuch. Nette Leute.« Als sei das erklärungsbedürftig, sagte sie in sein Schweigen hinein: »Ich wohne hier zur Miete. Herr Spix hat beide Wohnungen im Obergeschoss vermietet. Er wohnt unten.«

»Außer Ihnen gibt es also noch eine Mieterin?« Tatie wunderte sich, warum er *Mieterin* sagte. Er ging aber klar davon aus, dass Spix auch die andere Wohnung an eine Frau vermietet hatte.

»Ja. Sie ist wohl wegen des Lockdowns zu Saisonbeginn gleich zu Hause geblieben.«

»Was wird jetzt aus dem Haus?«, fragte er.

Sie verzog ratlos die Lippen. »Ich frage mich, was jetzt aus mir wird ... «

Er hätte sie töten und das einsame Haus einfach übernehmen können. Bestimmt waren sogar die Kühlschränke gut gefüllt und die Bettwäsche sauber. Das hier war sicherer als ein Hotel. Aber er entschied sich dagegen. Sie bezauberte ihn zwar mit ihrer verhaltenen Art, aber im Haus eines Opfers musste man immer mit Polizeibesuch rechnen.

Wäre ich ein Geschäftsmann, ein Computerspezialist oder ein Handwerksmeister, ich würde ihr eine Liebeserklärung machen, ja, versuchen, sie zu verführen oder gar zu heiraten. Aber ich bin ein Berufskiller und kann mir solche Sentimentalitäten nicht leisten. Das Beste, was ich für Sie tun kann, schöne Frau, ist, so rasch wie möglich zu verschwinden, sagte er zu sich selbst.

Er trank den Kaffee aus, als sei das Heißgetränk ein Glas Wasser. Er verabschiedete sich höflich. Sie blickte ihm in die Augen. Nur ganz kurz, doch es war für ihn, als hätte es echt zwischen ihnen gefunkt.

Er ging die Treppe runter. Sie hinter ihm her. Im Flur überholte sie ihn, um ihm die Tür zu öffnen. Dabei berührten sich ihre Körper fast. Es geschah nur beinahe, nicht wirklich.

Trotzdem spürte er ein Kribbeln. Es war voll bekleidet im Flur ein intimerer Augenblick als sein letzter Besuch nackt in einer vollen Sauna.

»Ich habe mich«, sagte er, um noch einen Moment Zeit mit ihr zu verbringen und sich mit einem Scherz zu verabschieden, »noch gar nicht vorgestellt. Mein Name ist Holmes. Sherlock Holmes.«

Sie lachte: »Und ich bin dann Watson? Oder hatte Holmes eine Frau?«

»Er war in Irene Adler verliebt«, antwortete Tatie.

Sie wunderte sich über sein Wissen. »Er bezeichnete sie als anmutig«, sagte sie und fühlte sich geschmeichelt.

»Als die anmutigste Person auf dem Planeten«, ergänzte Tatie. Dann beeilte er sich, um rasch zum Haus der Wewes zu kommen. Er musste wissen, was es mit diesem Mord an Spix auf sich hatte.

»Tschüs, Sherlock!«, rief Dana hinter ihm her, doch er drehte sich nicht mehr zu ihr um.

Einerseits hatte Anke Reiter Angst vor Menschen. Andererseits konnte sie nicht gut allein sein. Svens Nähe hätte für sie alles leichter gemacht, aber der musste ja in Gelsenkirchen Versicherungen verkaufen oder Akten in seinem Büro hin und her schieben, wie sie zynisch dachte. Wenn wenigstens Niklas da gewesen wäre …

Sie zögerte nicht länger. Niklas' unbeholfene Anwesenheit war besser als Svens Abwesenheit. Im Grunde genoss sie die verkniffene Bewunderung des Jungen sehr. Es war so einfach, ihn in Verlegenheit zu bringen, dass sie immer das Gefühl hatte, die Situation zu kontrollieren. Genau das brauchte sie im Kontakt mit Menschen: die Gewissheit, alles im Griff zu haben. Nichts sollte aus dem Ruder laufen können. Alles berechenbar, ja vorherbestimmbar sein.

Sie rief unten bei den Wewes auf dem Festnetz an. Es klingelte mehrmals. Sie konnte es oben hören. Sie wollte schon auflegen, empfand sich als störend, da ging Christina an den Apparat: »Ja?«, meldete sie sich zaghaft.

»Moin, Christina, ich bin's, Anke. Meinst du, Niklas könnte mir mal helfen?«

Normalerweise reagierte Christina auf solche Bitten mit einem klaren, fröhlichen: »Aber sicher, das macht er doch gerne.«

Jetzt klang sie verhalten. »Brauchst du etwas? Ich gehe morgen früh sowieso einkaufen.«

»Nein. Danke. Ich bin gut versorgt. Aber unsere Waschmaschine streikt. Ich dachte, Niklas kann sich das vielleicht mal angucken.«

Niklas hatte Mühe, gerade auf dem Stuhl zu sitzen und Tee zu trinken. Die Tasse schien ihm zu schwer zu sein, um sie hochzuheben. Seine Muskulatur verweigerte irgendwie die Mithilfe. Er hatte sogar Schluckbeschwerden und ein eingeschränktes Blickfeld. In seinem linken Ohr klingelte es verdächtig.

Seine Mutter war der Meinung, die Ärztin müsse sich die Schnittwunden in seiner Hand ansehen. Sie wollte sogar schon für ihn einen Termin bei Frau Dr. Scholle machen, aber er lehnte das vehement ab.

Nein, eine Waschmaschine zu reparieren war ihm im Moment nicht möglich. Er hatte tatsächlich einen Menschen getötet. Es fühlte sich entsetzlich an. Unwirklich. Ekelhaft.

Jahrelang war er mit der Angst herumgelaufen, das Geheimnis, das seine Mutter und ihn verband, könne ans Tageslicht kommen. Sein ganzes Leben, so kam es ihm vor, hatte er um dieses Geheimnis herum organisiert. Und nun war noch ein Geheimnis hinzugekommen. Jetzt hatten sie im wahrsten Sinne des Wortes eine Leiche im Keller, nur lag sie am Fluss. Das Ganze war viel schlimmer. Bedrohlicher. Nicht wiedergutzumachen.

Sie hätten vielleicht aufhören können, dem Vater Antabus zu geben … Seine Mutter hätte sich trennen können … Dann wäre das Haus eben verkauft worden. Es hätte Möglichkeiten gegeben … Vielleicht hätten sie irgendwo einen Neuanfang starten können … Aber ein Toter ließ sich nicht wieder lebendig machen. Es gab keine Reset-Taste. Kein Alles-zurück-und-wieder-auf-Anfang. Kein Neustart war möglich.

Plötzlich stand sein Vater im Zimmer wie eine Erscheinung. Weder Niklas noch Christina hatten ihn kommen hören. Er war barfuß. Er trug ein verschlissenes T-Shirt und eine ehemals weiße Unterhose, der man ansah, dass es Zeit wurde, sie zu wechseln. Sein Gesicht war verquollen, die Augen blutunterlaufen. Sein Unterkiefer bebte, wenn er sprach. Unkontrollierte Bewegungen ließen ihn merkwürdig zappelig erscheinen. Er schwitzte übermäßig. Sein Schweiß roch scharf.

»Ihr sitzt da …«, er suchte nach Worten, »wie ein Liebespaar … «

Christina und Niklas sahen ihn nur an. Er korrigierte sich: »Wie zwei Verschwörer!«

»Guck dich mal an, wie du da stehst«, sagte Christina vorwurfsvoll. »Willst du dem Jungen so ein Vorbild sein?«

»Ich brauche frische Luft!«, blaffte Clemens zurück. Das

war sein Synonym dafür, dass er vorhatte, einen trinken zu gehen.

»Die Kneipen haben zu«, belehrte seine Frau ihn, als hätte er alle Nachrichten in den letzten Tagen verpasst. »Lockdown«, fügte sie spitz hinzu, als könne sie ihm damit den Rest geben.

»Dann besuche ich eben einen Freund. Hier erstickt man ja!«

Er verließ das Zimmer.

»Dem geht es schon wieder viel zu gut«, raunte Christina ihrem Sohn ins Ohr.

Tatie fragte sich, warum die herrliche Polin ihn für einen Polizisten gehalten hatte. Er kam zu der Überzeugung, dass hier einerseits jeder jeden kannte und andererseits keine Touristen mehr an der Küste waren. Ein Fremder musste also beruflich hier sein.

Er hatte einige Verkleidungen, mit denen er überall durchkam und nicht auffiel. Heute wählte er den Blaumann des Handwerkers. Im Werkzeugkoffer war alles, was er für seine Arbeit brauchte. Kabelbinder als Handschellen. Teppichklebeband. Betäubungsspritzen. Ein zerlegtes Präzisionsgewehr mit Zielfernrohr, Laserpointer und Nachtsichtgerät plus sechzig Schuss Munition.

Ein Zimmermannshammer hing an seinem Gürtel. Mit den Klauen zum Herausziehen von Nägeln und der verlängerten Spitze ließ sich jede Tür auch ohne Dietrich öffnen. Es machte nur ein bisschen mehr Lärm.

Das Jagdmesser aus der Goldenen Serie von Böker mit

dem Walnusswurzelholzgriff galt als Ikone unter den Jagdmessern und ein Kenner hätte sich gewundert, warum ein Handwerker so ein teures Messer zur täglichen Arbeit am Gürtel mit sich führte. Seit er die Bücher von Dr. Bernhard Sommerfeldt gelesen hatte, glaubte er, es gehöre für einen guten Killer einfach dazu, ein besonderes Messer mit sich zu führen. Es unterstrich seine Ernsthaftigkeit. Nur Stümper nahmen den erstbesten Gegenstand, um einen Mord zu begehen oder benutzten irgendein Messer. Der Fachmann dagegen war wählerisch.

Er setzte sich die Sonnenbrille mit den runden blauen Gläsern auf und klebte auf sein Fahrzeug den Spruch: *Windkraft – sichere Energie.* Daran würde man sich später erinnern und an einen Mann mit Atze-Schröder-Perücke, Siebziger-Jahre-Brille und ausgebeulten, aber sauberen Arbeitsklamotten und einem korrekten Mund-Nasen-Schutz.

Er parkte trotzdem nicht direkt vor dem Haus, sondern gut fünfzig Meter davon entfernt. Er ging ohne Eile auf das Haus der Wewes zu. Er wollte sich diesen Niklas mal anschauen und dem Jungen, der seine Mordmethode nachmachte, auf den Zahn fühlen.

Er blieb noch einmal stehen und stellte den Werkzeugkoffer neben sich auf die Straße. Er sah auf sein Handy. Richter Wolfgang Fröhling hatte seine Wohnung in der Humboldtstraße in Oldenburg-Bürgerfelde noch immer nicht verlassen. Das GPS-Kontrollsystem zeigte seinen Standort auf zehn Meter genau an. Er hatte das von jedem Todeskandidaten. Seine Auftraggeber hatten alles bestens vorbereitet, und sie zahlten gut. Eigentlich ideale Arbeitgeber. Allerdings herrisch und anspruchsvoll.

Er steckte das Handy wieder weg und hob den Werkzeugkoffer hoch. Hier war weit und breit keine Menschenseele zu sehen. Auf der Straße gurrten zwei Tauben.

Er hatte nicht vor, diesen Niklas einfach zu töten. Er wollte zunächst nur wissen, wo er mit ihm dran war. Dann konnte er immer noch entscheiden, ob er ihn ausknipsen würde oder nicht.

Anke Reiter sah aus dem Fenster. Der Handwerker, der da so unschuldig auf der Straße herumstand und sich umguckte, kam ihr gerade recht. Hatten die Wewes einen Freund gerufen, weil es Niklas nicht so gutging?

Sie winkte ihm und freute sich über ihren Mut. Er winkte zurück und kam auf das Haus zu. Sie drückte die Haustür auf. Er trat ohne Probleme ein.

»Hier oben!«, rief sie ins Treppenhaus.

Sie fühlte sich schon fast geheilt. Ihr Anflug von Mut brachte ihre Lebensfreude, ja ihren Optimismus zurück. Vielleicht würde sie doch alles ganz alleine schaffen, ohne ihren Sven. Die Welt war doch schön! Gerade hier an der Küste! Im Vogelparadies! Im Weltnaturerbe! Im Lockdown blieb sogar der Wind zu Hause. Die Winterstürme waren vorbei. Das Sturmtief Sabine hatte seine Verwüstungen hinterlassen. So, wie Bagger jetzt den Sand zurückbrachten, um die Dünen zu schützen, so musste sie nach all diesen Tiefs und Abstürzen nun beginnen zu leben. Ab jetzt würde sie sich um ihre eigenen Angelegenheiten wieder selbst kümmern. Küstenschutz. Selbstschutz. Alles musste hart erarbeitet werden.

Ja, das Leben konnte grausam sein, aber eben auch wunderschön und erfüllend. Das Leben war wie das Meer. Diese Erkenntnis traf sie wie ein erlösender Schwerthieb, der die Fesseln durchtrennte, während sie hörte, wie der Handwerker die Treppe hochkam. Das Werkzeug in seinem Koffer klapperte. Sein Blick hatte etwas Warmes, fand sie.

Sie stellte sich vor, ihm einen Kaffee zu kochen, während er sich um die Waschmaschine kümmerte. Sie würden sich ein wenig unterhalten. Jeder gesprochene Satz, jede Small-talk-Minute, wäre ein innerer Sieg für sie. Ein Triumph. Ein Zurück in die Normalität.

Später könnte sie dann stolz ihren Sven anrufen und ihm von ihrer Heldentat erzählen. Das würde ihn verunsichern. Sie brauchte ihn nicht mehr so dringend. Sie war auch ohne ihn alltags-, ja lebensfähig.

Sie bat den Handwerker herein. Es war, als würde sie ihn nicht nur in ihre Wohnung, sondern in ihr Leben lassen.

Er sah sich in den Räumen neugierig um.

Sie wollte gleich mit offenen Karten spielen. Keine Lügen mehr. Wahrscheinlich wusste er von den Wewes eh längst alles. Diese Ostfriesen hielten doch zusammen. Hier wusch wirklich noch eine Hand die andere, und die Hauptstadt war zum Glück weit weg.

Es war, als würde für sie jetzt in der Pandemie, die nach-träglich so viele ihrer Ängste bestätigt hatte, eine neue Zeit anbrechen.

Sie bremste sich gerade noch, sonst hätte sie den Mann umarmt. Der nahm ungefragt seinen Mund-Nasen-Schutz ab. Es war ein blau-weißes Dreieckstuch.

»Die Waschmaschine pumpt nicht mehr ab«, sagte sie und führte ihn hin.

Er lächelte: »Ich bin nicht der, für den Sie mich halten.«

Marion Wolters saß bei dem herrlichen Wetter am Polizei-
computer und wertete Informationen aus. Es wurmte sie,
dass sie nicht im Strandkorb am Meer sitzen konnte. Diese
endlosen Computerrecherchen nervten und frustrierten sie
immer genau so lange, bis sie fündig wurde. Dann rief sie:
»Ich liebe diesen Job! Ich liebe ihn!«, und trommelte neben
ihrer Tastatur fröhlich auf den Schreibtisch. Spätestens jetzt
wusste jeder im Büro, dass das Trüffelschwein – wie sie gern
genannt wurde – mal wieder etwas erschnüffelt und ausge-
graben hatte.

Sofort überkam sie das Gefühl – Diät hin, Diät her – sich
ein großes Stück Baumkuchen verdient zu haben und mindestens drei Tassen schwarzen Tee, natürlich mit Kandis und
Sahne dazu.

Sie rief Rupert an, weil sie ihn nicht leiden konnte. Umso
schöner war es, wenn er ihr für eine gelungene Arbeit Respekt zollen musste, weil sie damit alle weitergebracht hatte.
Er ging schon brummig ans Telefon, weil er auf dem Display
sah, dass sie dran war. Er hatte ein Foto gespeichert, das erschien, wenn sie anrief. Es war ein fetter Hund an der Leine,
der zähnefletschend kläffte.

»Ich habe etwas, Rupi«, flötete sie spitz.

Er wusste, dass sie gebeten werden wollte, mehr zu erzählen. Er tat ihr den Gefallen nicht. Er wartete kurz und äffte
sie dann übertrieben laut nach: »Ich habe etwas ... Fußpilz?
Mundgeruch? Oder vielleicht etwas Neues? Durchfall?«

Sie ließ sich von ihm die gute Laune nicht verderben.
»Diese Wohngemeinschaft, in der Rena Köller lebt, in Wildeshausen ... Die sind ganz schön aktiv in einem antifaschis-
tischen Bündnis: *Oldenburg ist bunt, nicht braun.*«

»Ja«, spottete Rupert, »und das soll uns jetzt weiterbringen? Spielen sie vielleicht auch Minigolf oder Tischtennis?«

»Die Yogalehrerin, Kerstin Schatz, ist zweimal wegen Widerstands gegen die Staatsgewalt und einmal wegen Beamtenbeleidigung angeklagt worden. Jedes Mal freigesprochen.«

»Ja, toll«, gähnte Rupert. »Kann sie vielleicht auch reiten oder Ski springen?«

Marion Wolters fragte: »Wieso? Reiten, Ski springen? Was hat das denn mit unserem Fall zu tun?«

»Ja eben. Nichts.«

Marion seufzte: »Aber jetzt pass auf: Sie hat vor drei Monaten eine Gegendemonstration angemeldet. Eine Demo gegen rechts. Unsere Kollegen standen mal wieder zwischen allen Fronten und mussten aufpassen, dass sich die verfeindeten Parteien nicht zu nahe kamen. Es gab Rangeleien, aber sonst nichts Ernstes. Nur ein paar Silvesterknaller sind geflogen. Und was glaubst du, wer bei der anderen Demo geredet hat?«

Rupert wusste es sofort: »Der Tote aus dem Tierpark?«

»Nein«, widersprach Marion Wolters, »tot war der nicht. Da lebte er ja noch.«

Rupert stöhnte und pflaumte sie an: »Ja, war es jetzt dieser Jakob Bauer oder nicht?«

»Klar war er es.«

»Weißt du, was ich an dir besonders mag, Marion?«, grummelte Rupert.

»Meine kollegiale Art?«

»Nein, dass du immer so schnell auf den Punkt kommst und keine Zeit verlierst.«

Es sollten sich, um Ansteckungen zu vermeiden, nicht mehr als zwei Personen in einem Raum aufhalten. Es war nicht ganz klar, ob es sich dabei um die Empfehlung eines Virologen oder Epidemiologen aus einer Talkshow handelte, oder um eine Dienstanweisung. Vielleicht war es auch nur ein Gerücht. Weller und Ann Kathrin nutzten die Gelegenheit, um sich bei einem Spaziergang in Norddeich auszutauschen. Das war garantiert ungefährlich.

Der Dörper Weg war menschenleer. Das Eiscafé *Riva*, kurz vor dem Deich, gegenüber vom Park, war geschlossen. Das schmerzte Weller besonders. Sobald die Sonne schien – und sie schien unverschämt heftig –, brauchte er dringend ein Eis mit Sahne und ein Matjesbrötchen. Am besten auch noch eines mit Krabben, um den Geschmack von Urlaub und Meer abzurunden. Nach Urlaub schmeckte das alles auch während der Arbeitszeit, zumindest, wenn man beim Essen spazieren ging oder auf einer Bank am Deich saß.

Ann Kathrin sah sich um und sog die salzige Luft tief ein. »Ich habe die Vögel noch nie so laut wahrgenommen«, sagte sie gegen den sanften Nordwestwind.

»Das liegt an der Stille«, behauptete Weller. »Kein Mensch. Kein Lärm. Mich erinnert das an einen Roman, den ich als junger Mann gelesen habe. Ein Finanzbeamter wacht morgens in München auf und ist allein auf der Welt. Kein Mensch mehr da.«

Weller machte eine Geste in die Landschaft.

Ja, genau so sieht es jetzt aus, dachte Ann Kathrin. Sie nahm die Landschaft bewusst in sich auf. Es war, als würde sie diese nie gekannte Wirklichkeit für ein inneres Album fotografieren. Ihre erschreckend schönen Momente wollte sie nie vergessen und für immer in sich speichern.

»Und wie ging es in deinem Roman weiter?«, fragte sie, ohne ihren Mann dabei anzusehen.

Er kannte das. Wenn sie am Meer waren, guckte sie in die Weite. »*Großes Solo für Anton* hieß das Buch von Herbert Rosendorfer«, antwortete Weller, als sei damit alles gesagt.

So war er. Das war ganz typisch für ihn. Er nannte einen Romantitel immer mit dem Autorennamen in einem Atemzug, wie eine Beschwörungsformel. Und dann schien er, wie durch einen Zauber ausgelöst, gleich in der Geschichte des Buches zu versinken.

»Ja, wie ging es denn weiter, Frank?«

Weller antwortete wie aus einer anderen Welt: »Er hat nach Gründen gesucht, aber keine gefunden. Und dann hat er eine Weile von Konserven gelebt. Er ist irgendwie verwildert. Wer braucht auch noch einen Finanzbeamten, wenn gar keine Menschen mehr da sind? Er begann zu jagen. Tiere gab's ja noch genug. Die kamen in die Innenstadt zurück.«

Genau wie hier, dachte Ann Kathrin. »Und wie fühlte er sich?«, fragte sie, als könne sie so eine Auskunft über sich selbst bekommen. Für Weller war das selbstverständlich. Er suchte sich und Näheres über seine Identität in Romanen. Wo denn auch sonst? Im Werbefernsehen?

»Ich glaube«, sagte Weller, »zuerst dachte er, er sei verrückt geworden. Dann suchte er – wie wir alle – ein Buch, das ihm den Zustand der Welt erklären könnte. Und am Ende hielt er sich sogar für Gott.«

»Klar«, lächelte Ann, »weil man, wenn niemand mehr da ist, tun kann, was man will und niemandem gegenüber mehr Rechenschaft ablegen muss.«

»Außer sich selbst gegenüber«, schränkte Weller ein.

Sie gingen eine Weile schweigend nebeneinander auf der

Deichkrone Richtung Greetsiel spazieren. Man hätte glauben können, dass die Windräder den Wind machten, statt von ihm angetrieben zu werden. Sie drehten sich behäbig.

Ann Kathrin sah auf die Salzwiesen. Weller guckte ins Inland. Dicht über dem Deich jagten ein paar Dutzend Sperlinge hinter Insekten her. Die zuckenden Bewegungen des Vogelschwarms kamen Ann Kathrin fast unnatürlich vor, vielleicht, weil sie Sperlinge noch nie so ungestört beobachtet hatte.

Weller machte mit den Fingern Bewegungen, als würde er sich eine Zigarette drehen, was er schon sehr lange nicht mehr getan hatte. Vielleicht, vermutete Ann Kathrin, hatte der Gedanke an einen Roman, den er vor vielen Jahren, als er noch Raucher gewesen war, gelesen hatte, ihn dazu gebracht.

Weller blieb stehen und sagte: »Kann das nicht auch alles Sommerfeldts Werk sein?«

Ann Kathrin verzog ungläubig die Lippen.

»Warum nicht?«, fragte Weller. »Nur, weil er seinen berühmten Herzstich nicht hinterlassen hat? Vielleicht ist er in eine neue Phase getreten und präsentiert uns jetzt lieber nackte Männer, denen etwas Wichtiges fehlt … «

Ann Kathrin nahm Weller ernst und zählte auf, was für Sommerfeldt als Täter sprach: »Wir haben es nur mit toten Männern zu tun. So, wie es aussieht, haben sie alle Dreck am Stecken.«

Weller fügte hinzu: »Und der große Meister ist frei. Vermutlich hat er Langeweile und will gerne mal wieder die Welt verbessern, indem er ein paar Schandflecken ausradiert. So ähnlich nannte er das doch, wenn er … «

»Ich könnte mir gut vorstellen, dass er seine Arbeit fortsetzt, Frank. Aber doch nicht hier in Ostfriesland. Der ist bestimmt längst über alle Berge. Irgendwo als falscher Arzt in Australien oder Neuseeland. Den sehen wir nie wieder.«

Da war Weller ganz anderer Meinung: »Nee, Ann. Der gehört ans Meer. Der ist wie wir. Der braucht die Nordseeluft. Ebbe und Flut. Den Wechsel der Gezeiten.«

Ann Kathrins Handy-Seehund heulte los. Sie ging ran. »Ja? Rupert?«

»Ich hatte recht«, behauptete er frech.

»Wie schön für dich«, bestätigte Ann Kathrin ihn und wartete auf eine nähere Erklärung.

Rupert klang aufgeräumt, ja zufrieden, als habe er irgendetwas schon immer gewusst und das würde nun endlich von allen anerkannt. Er posaunte es heraus: »Die Mädchen-WG!«

»Frauen«, korrigierte Ann Kathrin ihn sofort. »Es sind Frauen, Rupert.«

»Ja, meine ich ja. Die in Wildeshausen. Sie kannten nicht nur diesen Lehrer Janßen, sondern auch den Nazi aus Aurich, diesen …«

Rupert fiel der Name nicht sofort ein. Ann Kathrin half ihm: »Jakob Bauer.«

»Ja, der Typ mit dem Sturmgewehr, das beim Bund geklaut wurde …«

Weller trat nah an sie heran. Er bemerkte an ihrer Körperhaltung, dass gerade eine wichtige Information ankam. Nicht das übliche Geschwätz von Rupert, wenn er mit neuen, haltlosen Theorien aufzutrumpfen versuchte.

Ann Kathrin stellte ihr Handy auf Laut. »Rena Köller kannte zwei der Opfer?«, fasste sie für Weller zusammen.

»Ja, vielleicht nicht sie direkt, wohl aber ihre WG. Die haben gegen ihn demonstriert, hat der Bratarsch gesagt.«

»Marion ist darauf gestoßen?«, fragte Ann Kathrin.

»Ja, nicht so direkt ... Also, eher zufällig ... Aber ich habe dann eins und eins zusammenkombiniert und ... also, sprich, zusammengezählt, und ich sage euch ... Die Mädels-WG beseitigt gerade jeden, der ihrer Meinung nach ...«

Ann Kathrin guckte den Sperlingen nach. Sie waren inzwischen so weit weg, dass der Schwarm wie ein einziger großer Vogel aussah, der über eine Schafherde flog und gleich herunterstoßen würde, um sich ein Tier zu greifen. Ann glaubte sogar, die Schafe ängstlich blöken zu hören.

»Hörst du mir überhaupt zu?«, fragte Rupert.

»Hm. Du meinst, dass wir es mit männermordenden Frauen zu tun haben«, sagte Ann Kathrin.

»Das ist keine Meinung«, empörte Rupert sich, »das sind Fakten. Indizien. Wenn wir lange genug suchen, werden wir auch einen Zusammenhang mit diesem Spix entdecken. Wer weiß, vielleicht ist eine von denen auf seinen Filmchen. Wir müssen die sowieso erst einmal sichten. Oder seid ihr bereits dran?«

Weller mischte sich ein: »Das sind zigtausend Stunden Videomaterial. Frauen auf der Toilette. Frauen unter der Dusche ...«

»Ja, für dich ist das vielleicht langweilig, Weller, aber ...« Rupert stockte und wählte seine Worte mit Bedacht: »Darauf kann mit hoher Wahrscheinlichkeit unsere Mörderin zu sehen sein.«

Ann Kathrin fragte spitz: »Und du würdest dich opfern, das alles in Ruhe anzusehen?«

»Bei, ein zwei Fläschchen Bier«, fügte Weller hinzu.

Rupert hörte den Spott klar heraus und wurde sauer: »Wir müssen das tun, bevor irgendwelche dämlichen Pappnasen kommen und behaupten, das alles sei Sommerfeldt gewesen und wir sind dann mal wieder schuld, weil wir ihn nämlich haben laufen lassen ... Ich sehe schon die Überschrift vor mir ...«

Niklas hatte Kopfhörer auf den Ohren. Er saß versteckt in seinem Zimmer, zwischen Bett und Schreibtisch, vor sich wie ein Schutzschild den leeren Papierkorb. Er hatte sich hier schon lange nicht mehr verkrochen. Damals, als er noch in der Grundschule war, hatte er sich, wenn der Terror ganz schlimm wurde, sogar in der Küche unter der Spüle versteckt. Dort hatte er in die Krümmung des Abflussrohres seine Taschenlampe gequetscht und gelesen. Piratenbücher. Je dicker, je besser.

Sie sollten ihn in eine Welt entführen, in der er nicht machtlos, nicht ohnmächtig den Ereignissen ausgeliefert war. Er identifizierte sich gern mit säbelrasselnden Piraten. Als Grundschüler hatte er unter der Spüle davon geträumt, mit seinen Piratenfreunden den Vater gefangen zu nehmen und den Haifischen zum Fraß vorzuwerfen.

Jetzt hatte er gehandelt wie ein Pirat. Er hatte einen schlimmen Feind ausgeschaltet. Ihn einfach unschädlich gemacht. Ihn ermordet.

Aber es fühlte sich nicht gut an. Der Heldentraum, unter der Spüle geträumt, war im Norder Tief geplatzt.

Gern hätte er in sein Tagebuch geschrieben oder gezeichnet. Aber seine Finger konnten jetzt keinen Stift halten. Er hoffte, dass die Schnitte nicht zu tief waren und alles wieder gut zusammenwachsen würde. Für einen Zeichner und Graffitikünstler wie ihn waren die Finger das eigentliche Werkzeug.

Er hörte über den Kopfhörer Bettina Göschls Piratenlieder und sang wieder im *Chor der Meuterer* mit. Er bewegte seine Lippen, aber er gab keinen Laut von sich, wie damals unter der Spüle.

Wir haben dem König das Gold geklaut und *Piraten Ahoi* waren kämpferische Lieder, die ihm oft neuen Lebensmut gegeben hatten. Diese Piratensongs brachten Optimismus in sein Leben. Die Gewissheit, dass die Welt veränderbar war. Dass nichts bleiben musste, wie es war.

Er brauchte die Lieder, um sich nicht die Pulsadern aufzuschneiden. Ja, das glaubte er, und er hätte sich lieber die Zunge abgebissen, als es jemandem zu erzählen.

Jetzt, da er sie hörte und die Augen fest geschlossen hielt, bevölkerten seine starken Piratenfreunde wieder den Raum und schützten ihn. Aus seinem Zimmer wurde ein Schiff, das von hohen Wellen hin und her geworfen wurde, aber nicht kenterte.

Eine Weile befand sich Anke Reiter in totaler Angststarre. Sie saß hellwach in einem Albtraum fest. Diesmal konnte sie keine Tabletten nehmen. Stimmungsaufheller versagten, und ein Mobiles Einsatzkommando wäre vermutlich wirksamer gewesen als Benzodiazepine.

Sie war seine Gefangene, daran gab es keinen Zweifel. Aber er benahm sich nicht, wie sie sich einen Geiselnehmer,

Einbrecher oder Vergewaltiger vorstellte. Er sprach leise, blieb höflich, bewegte sich in ihrer Ferienwohnung aber, als sei er hier zu Hause. Er trank ihren entkoffeinierten Kaffee und lobte ihn. Er öffnete jeden Schrank und sah sich alles genau an. Die Vorräte amüsierten ihn mehr, als dass sie ihn beruhigten.

Er lobte sie: »Da haben Sie echt vorausschauend gehandelt, Anke. Ich darf Sie doch Anke nennen? Aber keine Sorge, so lange bleibe ich nicht. Verstehen Sie mich nicht falsch, es gefällt mir durchaus bei Ihnen, aber ich habe eine Menge zu tun. Ich bin rein geschäftlich hier. Leider. Nicht als Tourist.«

Er war sich seiner Sache absolut sicher. Er hatte sie bisher weder gefesselt noch geknebelt. Es war ein bisschen, als hätte sie Besuch.

Sie war kurzatmig und hatte Mühe, nicht zu hecheln. Sie fürchtete, zu hyperventilieren, doch das geschah nicht. Sie war nur ganz kurz davor.

Ihr Mund war sehr trocken von der schnellen Atmung. »Bitte, tun Sie mir nichts«, flehte sie. »Ich mache alles, was Sie wollen, aber bitte fügen Sie mir keine Schmerzen zu!«

Er sah aus, als würde er sich genieren, als sei ihm peinlich, was sie von ihm dachte. »Nein, so einer bin ich nicht«, versprach er, und es klang wie eine Rechtfertigung.

Es wunderte sie, wie wichtig es ihm war, was sie von ihm dachte. Auf keinen Fall sollte sie ihn für einen Vergewaltiger halten.

»Ich bin«, erklärte er sich, »ein Hitman. Ein Auftragskiller. Ich vergewaltige keine Frauen. So etwas tun nur die letzten Versager. Ich habe das immer verabscheut.«

Sie glaubte ihm. Die Verachtung, mit der er über Vergewaltiger sprach, hörte sich für Anke echt an. Das half ihr bei der Atmung und nahm etwas Druck aus der Situation.

»Wir haben hier nur wenig Bargeld, aber ich habe eine Kontokarte. Ich kann Ihnen die Geheimzahl geben, und Sie können sich selbst Geld ziehen«, schlug sie vor.

»Das ist nett«, bedankte er sich, »aber ich brauche Ihr Geld nicht. Ich habe viele Probleme, finanzielle gehören nicht dazu.«

»Was wollen Sie dann von mir?«

Er lächelte und zeigte auf den Vorratsschrank. »Können Sie mir einen von Ihren Eintöpfen machen? Oder wenigstens Spaghetti Bolognese? Ich brauche etwas Warmes.«

Sie willigte sofort ein. »Mögen Sie Eintopf? Ich könnte Ihnen einen Linseneintopf oder einen Erbseneintopf anbieten. Mein Mann Sven steht total auf Eintopf.« Sie öffnete den Schrank und zeigte ihre Arbeit: »Hab ich alles fertig in Gläsern. Auch Rouladen oder Gulasch halb und halb.«

»Eine Frau, die noch einkocht. Ich habe es wirklich gut getroffen«, freute er sich.

Er fläzte sich auf dem Sofa herum, legte die Füße hoch und beschäftigte sich mit seinem Handy. Sie ging in die Küche. Er konnte sie vom Sofa aus beobachten, aber das Display seines Handys war doch interessanter. Ihres lag auf dem Tisch. Er hatte es neben seiner Kaffeetasse platziert. Es schien ihm fast wichtiger zu sein, ihr Handy unter Kontrolle zu haben, als sie selbst.

Es gab Waffen in der Küche. Messer zum Beispiel. Traute er ihr nicht zu, sie zu benutzen? Sendete sie so starke Signale der Kapitulation aus, fragte sie sich, oder wollte er sie provozieren, einen Befreiungsversuch zu machen?

Als sie ein Messer aus dem Block zog, sagte sie wie zu

sich selbst, aber zur Rechtfertigung in seine Richtung: »Ist alles schon fertig, aber ich brate dazu immer ein paar frische Sachen an. Allein der Duft ... «

Wahrscheinlich ging er davon aus, einen Kampf leicht gewinnen zu können und damit wäre dann gleich alles klargestellt. Er hatte keine Angst davor, dass sie ein Messer benutzte.

Nein, sie hatte nicht vor, es auf einen Kampf mit ihm ankommen zu lassen. Sie würde versuchen, nett zu sein. Vielleicht so etwas wie eine Beziehung zu ihm aufzubauen, um ihn sanft zu stimmen. Er machte ohnehin keinen gewalttätigen Eindruck. Er schien ein gebildeter, höflicher Mensch zu sein. Kein Drogensüchtiger. Kein Durchgeknallter. Kein sadistischer Gewaltverbrecher. Das sagte sie sich zur eigenen Beruhigung.

»Haben Sie«, fragte sie aus der Küche, »diese Männer getötet, die man nackt gefunden hat?«

Er blickte vom Handy nicht hoch. »Ja«, antwortete er knapp.

»Den Herrn Spix kannte ich. Ein unangenehmer Mensch.« Sie schüttelte sich.

»Was wissen Sie über ihn?«

»Er ... er ist ein Freund der Familie Wewes. Er kommt allerdings meist montagmorgens ... « Sie stockte, als würde es ihr erst jetzt auffallen. »Wenn Herr Wewes zur Arbeit ist und ihr Sohn in der Schule ... Nicht, dass Sie jetzt etwas Falsches denken ... Die Frau Wewes ist eine hochanständige Frau ... «

Er lachte. »Auch anständige Mädchen tun es, aber das interessiert mich nicht. Erzählen Sie mir etwas über den Sohn. Diesen Niklas. So heißt er doch, oder?«

Sie erschrak. Ein Löffel entglitt ihr und fiel auf den Boden. War er wegen Niklas gekommen?

»Das ist ein netter Junge. Er macht manchmal Besorgungen für mich. Ordentlich ist er und fleißig.«

Tatie lachte: »Eine richtige Vorzeigefamilie, diese Wewes, was?«

»Ja«, bestätigte Anke. »Herr Wewes ist, glaube ich, krank. Er hat es im Magen, und Niklas ist …«, sie glaubte selbst nicht, dass sie diesem fremden Mann gegenüber etwas aussprach, was sie ihrem Mann und allen anderen Menschen gegenüber geleugnet hätte: »Ich glaube, er ist ein bisschen in mich verliebt … «

»Kann ich gut verstehen«, bestätigte Tatie. »Sie sind eine wirklich gutaussehende Frau mit einem netten, einnehmenden Wesen. Keine von diesen kalten Schnepfen. Ich war als Junge auch in eine Nachbarin verknallt … «

Wir unterhalten uns hier wie zwei Vertraute, dachte sie. Es begann fast, Spaß zu machen. Seine Komplimente taten ihr gut.

Er sah sich jetzt sein Messer an. Er ging liebevoll damit um. Die Klinge glänzte.

Sie verstand nichts von Messern, aber der Holzgriff wirkte edel.

»Sind Sie«, fragte sie, »Dr. Bernhard Sommerfeldt, der berühmte Serienkiller, der in Norddeich nicht weit von hier eine Hausarztpraxis hatte?« Sie zeigte hin, als könne man vom Fenster aus das Haus sehen, was aber nicht der Fall war.

Er richtete sich durchaus geschmeichelt auf, verneinte aber: »Ich bin kein Serienkiller. Ich bin ein Hitman. Das ist etwas ganz anderes. Ich töte für Geld. Es ist mein Beruf.

Ich bin Geschäftsmann.« Er grinste und gebrauchte jetzt ein Wort, das neuerdings in aller Munde war: »Ein Soloselbständiger ... wenn Sie so wollen.«

»In der Zeitung ist von einem Serienkiller die Rede. Holger Bloem hat geschrieben, dass ...«

Tatie stand auf und kam zu ihr in die Küche. »Sehen Sie«, sagte er stolz, »dieser Bloem und dieser Deppe, die schreiben genau, was ich will. Und alle schreiben von den beiden ab. Die sollen ruhig ihren Serienkiller jagen. In der Zeit erledige ich hier souverän mein Handwerk.«

Sie gab ihm die Bewunderung, die er sich erhoffte. »Sie legen die praktisch alle rein?«

»Ja«, freute er sich geschmeichelt, »das ist mein Job.«

Er sah sich ihre Bücher an und blätterte in Bastian Bielendorfers *Lehrerkind*. »Das habe ich auch gelesen«, behauptete er.

»Auch Lehrerkind?«, fragte sie.

Er sagte nichts. Entweder war es ihm unangenehm, oder er wollte nicht so viel von sich preisgeben. Sie versuchte, ihn einzuschätzen, aber immer, wenn sie glaubte, ihn gerade richtig zu spüren, entzog er sich oder wechselte das Thema. Indem sie ihn beobachtete, gewann sie Sicherheit zurück.

Jetzt hielt er das Buch von Rolf Kiesendahl hoch, das ihre Schwester Sabine ihr beim letzten Treffen geschenkt hatte. »*Komma bei den Oppa*«, las er vor. »Sie sind echt aus dem Pott?«

»Gelsenkirchen«, bestätigte sie.

»Noch mehr Pott geht gar nicht«, lachte er.

Sie zerkleinerte eine Knoblauchzehe. »Sie mögen doch Knoblauch?«

»O ja, ich liebe Knoblauch. Damit müssen Sie nicht geizen. Man soll ja jetzt sowieso Abstand halten. Wen stört es dann noch?«

Als sie eine Zwiebel auf das Brett legte und sie teilen wollte, stand er plötzlich so dicht neben ihr, dass sie ihn riechen konnte. Er legte seine rechte Hand auf ihre. Jetzt hielten sie das Messer zu zweit. Er führte die Klinge, indem er ihre Hand fest umschloss. Sie passte zweimal in seine. So schnell hatte sie noch nie eine Zwiebel zerhackt.

»Wir werden uns gut verstehen«, sagte er. Er setzte sich auf die Arbeitsplatte und sah ihr zu. Später aß er direkt aus dem gusseisernen Topf. Er wollte keinen Teller. Er pfiff auf Tischmanieren. Etwas an ihm war wild und fürchtete sich davor, domestiziert zu werden.

Er hatte doch vor, länger zu bleiben, das war klar. Wo sollte er auch hin?

Sie fragte sich, wie der erste gemeinsame Abend aussehen würde. Da er schwieg und aß und sie den Gesprächsfaden nicht abreißen lassen wollte, fragte sie ihn: »Werden wir heute Abend vor dem Fernseher sitzen? Chips essen und Nüsse knabbern? Oder wie geht es weiter?«

Sie kam sich sehr mutig und forsch dabei vor.

Mit vollem Mund über den Topf gebeugt, grinste er: »Wir können uns auch etwas vorlesen. Das gefällt mir.« Er tippte sich gegen die Stirn: »Dann passiert mehr im Kopf. Meinetwegen Bielendorfer. Das ist wenigstens lustig. Aber *Komma bei den Oppa* klingt auch nach einem schönen Abend.«

Sie konnte sich sogar vorstellen, dass er das ernst gemeint hatte.

Er lobte den Linseneintopf und betonte, dass er sich auch schon auf die Rouladen freue. Er trank ein großes Glas Leitungswasser und bat sie, noch einen Kaffee aufzusetzen,

aber diesmal mit Koffein, er brauche einen kleinen Munter-
macher: »Und ruf bitte deinen kleinen Verehrer an und bitte
ihn zu uns hoch.«

»Niklas?«

»Ja, hast du noch mehr?« Er hielt sich eine Hand vor den
Mund. »Oh, entschuldige, ich bin jetzt einfach so ins Du
gerutscht. Aber wenn ich es recht überlege, habe ich alle
Frauen, die mir schon einmal Linseneintopf gekocht oder
einen Gugelhupf gebacken haben, geduzt.«

Sie hakte nicht nach, was er mit dem Gugelhupf sagen
wollte. Ob das eine Aufforderung war, mit dem Backen zu
beginnen? Sie fragte stattdessen unsicher: »Sie werden ihm
doch nichts tun?«

Er zeigte seine offenen Handflächen vor und scherzte:
»Mord ist nicht mein Hobby, sondern mein Beruf. Ich töte
nicht aus Spaß. Ich werde nicht von Hass oder Missgunst
getrieben. Ich bin wirklich Geschäftsmann.«

»Und was bedeutet das für Niklas? Was wollen Sie von
ihm?«

»Sollen wir uns nicht doch besser duzen?«, schlug er vor.

»Was wollen Sie von Niklas?«, beharrte sie.

Er klatschte sich auf die Schenkel: »Du bist verliebt in ihn,
nicht umgekehrt!«

»Bin ich nicht!«, protestierte sie.

»Doch, und wie!«

»Nein!«

»Aber klar. Du hast Angst um ihn.«

»Na und?«

Er holte zu einer Erklärung aus: »Wenn ich jetzt gehe, hast
du dann Angst, dass ich irgendwo in Norddeich einen Polizisten umlege oder einen anderen Menschen, den ich zufällig

treffe? Nein, hast du nicht. Und warum nicht? Weil du zu ihnen keine Beziehung hast. Sie sind dir egal. Aber mit Niklas verbindet dich etwas. Du willst ihn schützen.«

Sie machte einen verwirrten Eindruck, was in ihm den Verdacht bestärkte, sie sei tatsächlich in den Jungen verknallt.

Sie rief Christina Wewes an und erkundigte sich freundlich nach Niklas.

»Der Tod von Uwe hat ihn sehr erschüttert«, flüsterte Christina, als sei es ein Geheimnis. »Er macht einen tief getroffenen Eindruck. Das ist ja auch alles ganz fürchterlich. Er hat Uwe sehr gemocht. Er war ja sogar mal mit ihm zum Angeln. Es täte ihm bestimmt gut, wenn er von dir auf andere Gedanken gebracht werden würde. Willst du ihn mal besuchen kommen? Er hat sich in seinem Zimmer eingeschlossen. Ich komme gar nicht an ihn ran. Er steht wie unter Schock. Ich habe mich schon gefragt, ob ich Frau Doktor Scholle anrufen soll, aber es ist ja nicht körperlich … Mehr psychisch. Der Junge ist doch so sensibel. Der verpackt das alles nicht so leicht.«

Tatie hörte mit und deutete mit dem Zeigefinger ein Nein an. Er hatte keineswegs vor, sie nach unten gehen zu lassen. Er war zwar freundlich, aber nicht verrückt.

Anke versprach, jederzeit für Niklas da zu sein, aber doch lieber zu warten, bis er zu ihr käme. Sie wolle sich schließlich nicht aufdrängen.

Nach dem Telefonat holte Tatie Kabelbinder aus seinem Werkzeugkoffer. Er bat höflich um Verständnis: »Ich werde jetzt duschen. Ich habe die Nacht im Auto verbracht. Du verstehst sicherlich, dass ich vorsichtig sein muss. Ich werde dich an die Heizung fesseln. Das ist doch okay für dich?«

Sie war damit überhaupt nicht einverstanden. Ihr Herz schlug sofort heftig. Sie spürte es im Hals und im Magen. Jetzt nahm sie das Du doch an: »Aber du kannst mir vertrauen!«

»Stimmt, aber das kann ich noch besser, wenn du gefesselt bist«, gab er mit sanfter Stimme zurück und stellte sich hinter sie. »Deine Hände«, bat er freundlich.

Als sie spürte, wie er das Plastik um ihre Handgelenke legte, rollte eine Träne aus ihrem rechten Auge über ihre Wange.

Rupert hatte sich eine Yogalehrerin ganz anders vorgestellt. Sanft. Mit liebevoll ruhiger Stimme. Auf jeden Fall nicht so kratzbürstig wie Kerstin Schatz.

Im Auto, auf der Fahrt nach Wildeshausen, hatte er Jessi Jaminski von seiner Frau Beate erzählt. Beate machte nicht nur Yoga, sondern auch Reiki, was immer das war. Sie hatte es oft an ihm ausprobiert. Er fand es auch angenehm, hatte aber keine Ahnung, was sie da machte. Meist schlief er dabei ein, aber hinterher waren seine Kopfschmerzen weg. Manchmal ging es sogar seinem Rücken besser. Es war für ihn eine Art Heilung durch Handauflegen.

Beate bestritt das. Sie heile nicht, sondern aktiviere seine Selbstheilungskräfte, sagte sie immer wieder. Ihm war es wurst, was passierte, solange es nicht weh tat und Beate glücklich machte. Reiki war ihm jedenfalls viel lieber als Yoga, weil er beim Reiki weniger selbst machen und sich nicht so verrenken musste.

Er fühlte sich, da er auch einige von Beates Yogafreundinnen kannte und mit zweien von ihnen eine kurze Affäre gehabt hatte, sozusagen als Fachmann in diesen Kreisen.

Kerstin Schatz war schlank und gelenkig, hatte ein kantiges Gesicht und schulterlange, rostrote Haare. Ihre Zähne waren von diesem strahlenden Weiß, das man eigentlich nur aus der Fernsehwerbung kennt. Ihre Fingerkuppen wiesen aber braune Nikotinflecken auf. Wenn eine Raucherin so weiße Zähne hatte, musste sie entweder leidenschaftliche Zähneputzerin sein oder ein superstarkes Zahnweißungsmittel benutzen.

Kerstin Schatz hatte ein recht angespanntes, um nicht zu sagen, schwer belastetes Verhältnis zur Staatsmacht und zur Polizei im Besonderen. Sie übte sich in gendergerechter Sprache, aber immer wieder rutschten ihr Begriffe wie *Bulle* oder *Bullenschweine* heraus. Sie hatte keineswegs vor, Rupert und Jessi hereinzubitten, obwohl er betont freundlich um ein Gespräch bat.

Nachdem Rupert sein Sprüchlein aufgesagt hatte, schwieg sie, verschränkte die Arme vor der Brust und funkelte ihn an. Ihm war klar, dass sie nach einer frechen Antwort suchte, die zwar böse, aber nicht justiziabel war.

Wie zur Antwort auf seine Frage oder um ihn auszulachen, schnatterten hinter ihm auf der Hunte ein paar Stockenten. Drei Männchen mit ihren grün metallisch glänzenden Köpfen legten eine Wasserlandung hin und jagten ein eher unscheinbares Weibchen, das sich aber gut zu wehren wusste.

Ihr »Räp, räp, räp« hörte sich für Rupert an wie: »Hä, hä, hä«. Er fühlte sich nicht zum ersten Mal von Enten ausgelacht. Deshalb bestellte er sich im China-Restaurant gern Ente, denn wer zuletzt lacht, lacht am besten, sagte er sich grimmig.

Kerstin Schatz war jetzt so weit. Sie hatte sich sortiert und sagte: »Ich bin nicht verpflichtet, Ihnen Auskunft zu geben. Sie befinden sich auf Privateigentum. Bitte verlassen Sie sofort das Grundstück. Wenn Sie Fragen an mich haben, können Sie die gerne schriftlich stellen.«

Sie wollte die Tür schon wieder schließen, doch Rupert hatte seinen Fuß so gestellt, dass es nicht ging. Kerstin Schatz feuerte wütende Blicke ab und stieß die Tür zweimal gegen Ruperts Schuh. Er lächelte und deutete auf seinen Fuß: »Das lernen wir nicht während der Ausbildung. Das hat mich das Leben gelehrt: Wenn jemand etwas zu verbergen hat, knallt er einem gern die Tür vor der Nase zu.«

»Ich weiß nicht, von welchem Mann Sie reden, wenn Sie *Er* sagen. Aber eins weiß ich: Wenn Polizist*innen in eine fremde Wohnung wollen, brauchen sie dafür einen Beschluss. Das geht nicht ohne Richter*innen oder Staatsanwält*innen.«

Jessi versuchte, die aus ihrer Sicht fast gleichaltrige Geschlechtsgenossin zu überzeugen: »Wir ermitteln in einem Mordfall. Eine Serie, um genau zu sein. Da wäre es sehr hilfreich, wenn Sie ...«

Kerstin Schatz war keineswegs einsichtig. Ihre Wut auf die Polizei war immer noch heiß und kochte gerade über: »Ja, dann hauen Sie mich doch nieder! Verdrehen Sie mir den Arm, bis er auskugelt! Machen Sie nur! Mir passiert das nicht zum ersten Mal. Hinterher zeigen Sie mich dann an, wegen Widerstands gegen die Staatsgewalt! Kenne ich alles!«, keifte sie.

Jessi blieb ruhig: »Wir sind hier, weil wir ein Gespräch mit Ihnen führen wollen.«

»Ich aber nicht mit Ihnen!«

»Wir können Sie auch vorladen«, drohte Jessi.

Rupert reichte es. Er stieß die Tür auf und betrat den Flur. Ein Kleiderständer fiel um. »Wir können sie auch einfach verhaften und mitnehmen«, sagte er zu Jessi. Dann baute er sich vor Kerstin Schatz auf und tönte: »Ich verhafte Sie wegen dringenden Mordverdachts in drei Fällen!«

Kerstin Schatz tippte sich gegen die Stirn und fragte bissig: »Warum machen Sie diesen Job? Haben Sie nichts Anständiges gelernt? Verschafft Ihnen das irgendeine innere Befriedigung?«

»Ja«, gestand Rupert, »es verschafft mir eine tiefe innere Befriedigung, Schwerverbrecher einzusperren. Es ist nicht so gut wie guter Sex, aber besser als schlechter ...«

Jessi staunte, welchen Stuss Rupert redete. Sie war sich auch nicht mehr sicher, ob diese Verhaftung hier rechtens war. Sie fragte Rupert: »Ist denn Gefahr im Verzug?«

»Offensichtlich«, behauptete Rupert. »Sie will fliehen. Wir haben sie gerade noch erwischt ...«

»Fliehen?«, fragte Jessi ungläubig.

Rupert deutete auf die Kleidungsstücke am Boden und den umgefallenen Kleiderständer. »Sie packt gerade. Überall liegen Klamotten herum. Eindeutige Situation.«

»Boah, was seid ihr denn für korrupte Bullen!«, schimpfte Kerstin.

Rupert zeigte auf Jessi und konterte: »Sie ist, wenn überhaupt, eine Kuh. Ich bin ein Bulle. Da wollen wir doch mal geschlechterkorrekt bleiben. Und wieso korrupt? Wollen Sie uns Geld anbieten?«

Kerstin Schatz ging rückwärts immer weiter ins Haus, das Rupert unheimlich war. Allein die vielen Bücher gaben ihm das Gefühl, blöd und unbelesen zu sein. Hier klebte so viel

Wissen an den Wänden, als bräuchte man kein Google mehr, wenn man nur genügend Platz im Buchregal hatte.

»Haben Sie«, fragte Jessi freiheraus, »Herrn Jakob Bauer umgebracht?«

Kerstin Schatz lachte schallend. »Nein, habe ich nicht. Aber ich habe es ihm gegönnt. Er hat diesen Nazischeiß organisiert. Eine Demo der Nationalsozialisten. Erst ein paar Wochen her. Er war da eine ganz zentrale Gestalt. Kein Mitläufer. Ein Täter! Rassistisch. Corona-Leugner. Militant. Ein Frauenschläger. Sein Mörder hat einen Preis verdient. Aber ich war es nicht.«

Rupert formulierte es so genau wie möglich: »Müsste es nicht Mörder*innen und Nationalsozialist*innen heißen? Wir wissen nämlich noch nicht genau, ob wir es mit einem Täter oder einer Täterin zu tun haben. Im Moment stehen Sie jedenfalls unter dringendem Tatverdacht. Sie können uns gern bei einem Glas Wasser ein paar Fragen beantworten, aber wir nehmen Sie auch mit, wenn Sie darauf bestehen. So einfach ist das.«

Jessi und Rupert sahen an Kerstins Körperhaltung, dass sie bereit war nachzugeben. Sie zierte sich zwar noch ein bisschen, ging aber schon in Richtung Küche voraus. Es stand eine Menge schmutziges Geschirr herum. Auf den Stühlen Bücherstapel, über den Stuhllehnen Kleidungsstücke.

»Unsere Spülmaschine ist kaputt«, beteuerte sie.

»Wir sind nicht vom Gesundheitsamt«, sagte Rupert.

Kerstin Schatz ging noch einmal zum Angriff über: »Müssten Sie nicht einen Mund-Nasen-Schutz tragen?«

»So sehr stinkt's hier auch wieder nicht«, erwiderte Rupert.

»Seit wann kennen Sie Herrn Bauer?«, fragte Jessi.

Kerstin ging ins Arbeitszimmer und holte ihren Laptop. Sie baute ihn auf dem Tisch auf. Sie wollte nicht, dass die Polizisten in ihr Arbeitszimmer kamen.

Als Erkennungsmelodie ertönte die *Internationale*.

»Wir, also das Bündnis *Oldenburg ist bunt, nicht braun* und ich, beobachten ihn schon lange ...«

Fotos erschienen auf dem Bildschirm. Bauer mit anderen in Phantasieuniformen bei Schießübungen.

»Warum«, fragte Rupert, »haben Sie uns diese Aufnahmen nicht geschickt? Wir hätten ...«

Kerstin Schatz unterbrach ihn scharf: »Wollen Sie mich verarschen? Die Waffen haben die doch von euch. Ihr deckt die doch die ganze Zeit, rüstet sie auf und alimentiert die ganze Bande.«

»Nein«, widersprach Rupert, »die Waffen haben die nicht von uns, sondern von der Bundeswehr. Wir haben solche Sturmgewehre gar nicht.«

So, wie Kerstin guckte, machte das für sie keinen Unterschied. Aber Jessi hakte nach: »Wieso alimentieren wir die?«

»Na, der hat doch ständig Geld von euch bekommen.«

»Woher wollen Sie das wissen?«, fragte Rupert verblüfft.

Kerstin lachte und fragte Jessi gespielt komplizenhaft: »Stellt der sich so blöd an, oder hat der echt 'ne Macke?«

»Nee«, sagte Rupert provozierend, »ich bin so blöd.«

»Also«, stöhnte Kerstin, »das weiß im Grunde doch jeder. Der hat ja richtig damit angegeben, dass der Staatsschutz ihn angeworben hat, um Informationen zu bekommen. Das finden die nämlich alle ganz toll. Das wertet die auf, dass ihr sie für so interessant und gefährlich haltet. Das Geld hat er dann in die politische Arbeit gesteckt, wie er das nannte, der Arsch.«

»Wer weiß das alles?«, fragte Rupert.

Kerstin sah ihn lange an und fragte mit süffisantem Grinsen zurück: »Sie meinen jetzt, außer den Nazis und den Antifagruppen?«

Rupert nickte.

»Nun, ein paar Millionen YouTube-Nutzer könnten es schon wissen. Und dann weiß ich nicht, wie hoch die Einschaltquote im Fernsehen war, als die Reportage lief.«

Sie klickte auf dem Computer herum und zeigte ein YouTube-Video.

»Wieso steht da NDR?«, fragte Rupert.

»Na, weil das eine NDR-Reportage war. Sag ich doch. Hier, da, das ist der.«

Mit stolz geschwellter Brust erklärte Bauer, umringt von übergewichtigen Kameraden: »Ja, ich wurde vom Verfassungsschutz angeworben. Das zeigt ihre Hilflosigkeit. Ich habe jeden Cent, den ich von denen bekommen habe, in den Aufbau der Organisation gesteckt. Alles andere könnte ich mit meinem nationalen Gewissen gar nicht verantworten.«

Jemand mit rundem Gesicht klopfte ihm auf die Schultern.

»Mir wird schlecht«, stellte Jessi trocken fest.

»Da kann einem ja auch schlecht von werden«, bestätigte Kerstin.

»Eigentlich«, erläuterte Jessi, »bekämpfen wir doch so etwas.«

»Klar. Eigentlich. Aber uneigentlich macht ihr das erst groß, was ihr zu bekämpfen vorgebt. Nee, Freunde, wenn ihr wirklich auf der anderen Seite steht, dann habt ihr euch hier nicht gerade mit Ruhm bekleckert. Der verspottet euch doch noch öffentlich.«

»Kann ich mal ein Glas Wasser haben?«, fragte Rupert.

Kerstin hielt ein Glas unter den Wasserhahn und sagte nachdenklich: »Ihr zwei habt echt keine Ahnung, in welchem Verein ihr arbeitet und mit wem ihr es hier zu tun habt, was?« Sie reichte Rupert das Glas, und er trank.

Ungefragt ließ Kerstin auch ein Glas für Jessi volllaufen. »Bei diesem Typen da, denkt ihr, dass der für euch bei den Nazis ist. Aber das ist ein Irrtum. Die denken, dass er für ihre Bewegung bei euch ist. Er spioniert die nicht für euch aus, sondern euch für die. Und ihr bezahlt den. Ihr habt die Busse finanziert und die Flugblätter. Die Waffen sind auch von euch!« Sie klopfte sich erneut gegen die Stirn, diesmal nicht mit dem Finger, sondern mit der ganzen Faust. »Mann, wie blöd seid ihr eigentlich?«

»Frage ich mich auch langsam«, gab Jessi zu.

Rupert wollte wissen: »Würden Sie diese Aussage auch vor Gericht wiederholen?«

Kerstin spottete: »Klar. Und ich schicke euch auch noch den YouTube-Link, falls ihr den selbst nicht mehr wiederfindet.«

Rupert sagte im Befehlston zu Jessi: »Wir fahren jetzt.« Er deutete ein Kopfnicken als Verabschiedung für Kerstin an. »Ich danke Ihnen für die Zusammenarbeit. Bitte halten Sie sich zu unserer Verfügung. Verlassen Sie das Land nicht.«

»Wie denn?«, spottete sie. »Die Grenzen sind dicht. Ich wäre froh, wenn ich meine Yogagruppe weiter leiten dürfte. Von irgendwas muss ich ja leben. Von euch bekomme ich nämlich nichts.«

Schon in der Tür, drehte Rupert sich noch einmal um und sagte zu der jungen Frau: »Ich verstehe Ihren Frust. Aber wir sind nicht so, wie Sie denken.«

»Echt nicht«, bekräftigte Jessi.

Als sie das Haus verlassen hatten und in den Dienstwagen stiegen, lachten die Stockenten schon wieder ausgesprochen dreckig, fand Rupert.

Das Gespräch ließ Dana Dymna keine Ruhe. Sie hatte Gewissensbisse, weil sie Niklas Wewes diesem Polizisten gegenüber, dessen Namen sie nicht einmal wusste, belastet hatte. Sie betrachtete die Visitenkarte, die Ann Kathrin Klaasen ihr gegeben hatte. In ihrer Vorstellung war diese Kommissarin eine kluge, verständnisvolle Frau. Sie würde ihr Anliegen eher verstehen als die Männer. Überhaupt fragte sie sich, warum sie sich diesem Kommissar anvertraut hatte und nicht der Frau.

Sie machte zwei Anläufe anzurufen, schreckte aber bei den letzten Zahlen zurück und drückte das Gespräch wieder weg. Sie wusste nicht, wie sie beginnen sollte. Es war alles so unendlich peinlich und schwierig. Wenn sie sich vorstellte, dass jetzt ein paar Männer in der Polizeiinspektion saßen und sich die Filmchen anguckten, die Spix von ihr gedreht hatte, wäre sie am liebsten gestorben. Sie wollte keinem dieser Männer von Angesicht zu Angesicht gegenüberstehen. Sie schämte sich so sehr, aber mit dieser Kommissarin konnte sie vielleicht reden …

Sie stand auf der Terrasse des Hauses, das auf sie wirkte, als seien die bösen Geister, die hier hausten, erst jetzt sichtbar geworden. Sie umschloss das Kreuz, das an ihrem Hals hing, mit der Hand. Sie ballte die Faust drum herum, als dürfe der gekreuzigte Gott nicht hören, was sie zu sagen hatte.

Sie übte ihre Sätze ein: »Liebe Frau Kommissarin, ich habe mit Ihrem Kollegen gesprochen. Bitte ... ich wollte Niklas nicht beschuldigen! Ich habe nur gesagt, was ich gesehen habe. Aber es war auch schon dunkel, und ich konnte nicht alles gut erkennen. Vielleicht habe ich mich auch getäuscht. Bitte, Frau Kommissarin, die Familie darf nicht erfahren, dass Sie es von mir wissen. Die haben hier Freunde, sind anerkannte Menschen ... Ich bin eine Saisonarbeiterin aus Polen.« Leise, nur für sich selbst, fügte sie hinzu: »Die sich für eine billige Wohnung zur Hure gemacht hat.«

Nein, dachte sie, es müsste heißen, *gemacht wurde*. Sie war wütend auf sich und fragte sich, warum sie das alles mit sich hatte machen lassen.

Was war aus ihr geworden?

Rupert hatte schon während der Rückfahrt herumgebrüllt. So ungehalten hatte Jessi Rupert noch nie gesehen. Sie steuerte den Wagen. Er telefonierte die ganze Zeit. Er hörte sich an, als wäre er der Kripochef persönlich. Besonders im Gespräch mit Martin Büscher fiel ihr das auf.

Rupert ließ nichts gelten, was Büscher sagte: »Nein, verdammt, ich will an keiner Videokonferenz teilnehmen! Kein Zoom oder Skype, auch kein Hangout oder wie der ganze Scheiß heißt. Die sollen bei uns antanzen! Besonders die Arschgeigen aus Osnabrück und die Helden vom BKA, die uns so tapfer unterstützen, weil wir ostfriesischen Einfaltspinsel von der Küste ja ohne sie nichts geregelt bekommen ... Nein, ich sage dir nicht, worum es geht, Martin. Dir nicht und auch sonst niemandem. Ich möchte das gerne den

Saftsäcken und *innen direkt ins Gesicht sagen. Ich will sehen, wie ihre dummen Gesichtszüge entgleisen.«

Um ihn zu beschwichtigen, zeigte Jessi ihm den erhobenen Daumen. Sie wusste nicht genau, ob er sich nur aufspielte, um vor ihr den großen Macker zu markieren oder ob er echt auf hundert war.

Der Chef, Martin Büscher, rief zurück, und sie verstand ihn nicht genau, aber er drohte Rupert mit Konsequenzen, das war klar.

»Dienstvorschriften?!«, lachte Rupert. »Ja, gerne, lass uns über Dienstvorschriften reden. Aber wenn alle Pfeifen dabei sind. Die sollen das ruhig hören.« An Jessi gewandt, fragte er: »Kann man Pfeifen auch gendern? Es sind doch nicht nur Männer Pfeifen. Heißt das dann Pfeif*innen?«

»Pfeifen ist bereits weiblich«, antwortete sie ruhig. »Die Pfeife heißt es, und in der Mehrzahl die Pfeifen. Da sind dann Männer und Frauen mit gemeint, glaube ich.«

Weller lüftete den großen Besprechungsraum. Jetzt gab es darin zwar genug Frischluft, aber leider waren es auch nur noch knapp elf Grad. Ann Kathrin fror und zeigte es auch. Weller – ganz Gentleman – bot ihr seine Jacke an. Sie lehnte ab.

An der Sitzung nahmen Klatt vom BKA, Kripochef Büscher, Ann Kathrin, Weller, Rupert und Jessi teil. Die Kollegen aus Osnabrück waren nur auf dem Bildschirm zu sehen.

Büscher wollte einführen und sprach von neuen Erkenntnissen, die der Kollege Rupert gleich präsentieren würde.

Rupert flippte jetzt erst richtig aus. Er brüllte abwechselnd den Bildschirm und dann Klatt an: »Wieso«, schrie Rupert, »wissen wir nicht, dass ein Toter ein V-Mann von uns war?«

»Weil das, verdammt nochmal, geheim ist«, konterte Klatt.

Ann Kathrin stöhnte. Rupert hatte also recht. Sie wechselte mit Weller wissende Blicke. Den beiden war das ganze V-Leute-Prinzip schon lange zuwider. Es gehörte zu einer Grauzone. Zu Menschen, die außerhalb der Gesetze und der Gerichtsbarkeit standen.

Ann Kathrin wollte ihre Meinung sagen, doch Rupert war nicht zu bremsen: »Geheim? Wie bescheuert seid ihr eigentlich? Das ist ermittlungsrelevant! Wenn ich von einer Verdächtigen erfahre, was eigentlich in den Akten stehen müsste, dann fühle ich mich verarscht!«

»Zu Recht«, warf Weller ein.

Aus Osnabrück kam auch eine Antwort. Mit piepsiger Stimme behauptete ein Mann, der wie eine heisere Frau klang: »Das machen wir zum Schutz unserer V-Leute. Das ist allgemein so üblich. Sie tauchen nie offiziell in den Akten auf.«

»Zum Schutz?«, spottete Rupert.

»Na, das hat ja toll geklappt. Der Typ ist tot«, kommentierte Weller.

Ann Kathrin sprach, ohne sich zu melden: »Kollege Rupert drückt es zwar etwas drastisch aus, aber er hat im Prinzip völlig recht. Es ist ein Unding, dass uns bei den Ermittlungen nicht alle Fakten vorliegen. Es geht hier nicht um ein paar geknackte Zigarettenautomaten, sondern um eine Mordserie.«

Jetzt setzte Rupert seine entscheidende Trumpfkarte ein:

»Fragt sich eigentlich niemand, woher die verdächtige Person das alles weiß – wenn es doch in keiner von unseren Akten steht und nicht einmal die ermittelnden Kollegen informiert worden sind?«

Büscher blickte sich im Raum um und guckte dann zum Bildschirm, auf dem vier Gesichter aus Osnabrück zu sehen waren. Alle guckten ratlos.

Rupert brüllte: »Weil sie es im Fernsehen gesehen hat! Eine Reportage des NDR. Gibt es noch in der Mediathek und auch auf YouTube.«

Weller griff sich an den Kopf. Jetzt machte er wieder so ein Gesicht, als würde er am liebsten den Dienst quittieren und eine Fischbude in Norddeich eröffnen.

Ann Kathrins Seehund heulte. Sie guckte unwillkürlich auf ihr Handy und fing sich einen tadelnden Blick von Büscher ein, weil sie ihr Handy nicht auf Lautlos gestellt hatte, was bei Dienstbesprechungen eigentlich so vorgesehen war, woran sich aber kaum jemand hielt. Sie stand auf und ging zum Telefonieren in den Flur.

Weller fischte eine Deichgrafkugel aus seiner Tasche, wickelte voll konzentriert die Praline aus dem goldenen Papier, betrachtete sie in aller Ruhe und steckte sie in den Mund. Er schloss die Augen und genoss das Zerknacken der Kuvertüre. Er war sich bewusst, dass ihn alle ansahen. Sie warteten auf Ann Kathrin, und er wollte ihre Aktion nicht kommentieren. Als er den Arrak und das Marzipan schmeckte, hörte er Ann Kathrin im Flur fragen: »Welcher Kollege? Erinnern Sie sich an den Namen, Dana?«

Sie lief aufgeregt im Flur auf und ab. Ihre Schuhe waren zu hören. Sie trug nie hohe Absätze, sie behauptete, auf Stöckelschuhen gar nicht laufen zu können.

Rupert fühlte sich um seine Show betrogen. »Ja, was jetzt?«, fragte er.

Schon stand Ann wieder im Türrahmen. Sie steckte ihr Handy ein und blies sich die Haare aus dem Gesicht. »Hat einer von uns Dana Dymna besucht?« Als müsse sie noch erklären, wer das war, fügte sie hinzu: »Die Mieterin von Uwe Spix.«

Rupert schüttelte den Kopf, Klatt und Büscher zuckten verständnislos mit den Schultern. Die Osnabrücker kamen ohnehin nicht in Frage.

»Was wird hier eigentlich gespielt?«, wollte Ann wissen. »Ermittelt hier außer uns noch eine Behörde? Spielt jemand ohne unser Wissen sein eigenes Spiel?« Sie setzte sich, ohne eine Antwort erhalten zu haben. Sie beugte sich vor. »Dana Dymna ist eine polnische Saisonkraft, die bei Uwe Spix zur Miete wohnt. Sie hat Niklas Wewes am Mordabend beobachtet, wie er Spix zum Angeln gefolgt ist. Sie verrät uns das, will aber mit ihrer Aussage nicht in Verbindung gebracht werden.«

Klatt winkte ab. Für ihn war der Hinweis damit wertlos. Ann Kathrin sah das anders. Sie guckte Weller an. Der erhob sich. Er kaute noch und sah beglückt aus. Er liebte diese Kugeln. Im Rausgehen gab er eine davon Rupert und flüsterte ihm zu: »Schokolade fragt nicht. Schokolade hilft einfach.«

Rupert verstand.

Ann Kathrin sagte in die Runde: »Wir besuchen den Jungen jetzt.«

»Die Dienstbesprechung ist noch nicht beendet«, schimpfte Klatt.

Ann Kathrin schloss die Tür.

»Das sieht sie anders«, grinste Rupert und packte seine Deichgrafkugel aus. Er roch demonstrativ daran. »Hmmm …«

Jessi hielt sich die Hand vor den Mund, damit die Chefs nicht sahen, wie viel Spaß ihr diese ostfriesische Sturheit machte, mit der Ann Kathrin, Weller und Rupert agierten. Sie war froh, ein Teil dieses Teams zu sein.

Wenige Minuten später parkten Ann Kathrin und Weller vor Wewes' Haus. Eine weiße Katze mit schwarzen Ohren und schwarzem Schwanz schlich durch den Vorgarten und belauerte einen Maulwurfshügel. Das Tier wurde durch Ann Kathrin und Weller von seinem Vorhaben abgelenkt. Es sah sie aus großen, blauen Augen an.

Weller war die Katze irgendwie unheimlich. Sie guckte so wissend und hatte etwas Erhabenes an sich. Ann Kathrin hätte sie am liebsten auf den Arm genommen, doch die Siamkatze huschte weg, als die beiden ihr zu nahe kamen.

Ann Kathrin klingelte. Frau Wewes öffnete. Sie war freundlich und hilfsbereit und bat beide ins Haus. Es roch säuerlich und trotz der Freundlichkeit stellte Ann bei sich selbst eine Beklemmung fest, die mit jeder Minute, die sie im Haus verbrachte, anwuchs.

Die Frau hatte offensichtlich mit dem Erscheinen der Polizei gerechnet. War sie gewarnt worden? Sie sprach ungebremst und beantwortete Fragen, die ihr noch gar nicht gestellt worden waren. Ann Kathrin kannte so ein Verhalten von Menschen. Manche Leute wurden nervös und verfielen in eine Art Sprechdurchfall, als könnten sie damit irgendetwas aufhalten. Zum Beispiel die Frage: *Wo waren Sie gestern Abend* oder *Haben Sie Herrn Soundso umgebracht?*

Weller und Ann Kathrin wussten jetzt, dass Spix ein alter Freund der Familie war. Herr Wewes lag angeblich mit einer Magen-Darm-Grippe im Bett, wollte aber wegen Corona auf keinen Fall in eine Arztpraxis, sondern sich lieber zu Hause auskurieren. Christina versuchte, das Gespräch auf die irrwitzige Corona-Situation zu lenken und betonte immer wieder, so etwas noch nicht erlebt zu haben.

»Haben wir alle nicht«, gab Weller ihr recht.

Dreimal betonte sie, wie wichtig *Social Distancing* sei, dabei kam sie Ann und Weller aber viel zu nah. Beide wichen aus. Ann Kathrin räusperte sich: »*Social Distancing* brauchen wir eigentlich gar nicht.«

Christina Wewes staunte: »Wie?«

»Politiker sagen das ja in jeder Talkshow, aber soziale Distanz ist nicht das, worum es geht. Physische Distanz ist wichtig, damit wir uns nicht anstecken. Sozial wäre es für uns alle besser, wenn wir jetzt sogar näher zusammenrückten, um als Gesellschaft nicht zu zerbrechen.«

Weller wunderte sich, dass Ann es schaffte, so eine klare Argumentation innerhalb der Wortlawinen, die Frau Wewes auf sie einprasseln ließ, loszuwerden. In der Tat stoppte sie damit Christina Wewes für einen Moment. Die Frau sah aus, als würde Luft aus ihr entweichen. Sie schrumpfte richtig. Ihre Körperspannung ließ für Sekunden nach, dann, als hätte sie selbst den Befehl dazu gegeben, verkrampfte sie wieder und ihr Gesicht wurde puppenhaft.

»Wir würden gern Ihren Sohn sprechen. Ist der zu Hause?«, fragte Ann.

»Meinen Sohn? Niklas?« Sie sagte das, als hätte sie vergessen, wie viele Kinder sie zur Welt gebracht hatte. Sie rieb sich das Gesicht und seufzte: »Niklas geht es auch nicht gut. Ich glaube, er hat sich bei meinem Mann angesteckt.«

Weller war schon fast so weit zu sagen: *Dann kommen wir besser ein anderes Mal wieder*, denn er konnte sich etwas Schöneres vorstellen, als sich einen Magen-Darm-Virus zu fangen, aber Ann Kathrin ließ sich nicht so leicht abwimmeln: »Ich würde ihn trotzdem gern sprechen. Oder ist er nicht vernehmungsfähig?«

Das Wort *vernehmungsfähig* elektrisierte Frau Wewes. Sie wurde ganz quirlig und bewegte sich hektisch.

Versucht sie, uns mit ihrem nicht abreißen wollenden Redefluss aufzuhalten, damit ihr Sohn türmen kann, fragte Weller sich und wurde ungeduldig. Da kam Niklas, der die Stimmen im Flur gehört hatte, aus seinem Zimmer. Er sah wirklich krank aus. Verschwitzt und mit fiebrigen Augen.

Frank Weller trat unwillkürlich einen Schritt zurück. Er, der sonst gar nicht so empfindlich war, wollte sich nicht gerne von ihm anatmen lassen.

Ann Kathrin stellte sich vor, obwohl sie Niklas vom Sehen her kannte. Aber wer kannte sich in Norden nicht? Dies war eine kleine Stadt. Wenn die Touristensaison vorbei war, begegnete man auf der Straße, im Supermarkt und im Café nur bekannten Gesichtern. Gerade deshalb stellte sie sich, wenn sie dienstlich wurde, immer noch einmal korrekt vor, denn jetzt kam sie nicht als die freundliche Nachbarin, der man auf dem Fahrrad am Deich begegnen konnte, sondern als ermittelnde Hauptkommissarin der Mordkommission.

Niklas hörte sich alles an, trat von einem Bein aufs andere, während sein Adamsapfel rauf und runter hüpfte. Er hatte rote Flecken im Gesicht, die rasch größer wurden.

Christina Wewes stellte sich so, als wolle sie verhindern, dass Weller und Ann ihren Sohn mitnehmen konnten. Sie machte den Eindruck einer Frau, die bereit war, sich heulend vor die Tür zu werfen.

»Wir ermitteln in der Mordsache Spix. Sie kannten sich.«

Niklas zuckte mit den Schultern und starrte auf seine Füße. »Ja. Klar.«

»Wann haben Sie ihn zum letzten Mal gesehen?«

Niklas überlegte. Ann Kathrin kannte den Gesichtsausdruck, den Menschen hatten, wenn sie vorspielten, über etwas nachzudenken, das sie aber in Wirklichkeit ganz genau wussten. Menschen, die echt versuchten, sich zu erinnern, sahen ganz anders aus. Dann gab es noch die Coolen, die ein Pokerface aufsetzten, um nach Möglichkeit undurchschaubar zu bleiben. Weller nannte sie die *Clint-Eastwood-Gesichter*. Aber so einer war Niklas nicht.

»Ich glaube, am Montag«, sagte er, guckte hoch und blickte seine Mutter an. Dann bestätigte er seine eigene Aussage, als hätte er sie gerade anhand seiner Notizen überprüft. »Ja. Am Montag. Er kam morgens zu Besuch.«

Christina Wewes beteuerte: »Er hat uns einen Räucheraal mitgebracht. Er ging gern angeln.« Sie verschwand in die Küche und kam mit dem Aal zurück, als müsse ihre Aussage durch Indizien bewiesen werden.

»Setzen wir uns doch«, schlug sie vor, aber Ann Kathrin und Weller wollten den jungen Mann lieber alleine sprechen.

»Was halten Sie davon«, schlug Ann Kathrin vor, »wenn wir einen kleinen Spaziergang an der frischen Luft machen? Ist pandemiebedingt doch sowieso besser für uns alle.«

Niklas stimmte fast erleichtert zu. Damit hatte Weller überhaupt nicht gerechnet.

Frau Wewes machte sich gleich Sorgen, ihr Sohn sei zu leicht angezogen und könne sich erkälten. Sie brachte ihm eine dicke Jacke, einen Schal und eine Wollmütze. Niklas war das unangenehm.

Weller scherzte: »Wir fahren doch nicht zum Skilaufen.«

Als Weller und Niklas die Wohnung verlassen hatten, setzte Ann sich mit Frau Wewes in die Küche und fragte: »Was hat Ihr Sohn an der Hand?«

»Er ist wohl beim Radfahren unglücklich gestürzt.«

»Wann war das?«

»Gestern, oder ... Nein, lassen Sie mich nicht lügen ... Vorgestern.«

Ann Kathrin wollte wissen: »Wer hat ihn verarztet?«

»Ich.« Frau Wewes winkte ab. »Alles halb so wild.«

Ohne auch nur ein Wort darüber zu verlieren, gingen Weller und Niklas in Richtung Deich. Darüber war keine Absprache zwischen ihnen nötig. Alles andere wurde schwierig. Schon nach den ersten Schritten fragte Niklas vorsichtig tastend: »Brauche ich einen Anwalt, wenn ich mit Ihnen rede?«

»Bei einer polizeilichen Vernehmung hat der Beschuldigte selbstverständlich einen Rechtsanspruch auf einen Anwalt.« Weller blieb stehen und lächelte Niklas an. Er versuchte, so etwas wie ein Vertrauensverhältnis aufzubauen. »Der Anwalt muss nicht gut sein, aber er sollte dabei sein«, lachte Weller. »Aber mal ehrlich – brauchen wir zwei Männer, die am Deich spazieren gehen wollen, um sich zu unterhalten, wirklich einen Anwalt? Wollen wir überhaupt einen Dritten dabeihaben?«

Weller boxte Niklas aufmunternd gegen den Oberarm. Niklas boxte zurück.

Sie drehten sich um und sahen zum Haus. Ihnen bot sich eine fast kitschige Idylle. Auf dem Dach saß eine Möwe. Auf der Dachrinne ein halbes Dutzend Spatzen, die zu der Möwe hochguckten. Ein Bild wie für eine Postkarte. Aber Idyllen und gepflegten Vorgärten misstraute Weller schon lange.

»Ich würde mich gerne mit dir über Uwe Spix unterhalten.«

Niklas nickte, sagte aber nichts. Sie gingen eine Weile nebeneinander her. Niklas wirkte nicht nachdenklich, sondern eher in sich versunken. Er begann schon wieder, sich zu verschließen, bevor er sich richtig geöffnet hatte, befürchtete Weller. Er versuchte, ihn mit einer weiteren Frage aus der Reserve zu locken: »Kennst du einen Lehrer namens Heiko Janßen? Oder einen Jakob Bauer? Hat Uwe Spix diese Namen vielleicht mal erwähnt?«

»Jakob Bauer?«

»Ja, Jakob Bauer aus Aurich.« Weller beobachtete den Jungen genau. Ihm durfte jetzt nichts entgehen. Ann Kathrin behauptete, Menschen könnten mit Worten perfekt lügen, aber ihr Körper und ihre Bewegungen würden sie meist verraten.

»Den kennt doch jeder«, antwortete Niklas.

»So? Wie kommst du denn darauf?«

»Ach, Herr Kommissar, das ist doch ein Rechtsradikaler. Der nutzt jede Gelegenheit, um sich zu profilieren und in Szene zu setzen. Der will sich bekannt machen. Der Arsch hat bei uns vor der Schule Flugblätter verteilt. Er wollte unbedingt unserer Schülerzeitung ein Interview geben …«

»Und? Habt ihr ihn interviewt?«

Niklas zuckte mit den Schultern. »Keine Ahnung. Ich bin nicht in der Redaktion. Erschienen ist jedenfalls nichts.«

Weller konnte aus Niklas' Art zu reden und zu gehen keine Rückschlüsse auf den Wahrheitsgehalt seiner Aussagen ziehen. Er gestand sich ein, dass Ann Kathrin in solchen Fragen einfach besser war oder zumindest so tat als ob.

»Und dieser Spix«, fragte Weller, »war das auch so einer?«

»Nee«, sagte Niklas, ohne zu überlegen, »der war nicht rechts ... Ich glaube, Politik hat den gar nicht interessiert ... «

»Sondern?«

Niklas schien wieder in sich zu versinken, ging dabei aber zielstrebig auf den Deich zu, der jetzt wie eine gerade grüne Linie vor ihnen lag, hinter der sich das Meer verbarg.

Wellers Frage blieb unbeantwortet, deshalb konkretisierte er: »Sondern für was hat Herr Spix sich interessiert?«

Niklas blies heftig Luft aus: »Fürs Fischen zum Beispiel. Und er spielte gerne Schach.«

»Habt ihr mal gegeneinander gespielt?«

»Hm. Drei-, viermal.«

»Wer hat gewonnen?«

»Ich.«

»Spielst du gut?«

»Nicht im Verein oder so ... «

»Aber du hast Uwe Spix geschlagen.«

»Ja. Er war ein lausiger Schachspieler.«

»Mochtest du ihn?«

»Er ist ein Freund meiner Eltern.«

Weller fand die Antwort ausweichend. Dahinter verbarg sich mehr.

»Wie war dein Verhältnis zu ihm?«

»Gut. Sehr gut. Wir mochten uns.«

»Hast du einen Verdacht, wer ihn umgebracht haben könnte?«

»Keine Ahnung. Ich dachte immer, der Alkohol wird ihn eines Tages umbringen …«

»War er ein Säufer?«

»Sind das nicht alle Erwachsenen?«

Weller staunte über die Gegenfrage und behauptete: »Ich jedenfalls nicht.«

Ann Kathrin sah sich das Buchregal in Niklas' Zimmer an. Frau Wewes hatte es mit den Worten erlaubt: »Wir haben nichts zu verbergen.«

Ann Kathrin fand das Tagebuch. Sie blätterte. Sie las sich nicht fest. Ihr wurde heiß und kalt. Sie überlegte, ob es sinnvoll wäre, das Tagebuch zurückzustellen und erst mit einem Durchsuchungsbeschluss zurückzukommen, um es dann zu finden. Dieses Tagebuch würde vor Gericht eine wichtige Rolle spielen. Sie musste die ganze Sache so angehen, dass sie im Prozess nicht das wichtigste Beweismittel verlor. Sie wollte keine Fehler machen.

Sie fotografierte ein paar eindeutige Seiten und stellte das Buch zurück.

Frau Wewes kam ins Zimmer und fragte erneut, ob sie Ann Kathrin nicht doch ein Stückchen Kirschkuchen anbieten könne, sie habe noch selbstgemachten. Es war ihr auf eine fast aufdringliche Art wichtig, dass Ann Kathrin irgendetwas von ihr annahm. Einen Kaffee. Ein Glas Tee. Ein Wasser. Kuchen. Irgendetwas.

Vielleicht, dachte Ann, hätte ich besser einen Spaziergang mit ihrem Sohn gemacht. Weller würde garantiert nicht nein sagen. Einer guten Tasse Kaffee und einem Stückchen Kuchen konnte er nicht widerstehen.

Sie rief ihn an. Wellers Handy war immer sehr laut eingestellt. Sie musste damit rechnen, dass Niklas zuhörte. Außerdem bekam Frau Wewes alles mit, was sie sagte. Sie wählte ihre Worte folglich mit Bedacht. Am liebsten hätte sie gesagt: *Kassier ihn ein, Frank. Sei vorsichtig, er ist höchstwahrscheinlich bewaffnet.* Stattdessen ließ sie es wie einen Vorschlag klingen: »Vielleicht kann Niklas uns in die Firma begleiten. Ich würde ihm gerne ein paar Sachen zeigen. Ich denke, er kann uns weiterhelfen.«

Sie fand, dass sie es klug und unverdächtig formuliert hatte, doch nicht nur Weller kapierte sofort. Frau Wewes starrte Ann Kathrin zornig an und fauchte: »Heißt das, mein Sohn ist verhaftet?«

Ann Kathrin versuchte immer noch, alles runterzuspielen: »Das ist keine Verhaftung. Wir sind auf der Suche nach der Wahrheit und … «

Clemens Wewes torkelte aus dem Schlafzimmer herbei. Er war auf eine trockene Art besoffen. Nüchtern verhielt er sich in Stresssituationen manchmal, als sei er völlig blau. Vielleicht, dachte seine Frau, ist er einfach ein cholerischer, hochaggressiver Mensch, der den Alkohol als Entschuldigung für sein Verhalten vorschiebt.

»Der Junge war die ganze Nacht hier!«, brüllte er. Er sah aus, als wolle er auf Ann Kathrin losgehen. Das war die typische Wuthaltung. Den Kopf vorgeschoben, die Beine schulterbreit, die Arme unter Spannung, als wolle er zupacken.

Männer, die unbedacht angreifen, haben kurz vorher etwas von einem gereizten Stier, der die Hörner senkt, dachte Ann Kathrin. Sie hatte gelernt, mit wutgesteuerten Männern umzugehen. Clemens Wewes war nicht der Erste, der durch Ann Kathrin die Erfahrung machen musste, wie schmerzhaft es war, mitten im Angriff gestoppt zu werden.

Jetzt lag er im Flur wie ein auf den Rücken gefallener Käfer und zappelte mit den Beinen. Schon war seine Frau bei ihm, um ihm zu helfen. Sie bat Ann Kathrin: »Bitte tun Sie ihm nicht weh. Er meint das nicht so! Er ist im Moment nur ... «

Solche Sätze kannte Ann Kathrin. Warum, fragte sie sich, haben so viele Frauen das Gefühl, ihre Männer in Schutz nehmen zu müssen? Besonders wenn sie ihnen vorher Schwierigkeiten bereitet haben.

»Schlägt er Sie?«, fragte Ann Kathrin.

Christina Wewes schüttelte vehement den Kopf und kniff dabei die Lippen fest zusammen. Auch das kannte Ann Kathrin von Frauen, die sich selbst verboten zu sprechen.

Bei Frank Weller lief es nicht viel besser ab. Niklas hörte Ann Kathrins Worte durch Wellers viel zu lautes Handy. Er rannte sofort los. Weller hinterher. Gegen den jungen Mann hätte er eigentlich keine Chance gehabt, aber Heinz Edzards, ein ehemaliger Buchhändler, der sich in Ostfriesland als Bassist einen Namen gemacht hatte, bog gerade mit dem Fahrrad in die Siedlung ein. Er war auf dem Weg zu Bettina Göschl, mit der er schon manchmal aufgetreten war. Jetzt, da alle Veranstaltungen abgesagt worden waren, hatte er die

Zeit genutzt und Vanillekipferl gebacken. Er wollte ihr eine Dose bringen.

Niklas warf Mülltonnen um, um Weller die Verfolgung zu erschweren. Heinz musste den Tonnen ausweichen. Er war mit dem Rad schnell auf Niklas' Höhe und pflaumte ihn an: »Hey?! Was soll denn das? Hast du Corona im Gehirn?«

Niklas stieß den Radfahrer weg. Heinz Edzards fiel auf die Straße. Die Kekse kullerten über den Boden. Sie sahen ein bisschen aus wie fette, frisch gepulte Krabben.

Weller packte Niklas und japste: »Danke, Heinz. Hast du dich verletzt?«

Heinz Edzards stand auf und klopfte sich die Kleidung ab. »Nein, aber die Vanillekipferl sind hin.«

Niklas wollte sich losmachen, aber Weller hielt ihn fest im Griff, ohne ihm weh zu tun. Das konnte sich allerdings rasch ändern.

»Ich könnte dein Weglaufen als Fluchtversuch werten, und wenn du so weitermachst, kommt noch Widerstand gegen die Staatsgewalt dazu.«

Als würde Luft aus Niklas weichen, wirkte er plötzlich kleiner und schmächtiger. Auf eine gewisse Art hilflos. Doch Weller blieb auf der Hut. Das konnte auch eine Finte sein.

»Deinen Job möchte ich auch nicht haben«, sagte Heinz und hob sein Rad auf. Schon waren Amseln und Dohlen da und kümmerten sich um die Vanillekipferl. Auch eine lärmende Spatzengruppe machte sich Hoffnungen.

»Bitte sei jetzt vernünftig, Niklas. Mach nicht noch mehr Schwierigkeiten. Oder muss ich dir Handschellen anlegen?«, zischte Weller mit unterdrückter Wut.

Niklas tastete sein Gesicht und seine Arme ab, als sei er nicht sicher, ob er sich verletzt habe oder nicht.

Heinz Edzards fragte: »Brauchst du meine Hilfe, Frank?«

Weller bedankte sich höflich für das freundliche Angebot, betonte aber seine Hoffnung, alleine mit »dem Lümmel« fertigzuwerden. Heinz verabschiedete sich.

Ich habe echt *Lümmel* gesagt, dachte Weller. Dabei habe ich es hier eigentlich mit einem Typen zu tun, der drei Menschen getötet hat. Warum geniere ich mich, ihn in Handschellen abzuführen? Weil dies Norddeich ist? Weil ich das selber nicht wahrhaben will?

Er schob den Jungen vor sich her. Dabei schielte er zu den Häusern. Viele Menschen waren jetzt zu Hause. Er vermutete sie hinter den Fenstern. Er schämte sich, wie damals, als er mit seinem Vater in Madrid die Stierkampfarena *Las Ventas* besucht hatte.

Zunächst hatte er sich sogar darauf gefreut. Wann machte sein Vater schon mal etwas mit ihm? Wenn er die Geschichte heutzutage erzählte – und das tat er nicht oft – sagte er jedes Mal dazu: »besuchen musste«. Aber damals war es zunächst kein Muss gewesen, sondern eine Freude, und er wollte doch auch so gerne ein harter Mann sein. Er stellte sich Toreros mutig vor. Doch dann war ihm schlecht geworden. Dem Vater gegenüber stellte er es so dar, als habe es an der brütenden Hitze gelegen. Aber sie wussten beide, dass es das Blut gewesen war. Das Gemetzel.

Die Stiere taten ihm leid. Das Zitroneneis war ihm wieder hochgekommen. Der Jubel und das Klatschen der vielen Zuschauer, wenn die Picaderos ihre Lanzen in den Stier stießen, widerten ihn an. Er hatte nicht länger hingucken können. Er schämte sich nicht nur, weil er damit bestätigte, dass er genau der Schwächling war, für den sein Vater ihn hielt, sondern diesmal schämte er sich auch noch für all diese Menschen, die hier mit ihm saßen. Er wollte keiner von denen sein. Nicht dazugehören!

Als er mit seinem Vater die Arena verlassen hatte, glaubte er noch lange, die Menschen könnten ihm ansehen, an welch schrecklichem Ritual er teilgenommen hatte, wenn auch nur als Zuschauer. Die normalen Leute würden ihn deswegen hassen.

Jetzt ging es ihm ähnlich. Diese Verhaftung vorzunehmen hatte etwas Peinliches, etwas Falsches an sich. Er wäre am liebsten nicht dabei gewesen und hätte es den anderen überlassen.

Um seine Professionalität zurückzugewinnen, fragte er: »Was ist das für eine Verletzung da an deiner Hand?« Er kämpfte damit, nicht mit kindlicher Stimme zu sprechen. Er drohte, wieder zum kleinen Jungen in Spanien zu werden statt zum erwachsenen Polizisten in Ostfriesland.

»Hab mich geschnitten.«

»Woran?«

»Am Messer. Oder dachten Sie an einen Löffel?« Niklas wunderte sich selbst über seine Frechheit. So kannte er sich gar nicht. Aber er hatte das Gefühl, sich Weller gegenüber einiges herausnehmen zu können.

Eine Lehrerin vom Ulrichsgymnasium erschien in der Polizeiinspektion am Markt in Norden und verlangte Ubbo Heide zu sprechen. Marion Wolters, die vorn am Eingang ihren Dienst verrichtete, der gern als *Stallwache* bezeichnet wurde, klärte die Frau auf: »Ubbo Heide arbeitet schon lange nicht mehr.«

Die Oberstudienrätin war gerade sechzig geworden. Sie sprach laut und deutlich, aber sie hörte schlecht. Sie fühlte sich nicht genügend beachtet und betonte: »Ich kenne Ihren Chef sehr gut, junge Frau. Bitte sagen Sie ihm, Frau Schwerdtfeger sei hier. Anastasia Schwerdtfeger.«

Marion Wolters wuchtete sich aus ihrem rückenfreundlichen Bürosessel hoch, um mit der Dame auf Augenhöhe zu sein. Jetzt sah sie, dass die Frau etwas mitgebracht hatte. Eine große, runde Dose, beklebt mit bunten Bildern. Fotos von Luftballons, Bonbons, Wolken und Torten. Darin konnte sich alles befinden. Lakritz. Pralinen. Kuchen. Oder eine Bombe.

Marion Wolters sprach mit doppelter Lautstärke gegen die Scheibe. Die Sprechanlage funktionierte seit dem Winter nicht mehr. Da ein neues Polizeikommissariat auf dem früheren Doornkaat-Gelände errichtet werden sollte, investierte niemand mehr in den Altbau am Markt, solange es dort nicht reinregnete, was aber nicht mehr lange auf sich warten lassen würde.

Das Ganze war nicht ohne Ironie, denn ein Norder Kommissariat war gegenüber der *Alten Backstube* in einer Weinschänke untergebracht. Das neue sollte auf dem Gelände einer ehemaligen Schnapsfabrik erbaut werden. Das gab zu viel Spott und Witzeleien Anlass.

»Ubbo Heide ist pensioniert!«, brüllte Marion Wolters. Sie staunte, wie feucht ihre Aussprache war. Speichelwölkchen klebten an der Scheibe. Sie wischte sie mit ihrem Ärmel ab.

»Deshalb geht es in Norden auch so drunter und drüber«, kommentierte Frau Schwerdtfeger.

Wie alle Polizistinnen wurde auch Marion Wolters immer wieder damit konfrontiert, dass einige Kriminelle Frauen immer noch nicht ernst nahmen. Damit konnte sie persönlich gut umgehen, und sie zeigte denen nur zu gern, dass das Patriarchat in Ostfriesland beendet war. Aber Frauen, die Frauen als Polizistinnen nicht für voll nahmen, machten Marion fuchsteufelswild.

Sie fauchte: »Hier arbeiten richtige Profis! Wir haben das gelernt! Polizistin ist ein richtiger Beruf. Also – wie kann ich Ihnen helfen?«

Die Dame guckte pikiert, tippte auf die Dose und sagte: »Diese Kekse habe ich von meinen Schülern zum Geburtstag bekommen.«

»Wie schön für Sie. Rührende Geschichte.«

Frau Schwerdtfeger musterte Marion Wolters, als könne sie per Augenschein ihren Intelligenzquotienten bestimmen. »Ich esse kein Weizenmehl«, stellte die Oberstudienrätin klar.

»Tja«, konterte Marion, »und Dinkelkekse schmecken halt nicht. Aber das ist kein Fall für die Polizei. Oder wollen Sie die Kekse Ihrem alten Freund Ubbo Heide schenken, weil sie Ihnen nicht schmecken?«

»Sie sind eine impertinente Person!«, schimpfte Frau Schwerdtfeger.

»Ja, danke für die Blumen. Was ist jetzt mit den Keksen? Sind sie vergiftet, oder was?«

Die Dame stellte sich anders hin, als würde sie erwarten, fotografiert zu werden: »Vergiftet nicht direkt, aber weil ich ja kein Weißmehl esse – das ist ja heutzutage alles genmanipuliert – hat mein Mann davon genascht.«

»Ja, dachte ich mir. Für Ihren Mann war das bestimmt noch gut genug ...«

»Was haben Sie gesagt, Kindchen? Sie nuscheln!«

Marion brüllte erneut: »Und, hat es Ihrem Mann geschmeckt?«

»Ja. Sehr sogar. Aber nun schreien Sie doch nicht so, das ist schlecht für die Stimmbänder. Davon kann ich ein Lied singen, nach fünfunddreißig Jahren im Schuldienst.«

Marion blickte demonstrativ auf ihre Armbanduhr. Die meisten Menschen verstanden einen solchen Hinweis. Nur deshalb trug sie diese Uhr. Um die Uhrzeit zu erfahren, blickte sie sonst immer auf ihr Handy.

Frau Schwerdtfeger seufzte: »Erst hat mein Mann ständig albern gekichert, dann wurde ihm schwindlig und er bekam Herzrasen.«

»In Ihrer Nähe blubbert mein Blutdruck auch in bedenkliche Höhe«, dachte Marion, sagte es aber nicht.

»Also, wenn Ubbo Heide hier noch etwas zu sagen hätte, würde er die Kekse sofort im Labor untersuchen lassen«, behauptete Frau Schwerdtfeger.

Marion lachte: »Sie glauben, Ihre Schüler haben Ihnen Haschischplätzchen gebacken? Na, dann müssen Sie aber beliebt gewesen sein bei denen.«

Die Dame stellte die Keksdose auf dem Tresen ab, trommelte kurz mit den Fingern darauf und schlug vor: »Tun Sie, was getan werden muss und grüßen Sie Ubbo von mir.«

Marion wollte die Sache offiziell machen. Sie fischte einen Papierbogen aus der Schublade, um eine Anzeige aufzunehmen. In dem Moment kamen Ann Kathrin und Weller mit Niklas ins Kommissariat.

Frau Schwerdtfeger verabschiedete sich. Sie kannte Niklas Wewes als introvertierten Schüler, der seinem Frust schon mal Ausdruck verlieh, indem er Schmierereien in Fluren, auf Häuserwänden oder auf Lehrerautos hinterließ, die er selbst

Graffiti nannte, die aber eben doch nur Schmierereien waren. Mal verewigte er sich mit Pinsel und Farbe, mal mit Spraydosen. Sein Pseudonym lautete *Pille*.

»Na«, fragte sie ihn, »haben sie dich mal wieder beim Sprayen erwischt, Pille?«

Weller staunte: »Ach – du bist Pille? Respekt, Respekt. Ich kenne ein paar deiner Arbeiten. Du hast es echt drauf. Du bist ja ein richtiges Talent.«

Kopfschüttelnd über so viel Unvernunft verließ Frau Schwerdtfeger die Polizeiinspektion und nahm sich vor, einen Brief an Ubbo Heide über die Zustände hier zu schreiben.

Ann Kathrin schlug Weller vor, zu Dana Dymna in die Itzendorfer Straße zu fahren, während sie sich mit Niklas unterhielt. Weller kapierte nicht sofort, warum. Sie klärte ihn kurz auf: »Jemand war bei ihr und hat sie befragt. Ich wüsste gerne, wer da noch mitspielt und in unserer Suppe rührt.«

»Ich auch«, grinste Weller.

Niklas hatte immer noch das Gefühl, ohne Anwalt besser klarzukommen. Er dachte nicht über Kosten nach, sondern er glaubte, es spräche für ihn, wenn er ohne Rechtsbeistand mit Ann Kathrin Klaasen sprach.

Sie ging mit ihm in den Verhörraum, entschied sich dann aber dagegen. Sie standen beide kurz unschlüssig herum, und Niklas bekam Schiss, als er den Tisch mit den zwei gegenüberstehenden Stühlen in dem sonst leeren Zimmer sah. Vielleicht wäre es doch gut, einen Anwalt zu verlangen, sagte er sich.

Ann Kathrin rief ihre Freundin Monika Tapper an. »Du, Monika, ihr dürft doch das Café im Moment nicht öffnen.«

»Ja, wir haben zu. Es gibt nur etwas zum Mitnehmen. Soll ich euch ein paar Stückchen Kuchen vorbeibringen?«

»Das ist lieb, aber darum geht es gerade nicht. Ich würde mich gerne mit jemandem in Ruhe unterhalten. Da ist so ein geschlossenes Café doch ideal, oder was denkst du?«

»Sicher«, freute Monika sich. »Gemütlicher ist es auch. Und ihr habt ausnahmsweise freie Platzwahl.«

Ann Kathrin sah Niklas an. »Was hältst du davon?«

Er war dabei.

Sie gingen über den Marktplatz zur Osterstraße nebeneinander her wie Mutter und Sohn. Bei *ten Cate* stand Jörg Tapper an der Tür. Er trug einen Mundschutz und achtete darauf, dass immer höchstens zwei Personen den Verkaufsraum gleichzeitig betraten. Er kannte die meisten mit Namen, sprach jeden an, bat um Verständnis und bot Desinfektionsmittel für die Hände an.

Am Schaufenster drückte eine junge Frau ihre Nase platt. Die Schuhe aus Schokolade in ihrer Größe faszinierten sie. Jörg gab ihrem Freund, der sie eigentlich weiterziehen wollte, einen Tipp: »Mit Schuhen und Schokolade kann man die meisten Frauen glücklich machen.«

Als er Ann Kathrin erblickte, war sein erster Impuls, sie zu umarmen. Er breitete die Arme schon aus, stoppte aber mitten in der Bewegung und ermahnte sich selbst: »Besser nicht.«

Ann Kathrin schlug ihm vor: »Wir machen eine Strichliste, Jörg, und wenn der ganze Spuk vorbei ist, dann holen wir jede einzelne Umarmung nach.«

Das war ganz nach seinem Geschmack.

Er leitete Ann Kathrin und Niklas durch zu Monika, die schon im Café wartete. Sie deutete auf einen Tisch, den sie bereits eingedeckt hatte. »Da seid ihr ungestört, und man sieht euch auch nicht sofort von draußen. Da sitzt sonst unser Schriftsteller immer gerne, wenn er in Ruhe schreiben will. Ich darf euch zwar nichts verkaufen, aber ich denke, niemand wird etwas dagegen haben, wenn ich euch einlade, unsere Eierlikörtorte zu probieren.« Da sie sich nicht gleich setzten, fragte Monika: »Oder wollt ihr lieber einen anderen Platz? Am Fenster kann es nur schwierig werden, wenn die Leute euch sehen, und denken, unser Café hat geöffnet.«

Ann Kathrin winkte ab. »Nein, nein. Es ist wunderbar hier, wo sonst euer Dichter sitzt.«

Monika brachte ihnen eine große Kanne Tee, zwei Stückchen Eierlikörtorte und noch ein paar Baumkuchenspitzen zum Probieren dazu. Dann ließ sie die zwei im großen Café alleine.

Das alles hatte nichts von einem Verhör an sich, fand Niklas. Er war jetzt froh, ohne Anwalt reden zu können. Mit Anwalt wären sie vermutlich kaum ins Café gegangen.

Mit Ann Kathrin zu reden fiel ihm leichter als mit Weller. Männern gegenüber war er eh immer misstrauisch. Frauen, die deutlich älter waren als er, konnte er kaum etwas abschlagen. Mädchen in seinem Alter dagegen nahm er kaum wahr. Und sie übersahen ihn ebenfalls.

Er hatte in der Tat nie eine bessere Eierlikörtorte gegessen. Sie war so fluffig, dass er fast vergaß, worum es in diesem Gespräch ging.

Ann Kathrin legte ihr Handy auf den Tisch und klickte die Fotos an, die sie von den Bildern in seinem Tagebuch gemacht hatte. Sie deutete auf einen Mann mit einem Messer in der Brust: »Ist das Uwe Spix?«

»Nein, das ist eine Zeichnung.«

»Du bist ein intelligenter Junge. Warum hasst du Spix so sehr, dass du davon träumst, ihn umzubringen?«

Niklas' Augen wurden feucht. Je mehr er sich dagegen sträubte, umso heftiger stiegen Wut und Trauer in ihm auf. Diese Frauen, dieses Café, die ganze Atmosphäre hier hatte etwas, das ließ Dämme in ihm brechen, die lange gehalten hatten. Die freundliche, zugewandte Art, mit der Ann Kathrin Klaasen und Monika Tapper sich gegenseitig behandelten, machte ihm deutlich, in welch verkrampfter, geheuchelter Wohlanständigkeit er zu Hause aufgewachsen war. Das hier empfand er als echt.

Ann Kathrin stellte keine Fragen mehr. Sie war jetzt nur noch eine gute Zuhörerin, die manchmal Tee nachgoss. Als er erst einmal stockend begonnen hatte, fühlte es sich befreiend an. Er erzählte von den Sauftouren seines Vaters und von Spix, der seine Mutter schlecht behandelt hatte.

Ann Kathrin trank ein großes Glas Wasser leer. Seine Geschichte rührte etwas in ihr an. Vielleicht empfand sie jetzt als Mutter, die ja selbst einen inzwischen erwachsenen Sohn hatte. Mehrfach sah sie Eikes Gesicht vor sich, während Niklas sprach.

Sie reichte Niklas eine Serviette. Erst dadurch merkte er, dass er weinte.

Von den Tabletten, mit denen sie sich gewehrt hatten, erzählte er aber nichts. Er hoffte immer noch, um ein Geständnis herumzukommen. Er versuchte, weiter zu verschweigen, was nie herauskommen durfte.

Er zog durchaus in Erwägung, den Mord an Spix zu gestehen. Das erschien ihm leichter, als über Antabus zu sprechen oder zu berichten, womit Spix seine Mutter erpresst und gezwungen hatte. Er hoffte immer noch, dass dies nicht ans Licht kommen würde.

»Wir sind beim Angeln in fürchterlichen Streit geraten. Ich habe ihm gesagt, dass er wie mein Vater ist, ebenfalls ein Säufer, und dass er uns in Ruhe lassen soll. Er ist sehr wütend geworden und hat mich ausgelacht, weil ich noch keine Freundin habe und so. Ich sei kein richtiger Kerl, hat er gesagt. Ein Wort ergab das andere, und dann haben wir uns nur noch angebrüllt. Er ist so ein blödes Schwein ... Ja, ich habe manchmal davon geträumt, ihn umzubringen. So was kennt doch jeder, dass man auf einen Menschen so wütend ist, dass man sich denkt, am liebsten würde ich den umlegen. Ich habe dann solche Bilder gemalt, stimmt schon. Aber ich hab's doch nicht getan!«

Niklas schwieg und aß alles, was er in die Finger kriegen konnte. Er stopfte sich den Mund mit Baumkuchenspitzen voll.

Ann Kathrin berührte das Pflaster an seiner rechten Hand. »Es würde mich gar nicht wundern, wenn bei der Analyse im Labor herauskommt, dass das Blut an Uwe Spix' Hals mit deiner DNA übereinstimmt.«

Niklas starrte sie an. Er erkannte, dass es keinen Sinn mehr hatte zu leugnen.

»Es war Notwehr«, behauptete er. »Er hat mich mit dem Fischmesser angegriffen.« Wie zum Beweis zeigte er seine rechte Hand vor.

»Du hast in die Klinge gegriffen«, stellte Ann Kathrin fest.

Er nickte.

»Das muss verdammt weh getan haben«, sagte sie.

Niklas stopfte sich die letzten Baumkuchenspitzen in den

Mund und sagte kauend: »Und dann habe ich ihn gewürgt, und irgendwann hat er sich nicht mehr bewegt.«

Krümel fielen aus seinem Mund.

»Und dann?«

»Dann bin ich abgehauen.«

Ann Kathrin spürte ein Schwindelgefühl. Mordgeständnisse begannen oft so. Erst leugnete der Täter, dann versuchte er, es als Notwehr hinzustellen, und schließlich kam die ganze Wahrheit raus.

Sie ging zur Toilette. Von dort aus rief sie Weller an: »Er hat gestanden, Uwe Spix umgebracht zu haben. Aber er war es ganz klar nicht. So, wie er es erzählt, kann es nicht gewesen sein. Er hat ihn nicht ausgezogen, nicht versucht, ihn zu entmannen. Er weiß nicht mal alles, was offiziell bekannt ist und in den Zeitungen stand. Der Junge deckt jemanden, wenn du mich fragst. Er weiß genau, wer es war und ...«

»Merkwürdig«, sagte Weller, »aber hier in der Itzendorfer Straße bin ich auch nicht wirklich weitergekommen. Dana Dymna sagt, der Mann sei um die vierzig gewesen. Sehr sympathische Ausstrahlung. Er hat sich nicht ausgewiesen. Für sie war völlig klar, dass er Polizist war, und ich vermute, das ist er auch. Bloß eben keiner von uns. Ich wette, der Verfassungsschutz hat hier seine Finger im Spiel. Aber was mich am meisten ärgert, ist, dass das ganze Haus mit Kameras verwanzt ist, wir aber trotzdem keine Aufnahmen von dem Typen haben, weil ich Idiot den zentralen Rechner abgebaut und zu Salander ins Labor gebracht habe. Die werten da jetzt noch eine ganze Weile dran aus.«

Ann Kathrin atmete schwer aus. Es schien sich alles gegen sie verschworen zu haben. »Du hast das völlig richtig gemacht, Frank.«

»Ach ja«, sagte Weller, »der Spaßvogel nannte sich Sherlock Holmes. Und er scheint sich in der Literatur auszukennen. Er wusste, dass Holmes mal in Irene Adler verliebt war, die einzige Frau, die wohl in seinem Leben jemals eine Rolle gespielt hat, wenn auch nur eine Nebenrolle. Er hat wörtlich aus einem Sherlock-Roman zitiert, wenn ich ihr glauben darf.«

»Ich weiß, was du denkst«, sagte Ann Kathrin. »Es gibt nicht viele Kollegen, die ständig mit literarischen Zitaten um sich schmeißen.«

»Wie wahr«, bestätigte Weller.

»Der Junge ist der Schlüssel«, sagte Ann Kathrin und ging ins Café zurück. Doch Niklas saß nicht mehr am Tisch.

Ann Kathrin sah Monika fragend an, die hinter der Verkaufstheke stand.

»Er hat sich für den Kuchen bedankt und sich dann freundlich verabschiedet. Er ist gegangen«, rief Monika aufgeregt. »War das nicht in Ordnung? Hätten wir ihn festhalten sollen?«

»Nein, nein, besser nicht!«

Ann Kathrin lief auf die Osterstraße. Von Niklas Wewes fehlte jede Spur.

Kripochef Martin Büscher stand mächtig unter Druck. Er hatte die leitende Oberstaatsanwältin Meta Jessen hinzugebeten.

Dirk Klatt behauptete, ganz ruhig zu sein, bebte aber vor Wut und wollte *endlich reinen Tisch machen.*

Meta Jessen weigerte sich zu kommen und schlug angesichts der Pandemie eine Zoom-Konferenz vor. Sie sei ohnehin im Home-Office.

Klatt fühlte sich – Corona hin, Corona her – dadurch noch mehr missachtet. Ihm kam das alles vor wie eine ostfriesische Verschwörung. Die zogen hier einfach stur und stümperhaft ihr eigenes Ding durch und schlossen jeden aus, der nicht zum internen Kreis gehörte. Damit musste endlich Schluss sein.

Nur Rupert und Jessi erschienen. Später konnte niemand sagen, wer die bunt beklebte Keksdose auf den Tisch gestellt hatte. Aber zweifelsfrei stand fest, dass Rupert sie geöffnet und die ersten zwei Kekse probiert hatte. Auch Klatt aß davon. Jessi mochte besonders die mit Kokos sehr gern.

Die Kollegen aus Osnabrück waren wieder per Bildschirm mit dabei, diesmal zu viert.

»Wo ist Frau Klaasen?«, fragte Klatt angriffslustig.

»Sie lässt sich entschuldigen«, sagte Jessi. »Sie wird aber versuchen, sich später noch zuzuschalten.«

Klatt ballte die rechte Faust, schlug damit aber nicht auf den Tisch, sondern ließ sie nur drohend darüber schweben. Was brachte es bei einer Videokonferenz schon, auf den Tisch zu hauen? War es inzwischen zeitgemäßer, die flache Hand gegen den Bildschirm zu klatschen, fragte er sich.

»Ich bin ja hier. Ich höre mir praktisch die Strafpredigt jetzt stellvertretend an. Weller und Ann würden das auch für mich tun«, kicherte Rupert. Er machte eine großzügige Geste und schlug vor: »Fragen Sie mich alles, was Sie wissen wollen … Ich gebe Ihnen gerne Auskunft.«

Er spielte irgendeine Rolle, das war Jessi gleich klar. Er redete plötzlich mit Klatt und Büscher, als seien sie seine Schüler. Die beiden fanden das überhaupt nicht witzig.

»Also, ich fasse mal den Stand der Dinge zusammen«, erklärte Dirk Klatt schlechtgelaunt. »Diese ostfriesische Gurkentruppe hier hat unseren Hauptverdächtigen während des Verhörs laufen lassen.«

Aus Osnabrück kam mit piepsiger Stimme die besorgte Nachfrage, ob er sich den Weg aus der Polizeiinspektion freigeschossen habe.

Rupert grinste breit: »Ja, mit einer Wasserpistole.«

Büscher wies Rupert mit einem wütenden Blick zurecht und erklärte dann mit belegter Stimme: »Die Vernehmung fand nicht bei uns statt, sondern in einem Café.«

Sofort kam aus mehreren Mündern die Verständnisfrage, weil man in Osnabrück glaubte, sich verhört zu haben.

»Ja, in einem Café«, bestätigte Klatt. Er benutzte das Wort *Café* abwertend und gleichzeitig klang es wie ein Triumph für ihn, als habe er damit bewiesen, mit was für Idioten er sich hier herumplagen musste.

Rupert nahm noch einen Keks und protestierte: »Das ist nicht irgendein Café. Das war bei *ten Cate*!«

»Das ist hier«, petzte Klatt in Richtung Osnabrück, »kein Einzelfall, sondern durchaus üblich. Das Café ist praktisch eine Außenstelle des Kommissariats.«

Rupert zog sich die ganze Keksdose an Land und kramte darin nach denen mit Schokolade. »Das ist so nicht richtig«, tönte er. »Manchmal waren wir auch im *Smutje*. Ann Kathrin hat da besonders gerne im Frühstücksraum auf dem Sofa …« Rupert hielt sich eine Hand vor den Mund und lachte, als hätte jemand einen guten Witz gemacht.

Klatt behauptete: »Unter Ubbo Heide hat hier jeder gemacht, was er wollte, aber…«

Büscher unterbrach ihn und relativierte: »Es kann durchaus im Zweifelsfall auch mal richtig sein, eine Befragung außerhalb der Inspektion durchzuführen. Zum Beispiel in einer Privatwohnung oder auch in einem Café. Das schüchtert Zeugen weniger ein. Gerade bei Kindern …«

Klatt ließ das nicht gelten: »Wir haben in Aurich extra einen Raum, der ist dafür sehr geeignet. Da haben wir sogar einen Spielteppich.« Er hätte am liebsten alle hier gefeuert. Auch Büscher. Das machte er gestisch deutlich. Er klagte weiter an: »Es gab keinerlei Sicherheitsvorkehrungen bei einem hochgefährlichen Mann.«

»Der Bengel ist siebzehn!«, lachte Rupert.

Fast genüsslich zählte Klatt die weiteren Versäumnisse auf: »Es wurde keine DNA-Probe genommen. Es gibt weder Tonaufnahmen noch eine unterschriebene Aussage. Wir haben nichts, außer dass wir den Täter gewarnt haben. Wir brauchen sofort eine Großfahndung!«

Rupert streckte die Zunge raus und zeigte auf den Bildschirm. »Großfahndung ist gut. Am besten vom Home-Office aus, oder was?« Er war von seinem eigenen Witz begeistert und klatschte sich auf die Oberschenkel. Jessi fand, wenn er so dreckig lachte, hatte er etwas von Jack Nicholson.

Weller meldete sich per Handy und richtete schöne Grüße von Ann Kathrin aus. Er sei im Hause Wewes. Dort sei der Junge aber nicht. Er habe seine Zahnbürste für einen DNA-Abgleich. Außerdem sein Tagebuch und darauf sei auch Blut von ihm. Das Haus solle Tag und Nacht überwacht werden, denn über kurz oder lang komme der Junge garantiert zurück.

Büscher fiel auf, dass Weller immer wieder *der Junge* sagte, als habe er vor, alles runterzuspielen. Er stellte sich vor, dass Ann neben Weller stand und mithörte.

Weller fragte, was denn so lustig sei, warum dieses Gekicher.

»Das weiß ich auch nicht«, grinste Klatt. Er galt nicht gerade als humorvoll, doch plötzlich wurde alles so witzig. Er hatte einen trockenen Hals und war gierig auf diese Kekse. Er brauchte jetzt dringend etwas Süßes. Rupert sah er nur noch verschwommen, wie ein Hologramm, das sich auflöste. Auch Büscher schien zu zerfließen.

In dem Moment riss Marion Wolters die Tür auf. Für Klatt hatte sie etwas von einem sehr fetten Racheengel an sich. Ihre Stimme hallte wie ein Echo in den Bergen: »Ach, hier sind die Kekse von Frau Schwerdtfeger!« Sie griff sich die Dose, aber Rupert war damit überhaupt nicht einverstanden. »Hey, hey, hey, das sind unsere Kekse!«

Marion war erschrocken, wie viele fehlten. »Habt ihr die alle gegessen?«

Klatt bohrte sich in der Nase, sah aus, als hätte er die Frage nicht verstanden und sagte: »Ich hätte Lust, nackt schwimmen zu gehen.«

»Mensch, ihr seid ja völlig bekifft!«, rief Marion.

Mit ausgestreckten Armen stellte Büscher sich vor den Bildschirm, als wolle er verhindern, dass die Kollegen aus Osnabrück Marion Wolters sehen konnten.

»Das ist hier normalerweise nicht so. Hier kifft niemand bei Dienstbesprechungen! Unsere Inspektion ist sogar eine rauchfreie Zone.«

Jessi glaubte, die Situation zu retten, indem sie rief: »Bildstörung! Bildstörung!« Gleichzeitig schaltete sie den Bildschirm ab und zog den Stecker. Jetzt lief alles auf Batterie weiter, aber das schnitt sie nicht mit. In Osnabrück konnte man zwar nichts mehr sehen, aber noch alles hören.

Büscher drehte sich zu Marion Wolters um. War sie tatsächlich nackt in den Raum gekommen, oder hatte er Halluzinationen?

»Also«, sagte Klatt und winkte Marion herbei, »ich hätte gerne ein großes Eis mit heißen Kirschen und einen Cappuccino bitte.«

»Ich bin keine Kellnerin, und dies hier ist kein Eiscafé! Gehen Sie doch nackt baden, wenn Sie so viel Lust drauf haben. Vielleicht gibt's da ein Eis.«

Rupert zeigte auf Klatt: »Zum Glück kriegen das die Clowns aus Osnabrück nicht mit!«

Aber aus Osnabrück ertönte eine Stimme: »Wir können euch zwar nicht mehr sehen, aber wir hören euch. Ist bei euch alles in Ordnung?«

Tatie spielte mit Ankes Handy herum. Er fühlte sich wohl mit ihr in der Ferienwohnung. Ihr Essen schmeckte ihm. Sie hatte eine nette, unaggressive Art. Auf ihrem Sofa konnte er sich gut ausstrecken, und er war nah am Zentrum des Geschehens. Zwar ging die Polizei unten im Haus ein und aus, doch sie kümmerten sich nur um die Wewes. Vermutlich glaubten sie, die Ferienwohnung stünde leer.

Er las im Internet die Berichte über den Mord am Norder Tief. All die Spekulationen amüsierten ihn. Der Tod von Uwe Spix wurde tatsächlich in eine Reihe gestellt mit den Hinrichtungen von Heiko Janßen und Jakob Bauer.

Tatie bewegte sich auf den Plattformen *Wi sünd Ostfreesen un dat mit Stolt* und *I love Norddeich* ❤ ❤ ❤ 😊.

Auch auf der Seite der *Norddeichverrückten* wurde heftig

diskutiert. Da er sich alles mit Ankes Handy ansah, hatte er keine Sorge, jemand könne ihn zurückverfolgen oder orten.

»Die Leute«, sagte er, »machen sich im Internet ihre *Gala* oder wie diese Illustrierten heißen, selber. Sie berichten über ihre Stars und Ereignisse. Die Fotos sind erstaunlich gut. Ich habe dich mal in einigen Gruppen als Mitglied angemeldet. Dann kann ich auch in deinem Namen Artikel und Bilder liken. Du hast doch nichts dagegen, oder?«

»Nein«, sagte sie. »Aber bitte kompromittiere mich nicht.«

»Keine Angst, ich treibe mich hier ja nicht auf Pornoseiten herum.« Er lachte plötzlich. »Dein Mann ist ein offenes Buch für dich, was? Kontrollierst du ihn mit deinem Handy, du kleines Luder? Das hätte ich dir gar nicht zugetraut.«

Sie empörte sich: »Was? Nein! Das stimmt doch gar nicht!«

Er glaubte ihr nicht. »Ich sehe es doch. Du hast hier all seine Zugangsdaten gespeichert und kannst sogar von hier aus seinen Computer steuern. Du kannst praktisch auf all seine Geräte zugreifen. Und du willst mir erzählen, dass du das nicht tust?«

Sie wehrte sich gegen die Verdächtigung. »Er hat mal mein Handy benutzt, weil bei ihm etwas defekt war und er sich Daten von seinem Computer holen musste. Er kann so etwas. Er hat Kurse belegt. Sein Handy ist ihm einmal bei einer Wattwanderung in den Priel gefallen. Danach war er froh, dass er meins nehmen konnte. Der muss doch ständig erreichbar sein für seine Kunden und zugreifen können auf … Also, ich interessiere mich wirklich nicht so sehr für Technik. Ich bin noch ganz Oldschool. Ich lese lieber richtige Bücher. Mein Handy brauche ich, wenn überhaupt, dann zum Telefonieren.«

»Und du hast das alles nie genutzt?« Er hielt das Handy hoch.

»Ich spioniere ihm nicht hinterher, wenn du das meinst«, betonte sie. Seit sie Tatie duzte, fühlte sie sich sicherer. Sie lebten hier praktisch wie zwei Freunde zusammen, und obwohl er erst seit ein paar Stunden da war, kam es ihr vor wie eine Ewigkeit. Fast so, als sei er schon immer in ihrer Nähe gewesen.

Er konnte ihre Naivität kaum glauben und plauderte munter Berufsgeheimnisse aus: »Ich bekomme von meinen Auftraggebern immer die Handydaten der Klienten.«

»Klienten sind die Leute, die du tötest?«

»Ja. Ich kann sie doch schlecht Patienten nennen. Patienten macht man schließlich gesund, oder?«

»Und du hackst dich vorher in ihre Handys und Computer?«

»Nein, ich doch nicht. Das machen meine Auftraggeber. Sie haben diese Menschen vorher ja schon meist lange abgehört und ausspioniert. Dann erst fällt die Entscheidung, dass sie sterben sollen. Selbst in diesen Kreisen macht man sich so etwas nicht leicht.« Sie sah ihn empört an. Deshalb erklärte er: »Das ist auch besser so, Anke. Sieh mal, man will doch keinem Unrecht tun, sonst würde ich vielleicht jemanden für einen Verrat ausknipsen, den er gar nicht begangen hat.«

»Abhören? Das heißt, du kannst hören, was jemand beim Telefonieren sagt?«

Er lachte über so viel Nichtwissen. »Nein, meine Liebe. Das war früher mal so. Da hat man Wanzen in Telefone eingebaut oder Leitungen angezapft. Das ist das alte Jahrtausend. James Bond, 007. Ich höre auch, was sie sagen, wenn sie nicht telefonieren, sondern glauben, dass sie Auge in Auge einer schönen Dame gegenübersitzen.«

Sie glaubte ihm nicht. Wahrscheinlich gibt er nur an, um mich zu beeindrucken, sagte sie sich. Der Gedanke gefiel ihr. Wer vor mir als toller Hecht dastehen möchte, wird mich nicht ermorden, hoffte sie.

Er spürte ihre Skepsis und fuhr mit seinem Schnellkurs für junge Verbrecherinnen fort: »Die Handys haben doch eine Sprachfunktion. Du kannst *Siri* rufen und Bestellungen machen oder in deiner Wohnung mit *Alexa* sprechen – wie soll eine Maschine deine Musik spielen oder deine Fragen beantworten, wenn sie dir nicht zuhört oder dich nicht versteht?«

»Boah«, sagte sie, und ihr wurden schlagartig Zusammenhänge klar.

»Siehst du«, freute er sich über ihre Einsicht. »Die Maschinen reagieren auf Reizwörter. Ich klicke mich da ein und kann einfach zuhören. Es ist wie ein offenes Fenster oder eine offene Tür.«

Er klickte auf seinem Handy Wolfgang Fröhling an. »Guck mal. Das ist mein nächster Job. Ich sehe immer genau, wo der Typ sich gerade aufhält. Er hat eine Finca auf Mallorca. Ich hätte ihn mir am liebsten dort geholt. Ich nenne das *Arbeiten in angenehmer Atmosphäre*. Aber jetzt … Der Lockdown macht auch aus ihm einen Grottenmolch. Der verlässt seine Wohnung praktisch kaum noch. Sonst ging er wenigstens in feine Restaurants, aß gern vegetarisch, kaufte auf dem Pferdemarkt ein, traf seine Hure in guten Hotels … Das alles war ideal, um ihn abzuschießen. Aber jetzt …«

Warum erzählt er mir das, fragte sie sich. Will er mich zu seiner Komplizin machen, oder steht für ihn schon fest, dass er mich sowieso umbringen wird? Dann spielt es keine Rolle mehr, was ich alles weiß … Mit meinem Wissen kann er mich doch gar nicht leben lassen.

»Du könntest«, raunte er geheimnisvoll, »ihn für mich aus seinem Oldenburger Fuchsbau herauslocken. Am besten hierher. Und dann erledige ich ihn auftragsgemäß.«

Sie schluckte. War das sein Ernst?

»Wie soll ich das denn machen?! Ich kenne den doch gar nicht.«

»Eben«, sagte er. »Eben.«

Es gab Zeiten, da hätte Niklas einfach im Strom der Touristen abtauchen können, sich in einem Strandkorb ausruhen oder in einem überfüllten Lokal zur Toilette gehen können. Jetzt war er praktisch allein auf der Straße. Wer nicht einkaufen oder zum Arzt musste, blieb vorsichtshalber zu Hause. Jeder, der rannte, fiel sowieso auf.

Er ging davon aus, dass nach ihm gefahndet wurde. Nach Hause konnte er nicht, da würden sie vermutlich schon auf ihn warten. Er hatte genügend Kriminalromane gelesen, um zu ahnen, was die Polizei jetzt tat. Sie würden sicherlich die abfahrenden Züge überprüfen, was jetzt nicht schwer war. Die sonst dicht besetzten Abteile waren leer. Vielleicht würden sie Straßensperren errichten. Er hatte zwar keinen Führerschein, aber es war ja denkbar, dass ihn jemand mitnahm. In Norden gab es sogar Mitfahrerbänke. An der Volkshochschule, auf der Norddeicher Straße, bei der Bäckerei Grünhoff und beim Combi-Parkplatz in Norden. Obwohl die hauptsächlich für Senioren gedacht waren, hatte Niklas sie oft genutzt. Aber wer nahm, während eine ansteckende Krankheit grassierte, schon Tramper mit? Die Ostfriesen trugen vieles gelassen, aber dieses Scheißvirus machte sie auch nervös und änderte ihr Verhalten.

Vermutlich würde die Polizei die Familien seiner Klassenkameraden besuchen. Er fragte sich, ob er einen Freund hatte, der ihn verstecken würde. Die Antwort darauf stimmte ihn traurig und führte ihn zu der Frage, ob er überhaupt Freunde hatte. Es war doch immer nur um die Sauferei seines Vaters gegangen. Nur ungern hätte er jemanden zu sich nach Hause gebeten. Er war samstags, wenn die anderen Partys feierten, zu Hause geblieben, weil er sich für das Unglück seiner Mutter verantwortlich fühlte und sie vor den Aggressionen ihres Mannes beschützen wollte. Wie oft hatte er mit ihr ferngesehen oder Schach gespielt, um die Zeit zu überbrücken, bis der Alte nach Hause kam. Ausgerechnet von ihm musste er sich dann vorwerfen lassen, keine Freundin zu haben.

Niklas rannte jetzt doch, ohne zu wissen, wohin. Er keuchte. Er bemerkte nicht, dass er weinte. Vielleicht trieben ihm die Erinnerungen die Tränen in die Augen, vielleicht war es auch nur der Nordwestwind.

Bei der Linteler Schule blieb er stehen. Er beugte sich vor. Er hatte Seitenstechen. Er war nicht gerade eine Sportskanone. Bis zum Bahnübergang am Flökershauser Weg ging er langsamer. Als sich die Schranken senkten, überlegte er, noch einmal loszurennen, aber dann nutzte er das Warten, um sich zu erholen. Sein Atem rasselte. Sein Hemd klebte durchgeschwitzt am Körper.

Er blickte sich um. Niemand folgte ihm. Wohin, verdammt, wohin?

Der Zug rauschte Richtung Norddeich vorbei. Er sah die gespenstisch leeren Abteile. Noch bevor sich die Schranke öffnete, wusste er, was er zu tun hatte. Bettina Göschl wohnte nicht weit. Bis zu der Sängerin waren es nur ein paar hundert Meter. Dort würde ihn niemand suchen. Wer sollte schon darauf kommen, dass er dort war? Sie würde ihn reinlassen, da war er voller Zuversicht. Zu Hause war sie jetzt vermutlich, wie die meisten Menschen. Zumindest konnte er sich bei ihr erst einmal ausruhen. Vielleicht etwas essen und trinken. Möglicherweise könnte er bis zur Dunkelheit bleiben...

Ein Polizeiwagen fuhr langsam durch die Siedlung. Höchstens Tempo 30.

Sie suchen mich, dachte er und verkroch sich in einem Vorgarten hinter der Hecke. Ein Fenster öffnete sich. Eine Dame um die siebzig fragte: »Was machen Sie denn da?«

»Meine Katze ... Ich suche meine Katze«, antwortete er.

»Oh, ist sie Ihnen weggelaufen?«

»Ich dachte, ich hätte sie hier gesehen.«

»Wo wohnen Sie denn?«

»In Hage«, log er. »Ich habe hier nur am Bahnübergang gehalten und sie ist mir aus dem Auto gesprungen. Die findet doch bestimmt gar nicht nach Hause.«

»O ja, dann kennt sie sich hier doch gar nicht aus. Viel Glück, junger Mann!«

Er verabschiedete sich rasch. Der Polizeiwagen bog in den Stiekelkamp ab.

Wenn die Polizei die Dame später befragt, wird sie von einem jungen Mann erzählen, dem die Katze aus dem Auto geflohen ist. Das wird niemand mit mir in Verbindung bringen. Ich habe weder eine Katze noch ein Auto.

Der Polizeiwagen suchte das sogenannte *Körnerviertel* ab. Haferkamp. Weizenkamp. Roggenweg. Gersteweg. Hirseweg. Kornweg. Vom Haferkamp ging es direkt in den Distelkamp, wo Bettina wohnte. So bald würden sie nicht wiederkommen, hoffte er.

Als er in den Distelkamp kam, stieg Peter Grendel gerade aus seinem Auto. Er klopfte sich mit den großen Händen die Hose ab und murmelte: »So ... Pause.« Niklas nickte ihm zu und sagte »Moin«, weil man das hier eben so machte und man eher auffiel, wenn man es nicht tat.

Niklas klingelte mutig bei Bettina Göschl und musste gar nicht lange warten, da erschien sie schon an der Tür. Sie freute sich, ihn zu sehen. »Moin, Niki, na, das ist ja eine Überraschung. Was führt dich zu mir?«

»Darf ich reinkommen?«, fragte er.

»Ich freue mich natürlich über deinen Besuch, aber eigentlich sollen wir uns im Moment ja alle isolieren. Ach, weißt du was, lass uns doch einfach auf die Terrasse gehen. Da sind wir immerhin an der frischen Luft, und wenn wir dann noch Abstand halten, kann gewiss nichts passieren.«

Sie ahnte, dass er Probleme hatte und bot ihm ein Getränk an. »Tee? Kaffee? Wasser? Möchtest du etwas essen?«

»Ein Glas Wasser nehme ich gerne«, stimmte er zu. Er sah sich um. Was, wenn der Polizeiwagen zurückkam? Was, wenn die alte Dame ihn erkannt und die Polizei gerufen hatte? Vielleicht wurde er schon mit Fahndungsfotos gesucht.

Er stellte sich sein Bild in den Nachrichtensendungen vor. *Niklas Wewes aus Norden wird dringend verdächtigt, einen Freund der Familie ermordet zu haben.*

Bettina bemerkte seine Nervosität und erinnerte sich an

ihr letztes Treffen, als er sein Handy verloren und einen verstörten Eindruck gemacht hatte. Sie führte ihn durchs Haus zur Terrasse. Hier konnten sie durch die hohe Hecke vor Blicken geschützt sitzen. Er registrierte erleichtert, dass sie hier selbst für vorbeifahrende Polizisten unsichtbar waren.

Bettina brachte eine Karaffe Wasser mit zwei Gläsern. Sie setzte sich. Er blieb stehen, lief auf der Terrasse auf und ab, als würde er etwas suchen.

Bettina stellte ihm zur Verfügung, was sie wahrnahm: »Du guckst, als hättest du vor etwas Angst.«

Er hob abwehrend die Arme und schenkte ihr ein missglücktes Lächeln. Sie kommentierte: »Du machst gar nicht den Eindruck, zu Besuch zu sein. Eher schon auf der Flucht.«

Er setzte sich nicht in einen der Gartensessel, sondern nur auf den Rand des Tisches. Es war mehr ein Abstützen als ein Sitzen.

Er sah auf seine Schuhe. »So ist es auch«, gab er zu. »Ich bin auf der Flucht vor der Polizei. Ich habe einen Menschen ermordet. Uwe Spix.«

Bettina sah ihn ungläubig an. »Was ist passiert, Niki? Ich kenne dich schon lange. Du bist doch kein Mörder!«

Vielleicht war es gerade das, was er hören wollte. Jemand dachte positiv von ihm, hielt ihn für besser, als er in Wirklichkeit war. Jedenfalls platzte jetzt alles aus ihm heraus. Zunächst lief Rotz aus seiner Nase, dann rollten Tränen über seine Wangen. Es war, als käme alles in Fluss.

»Er hat meine Mutter erpresst, die Drecksau!«

Bettina konnte sich nicht vorstellen, dass Frau Wewes etwas getan hatte, wodurch sie erpressbar wurde. Sie galt als hochanständige, eher spießige Frau.

»Erpresst? Womit? Und wozu?«, fragte sie. »Wollte er Geld?«

Sie reichte Niklas ein Papiertaschentuch. Er putzte sich die Nase. Bevor er bereit war zu antworten, stellte Bettina schon die nächste Frage: »Und warum seid ihr nicht zur Polizei gegangen?«

Statt zu antworten sagte er: »Du warst für mich immer die wilde Piratensängerin. Ich habe in deinem *Chor der Meuterer* mitgesungen. Du wirst mich doch nicht bei der Polizei verpfeifen?! Du lieferst mich doch nicht aus, oder?«

Sie verstand, dass er Sicherheit suchte. Sie fühlte sich überfordert. Mit ihrem Blick signalisierte sie ihm, dass sie ihn ganz sicher nicht verraten würde.

»Großes Piratenehrenwort?«, fragte er.

Sie hob die Faust zum Gruß. »Großes Piratenehrenwort.« Aber sie knüpfte daran gleich eine Bedingung: »Erzähl mir, was passiert ist, Niki. Ich kann dir nur helfen, wenn ich die Wahrheit kenne.«

Er begann zu frieren. Sie holte ihm eine Decke und brühte ungebeten Tee auf. Mit einer Tasse in der Hand redet es sich leichter, dachte sie. Als es dann aus ihm heraussprudelte, merkte er, wie gut es tat, alles auszusprechen, und wie schwer es all die Jahre gewesen war zu schweigen. Gleichzeitig fühlte er sich seiner Mutter gegenüber als Verräter. Er nannte nicht den Namen des Medikaments. Er sagte immer nur *Tabletten* oder *Pillen*.

Nur einmal unterbrach Bettina ihn. Sie wollte es genau wissen: »Und deine Mutter hat von dir verlangt, dass du deinem Vater dieses Zeug heimlich gibst?«

»Was sollten wir denn machen?«, fragte Niklas zurück. »Es war unsere einzige Waffe.« Er bestand darauf: »Es war

Notwehr, und sie hat es nicht von mir verlangt, sondern ich habe ihr halt geholfen. Ich war ...«, er schluckte, »ihr Held. Ich war stolz darauf. Ja, ich glaube echt, ich war stolz darauf.«

Er konnte Bettinas Wut spüren, aber sie war nicht wütend auf Spix oder seinen Vater, wie Niklas gehofft hatte. Nein, sie war wütend auf seine Mutter. Genau das wollte er nicht. Im Grunde hatte er doch alles getan, um sie zu schützen. Jetzt sollte sie nicht die Leidtragende sein.

Klatt stand im Flur der Toilette und wartete auf Kripochef Martin Büscher. Von dem waren laute Geräusche zu hören. Es ging ihm nicht gut.

Marion Wolters wollte eigentlich nur schnell an Klatt vorbei. Er sah für sie aus wie ein Mann, der kurz vor einem triumphalen Sieg stand, aber nun fürchten musste, an den Banalitäten des Lebens zu scheitern. Er lehnte sich mit dem Rücken gegen die Wand, aber nicht so lässig, wie Rupert sich hier manchmal herumlümmelte, sondern Klatt stand deutlich unter Strom. Sein rechtes Bein wippte. Sein Lederschuh klapperte einen nervösen Rhythmus auf den Boden. Sein Atem ging schnell.

Marion fragte sich, ob das noch die Auswirkungen der Kekse waren. Sie fühlte sich schuldig, aber sie fand es auch witzig. Blöd nur, dass es genau jetzt, in dieser schwierigen, angespannten Situation geschehen war.

»Kann ich Ihnen helfen, Herr Klatt?«, fragte Marion.

»Ja. Tun Sie endlich Ihre Arbeit! Fangen Sie diesen Niklas Wewes!«

»Der kommt nicht weit«, behauptete Marion, kehrte ihm den Rücken zu und ging zur Treppe, weil sie Klatts Ton unangemessen fand. Auch von Bekifften ließ sie sich nicht so behandeln. Weder Haschisch noch Alkohol akzeptierte sie als Ausreden für Unhöflichkeiten oder flegelhaftes Verhalten.

»Nein«, rief Klatt hinter ihr her, »lassen Sie es doch lieber! Da müssen jetzt Profis ran! Richtige Polizisten!«

Rupert hörte das auf dem Weg zur Toilette und fühlte sich gemeint. Er knallte vor Klatt militärisch übertrieben die Hacken zusammen und legte seine ausgestreckten Finger an die rechte Schläfe. Er grüßte mit »Aye, aye, Sir!«

Sauer brüllte Klatt: »Euch wird das Lachen noch vergehen! Euch allen. Ihr habt einen BASU21 laufen lassen. Der bringt, wenn wir Pech haben, gerade den Nächsten um!«

Marion blieb auf der Treppe stehen und hörte zu.

»Einen was? BASU21? Was soll das sein? Ist der Junge ein Außerirdischer oder was?«, provozierte Rupert.

Büscher öffnete die Tür und trat aus der Toilette in den Flur. Er nestelte an seiner Hose herum. Er kam mit dem neuen Gürtel nicht klar. Er fühlte sich fast so elend wie damals mit fünfzehn bei seinem ersten Rausch, als es nicht nur Bowle gegeben hatte, sondern auch noch Nudelsalat.

Er nahm trotzdem seine Chance wahr, Rupert zu belehren und damit vor Klatt gut dazustehen. Dessen Satz von der Gurkentruppe lag Büscher immer noch schwer im Magen. »BASU21 ist die Bezeichnung für *Besonders Auffällige Straftäter Unter 21.*«

»Das ist der Rotzlöffel aber nicht. Das ist kein krimineller Jugendlicher. Kein Intensivtäter, oder wie ihr das inzwischen nennt. BuBu21.«

»BASU21«, korrigierte Klatt und pflaumte Rupert an: »Wenn einer mit siebzehn gerade den dritten Mord begangen hat, aber kein Intensivtäter ist, dann verstehe ich überhaupt nicht, was einer tun muss, um zum Intensivtäter zu werden.«

»Mir ist schwindlig. Ich muss nach Hause. Ich kann nicht mehr«, jammerte Büscher.

»Soll ich Sie fahren?«, bot Marion von der Treppe aus an.

»Bringen Sie ihn für eine halbe Stunde runter in eine Ausnüchterungszelle. Das wird nämlich noch ein langer Tag für uns alle. Ich akzeptiere keine Krankmeldungen und erst recht keinen Urlaub. Wir arbeiten hier nicht beim Finanzamt. Wir haben einen Mörder zu stoppen! Das duldet keinen Aufschub!«

Rupert stieß Büscher an: »Ist der jetzt hier der Boss? Hat der uns überhaupt irgendwas zu sagen? Der ist doch gar nicht von unserer Firma, sondern vom CIA! Äh, ich meine, BKI ...«

»BKA«, zischte Klatt.

Marion Wolters stieg die Treppe ganz hoch, um wieder mit ihren Kollegen auf Augenhöhe zu sein. Sie sprach laut und überdeutlich, als seien alle schwerhörig: »Das sind keine Ausnüchterungszellen. Wer eine Überdosis Alk oder sonst einen Dreck im Körper hat, braucht einen Arzt und ein Krankenzimmer. Keine Zelle!«

Rupert lachte und feuerte sie an: »Gib's ihm, Bratarsch! Mach ihn fertig!«

Damit brachte er sowohl Marion als auch Klatt gegen sich auf. Das störte ihn aber nicht im Geringsten. Im Gegenteil. Er amüsierte sich wie Bolle.

Büscher sackte zusammen. »Wir brauchen einen Arzt«, entschied Marion und griff zu ihrem Handy.

Vom Boden winkte Büscher ab: »Um Himmels willen! Bloß das nicht! Jetzt nur keine Öffentlichkeit! Niemand darf jemals erfahren, was hier gerade …«

»Also, sag ich doch – ab in die Ausnüchterungszelle. Wir können ja die Tür auflassen«, schlug Klatt vor.

In dem Moment kam Ann Kathrin in die Dienststelle zurück. Sie staunte nicht schlecht. »Was ist denn hier los?«, fragte sie.

»Marion hat uns Kekse gebacken. Du ahnst nicht, was das Luder so alles drauf hat«, prahlte Rupert.

»Ich hab die Kekse nicht … Das sind überhaupt nicht meine Kekse …«, stammelte Marion Wolters.

Martin Büscher krabbelte auf allen vieren zurück in die Toilette.

Tatie hatte etwas Verführerisches in der Stimme und im Blick, als er versuchte, es ihr schmackhaft zu machen: »Du wirst Sekretärin. Du bist bestimmt großartig als Sekretärin.«

»Wessen Sekretärin soll ich werden?«, fragte Anke. Er hatte doch hoffentlich jetzt nicht vor, ihr etwas zu diktieren.

»Du wirst die Sekretärin von Lasse Deppe, und du vereinbarst einen Termin mit Richter Fröhling.«

»Ja … aber …«

»Ich würde es ja gerne selbst tun, aber ich bin als Sekretär nicht glaubwürdig, fürchte ich. Ich könnte so tun, als sei ich Lasse Deppe, aber er kennt die Stimme. Der hat ihn schon mal interviewt, und genau deshalb wird es dem ehrenwerten

Richter gar nicht komisch vorkommen, wenn der Journalist jetzt wieder etwas von ihm will. Du lockst ihn zu mir. Ich wollte ihn eigentlich in Oldenburg unter das Pferdedenkmal legen, aber Norden hat auch schöne Plätze für eine Leiche, oder? Es soll in der Presse schon etwas hermachen. Hier gibt es doch bestimmt auch schöne Denkmäler, oder?«

Sie glaubte es kaum, aber sie hörte sich sagen: »Am Markt steht ein Bismarckdenkmal.«

Schlage ich ihm wirklich gerade einen publikumswirksamen Ort vor, wo er das nächste Opfer ablegen kann?, fragte sie sich und wunderte sich über sich selbst.

Er winkte ab. »Bismarck? Nee. Wer soll das denn sein? Der Erfinder des gleichnamigen Herings?« Er hatte Spaß an seinen Fragen, wollte vor ihr als humorvoll rüberkommen. »Da nehme ich doch lieber die Doornkaat-Flasche am Ortseingang. Das ist wenigstens ein Denkmal nach meinem Geschmack. Richter liegt nackt und tot vor der Doornkaat-Flasche wie ein Besoffener. – Also, was ist? Hilfst du mir?«

Was bleibt mir anderes übrig, dachte sie, um es vor sich selbst zu rechtfertigen. Nie hätte sie sich zugestanden, dass sie es irgendwie auch aufregend, ja spannend fand. Wurde sie gerade vom Opfer zur Täterin, fragte sie sich. Ein Schauer lief ihr den Rücken runter, und sie wusste nicht, ob es ein wohliger Schauer war oder ein Vorbote der heraufziehenden Angst. Gänsehaut huschte über ihre Arme.

Es war alles anders als sonst. Da war nicht mehr dieses Gelähmtsein. Dieses Bleierne. Statt sich still in sich zurückzuziehen und zur Zimmerpflanze zu werden, fühlte sie sich sehr lebendig.

»Ich kann doch nicht einfach so anrufen. Was, wenn er mich etwas fragt? Ich muss mehr wissen …«, zierte sie sich.

»Quatsch! Einen Scheiß musst du. Improvisiere halt. Mach ich auch immer so. Bürokraten brauchen Regeln. Kreative improvisieren.«

Er suchte Wolfgang Fröhlings Standort. Er staunte, denn Fröhling hatte seine Oldenburger Wohnung verlassen. Er musste sich auf der Autobahn befinden.

Wolfgang Fröhling hatte sich mit Alexandra zu einem Spaziergang in Greetsiel verabredet. Sie mochten beide das Hafendorf in der Krummhörn sehr. Mehrfach hatten sie dort ein paar Tage miteinander verbracht. Alexandra mietete jedes Mal dieselbe Luxusferienwohnung mit offenem Kamin. Sie gingen im Naturschutzgebiet Leyhörn spazieren, fotografierten sich vor dem Pilsumer Leuchtturm und aßen mit Blick auf eine der größten Krabbenkutterflotten Ostfrieslands Fischbrötchen.

Ja, da machte er als Vegetarier mal eine Ausnahme. Er fand, dass er durch zwei Fischbrötchen im Jahr nicht gleich zum Aasfresser wurde. Ein bisschen Fisch musste an der Küste einfach sein.

Hier in der Krummhörn kannte sie niemand, und sie konnten sich ungezwungen bewegen. Sie liebte das dänische Eis vom Eiscafé am Hafen. Sie genoss es immer in einer Waffel mit viel Sahne drauf. Nie saßen sie innen im Café, sondern immer standen sie an die Hafenmauer gelehnt, dabei guckten sie sich das Gebäude aus dem 18. Jahrhundert an und Alexandra sagte gern dieselben Sätze. Er konnte sie schon auswendig und freute sich darauf. Es war wie ein Ritual.

»Da war früher der Kolonialwarenladen der Familie Janssen. Hat meine Oma mir immer erzählt, wenn wir hier waren. Würde sich heute kein Mensch mehr trauen, sein Geschäft Kolonialwarenladen zu nennen.«

»Heute beutet man diese Länder geschickter aus. Viel effektiver. Aber man nennt es freie Marktwirtschaft«, erwiderte er dann. Nur einmal hatte er erwähnt, dass Edeka ursprünglich die Abkürzung für *Einkaufsgenossenschaft der Kolonialwarenhändler* war.

»Ich weiß«, hatte sie unwillig geantwortet.

Damit waren die politischen Themen zwischen ihnen erledigt. Wenn sie sich trafen, ging es um etwas anderes.

Er suchte immer entschuldigende Worte für das Fischbrötchen. Sie ließ nach dem Eis gern das Abendessen aus, weil sie Angst hatte, zu fett zu werden, wie sie betonte. Vielleicht sagte sie es auch nur, damit er wieder einen Grund hatte, ihr zu versichern, wie gut sie doch aussah. Er mochte Rundungen. Aber er liebte auch ihren Charakter, und der wurde durch Kalorien sowieso nicht verändert.

Vieles zwischen ihnen wiederholte sich. Ganze Gespräche. Einzelne Sätze sowieso. Ihm gefiel es so. Dadurch wurde die Anstrengung aus der Beziehung genommen. Das gelebte Miteinander wurde stressfrei.

Nein, das war keine Alltagsroutine. Es war eher der Versuch, durch Wiederholung des Bekannten der Hysterie des ewig Neuen zu entgehen. Wenn er mit Alexandra zusammen war, musste er nicht auf der Hut sein vor den Kollegen, die versuchten, seinen Aufstieg auf der Karriereleiter mit Bananenschalen glitschig zu machen.

Ihm wurde nicht das Wort im Mund rumgedreht. Er musste nicht alles, was er sagte, vorher auf die akademische

Goldwaage legen. Alexandra stellte ihm keine intellektuellen Fallen.

Die Möglichkeit, in einer Ferienwohnung zu übernachten, gab es diesmal nicht, und auch das Eiscafé hatte geschlossen. Aber sie wollten wenigstens spazieren gehen und miteinander reden. Ihre Beziehung bestand schon lange nicht mehr nur aus Bargeld und Sex. Er dachte auf der Fahrt sogar darüber nach, ob er ihr von seinen Sorgen erzählen sollte, von den toten Männern und davon, dass er sich bedroht fühlte. Er griff unwillkürlich in seine Jackentasche. Die kurze Walther PP beulte die Tasche aus. Alexandra würde die Polizeipistole bestimmt sofort bemerken. Sie sah auch gleich, ob er ein Kilo zu- oder abgenommen hatte. Ob er überarbeitet oder ausgeruht war. Sie nahm ihn wirklich wahr. Das tat ihm gut. Er fühlte sich von ihr gesehen.

Er freute sich auf sie, und die Fahrt nach Greetsiel erlebte er als erfrischend. Das Wetter war milde. Die Luft rein. Er hielt das Beifahrerfenster geöffnet. Es gefiel ihm, den Wind zu spüren.

Wenn wir Sex haben, dann höchstens im Auto auf dem Parkplatz, dachte er und lachte über sich selbst. Nein, sie waren ja keine fünfundzwanzig mehr. So würde es nicht laufen.

Sein Handy klingelte. Er kannte die Nummer nicht. Über die Freisprechanlage meldete er sich: »Ja? Fröhling.«

»Moin. *NWZ* hier. Ich bin die Sekretärin von Herrn Deppe. Ich soll Sie schön von ihm grüßen. Er ist gerade zu einem Termin. Er würde gerne ein paar Fragen an Sie stellen.«

»Ja, warum nicht? Er soll mich einfach anrufen.«

»Wie gesagt, er ist zu einem Termin in Norddeich. Der achtzigste Geburtstag seiner Oma, glaube ich.«

»Ja, und was kann ich für Sie tun?«

»Für mich gar nichts. Ich soll Sie nur fragen, ob Sie vielleicht Zeit hätten, mit ihm einen kleinen Spaziergang zu machen. Treffen in Räumen sind im Moment ja ein Problem.«

»Gerne. Aber worum geht es denn?«

»Als Gerichtsreporter ist er wohl an einer heißen Sache dran ... Ich glaube, es ist halb privat, also mehr informell. Er braucht einen Tipp von Ihnen. Er vertraut Ihnen wohl.«

»Ja, also, er kann mich gerne anrufen, wenn ich wieder in Oldenburg bin.«

Anke Reiter hüstelte. »Können Sie sich vielleicht auch in Norddeich oder in der Nähe von Norddeich mit ihm treffen? Er wird in den nächsten Tagen kaum nach Oldenburg zurückkommen können. Also, um es Ihnen ganz offen zu sagen, seine Oma ist pflegebedürftig geworden. Er kümmert sich im Moment darum, dass sie einen Heimplatz bekommt und so ... Aber das wäre ihm jetzt bestimmt nicht recht, wenn ich so viel Privates ausplaudere ...«

Das verstand Fröhling sofort und schlug vor: »Ich bin heute gar nicht so weit weg. In Greetsiel. Ich könnte danach noch bei ihm vorbeikommen.«

Sie brauchte einen Moment, als würde sie in einem Terminkalender blättern. Dann sagte sie: »Das ist eine gute Idee. Aber besser treffen Sie sich nicht mit ihm bei der Oma. Die alte Dame ist Hochrisikopatientin. Wie wäre es am Deich? Bei *Meta*? Sie kennen *Meta* doch?«

»Wer kennt die legendäre Disco nicht?«

»Prima. Was darf ich Herrn Deppe sagen? Wann können Sie? Er richtet sich da ganz nach Ihnen.«

»Sagen wir, um einundzwanzig Uhr? Wenn ich früher kann, rufe ich an.«

Er lenkte den Wagen auf den leeren Parkplatz am Ortseingang. So menschenleer hatte er diesen touristischen Ort noch nie gesehen. Er überlegte, ob er überhaupt einen Parkschein ziehen sollte. Er galt im Allgemeinen nicht als knauserig, aber hier und heute erschien es ihm sinnlos, die Parkgebühr zu bezahlen.

Schon rollte Alexandra mit ihrem dunkelgrauen Audi auf den Parkplatz. Es war der SUV ihres Mannes. Mehr als 300 PS. Der Wagen passte irgendwie nicht zu ihr, fand Fröhling. Ihr alter blauer Smart Roadster Coupé Cabrio hatte ihm besser gefallen.

Niklas reagierte mit heftiger Abwehr, als Bettina Göschl ihm vorschlug, er solle sich stellen. Er veränderte sich blitzartig, als sei er von einer Sekunde zur nächsten ein anderer Mensch geworden. Das kindlich schüchterne Wesen wurde zu einem zornigen Erwachsenen mit hohem Aggressionspotenzial.

Als er so reagierte, konnte sich Bettina schon vorstellen, dass er in der Lage wäre zu töten. Mit dem Bild von ihm, das sie in sich trug, dem kleinen aufgeweckten Jungen, der mit ihr im *Chor der Meuterer* sang, hatte dieser Wüterich nichts mehr gemeinsam. Vielleicht beabsichtigte er das ja, aber sie hatte keine Angst vor ihm.

Vermutlich war das nicht berechnend, sondern er war einfach nur zum Spielball seiner Gefühle geworden, dachte sie.

Sie erklärte sich bereit, mit ihm zur Polizei zu gehen. Er wollte das Haus sofort verlassen und stürmte in den Flur.

Sie fühlte sich verantwortlich für ihn. »Wo willst du denn

hin?«, fragte sie besorgt und stemmte sich mit dem Rücken gegen die Tür.

»Das werde ich dir doch nicht sagen!«, schimpfte er.

Sie dachte, dass er keine Ahnung hatte, wo er bleiben konnte, doch er schimpfte weiter: »Du willst mich ja doch bloß an die Bullen ausliefern.«

Bettina wehrte sich: »Wie kommst du denn da drauf?«

»Lebend kriegen die mich nicht!«, brüllte er und versuchte, an ihr vorbeizukommen. Sie ließ sich aber nicht so leicht wegschieben.

»Warte!«, forderte sie. Sie kramte in ihrer Handtasche, die an der Garderobe hing.

Er hielt tatsächlich inne und ließ sie suchen. Sie fingerte ihr Portemonnaie hervor und nahm einen Fünfzig-Euro-Schein raus. Sie hielt ihm das Geld hin.

Er zögerte.

»Du wirst Bargeld brauchen«, prophezeite Bettina und fügte sanft hinzu: »Oder willst du auf der Flucht mit Kreditkarte zahlen?«

Sein Körper verlor an Spannkraft. Er stand jetzt schlapp, ja ermattet, vor ihr. »Ich habe doch gar keine Kreditkarte«, gestand er kleinlaut.

»Und ich glaube, du kannst dir gar nicht vorstellen, was bei der Flucht vor der Polizei so alles auf dich zukommt ... Gerade in diesen schwierigen Zeiten ... «

Er nickte resignierend, nahm das Geld aber nicht an, sondern fragte stattdessen: »Darf ich heute Nacht bei dir schlafen?«

Er wurde wieder zu dem lieben kleinen Jungen, der so voller Inbrunst Piratenlieder singen konnte, als würde er gleich wirklich mit Bettina auf große Fahrt gehen.

»Sicher«, sagte sie. »In meinem Gästezimmer ist Platz.«

»Und du wirst auch nicht die Polizei rufen?«

»Nein, werde ich nicht«, versprach sie.

Sie gab jetzt die Tür frei und ging in die Küche. Sie war sich sicher, dass er das Haus nicht mehr verlassen würde. Er empfand es jetzt als schützende Burg und trottete hinter ihr her.

»Ich wollte mir heute Abend eine Gemüsesuppe machen. Wenn du Lust hast, kannst du mir beim Schnippeln helfen.«

Er bot sich an, gleich die Zwiebeln zu schneiden. Es hörte sich so heldenhaft an, als hätte er versprochen, ein Mammut zu jagen.

Für seine Mutter schnitt er auch immer Zwiebeln, weil sie dabei so heulen musste. Sie behauptete, ihre Netzhaut sei überempfindlich. Was hatte er im Leben nicht schon alles getan, damit seine Mutter nicht weinen musste …

Bettina gab ihm ein scharfes Messer und ein Brettchen. Sie deutete auf die Zwiebeln, die in einem Korb von der Decke hingen.

Sie saßen sich am Küchentisch gegenüber. Bettina schnitt Paprika. Er stellte sich mit dem Messer nicht sehr geschickt an. Seine Wunde behinderte ihn noch. Ohne dass sie darauf deuten musste, wusste er, wovon sie sprach, als sie sagte: »Ist das von dem Kampf mit Spix?«

Er nickte und versuchte, den Lässigen zu geben. Er machte jetzt irgendeine Filmfigur nach, das sah Bettina deutlich, aber sie hätte nicht sagen können, welchen Leinwandhelden er gerade so schlecht imitierte.

»Ich hab in die Klinge gegriffen. Er wollte sie mir in den Bauch rammen. War keine so gute Idee von ihm. Jetzt ist er tot, und ich schneide bei dir Zwiebeln.«

»Magst du die Gemüsesuppe mit viel Knoblauch?«

»Gern. Knoblauch soll die Menschen ja auf Abstand halten.«

»Wenn es Notwehr war – und davon gehe ich aus, Niki, dann ...«

Er schüttelte wild den Kopf und stand auf. Das Messer hielt er in der Faust. Die Messerspitze zeigte jetzt in Bettinas Richtung. Die Knöchel seiner Faust wurden weiß. »Sie haben mein Tagebuch. Darin sind meine Zeichnungen. Skizzen meiner Träume, wie ich meinen Vater töte und Spix ...«

Bettina blieb sitzen, als ob sie nicht bemerkt hätte, dass die Stimmung gerade wieder umschlug. Niklas tigerte durch die Küche. Jetzt stand er hinter ihr. Er hätte ihr in den Rücken stechen oder sie mühelos niederschlagen können, aber nichts dergleichen geschah.

Er wiederholte den Satz wie ein Mantra: »Lebend kriegen die mich nicht!«

Tatie lobte Anke, und sie kam sich plötzlich anerkannt vor. Wichtig. Normalerweise lobte sie ihren Mann, gab ihm die Bewunderung, die er wohl brauchte, um sich wohlzufühlen, und sie bekam von ihm im Gegenzug Mitleid, Hilfe, Unterstützung und Verständnis. Wie sehr sie das Mitleid gehasst hatte, wurde ihr erst jetzt bewusst, da sie einen Mann in ihrer Ferienwohnung beherbergte, für den Mitleid ein Fremdwort war.

»Ich arbeite immer allein. Ich bin echt ein einsamer Wolf. Aber mit dir könnte ich mir so einiges vorstellen...«

»Mit mir? Als deine Sekretärin oder was?«

»In meiner Branche nennt man das Komplizin.«

Sie versuchte, darüber zu lachen, als hätte er einen Scherz gemacht. Aber es hatte sich gar nicht wie ein Spaß angehört. Mehr wie die Ausformulierung einer alten, lange unterdrückten Sehnsucht.

Er trank gierig ein Glas Leitungswasser. Der frische Geschmack begeisterte ihn. Er sah das Glas an, als würde perfekt gekühlter Champagner darin perlen.

»Ich renne nicht immer rum wie einer, der kein Zuhause hat und im Auto schlafen muss. Bevor dieser Job hier begann, habe ich in Baden-Baden gearbeitet.«

Er schwärmte ihr etwas vor und wurde zum Geschichtenerzähler. Ihr war schon bewusst, dass er sein Leben jetzt gerade romantisierte. Sie wusste nur noch nicht, was er damit bei ihr erreichen wollte.

Ihm hörte nicht oft jemand zu. Verschwiegenheit war Teil seines Berufes. Umso mehr genoss er es, mal reden zu können: »Ich habe im *Maison Messmer* gewohnt. Ein Fünf-Sterne-Hotel zwischen dem Spielcasino und dem Theater. Das *Maison Messmer* war schon im 19. Jahrhundert berühmt. Eins der besten Hotels des Landes. Dicke Teppiche in den Fluren. Alles ganz gedämpft und still. Da trafen sich die Künstler, die großen Spieler, Adlige aus ganz Europa. Ich sollte einen Spieler ausknipsen, der … nun, sagen wir mal … gewissen Leuten viel Geld schuldete. Die meisten Spieler sind Verlierer, weißt du, Anke. Sie gewinnen immer nur kurz, aber dann hören sie nicht auf und am Ende wollen sie alles verlieren. Sie wissen es oft gar nicht. Er lebte auf großem Fuß. Ich habe ihn drei Tage lang beobachtet. Er interessierte sich nicht für Frauen, nicht für Kunst, nicht mal für gutes Essen. Er schlang alles rein, wie ein Lkw-Fahrer, der an der Pommesbude steht und schnell weitermuss. Der wollte sich einfach nur zugrunde richten. Eigentlich hätten die mich gar nicht gebraucht. Über kurz oder lang hätte der sich sowieso die Pulsadern aufgeschnitten. Aber ich sollte ihn ausknipsen.

An seinem letzten Abend geriet er in eine Glückssträhne. Er setzte einen Zwanzig-Euro-Chip auf die 19 und einen Hunderter-Chip auf Rot. Die 19 kam. Ich stand nicht weit von ihm, genau gegenüber am Roulettetisch. Ich spielte Schwarz für fünfzig Euro. Er sah mich an. Es war wie ein Duell, als die Kugel lief. Er gewann. Die Kugel rollte auf 19 Rot. Er bekam den fünfunddreißigfachen Einsatz auf der 19 und verdoppelte auch seinen Hunderter-Chip. Ich verlor meine fünfzig. Er ließ alles stehen. Ich verdoppelte meinen verlorenen Einsatz auf Schwarz, um wenigstens plus minus null rauszugehen.«

Anke hörte ihn reden und begriff, dass er auch ein leidenschaftlicher Spieler war. Wenn er mich töten will, dachte sie, dann muss ich ihn um eine letzte Chance bitten. Um ein Spiel. Er ist genau der Typ, der um ein Leben würfelt.

Er erzählte weiter und erfreute sich daran, wie sehr sie an seinen Lippen hing.

»Wieder kam die 19 Rot. Er hatte siebenhundert auf der Zahl und bekam dreizehntausenddreihundert. Soo einen Berg Chips. Nicht die kleinen runden, sondern die großen bunten viereckigen. Einen Teil des Geldes auf Rouge spendete der Großkotz mit einer arroganten Geste *fürs Personal*.« Er machte ihn nach und wetterte: »Hat Schulden bis zur Halskrause und gibt vierhundert Euro Trinkgeld! Das sind die Richtigen! Merkst du was? Dann ist er mit seinen Chips raus.«

»Hat er sie nicht eingetauscht?«, wollte sie wissen.

»Nein, der wollte natürlich weiterspielen. Diese Typen sind so. Der machte nur erst einen Spaziergang durch den Park neben dem Casino. Der wollte seinen Triumph genießen und frische Luft schnappen. Der Park ist wunderschön angelegt. Warst du mal da?«

Sie bedauerte. In diesem Moment spürte sie wieder, wie sehr ihre Phobien ihr Leben beherrscht und eingeengt hatten. Er dagegen war ein freier Mann.

Er schwärmte weiter: »Verwunschene Ecken. Kleine Wasserfälle. Ein schöner Ort für Verliebte. Für Philosophen, die nachdenken wollen. Für Spieler, die mit ihrer Sucht kämpfen oder für Hitmen wie mich, die eine Hinrichtung zu vollstrecken haben. Ich habe ihn mit einer Glock erledigt.«

Er hielt sich den Finger der rechten Hand gegen die Stirn, tat, als würde er abdrücken und ließ den Kopf seitlich nach hinten fallen.

»Es sollte wie eine Hinrichtung aussehen. Genau das war es ja dann auch. Ich habe ihm das Portemonnaie gelassen und alle Papiere, aber die Chips habe ich ihm abgenommen. Und dann habe ich mit seinen Chips den Rest der Nacht weitergezockt.« Er lachte. »Ich dachte, was ich verliere, gehört ihm, was ich gewinne, mir.«

Sie guckte ihn fragend an. Er machte es spannend und zögerte noch einen Moment, dann behauptete er: »Ich bin wohl eher der Gewinnertyp. Mit fast zwanzigtausend plus bin ich ins *Messmer* zurück. Der ganze Job hat kaum mehr gebracht. Abzüglich der Spesen ...«

»Aber warum«, fragte sie, »lässt jemand einen umbringen, von dem er noch Geld zu bekommen hat? Jetzt bezahlt er seine Schulden doch ganz sicher nicht mehr.«

Tatie schmunzelte über ihre Naivität. »Aber darum ging es doch schon lange nicht mehr.«

»Sondern?«

»Es musste ein deutliches Zeichen gesetzt werden für alle anderen Schuldner: *Seht mal, das passiert, wenn man uns verarschen will! Eines schönen Abends hat man dann ein Loch in der Stirn!*«

»Ist das hier genauso? Sollen hier auch mit den Morden Zeichen gesetzt werden?« Sie malte mit den Fingern Anführungszeichen in die Luft.

»Wenn du Lust hast, kannst du heute Abend mitkommen, wenn ich diesen Richter ausknipse«, lockte er sie.

Sie bekam kaum noch Luft. »Du meinst ... ich soll ... «

»Ja. Warum nicht?«

Gern wäre Wolfgang Fröhling mit Alexandra zur Schleuse spaziert und weiter am Deich entlang ins Vogelschutzgebiet, doch sie hatte unpassende Schuhe an. Mit den hohen Absätzen konnte sie über den weichen Boden nicht laufen.

Er wunderte sich. Sie war doch nicht zum ersten Mal mit ihm hier. Nie hatte er empfunden, dass sie nuttig angezogen war. Jetzt schon. Es lag nicht nur an ihrem neuen ultraweichen weißen Parka, der mit Fleece gefüttert war.

Als sie sah, wie kritisch er sie betrachtete, verzog sie den Mund: »Ja! Es sind echte Daunen. Und es ist Coyotenpelz am Kragen. Keine Züchtung. Von wilden Coyoten.« Sie guckte beschämt auf den Boden. »Ist mir auch peinlich. Ich bin ja eigentlich umweltbewusst und für Tierschutz und so ... «

»Aber?«, hakte er säuerlich nach, weil er vermutete, dass der Mantel ein Geschenk von einem Mann war. Er hatte ihre Ehemänner oder Kunden nie als Konkurrenz empfunden. Das änderte sich gerade.

»Aber ich konnte einfach nicht widerstehen. Es ist der kuscheligste Parka, den ich je hatte. Am liebsten würde ich nackt darin gehen.«

Er blickte sich um. Er hielt es durchaus für denkbar, dass sie gleich den Oversize-Mantel öffnen würde und darunter so gut wie nichts anhätte. Sollte das eine Überraschung für ihn sein, wenn sie sich schon kein Zimmer nehmen konnten? Eine Art Trostpreis?

Ihr Lächeln war wie eingefroren. Immer da, aber unbeweglich. Er griff in seine Tasche, statt den Arm um sie zu legen. Er stieß dabei mit den Fingerspitzen gegen die alte Polizeipistole. Er erschrak, als er das kalte Metall berührte.

Ein grauer Kranich reckte hinter ihnen misstrauisch seinen langen Hals. Greetsiel war menschenleer. Alles geschlossen. Keine Schlange vor der Eisdiele. Selbst die Schiffe im Hafen wirkten verlassen. All diese Gerüche nach Tee, Waffeln, Pizza oder gebratenem Fleisch waren verflogen. Nur noch eine an Straßen und Häuser geknüpfte Erinnerung. Tiere, die sonst weit draußen lebten, kamen in den Fischerort, als wollten sie sich das verlassene Gebiet zurückholen oder wenigstens mal nach dem Rechten sehen.

Sie spazierten im Hafen an den Kuttern vorbei. Sie blieben auf dem asphaltierten Bereich. Das Klappern ihrer Stöckelschuhe machte Möwen neugierig wie das Aufreißen einer Chipstüte oder das Knistern von Bonbonpapier.

Alexandra trug unter dem Daunenmantel keineswegs nur Dessous, sondern ein Kostüm in Hellgrau, das er mindestens ebenso unangemessen fand wie ihre Schuhe. Sie hatte heute noch etwas anderes vor, das wurde ihm langsam klar. Es enttäuschte ihn, dass sie die Unwahrheit sagte. Etwas hatte sich zwischen ihnen geändert. Sie gefiel ihm am besten in gemütlichen Klamotten. *Schlabberlook* nannte sie es selbst.

»Du bist so … anders …«, sagte er vorsichtig und sog durch die Nase Luft ein. »Du riechst sogar anders.«

»Vielleicht«, orakelte sie, »ist das alles ja ein Zeichen.«

»Was?«

»Na, Corona … Dieser Lockdown.«

»Zeichen? Für was soll das ein Zeichen sein?«

»Dass wir alle einmal kurz innehalten und nachdenken sollten.«

Ihn beschlich das Gefühl, dieses Gespräch könnte unangenehm werden und sich gleich gegen ihn wenden. Wollte sie Schluss mit ihm machen und ihrem angetrauten Mann eine solide, spießige Ehefrau werden? Geld hatte der Typ ja offensichtlich genug.

Sie wischte sich durchs Gesicht und streichelte das Coyotenfell an ihrer Kapuze, als wolle sie das tote Tier trösten: »Mein Sohn will nichts mehr mit mir zu tun haben. Wenn ich ihn anrufe, geht er nicht ran. Er wechselt ständig seine Handynummer. Er sagt mir nicht mal Bescheid, wenn er umzieht. Er beantwortet E-Mails nicht. Weder an Weihnachten höre ich etwas von ihm noch an meinem oder seinem Geburtstag.«

»Aber«, versuchte er, sie zu trösten, »das ist doch schon lange so.« Er wollte sie stabilisieren, indem er gestisch weit ausholte und sagte: »Er ist ein undankbarer Schnösel. Grausam, egozentrisch und … «

Sie guckte ihn an, als hätte sie etwas anderes von ihm erhofft. Er verstummte mitten im Satz.

»Ja«, sagte sie, »es ist alles wie immer. Aber eben nicht alles.«

»Was ist denn anders?«, fragte er.

Sie guckte in den Himmel und seufzte: »Jetzt weiß ich endlich, dass er recht hat.«

Ihre Augen waren sofort voller Tränen. Sie kämpfte dagegen an. Ihre Lippen zitterten. Das gefrorene Lächeln zerfloss.

»Wie – er hat recht?!«, empörte sich der Richter.

Sie hob die Arme und ließ sie kraftlos wieder fallen. »Ich war eine schreckliche Mutter. Er hasst mich nicht ohne Grund. Er wusste doch die ganze Zeit genau, was lief. All diese Heimlichkeiten ... So tun, als wäre alles gut ... als wären wir eine normale Familie! Dabei ist alles Lüge! Lüge! Lüge! Es gab einen Elternabend, da hat ein Mann mich erkannt. Ein Kunde beim Elternabend! Schrecklicher geht es ja wohl nicht. Ich hatte gerade zugesagt, als Elternsprecherin zu kandidieren. Der Papa war nicht irgendwer, sondern der Vater seines besten Freundes ...«

Ihre sonst so angenehme Stimme war kratzig geworden. Sie sprach nicht weiter.

Er versuchte jetzt, den Arm um sie zu legen. Sie wollte das aber nicht. Er fühlte sich durch ihre Abwehr ein bisschen, als sei er schuld an den Schwierigkeiten, die sie mit ihrem Sohn hatte. Sie liebte den Bengel wirklich, das wusste Wolfgang. Sie liebte ihr Kind mehr als jeden Mann, aber sie hatte es versäumt, es dem Jungen zu zeigen. Für ihn hatte es bestimmt lange so ausgesehen, als sei jeder zahlende Mann wertvoller als er.

»Aber«, wandte Wolfgang ein, »du hast das doch nicht aus Jux getan. Du hattest deine Gründe!«

Sie drehte den Kopf so, dass das Fell eine Hälfte ihres Gesichts verdeckte und entgegnete: »Haben nicht alle Menschen Gründe für das, was sie tun? Nenn es Gründe, oder nenn es Ausreden … Ob unser Tun uns richtig erscheint, verrückt, logisch, böse oder gut, das ist doch alles nur eine Frage des Standpunkts. Das musst du als Richter doch ganz genau wissen!«

Bettina Göschl hatte schon lange nicht mehr so große Lust auf ein Weizenbier gehabt. Als Fränkin, die vor vielen Jahren nach Ostfriesland gezogen war, weil sie in der Nähe des Meeres leben wollte, trank sie gern ab und zu ein Weißbier. Aber sie wollte in dieser Situation einen völlig klaren Kopf behalten und verzichtete lieber auf Alkohol. Stattdessen machte sie sich einen Kräutertee und aß für die Nerven eine Deichgrafkugel.

Niklas kam ihr vor wie eine abgezogene Handgranate, die jederzeit losgehen konnte. Einerseits wollte Bettina sich in Sicherheit bringen, andererseits aber auch Niklas beschützen, denn sie sah auch den verzweifelten kleinen Jungen in ihm.

Die Gemüsesuppe half Niklas gegen dieses innere Frieren. Bettina bot ihm noch Joghurt mit roter Grütze an. Er wollte lieber eine Waffel. Sie holte ihr Waffeleisen mit dem ostfriesischen Wappen, das sie zum Einzug bekommen hatte, und rührte Teig an. Er sah ihr dabei zu.

»Ich kann auch Sahne schlagen«, schlug sie vor.

»Hast du keine Angst vor mir?«, fragte er.

»Warum? Sollte ich?«

Er kaute auf der Unterlippe herum, ehe er antwortete: »Ich habe oft selbst Angst vor mir. Ich habe so viel Wut und Hass in mir … «

Tatie fand Gefallen daran, Anke seine Möglichkeiten zu demonstrieren. Er erhob sich über ihren Mann, indem er ihn demontierte. Er zeigte ihr, was sie mit ihrem Handy so alles anstellen konnte. Er behauptete, bei einem Mordprozess in Regensburg sei neulich zum ersten Mal eine Aufnahme von *Alexa* praktisch als Zeugenaussage anerkannt worden. Amazon habe die Sprachaufnahme angesichts der Schwere des Verbrechens freigegeben.

Anke hörte jetzt ihren Mann Sven mit seiner Mitarbeiterin Jara reden. Ihr Gespräch hatte nur wenig mit Arbeit zu tun. Anke konnte nicht alles verstehen, aber im Hintergrund lief Musik, erst von Tracy Chapman, das war schon schlimm genug für Anke, dann von Joan Armatrading. Sven liebte die Stimmen schwarzer Sängerinnen. Auch Tina Turner mochte er.

Als der Song *Willow* lief, trieb ihr die Erinnerung Tränen in die Augen. Zu dem Song hatten sie sich oft geliebt, und er hatte ihr die Zeilen *I said I'm strong, straight, willing, to be a shelter in a storm* ins Ohr geflüstert. Sie hatte ihm nur zu gern geglaubt. Ja, er war ihre Zuflucht im Sturm. Genau so hatte sie es immer empfunden.

Sie konnte sich nicht vorstellen, dass er diesen Song mit einer anderen Frau hörte, ohne sie zu lieben. Spielte er jetzt für diese Jara den Starken, den Beschützer? War er nun für Jara der Held?

Ein Satzfetzen verletzte sie besonders. Jara fragte ihn, ob er seinen *Pflegefall* heute wirklich noch anrufen müsse. Mit *Pflegefall* war ohne Frage sie gemeint. Seine Ehefrau.

Jara hatte das Wort abwertend ausgesprochen, mit böser Eifersucht. War das so, fragte Anke sich jetzt. War sie für ihren Mann ein Pflegefall geworden, nur noch bedauernswert? Sie hatte ohnehin nur ein sehr geringes Selbstwertgefühl. Und darauf wurde gerade herumgetrampelt.

»Spricht die Schnalle etwa von dir?«, fragte Tatie. Seine Frage tat Anke gut. Offensichtlich sah er keinen Zusammenhang zwischen ihr und einem Pflegefall.

Er weiß nichts über mich, dachte sie erfreut, und gleichzeitig wuchs ihre Wut auf Sven. Denn woher sollte Jara von ihren Einschränkungen wissen, wenn nicht von ihm? Das war Verrat. Jawohl, Verrat. Das tat viel weher als die Tatsache, dass er offensichtlich ein Verhältnis mit der jungen Frau hatte.

Wie oft hatte er ihr geschworen, niemals irgendjemandem von ihren Einschränkungen zu erzählen? Sie wussten beide, dass dadurch ihre Schwierigkeiten, sich unter Menschen zu bewegen, bis zur Unmöglichkeit gesteigert werden würde. Darum hatten sie sich versprochen, alle Sorgen miteinander zu teilen, aber den Rest der Welt nicht daran teilhaben zu lassen. Er war für sie nicht nur zum Verräter geworden, nein, er setzte sie auch noch dem Spott seiner Geliebten aus.

Die Musik von Joan Armatrading wurde jetzt von Beischlafgeräuschen übertönt. Jara war sehr laut.

»Die hechelt ihm aber ganz schön was vor«, lachte Tatie und fügte hinzu: »Ist das eine Professionelle, oder ist dein

Typ so eine Sensation im Bett? Da kann man ja neidisch werden.«

Sie wandte ihr Gesicht ab. Sie konnte es nicht ertragen, dass Tatie sie jetzt ansah.

»Bitte mach das aus«, schluchzte sie.

»Wieso? Jetzt wird es doch erst richtig spannend.«

»Bitte!«, forderte sie.

»Och, Mann, gib hier jetzt bloß nicht die Spaßbremse. Ist doch sowieso Lockdown ... Endzeitstimmung! Spaß tut gerade in der Apokalypse gut, das brauchen wir jetzt alle.«

Sie schlug nach ihm. Das machte ihm Freude.

»Die Apokalypse ist nicht der Weltuntergang, Anke. Eigentlich ist das griechisch. Heißt *Offenbarung*. Und genau das ist es. Corona sorgt dafür, dass alle Hüllen fallen und die Welt neu geordnet wird.« Er überdachte seine Worte kurz. »Na, sagen wir, wenigstens unsere Beziehungen.«

Sie griff nach ihrem Handy. Er ließ es zu. Doch als sie es in der Hand hielt, sah sie sich nicht in der Lage, es abzuschalten. Sie hantierte damit herum, als hätte sie vergessen, wie so ein Ding funktionierte. Er half ihr. Das Letzte, was sie hörte, war das wohlige Stöhnen ihres Mannes und Jaras spitze Schreie.

»Hört sich fast an, als würde er sie umbringen«, scherzte Tatie.

Es war plötzlich sehr still. Die Ruhe hatte etwas Wohltuendes, doch gleichzeitig auch Beklemmendes an sich.

Auf einmal konnte sie sich vorstellen, am Abend mitzugehen, wenn Tatie loszog, um diesen Oldenburger Richter zu töten.

Frank Weller fuhr mit dem Fahrrad auf der Norddeicher Straße Richtung Deich und hielt die Augen offen. Es war kaum jemand unterwegs. Er würde Niklas Wewes rasch erwischen. Das waren doch Jugendliche, sagte Weller sich, und mit denen kannte er sich aus. Seine pubertierenden Töchter und deren wechselnde Freunde hatten ihm lange genug auf den Nerven herumgetrampelt. Er glaubte, sich daher in Niklas mühelos hineinversetzen zu können.

Über kurz oder lang würde der Junge an einer Tankstelle auftauchen und Bier, Cola, Chips und Süßigkeiten kaufen. Wenn nicht Niklas selbst, dann ein anderer Jugendlicher, einer seiner Freunde. Weller musste dem dann nur folgen.

Es gab an der Norddeicher Straße drei Tankstellen. An einer davon würde er ihn oder einen seiner Freunde erwischen, da war er sich merkwürdig sicher. Kids liebten es, an Tankstellen einzukaufen. Er verstand nicht, warum, aber so war es. Wie oft hatte er den Satz gehört: »Ich fahr noch zur Tanke« oder »Die Tanke hat noch auf.«

Hier würde er fündig werden. Er radelte einfach nur die Norddeicher auf und ab.

Es gab noch mehr Tankstellen in Norden. Am Südring, am Norder Tief oder an der Bahnhofstraße. Aber er vermutete, Niklas oder seine Freunde würden in die Norddeicher kommen. Er glaubte, auch mit mehreren Jugendlichen gleichzeitig fertigwerden zu können. Er ging innerlich von mehreren aus. Eine kleine Bande, die zusammenhielt. Jeder hatte vermutlich eine große Klappe, aber angesichts der Staatsmacht würden sie rasch kapitulieren.

Weller grinste bei dem Gedanken, dass er die Staatsmacht repräsentierte. Es kam ihm, wenn er alleine war, immer noch unwirklich, ja fast lächerlich vor.

Der Maurer Peter Grendel fuhr mit seinem gelben Lieferwagen vorbei. Hinten drauf stand ein Betonmischer. Weller
winkte, und Peter hielt an.

»Moin, Nachbar. Was kann ich für dich tun?«, fragte Peter. Er ließ seinen Arm aus dem Fenster hängen. Seine Hand
war gut doppelt so groß wie Wellers. In diesen Maurerhän-
den wirkte jede Bierflasche wie ein 0,3-Piccolo-Fläschchen.

Weller fragte Peter, ob er vielleicht Niklas Wewes gesehen
hätte.

»Den kleinen Niki, der immer so begeistert mit Bettina
Piraten Ahoi! mitgeschmettert hat?«, lachte Peter und ballte
die Faust zum Piratengruß.

»Ja. Der.«

»Nee. Zum letzten Mal habe ich den – ich glaube – beim
Piratenfest gesehen. Oder nee, warte, stimmt ja gar nicht! Es
war beim Osterfeuer. Tat mir ein bisschen leid, der Junge.«

»Warum?«

»Ich glaube«, sagte Peter, »der war nur gekommen, um
seinen besoffenen Vater abzuholen. Der war breit wie eine
Axt. Da waren auch noch andere Jugendliche. Klassenkameraden, nehme ich an. Der Niki hat sich geschämt und immer
nur so nach unten geguckt.« Peter machte es vor.

Weller deutete auf den Betonmischer. »Dürft ihr noch arbeiten?«

»Klar. Ich habe eine Baustelle auf Norderney und eine … «

Weller ließ ihn nicht ausreden. »Wir auch. Polizei … Muss
ja!«

»Man sieht sich. Pass gut auf dich auf, Frank. Ich muss
zur Fähre.«

Ann Kathrin Klaasen hatte aus Leer Verstärkung angefordert. Um dem Ruf ihrer Kollegen nicht zu schaden, hatte sie nicht erwähnt, dass einige gute Leute bekifft waren. Sie sprach nur von einem Engpass bei der Fahndung.

Die junge Leyla mit ihren bernsteinfarbenen Augen und den pechschwarzen Haaren wirkte, als sie die Polizeiinspektion betrat, wie eine hochkarätige Schauspielerin, die eine Polizistin darstellte. Sie sprach Deutsch, Türkisch, Kurdisch und Arabisch. Man munkelte, dass sie sogar mehrere arabische Dialekte beherrschte. Sie galt als hochintelligent und löste in Männern merkwürdige Irritationen aus. Einige führten sich in ihrer Gegenwart auf, als seien sie plötzlich zu Brüllaffen geworden.

Am schlimmsten aber kam Klatt rüber. Er glaubte, langsam wieder aus dem Rauschzustand zur Normalität zurückgekehrt zu sein. Er fragte sie schleppend, mit hängender Unterlippe: »Verstehen Sie uns, wenn wir langsam sprechen?«

»Nein«, konterte Leyla. »Sie nuscheln. Langsam zwar, aber nuscheln bleibt eben nuscheln.«

Rupert, gerade noch dienstunfähig, wollte nun gerne mit ihr fahren, aber Ann Kathrin entschied sich, gemeinsam mit Leyla am Ortsausgang ein paar Fahrzeuge zu kontrollieren. Immerhin war es denkbar, dass jemand Niklas mitnahm. Viele kannten ihn als netten, aber schüchternen Jungen. Bestimmt boten sich ihm genügend Mitfahrgelegenheiten.

Leyla war sichtlich stolz darauf, mit Ann Kathrin zusammenzuarbeiten. Im Auto sagte Leyla: »Sie sind eine Legende, Frau Klaasen.«

Ann Kathrin winkte ab.

»Ich frage mich«, fuhr Leyla fort, »wie wird man zur Legende?«

Ann Kathrin lachte. »Mit viel Glück oder Pech, kommt ganz darauf an, wie man es betrachtet. Am Ende sind es die Lügen und Geschichten und Missverständnisse, die sich um eine Person ranken.«

Leyla schüttelte ihre Haarpracht und zeigte ihre weißen Zähne, die, wenn das Licht günstig fiel, perlmuttweiß glänzten. »Nein, das glaube ich nicht. In erster Linie hat das mit Disziplin und harter Arbeit zu tun. Es ist mir eine Ehre, mit Ihnen zu arbeiten. Niemand hat so viele Serienmörder gefasst wie Sie, Frau Klaasen.«

»Und dann einen Schüler laufen lassen«, relativierte Ann Kathrin.

»Glauben Sie, er ist der …« Leyla formulierte es nicht aus, sondern machte mit den Fingern eine Scherenbewegung, als würde sie etwas abschneiden.

»Nein«, sagte Ann, »das glaube ich nicht. Obwohl viel gegen ihn spricht. Wir haben sein Blut am Hals des Opfers gefunden, und er hat eine Verletzung an der Hand. Aber mit siebzehn ein Serienkiller?«

Leyla ließ das nicht gelten und beeindruckte Ann mit ihrem Wissen: »Peter Kürten. Er beging seinen ersten Mord mit neun. Sein Vater war Alkoholiker, schlug die Mutter und missbrauchte die Tochter. Volker Eckert tötete mindestens sieben Prostituierte, wahrscheinlich ein Dutzend mehr. Das erste Mal schlug er mit vierzehn zu. Rudolf Pfeil …«

Ann Kathrin unterbrach Leyla: »Ich bin beeindruckt.«

»Sie sind«, sagte Leyla, »mein Vorbild. Die Polizei braucht Frauen wie Sie, Frau Klaasen. Es laufen eine Menge gestörter Perverser herum. Es kommt darauf an, sie zu erkennen. Die Harmlosen von den Bösartigen zu unterscheiden. Die Serientäter sind nicht die Ausnahme, sondern die Regel.«

»Nein«, widersprach Ann, »die Regel sind vernünftige, brave Bürgerinnen und Bürger, und die müssen wir schützen.«

»Sie wissen genau, was ich meine, Frau Klaasen. Ich habe Sie nur zitiert. Aus einem Vortrag, den Sie ...«

»Waren Sie im Hörsaal?«

»Nein, ich habe alles nachgelesen.« Sie schämte sich ein bisschen, es zu sagen: »Ich sammle alles über Sie. Ich habe auch alle Artikel, die Holger Bloem über Sie geschrieben hat.«

»Ach«, seufzte Ann, »der gute Holger.«

Ann parkte nicht weit vom Burger King. Vor dem Hauptbahnhof standen ein paar Jugendliche und tranken Bier.

»Dann kontrollieren wir doch mal deren Papiere und schicken sie nach Hause«, schlug Ann vor.

Niklas war nicht bei ihnen, das sah sie von weitem, aber vielleicht wussten die ja etwas. Sie waren in seinem Alter.

Bettina vermutete, die Gemüsesuppe hatte Niklas gutgetan. Sie stellte sich vor, der Geruch in der Küche würde sie beide einhüllen wie ein schützender Kokon. Das half ihr, angstfrei mit dem Jungen umzugehen.

»So eine warme Suppe«, sagte sie, »erdet mich immer ... wenn du verstehst, was ich meine ...«

Er nickte und wirkte zwar immer noch angespannt und erschöpft, aber wie jemand, der nach einer langen Reise endlich angekommen war, nicht wie jemand, der gleich durchdrehen könnte.

»Du siehst müde aus. Willst du dich hinlegen?«

Er dachte nach und stierte dabei auf seinen leeren Teller.

»Ich kann nicht mehr … Aber gleichzeitig fürchte ich mich vor dem Schlaf.«

»Du hast Angst zu träumen?«

»Manchmal komme ich nachts auf den Horror. Dann wache ich auf und kriege keine Luft mehr.«

Bettina bot ihm einen Kopfhörer an. »Ich höre oft Musik, um runterzukommen.«

Er guckte verständnislos, als hätte sie ihm ein Placebo gegen eine schwere Krebserkrankung angeboten.

Sie versuchte, ein wenig Leichtigkeit ins Gespräch zu bringen: »Natürlich kein Hardrock oder Punk. Aber Instrumentalmusik zum Beispiel, von Chris Jones … «

Sie ging mit ihren Fingern über ihre Unterarme spazieren. »Die Musik breitet sich in mir aus und bringt mir innere Ruhe … «

»Du glaubst immer noch nicht, dass ich den Spix umgebracht habe, stimmt's?«

»Nein, das glaube ich in der Tat nicht wirklich, auch wenn du vielleicht davon geträumt oder es dir gewünscht hast.«

Er beugte sich zu ihr über den Tisch: »Ja, denkst du, ich bin ein blöder Angeber oder was?«

»Ich denke, dass du etwas gestehst, um einen anderen Menschen zu decken.«

»Wen denn?«, schrie Niklas.

Bettina hatte einen Verdacht, sprach ihn aber nicht aus. Sie zuckte mit den Schultern, als hätte sie keine Ahnung. Sie wollte es von ihm hören und es ihm nicht in den Mund legen.

»Du denkst, meine Mutter war es und ich will sie nur schützen!? Ich kenn dich doch, Bettina!«

»Du hast sie dein halbes Leben lang geschützt, Niki.«

»Ja, das stimmt«, gab er zu. »Ich sie und sie mich.«
Er rieb sich die glasigen Augen.

Clemens Wewes stand vor dem Buchregal im Wohnzimmer. All diese Romane waren für ihn Zeitverschwendung. Seine Frau konnte in Büchern verschwinden wie andere Leute in einem Wald.

Er goss sich einen Whisky ein. Johnnie Walker. Er sprach laut mit der Flasche: »Wie oft sind wir zusammen spazieren gegangen, Johnnie? Du und ich ... «

Christina blickte ihn vom Türrahmen aus missbilligend an: »Die Polizei ist hinter unserem Sohn her, und du trinkst Whisky?«

»Ja, soll ich deshalb Cognac trinken?!«, konterte er und kam sich clever vor. Er betrachtete sie lauernd und trank mit spitzen Lippen vorsichtig kleine Schlückchen. Er wusste noch nicht, ob der Alkohol ihm bekommen würde. Seine Gier danach war groß, doch seine Därme rebellierten noch.

Er zeigte zum Fenster. Auf der anderen Straßenseite stand die junge Polizistin Jessi Jaminski. »Die bewachen unser Haus. Die kassieren Niki ein, sobald er zurückkommt.«

Clemens wurde weinerlich. Christina kannte das. Er schwankte oft zwischen Weltschmerz, Selbstmitleid und aggressiven Ausbrüchen.

»Die glauben, dass er meinen besten Freund umgebracht hat ...«, jammerte er.

»Bester Freund«, wiederholte Christina Wewes spöttisch.

»Was war da los mit Uwe und Niki und diesem verfluchten Weib über uns? Ging es um sie? Diese Anke Reiter, die sich zu fein ist, einkaufen zu gehen? Hat die meinen Sohn verführt? Hatte sie auch was mit Uwe? Ging es darum?«

Er hatte das erste Glas vorsichtig geleert. Der Alkohol breitete sich warm in ihm aus. Manchmal hatte er das Gefühl, damit das Eis in sich zum Schmelzen zu bringen, dann wieder, ein heftiges Feuer zu löschen. Manchmal beides gleichzeitig.

Jetzt bekam er Schluckauf. Heute kam alles wieder hoch. Er schluckte, konnte es aber nicht bei sich behalten.

Christina musste ihm keine neue Antabus-Tablette heimlich verabreichen. Zufrieden sah sie sein Würgen. Sein verdorbenes Inneres presste alles wieder aus ihm heraus. Sein Körper weigerte sich einfach, Alkohol aufzunehmen, aber verlangte trotzdem danach.

Er stellte die Whiskyflasche ins Buchregal und lief zur Toilette. Christina hob die Flasche hoch und rief hinter ihm her: »Du hast vergessen, deinen besten Freund mitzunehmen! Deinen geliebten Johnnie!«

Sie hörte ihn spucken und würgen. Er beeilte sich. Er hatte Angst, sie könne den Whisky weggießen. Genau das hatte sie vor. Sie tat es nicht einfach heimlich, ganz schnell, so wie früher. Nein, sie wollte ihn leiden sehen. Er kam ihr fast schon besiegt vor.

Sie stellte sich mit der Flasche ans offene Fenster. Sie hielt sie raus und wartete auf ihn. Als er aus dem Badezimmer ins Wohnzimmer zurückkam, stand sie so, dass sie ihn ansehen konnte, während sie demonstrativ langsam das braune Gesöff am ausgestreckten Arm aus der Flasche in den Garten gluckern ließ. Die Rosensträucher vor dem Fenster waren Kummer gewohnt. Sie hatten in diesem Jahr auch Cognac, Rotwein aus Südtirol und Gin zu trinken bekommen.

Was jetzt unweigerlich begann, war wie eine Art Ritual, das mit hoher Wahrscheinlichkeit damit endete, dass er ihr ein blaues Auge schlug, was seine Schuld noch mehr vergrößerte und ihn später erst recht zu einem Schurken machte, der wusste, dass er sie nicht verdient hatte und sich deswegen wieder mit Alkohol betäuben musste.

»Tu es nicht«, bat er, während sie die Rosen weiter mit seinem Whisky goss und ihn anlächelte.

»Du wolltest doch nie wieder was trinken, oder habe ich mich da verhört? Und ich mag keinen Whisky, das weißt du.«

»Hör auf!«

Die Flasche war schon halb leer, und immer noch floss Whisky in den Garten.

»Du sollst aufhören!«, schrie er.

»Nein«, widersprach sie, »du sollst aufhören! Du machst dich kaputt und uns alle mit.«

Er stürmte los. Es waren nur wenige Meter. Kurz bevor er nach der Flasche greifen konnte, ließ seine Frau sie fallen und sagte bedauernd: »Ooch, das tut mir aber leid.«

Er holte aus. Sie duckte sich nicht weg. Sie hielt ihm das Gesicht hin und sagte: »Nur zu. Draußen steht die Polizei! Ich werde rauslaufen und ihnen sagen ...«

Er sah aus dem Fenster. Die Flasche war für ihn nicht gut zu erreichen. Sie war noch nicht ganz leer. Er zögerte, ob er sich so weit erniedrigen sollte. Dann beugte er sich nach draußen.

Christina verließ den Raum mit erhobenem Kopf. Ihr Gang hatte etwas Majestätisches.

»Prost«, spottete sie bitter, ohne sich umzudrehen, und ließ ihn allein.

Sie ging jetzt vor dem Haus auf und ab. Sie wollte auf jeden Fall da sein, wenn Niklas zurückkam. Ihr Sohn brauchte sie. Jetzt mehr denn je.

Auf der anderen Straßenseite stand Jessi Jaminski. Die beiden nickten sich zu, sprachen aber nicht miteinander. Jessi wirkte abweisend, wie jemand, der nicht bereit war, sich einwickeln oder verstricken zu lassen. Trotzdem fühlte Christina Wewes sich hier draußen in der Nähe der jungen Polizistin besser als mit ihrem Mann allein im Haus.

Was werde ich tun, fragte sie sich, wenn Niklas zurückkommt und diese Polizistin ihre Kollegen ruft, um ihn verhaften zu lassen? Oder wird sie es sogar selbst tun, sozusagen auf eigenes Risiko? Man erzählte sich, sie sei im Norder Boxclub. Angeblich eine harte Kämpferin, vor der so mancher Mann Schiss hatte. Vielleicht waren es aber auch nur Gerüchte.

Kripochef Martin Büscher wusste jetzt, dass er unwiederbringlich aus dem *Sex-and-Drugs-and-Rock'n'Roll*-Alter raus war. Statt *Rolling Stone Magazin* und *Playboy* wohl besser *Apotheken-Umschau* und *Mein schöner Garten*-Hefte. Vielleicht war es auch klug, auf vegetarische Nahrung umzusteigen … Nichtraucher war er ja schon lange und im Moment konnte er sich nicht vorstellen, jemals wieder Alkohol zu trinken. Selbst der Gedanke an Kaffee löste Übelkeit in ihm aus. In Zukunft würde er lieber zu Blasen-und-Nieren-Tee greifen. Und wenn ich mal ganz doll auf die Sahne hauen will, dachte er, dann nehme ich Pfefferminztee.

Aber für klare Dienstanweisungen reichte es schon wieder. Er kontaktierte Jessi: »Ist er aufgetaucht?«

»Nein, sonst hätte ich mich sofort gemeldet, Boss.«

»Wird er auch nicht.«

»Warum nicht?«, fragte Jessi, die durch Büschers barschen Ton durchaus noch zu beeindrucken war.

»Weil er kein Trottel ist! Er hat drei Menschen getötet und ist der Kollegin Klaasen entkommen.«

»Ja ... Und was soll ich jetzt machen?«

»Jedenfalls nicht länger vor dem Haus herumlungern! Das schreckt ihn ab. Ostfriesland ist ein flaches Land. Da sieht man schon morgens, wer abends zu Besuch kommt. Das weiß doch jeder! Der Bengel wird erst kommen, wenn die Luft rein ist. Und dann holen wir ihn uns!«

»Okay«, sagte Jessi, »dann mache ich jetzt eben Feierabend.«

»Nein, nix Feierabend! Du unterstützt Rupert bei der Fahndung. Du fährst – ist das klar? Der kann noch nicht fahren, aber ich will, dass ihr diese Angelstelle am Norder Tief überwacht.«

»Warum das denn?«, fragte Jessi vorsichtig nach.

»Weil Täter gerne zum Tatort zurückkommen.«

»Altes Polizeimärchen«, konterte Jessi, doch Büscher behauptete: »Denkste! Reine Statistik. Und jetzt verschwinde da endlich. Ich wette, du bist noch nicht ganz weg und der Bengel taucht auf, weil er saubere Wäsche braucht, was Warmes zum Anziehen und schlafen muss er ja schließlich auch irgendwo.«

Büscher hatte in letzter Zeit so eine Art, Gespräche ohne abschließenden Gruß zu beenden. Er hatte sich das von Klatt abgeguckt. Er sagte einfach, was er wollte, und das war es dann. Keine nette Begrüßung. Nichts Privates. Kein Small-talk. Kein Tschüs. Einfach nur eine deutliche Ansage und Schluss. Die nette ostfriesische Art war das nicht gerade. Für ein *Moin* und ein *Tschüüs* sollte immer Zeit sein, fand Jessi. So ein kleiner Gesprächsrahmen sorgte einfach für bessere Stimmung.

Jessi hoffte, dass Ann Kathrin bald die Leitung der Polizeiinspektion übernehmen würde. Sie hatte gehört, dass Ann Kathrin sich weigerte. Jessi glaubte das nicht. Vermutlich zierte sie sich nur ein wenig. Wer wollte denn nicht Karriere machen und ein bisschen mehr Geld verdienen? Versuchte Ann Kathrin nur, mehr für sich auszuhandeln? Konnte man das bei der Polizei überhaupt?

Bettina Göschl lag vollständig angezogen auf dem Bett. Ihre Füße steckten in selbstgestrickten Strümpfen, die sie auf dem jährlichen AWO-Basar im Seniorenzentrum gekauft hatte. Die festen Schuhe standen vor dem Bett. Sie wollte jederzeit bereit sein, das Haus sofort zu verlassen. Sie wusste nicht genau, wozu. Um hinter einem durchgeknallten Niklas herzulaufen, oder um mit ihm zur Polizei zu fahren, weil er bereit war, sich zu stellen? Alles schien ihr gleichermaßen unwahrscheinlich. Trotzdem fühlte sie sich ausgehfertig besser. Vielleicht war dies einfach nicht der Abend für einen kuscheligen Schlafanzug.

Sie setzte den Kopfhörer auf und erhoffte sich von Chris Jones' Gitarrenspiel Entspannung. Da war eine virtuose Leichtigkeit, die Tönen Flügel verlieh. Manchmal schenkte diese Musik ihr eine Art Schweben.

Sie schloss die Augen und stellte sich vor, vogelgleich über den Deich zu fliegen, übers Watt bis hin zum offenen Meer …

Dieses Treffen mit Alexandra lief irgendwie schief. Sie gingen immer schneller nebeneinanderher, als hätten sie es eilig, irgendwohin zu kommen, dabei hatten sie gar kein Ziel. Sie waren jetzt schon fast bei den Zwillingsmühlen am Ortseingang, nicht weit von ihrem Parkplatz entfernt.

Wolfgang Fröhling begann, sich zunehmend unwohler mit ihr zu fühlen. Dabei war alles ganz anders geplant gewesen. Sie hatte immer zu seinem Wohlbefinden beigetragen. Plötzlich stellte sie ihr ganzes Leben in Frage und damit gleichzeitig auch seins oder zumindest ihre Beziehung.

Sie sagte, sie fühle sich wie eine Ware und wolle nicht länger auf ihren Körper reduziert werden. Er behauptete, so etwas nie getan zu haben und löste damit bei ihr ein bitteres Gelächter aus. Er geriet unter Rechtfertigungsdruck. Er wollte so gern mehr sein als ein gewöhnlicher Freier. Er hatte gehofft, ihr etwas zu bedeuten. Er war kein Mann der großen Gefühlsausbrüche. So etwas war ihm eher fremd. Aber jetzt stieß er den Satz aus wie einen Hilferuf: »Aber ich liebe dich doch!«

Sie ging einen Schritt nach rechts, als brauche sie mehr Abstand, um ihn besser sehen zu können. Beinahe wäre sie auf dem Kopfsteinpflaster umgeknickt.

»Warum«, fragte sie, »hast du dann zugelassen, dass ich heirate?«

»Was … hätte ich denn tun sollen? Hätte ich es dir verbieten sollen, oder was?«

Sie verschränkte die Arme vor der Brust. Keine fünf Meter von ihnen entfernt watschelten Enten über die Straße. Sieben in einer Reihe.

»Du hättest um mich kämpfen können, statt mich einfach nur weiter zu bezahlen«, sagte sie.

Er hörte, wie verletzt sie klang. »Hast du das erwartet?«, fragte er und tat erstaunt.

»Nein«, erwiderte sie. »Nicht erwartet. Wohl aber erhofft.«

Die Frage: *Und was wird jetzt aus uns?* lag unausgesprochen in der Luft.

Er war froh, gleich noch einen Termin in Norddeich zu haben. Er erzählte ihr davon, um endlich ein anderes Thema zu finden und um eine Ausrede zu haben, warum er nicht länger bleiben konnte. Wer zu einem Treffen mit einem Journalisten musste, war irgendwie wichtig und dieses Gefühl brauchte er jetzt, weil er sich gerade so klein und mies vorkam. Als Versager.

Der Gedanke, er könne Alexandra vielleicht nie wiedersehen, kam ihm. Er wusste nicht, wie wahr diese Ahnung war. Dies war in der Tat ihr letztes Treffen. Er würde diesen Ausflug nach Ostfriesland nicht überleben.

Tatie stand am Fenster. Vor gut einer Stunde war die Sonne untergegangen. Es war praktisch für ihn, so nah am Tatort zu wohnen. Er konnte zu Fuß hingehen. Die Straße, soweit er sie überblicken konnte, war menschenleer. Das fahle Licht der Laternen hatte etwas Romantisches an sich.

»Was ist jetzt?«, fragte er. »Bist du dabei?«

»Ich fasse es nicht…, du willst jetzt wirklich jemanden töten?«

Er grinste. »Nein, nicht irgendjemanden, sondern den Richter Wolfgang Fröhling, den du für mich freundlicherweise nach Norddeich gelockt hast.«

Anke spielte die Unentschlossene. Er wusste nicht, ob sie damit nur kokettierte oder wirklich noch zögerte.

»Was soll ich dabei tun? Ich habe dir doch schon geholfen?!«, rief sie entsetzt.

»Du kannst zusehen, wenn du willst. Oder ihn entmannen, wenn dir das besser gefällt.«

Sie verzog den Mund. Er zuckte mit den Schultern. »Ich dachte, das könnte dir Spaß machen.«

»Spaß?«

»Angeblich träumt doch jede Frau davon, ab und zu einen Kerl …« Er sprach nicht weiter, sondern machte eine schnippende Bewegung mit Mittel- und Zeigefinger.

Sie überlegte, was er gerade gesagt hatte und wandelte es ab: »Nicht *irgendjemanden*, sondern nur einen ganz bestimmten Kerl.«

Das gefiel ihm. »Und bei wem würdest du gerne schnipp machen? Bei deinem Sven?«

Sie wusste nicht, wo sie hingucken sollte. Ihr war das Gespräch darüber, ja selbst der Gedanke daran, peinlich. Er lachte sie aus, als er ihr betretenes Schweigen sah: »Nun tu doch nicht so scheinheilig. Mir musst du wirklich nichts vormachen!«

»Ja«, sagte sie, »wenn einer dafür Verständnis hat, dann bestimmt du. Aber ich habe kein Interesse daran, an wildfremden Männern herumzuschneiden.«

»Das sehe ich anders.«

»Wie, anders?«

»Bei Fremden ist es leichter. Ich finde es gut, wenn ich keine emotionale Bindung zu meinem Zielobjekt habe. Je weniger man verstrickt ist, umso besser.«

Sie hatte ihn die ganze Zeit angestarrt, als sei sie sich nicht sicher, ob er real war oder eine Halluzination. Sie hätte ihn beinahe angefasst, um ganz sicherzugehen. Im letzten Moment stoppte sie mitten in der Bewegung.

Er hatte das durchaus registriert.

Jetzt guckte sie sich im Zimmer um. Sie musste sich versichern, wo sie war. Sie sagte es sich selbst stumm auf: Ich heiße Anke Reiter. Ich bin in meiner Ferienwohnung in Norddeich. Ich habe keine Drogen genommen. Bei mir ist ein gedungener Killer, der mich zu einem Mordauftrag mitnehmen will. Ich bin nicht verrückt. Er ist real.

Sie wusste nicht, wovor sie sich mehr fürchtete: die Wohnung zu verlassen oder vor dem, was dann kommen würde.

»Entscheide dich«, forderte er und blickte auf die Uhr. »Sonst fessle ich dich, und wenn ich wiederkomme, erzähle ich dir, wie es war. Ich kann auch ein kleines Video für dich drehen, wenn dir das lieber ist.«

Wolfgang Fröhling parkte direkt hinter *Meta*, auf dem Parkplatz der alten Diskothek, unter dem Schild *Fickt-euch-Allee*. Es sah aus wie ein offizielles Straßenschild. Woanders wurden Straßen nach Generälen, Bürgermeistern oder Künstlern benannt, dachte er. Aber das Schild passte irgendwie hierhin.

Er war zu früh da. Er brauchte noch ein bisschen Zeit für sich. Hier, hinter *Metas Musikschuppen* hatte er seinen ersten Joint geraucht und eine Gymnasiastin mit Zahnspange im Auto seines Vaters geliebt.

Damals war er ein anderer gewesen. Voller Ideale und Lebensgier. Er glaubte, zu einer neuen Generation zu gehören, die die Fehler der Väter nicht wiederholen würde und stattdessen dabei war, eine bessere Gesellschaft aufzubauen. Freier. Bunter. Gerechter. Ja, darauf war er stolz.

Inzwischen lächelte er über diese naive Zukunftsvorstellung. Sie waren im Grunde genauso käuflich gewesen wie ihre Vorfahren. Beim Rennen zu den besten Futtertrögen hatten er und seine Freunde schnell ihre Prinzipien über Bord geworfen. Er hatte studiert und Prüfungen bestanden, um einen Anspruch auf eine Stellung in der Gesellschaft zu erwerben.

Jetzt, hier auf dem dunklen Parkplatz, lehnte er sich an den Müllcontainer hinter der geschlossenen Diskothek, sah zum Deich und fragte sich, was aus ihm geworden war. Es kam ihm vor, als sei seine Einsamkeit der Preis dafür, oder besser, die Strafe für sein Streben nach Unabhängigkeit, das am Ende vielleicht nicht mehr war als die Angst vor Bindung.

Er hatte zweimal seine richterliche Unabhängigkeit verkauft. Ja, er bereute es. Ein drittes Angebot hatte er abgelehnt, und er rang mit sich, selbst alles zur Anzeige zu bringen. Es war nicht leicht. Er würde Kollegen mit reinziehen müssen und Gutachter. Er stellte es vor sich selbst so dar, als hätte er Gewissensbisse, diese Familienväter brotlos zu machen.

Er hatte Gefälligkeitsgutachten anerkannt und nicht überprüfen lassen. Aber als Richter blieb ihm in vielen Fällen kaum etwas anderes übrig, als auf Gutachter zu vertrauen. Das Bankenwesen, die internationalen Geldströme, das alles gehorchte nicht gerade den Naturgesetzen. Da kam man mit logischem Denken oder Physik nicht weiter. Menschen irrten sich eben mal in der Einschätzung einer Situation, und er hatte Irrtümer als Wahrheiten anerkannt, sagte er sich, um sich selbst zu entlasten. Aber er wusste, es waren keine Irrtümer, keine unterschiedlichen wissenschaftlichen Meinungen gewesen, sondern schlicht und einfach Lügen, um einen Sachverhalt zu verschleiern. Er hatte mitgeholfen, aus Schwarz Weiß zu machen.

Ein paarmal hatte er tatsächlich mit dem Gedanken gespielt, alles auffliegen zu lassen. Aber eben nur gespielt und es nicht wirklich in Betracht gezogen. Er hätte sein Ansehen verloren, seine öffentliche Reputation und vermutlich seine Pension.

Ich bin ein feiger Hund, dachte er.

Er blickte sich nach Lasse Deppe um. Er hatte noch ein paar Minuten. Er lief den Deich hoch und riss, oben angekommen, die Arme weit auseinander. Er reckte die Hände hoch in die Luft. Es war, als könne er den Wind greifen. Er atmete tief durch.

So gern hätte er sein Leben noch einmal gelebt. Zum Beispiel von diesem Zeitpunkt an, als er bei *Meta* diese wundervolle junge Frau kennengelernt hatte. Was wäre, fragte er sich, aus mir geworden, hätte ich sie damals geschwängert? Wäre es nicht bei einer kurzen Liebelei geblieben, sondern eine ernsthafte Verbindung geworden? Hätte ich heute erwachsene Kinder? Vielleicht Enkelkinder? Ein Haus im Grünen statt einer Altbauwohnung in Bürgerfelde? Wäre ich ehrlich geblieben? Hätte ich die Finca auf Mallorca für mein Seelenheil vielleicht gar nicht gebraucht?

Jetzt konnte er ohnehin nicht dorthin.

Vom Journalisten Lasse Deppe war immer noch nichts zu sehen. Ganz hinten auf dem Dörper Weg kam ein Pärchen recht zielstrebig auf den Deich zu. Sie schlenderten nicht Händchen haltend, wie Verliebte es gern taten, wenn sie sich vom Meer und der Einsamkeit angezogen fühlten. Er hatte es eilig und zog sie am Arm hinter sich her.

Wolfgang Fröhling beobachtete, wie sie näher kamen. Fast sah es aus, als wollten sie zu ihm. Lasse Deppe war das jedenfalls nicht.

Er spürte, dass die beiden ihn ansprechen würden. Sie wollten irgendetwas von ihm. Das war ihm unangenehm. Er wäre gerne noch ein bisschen allein geblieben.

Vielleicht, dachte er, haben sie nur eine Frage, wollen, dass ich ein Foto von ihnen mache oder sie mit in die Stadt nehme, weil ihr Auto kaputtgegangen ist. Aber in Pandemiezeiten war das vermutlich keine so gute Idee. Er hoffte, dass die beiden ihn nicht zu lange aufhalten würden.

Niklas lag im Gästezimmer. An den Wänden hingen mehrere Poster von Bettinas Auftritten. Einige davon hatte er miterlebt. Ihre Musik hatte ihm manchmal geholfen, den familiären Stress für kurze Zeit zu verdrängen. Einmal hatte sie ihm, weil er sich getraut hatte, auf der Bühne ein Lied mitzusingen, sogar ein Eis ausgegeben.

Du hast immer, sagte er sich, gegen diese schreckliche Angst gekämpft: *Was ist, wenn dein Vater an dem Zeug stirbt und alles auffliegt? Dann wird deine Mutter verhaftet, und was wird dann aus dir? Müssen Kinder mit ihren Müttern ins Gefängnis, oder kommen sie in ein Heim?*

Erst jetzt fiel ihm auf, dass er, wenn er mit sich selbst sprach – und das tat er oft – sich mit *du* anredete, wie eine zweite Person.

»Als seist du zwei«, sagte er laut. Es kam ihm in der Stille des Zimmers vor, als hätte seine Stimme ein Echo.

Um zu sich selbst zu finden, zeichnete er gern. Zeichnen war wie ein Selbstgespräch. Er setzte sich an den kleinen Schreibtisch. Aus einem Kaffeebecher mit der Aufschrift *Aggis Huus* ragten Stifte wie Stacheln eines Igels. Niklas nahm ein paar Plakate von dem Stapel in der Ecke. Bettina mit ihrer Gitarre Gitti lachte ihn darauf an. Unter ihrem Porträt stand:

Bettina Göschl tritt auf

Am:

Um:

Im:

Er selbst hatte für einen ihrer Auftritte in Norden solche Plakate beschriftet und in einige Geschäfte gebracht. Jetzt malte er hinten drauf. Er sah dem Stift beim Zeichnen zu. Er bat seine Hand, Anke Reiter zu porträtieren. Es misslang. Die Frau auf der Rückseite des Plakats sah überhaupt nicht aus wie Anke. Er verwüstete mit wilden, ungestümen Strichen ihr Gesicht. Erinnerte er sich nicht mehr an Ankes Aussehen, oder hatte er bei dem Mord das letzte bisschen Zeichentalent verspielt?

Er versuchte nun, Bettina zu malen. Er nahm ihr Poster als Vorlage. Das erschien ihm einfach. Doch welche Frau auch immer er zu zeichnen versuchte, am Ende sah sie aus wie seine Mutter.

Er zerriss das Bild. Niemals sollte das jemand zu Gesicht bekommen. Niemals!

Er legte sich wieder hin, aber er konnte nicht schlafen. Er hatte einen Menschen umgebracht.

Er musste sich beruhigen. Wollte raus in die Nacht. Die Idee, zum Norder Tief zu fahren und den Angelplatz, an dem alles geschehen war, zu besuchen, schien ihm richtig. Als könne er dort Klarheit gewinnen über sich selbst und seine Tat.

Was war eigentlich genau passiert? Er warf sich vor, von Anfang an mit dem Gedanken geliebäugelt zu haben, Spix zu töten. Oft hatte er sich sogar einen Plan gemacht, ihn aber immer wieder verworfen. Dann wieder redete er sich ein, es sei Notwehr gewesen, trotz all der Tötungsphantasien, die er vorher gehabt hatte.

Er musste an die frische Luft. Er hielt es im Zimmer überhaupt nicht mehr aus. Er glaubte, hier drin zu ersticken.

Er schlich an Bettinas Zimmer vorbei.

Es roch unten noch nach Gemüsesuppe. Er trank in der Küche schnell ein Glas Wasser.

Der Schlüssel steckte innen in der Haustür. Er zog ihn ab und steckte ihn ein. Er verließ das Haus im Distelkamp und ging ein paar Schritte. Er wusste, dass ein Haus weiter, im Distelkamp 13, die Kommissarin wohnte. War es jetzt besonders klug oder besonders dämlich, sich zwanzig Meter Luftlinie entfernt zu verstecken? Was, wenn Frau Klaasen oder ihr Mann gleich nach Hause kämen? Noch war es dunkel bei ihnen.

Vielleicht können sie mich sogar sehen, wenn ich das Licht im Gästezimmer anknipse, dachte er.

Das wilde Pochen seines Herzens spürte er im Hals. Er hörte Schritte. Ein Hund zerrte hechelnd an einer Leine. Niklas begann unwillkürlich zu rennen.

Du verhältst dich wie ein Fluchttier, das gejagt wird, sagte er sich. Am liebsten hätte er alles ungeschehen gemacht.

Als er noch zur Grundschule gegangen war, hatte er manchmal davon geträumt, wie es wäre, wenn sein Vater einfach verschwunden wäre. Wie der Schnee, wenn es wärmer wird. Nicht tot! Nicht ermordet! Einfach nur weg.

Allein, ohne ihn, mit der Mutter zusammenzuleben hatte er sich damals großartig vorgestellt. Inzwischen war das anders.

Er dachte an Anke Reiter. Er hatte Spix auch getötet, um sie vor seinen Zudringlichkeiten zu bewahren. War das Liebe?

Er fragte sich, ob sie sich Sorgen um ihn machte, ob sie wusste, dass er auf der Flucht vor der Polizei war. Drückte sie ihm die Daumen?

Er stand an den Bahngleisen und sah den Mond an. Der Zug aus Norden Richtung Norddeich-Mole nahte.

Du könntest dich auch einfach vor den Zug werfen, dachte er. *Wenn du aus dem Gebüsch auf die Gleise springst, hat der Lokomotivführer keine Chance.*

Wenn ich sterbe, wird dann alles gut? Werden Mama und Anke an meinem Grab stehen und weinen? Wird sonst noch jemand kommen? Lehrer? Schülerinnen aus meiner Klasse? Würde Bettina an meinem Grab singen?

Der Zug kam näher wie eine leuchtende Schlange.

Anke Reiter stand zitternd unter der Dusche. Der Luftzug verriet ihr, dass jemand die Badezimmertür geöffnet hatte. Tatie sah ihr zu.

Sie hielt die Augen fest geschlossen und ließ die Wassertropfen gegen ihr Gesicht prasseln. Sie hatte sich einen besonders großen Duschkopf gewünscht, und Sven hatte ihn besorgt. So einen besaßen sie auch in Gelsenkirchen. Darunter fühlte sie sich, als würde sie im warmen Regen stehen.

Sie empfand Duschen mehr als seelische, denn als körperliche Reinigung. Wann machte sie sich schon mal richtig schmutzig? Aber nach einem Zusammensein mit anderen Menschen fühlte sie sich oft verunreinigt, ja manchmal geradezu vergiftet.

Sie konnte unter der Dusche stehen, bis die Haut aufweichte.

Jetzt, da sie wusste, dass er ihr zusah, stellte sie erstaunt über sich selbst fest, dass es ihr nichts ausmachte. Die Schiebetür der Duschkabine war aus Milchglas. Viel mehr als ihre Umrisse konnte er kaum erkennen. Außerdem hatte er gerade viel mehr von ihr gesehen als je ein anderer Mann. Ja, so fühlte es sich für sie an.

Während des Mordes hatte er immer wieder zu ihr hingeschaut und sie aufgefordert: »Guck nicht weg! Sieh dir das an! Was macht das mit dir?«

Sie war mehr mit ihrer Wut auf Sven beschäftigt gewesen. Der Zorn in ihr tobte so wild, dass alles andere in den Hintergrund geriet. Selbst dieser Mord, bei dem sie zugesehen hatte. Sie schämte sich dafür, aber so war es.

In ihrer Vorstellung tat Tatie das alles Sven an, und sie schritt nicht dagegen ein. Sie musste gar nichts tun. Sie sah einfach nur zu. Kalt wie eine Wissenschaftlerin, die ein Experiment beobachtete.

Sie fragte sich, ob sie in der Lage wäre, aus Rache an ihrem Mann mit Tatie zu schlafen. Was vor kurzem noch völlig undenkbar gewesen war, machte ihr jetzt nichts mehr aus.

Sie verließ die Duschkabine und trocknete sich vor seinen Augen ab. Er reichte ihr sogar ein zusätzliches Handtuch für ihre Haare.

»Er hatte eine Pistole in der Tasche, der Idiot. Ich frage mich, warum er sie nicht gezogen hat.«

»Vielleicht«, riet sie, »hat er es in der Aufregung einfach vergessen.«

»Vergessen?«

»Ja, wie andere vergessen, zu bremsen oder wo ihr Handy ist, wenn sie es am meisten benötigen.«

Er stellte sich hinter sie und rieb ihren Rücken trocken. Seine Berührungen empfand sie als angenehm. Er spottete: »Amateure! Sie glauben, wenn sie sich eine Knarre kaufen, sind sie schon der King.«

»Was hast du mit seiner Waffe gemacht?«, wollte sie wissen.

»Nichts. Ich habe sie ihm gelassen. Ist doch klasse, wenn die Polizei einen toten Richter findet mit einem vermutlich illegalen Ballermann. Ich glaube kaum, dass der dafür einen Waffenschein hat. Und wenn schon. Wer läuft abends im Lockdown mit einer Pistole in der Tasche in Norden rum und wird dann umgelegt? Mit dem stimmt doch was nicht, oder?«

An der Tür hing ein flauschiger weißer Bademantel. Tatie nahm ihn und hielt ihn ihr hin, als würden sie nach einem Theaterbesuch an der Garderobe stehen und hätten später noch vor, mit Freunden etwas essen zu gehen.

Sie schlüpfte in den Mantel.

»Jetzt könnte man«, schlug Tatie vor, »eigentlich ein Fläschchen öffnen, um anzustoßen. Was meinst du?«

Sie verließ das Bad. Auf dem Teppich hinterließen ihre

Füße feuchte Spuren. Er folgte ihr und machte ihren Gang dabei nach.

»Ich frage mich, was jetzt aus mir wird ...«, sagte sie nachdenklich, ohne sich zu ihm umzudrehen.

Er verstand nicht ganz. Im Gegensatz zu ihm war sie unsicher, als wisse sie gar nicht, wie Leben richtig ging und würde sich die ganze Zeit am Abgrund eines Höllenschlunds befinden. Sie wurde von der Angst getrieben hineinzustürzen und klammerte sich fest. Sie fürchtete etwas, dessen Existenz er nicht einmal wahrnahm.

Sie reichte ihm eine Flasche Weißwein und einen Öffner. Er betrachtete die Flasche mit ähnlichem Blick, wie er Wolfgang Fröhling angesehen hatte, bevor er ihn ins Jenseits befördert hatte.

»Ich meine«, erläuterte sie, »ich kann doch jetzt nicht einfach weiterleben, als ob nichts geschehen wäre.«

»Warum? Weil du gerade dabei warst?«

»Nein. Ich meine, nachdem ich Sven gehört habe, wie er mit seiner ... «

Der Korken ploppte aus der Flasche. Tatie winkte lachend ab: »Ach, du redest von dem Dummkopf? Dem kleinen Dreckschweinchen, der es mit seiner Angestellten treibt?«

»Ja, ich rede von dem Dummkopf«, bestätigte sie.

»Schieß ihn ab. Du hast etwas Besseres verdient, Mädchen.«

»›Schieß ihn ab‹ klingt aus deinem Mund anders, als wenn eine Freundin das zu einer anderen sagt.«

Komischerweise hatte sie, seit sie Zeugin des Mordes an Fröhling gewesen war, keine Angst mehr vor Tatie. Ihr Verstand sagte ihr: Er muss dich beseitigen. Du bist eine Zeugin. Er kann dich gar nicht leben lassen. Doch ihr Gefühl war anderer Meinung. Sie begann, sich in seiner Nähe merkwürdig frei zu fühlen. Stark. Selbständig.

Sie sprach es aus: »Musst du mich nicht töten? Ich meine, ich bin jetzt eine Zeugin. Eine große Gefahr für dich.«

Er musterte sie. »Professionell gesehen müsste ich das schon ... «

Da er nicht weitersprach, lud sie ihn dazu ein: »Aber ...?«

»Aber ich kann ja mal eine Ausnahme machen«, lachte er.

»Ausnahme?«

»Ja. Ich schlage dir einen Deal vor: Ich helfe dir, deinen Sven unter die Erde zu bringen. Als trauernde Witwe bekommst du eine ganze Menge: diese Ferienwohnung hier. Und dann hat er bestimmt eine gute Lebensversicherung. Solche Versicherungsfuzzis haben immer auch Aktien oder Kommunalobligationen.«

»Man kann sich auch scheiden lassen!«, rief sie empört.

Er verzog den Mund: »Scheidungen sind Geldvernichtungsmaschinen, Baby. Dagegen ist so ein tödlicher Unfall recht lukrativ ... «

Fast hätte sie gesagt: *Aber ich liebe ihn doch!* Nur genau das wusste sie im Moment nicht mehr so ganz genau.

Jetzt wusste sie, warum sie keine Angst vor ihm hatte. »Eins ist ja wohl klar.«

»So? Was denn?«

»Du bist Dr. Bernhard Sommerfeldt. Mir kannst du nichts vormachen. Von wegen Tatie! Hat Hemingway sich nicht Tatie genannt in *Paris – Ein Fest fürs Leben*? Auch das ist doch typisch Sommerfeldt. Ich habe deine Bücher gelesen, mein Lieber! Ich kenne dich und deine Vorlieben. Du tötest Männer, die gemein zu ihren Frauen sind. Frauen tust du nichts zuleide. Du hast mehr Verehrerinnen als so mancher

Popstar. Aber warum hast du ausgerechnet mich gewählt? Wie hast du überhaupt von mir erfahren? Ich habe nicht um Hilfe gerufen. Das Internet ist voll von deinen Verehrerinnen, die ihre Männer zur Jagd freigeben, dich anflehen, sie endlich von den Typen zu befreien. Ich hatte aber gar keine Ahnung, wie zerrüttet meine Ehe wirklich ist. Bis du kamst, war ich glücklich verheiratet.«

Er amüsierte sich.

»Ja, das war ich!«, behauptete sie standhaft. »Du kommst hierher, hackst das Handy meines Mannes, spielst mir diesen Mist vor, tötest vor meinen Augen einen bewaffneten Richter – was willst du eigentlich von mir, Bernhard? Klär mich auf!«

Kommissarin Marion Wolters hatte vor diesen Scheißviren mehr Angst als vor Kalorien in der Sahnetorte. Sie ernannte sich selbst zur Corona-Beauftragten und versuchte, die Arbeit in der Inspektion sicher zu machen. An jeder Tür hatte sie selbstausgedruckte Zettel mit Verhaltensmaßnahmen ausgehängt. Aber nicht alles, was zur Einhaltung dieser Regeln wichtig war, gab es im Moment zu kaufen. Desinfektionsmittel waren nicht mehr zu bekommen. In der Schwanen-Apotheke gab es noch ein paar winzige Fläschchen zur Handdesinfektion. Aber für alle Türklinken und glatten Oberflächen in der Polizeiinspektion reichte das nicht.

Marion wollte auch jedem Gast, jeder Kollegin und jedem Kollegen etwas anbieten. Sie wusste von der desinfizierenden Wirkung von Alkohol, und so machte sie ein paar Liter Spray zur Bekämpfung der Pandemie selber. Zwanzig leere

Sprühfläschchen hatte sie auftreiben können. Mit Isopropanol, Aloe-Vera-Saft und Orangenöl befüllte sie fünf. Es roch gut, und sie war sich sicher, das Zeug würde wirken.

Die besonders guten Fläschchen waren für die Frauen. Die wussten so einen Duft wenigstens zu schätzen. Eine für Ann Kathrin, eine für Jessi, eine für Sylvia Hoppe, eine für Rieke Gersema und eine für sich selbst.

Für die Türklinken nahm sie reinen Wodka. Sie hatte noch drei Literflaschen zu Hause. Ihr letzter Freund, ein sehr musikalischer Russe, hatte sie zurückgelassen.

Für die Männer mischte sie Wodka mit Isopropanol. Die Viren sollten in der Polizeiinspektion keine Chance haben, sich als Schmierinfektion zu verbreiten.

Was eine Türklinke sauber hält, reicht auch für eine Männerhand, dachte sie sich.

Rupert hatte gerade zu Hause in den Morgennachrichten den Anweisungen der Regierung gelauscht, wie die Bürger sich richtig die Hände waschen sollten und fragte seine Frau Beate, was sie glaubte – ob der nächste Unterrichtsstoff richtig Zähne putzen sei. Auf jeden Fall freute er sich schon drauf.

Dass die Regierenden sich dem Volk gegenüber zunehmend wie Eltern ihren Kindern gegenüber verhielten, amüsierte Rupert. Er sagte zu Beate: »Wenn wir uns alle richtig die Hände waschen können, dann fände ich auch wichtig, uns in den Nachrichten zu erklären, wie man sich die Schuhe richtig zubindet.«

Und für den Fortgeschrittenenkurs *Wasser kochen leicht gemacht* wollte er Beate und sich gerne anmelden.

Beate lachte herzhaft und fand es gut, dass ihr Mann ein wenig Leichtigkeit in die verkrampfte Situation brachte. Sie hatte ihn zum Abschied geküsst, und jetzt sah er aus, als ob er Lippenstift benutzen würde, und zwar *Diamant Kiss Rosé Saphir* mit leuchtendem Finish. Natürlich vegan und ohne Mikroplastik.

Als Rupert die Polizeiinspektion betrat, rutschte seine Laune gleich in den Keller, denn als Erstes sah er Marion Wolters. Sie wischte eine Türklinke ab und begrüßte ihn mit den Worten: »Du hast deinen Schnutenpulli vergessen, Rupi.«

»Meinen was?«

Sie stöhnte und erklärte es ihm ganz langsam: »Die Ritter tragen heutzutage Rüstung.« Sie klopfte sich mit der rechten Faust gegen den Oberkörper. »Keinen Blechschutz gegen giftige Pfeile vor Brust oder Rücken. Der Harnisch heute hilft gegen so ganz kleine Tierchen. Kannst du mit bloßem Auge gar nicht sehen. Atmest du sie aber ein, dann … « Sie ließ ihren Kopf auf die linke Schulter sinken, um zu demonstrieren, was dann passieren würde.

»Du solltest zum Theater«, schlug Rupert vor. »Du könntest im Kindermärchen die Hexe spielen oder die Puffmutter.«

Sie baute sich groß vor ihm auf. »Im Kindermärchen gibt es keine Puffmutter. Aber du setzt jetzt gefälligst deinen Schnutenpulli auf.« Sie deutete auf ihren Mund-Nasen-Schutz.

»Hab ich vergessen«, entschuldigte Rupert sich wie ein Schüler in der sechsten Klasse ohne Hausaufgaben. Marion griff in ihre Tasche und zog eine gefaltete Maske für ihn hervor. »Dachte ich mir, Schnucki. Aber die kluge Frau sorgt vor.«

Er nahm das Geschenk an. Es war eine selbstgemachte

Stoffmaske. Er setzte sie auf, ohne sie vorher genau zu betrachten, denn es gelang Marion Wolters, ihn mit dem Spruch abzulenken: »Nachts die Lümmeltüte und tagsüber den Schnutenpulli. So kommen wir alle durch, ohne uns anzustecken.«

»Es riecht hier wie im Puff!«, blaffte Rupert.

Marion Wolters lächelte im Schutz der Maske süffisant. Das war der Vorteil von Masken. Man konnte dem Gegenüber sogar die Zunge rausstrecken.

»Gut. Dein Geruchssinn funktioniert noch. Also bist du negativ. Das ist doch wenigstens mal positiv. So, und damit das auch so bleibt, sprühst du dir damit die Hände ein.« Sie drückte ihm ein Fläschchen in die Finger.

Er probierte es sofort aus. »Was ist das?«

Sie erklärte es ihm so, wie er es ihrer Meinung nach am besten begreifen konnte: »Wodka mit einem Schuss hochprozentigem Alkohol.«

»Ja?! So riecht es auch. Wenn Schnaps gegen dieses Scheißvirus hilft, kann man dann nicht besser Whisky nehmen? Ich meine jetzt nicht so einen billigen Bourbon, sondern Scotch oder meinetwegen auch irischen Whisky.«

»Deine Sorgen möchte ich haben, Furzknoten!«

»Ich habe keine Sorgen, Bratarsch, und nenn mich nicht Furzknoten!«

»Was soll ich denn sonst zu dir sagen? Stummelschwänzchen?«

Als sie das letzte Wort aussprach, stürmte Jessi Jaminski durch den Flur. »Er hat wieder zugeschlagen!«

Jessi lief zur Tür. Rupert und Marion folgten ihr wortlos.

»Bei der Doornkaat-Flasche liegt eine nackte Leiche!«, rief Jessi. Bevor sie mit Rupert in den Dienstwagen stieg, zeigte sie auf seinen Mund-Nasen-Schutz: »Nimm die idiotische Maske ab, Rupi.«

Marion Wolters stand in der Tür und guckte den beiden zu. Sie hatte nicht vor, ihren Posten zu verlassen.

»Ich denke«, widersprach Rupert, »so was soll man jetzt tragen.«

Jessi schüttelte den Kopf, aber er wollte sie bei der gemeinsamen Fahrt zum Tatort nicht anstecken. Jessi wollte er auf keinen Fall irgendeiner Gefahr aussetzen, und immerhin hatte er ja gerade noch Beate geküsst. Die leitete einen Reiki-Kurs mit zwölf Frauen, und wer weiß, wo die sich vorher rumgetrieben hatten, dachte er.

»Wer hat dir das Ding verpasst?«, fragte Jessi.

»Marion«, antwortete Rupert. Er guckte sich jetzt im Rückspiegel an, weil ihm die Sache langsam komisch vorkam. Auf seiner Maske stand: *Volltrottel.*

Ann Kathrin und Weller waren vor allen anderen am Tatort. Zu normalen Zeiten wäre es undenkbar gewesen, dass eine nackte Leiche hier am Ortseingang, wo die Fußgängerzone und Einkaufsstraßen begannen, erst um neun Uhr gefunden worden wäre. Aber jetzt war diese sonst so beliebte Gegend wie ausgestorben.

Der Kriminaltechniker, der sich einen Koffer schleppend näherte, wirkte in seinem weißen Schutzanzug wie ein Schauspieler, der sich bei den Aufnahmen zu einem Alien-Weltraumabenteuer am Set verlaufen hatte und nun seine Leute suchte. Seine blauen Füßlinge gaben einen klagenden Quietschton ab, als würde er bei jedem Schritt ein kleines

Tier tottreten. Erst dadurch wurde Ann Kathrin diese unfassbare Stille deutlich. Nicht einmal der Wind ließ von sich hören. Als hätte ein Aufnahmeleiter im Studio gerufen: *Ruhe bitte, wir drehen jetzt!*

Seit Ann Kathrin bei der Verfilmung eines Kriminalromans in Norden eine Statistenrolle übernommen hatte, verglich sie immer wieder das Leben mit Filmaufnahmen. Dieser Tag am Set hatte sie sehr geprägt. »Ich spiele alles, nur keine Polizistin«, hatte sie dem Produzenten gesagt. So wurde aus ihr eine neugierige Glotzerin, die die Arbeit der Polizei am Tatort behinderte, weil sie einfach nur dumm herumstand. Sechs Stunden Dreh für wenige Sekunden Film.

Sie erkannte den Kollegen von der Kriminaltechnik sofort. Sie mochte ihn nicht. Er hatte eine abwertende Art, über Menschen zu reden. Er hieß Helmut. Seinen Nachnamen konnte sie sich nicht merken. Sie erinnerte sich nur daran, dass er nichtssagend klang und irgendwie unpassend war. Er hatte ein birnenförmiges Gesicht und trug eine starke, zu kleine Brille. Seit ihrem letzten Treffen hatte er gut zehn Kilo zugenommen. Am Bauch, am Hintern und im Gesicht. Die Hamsterbacken waren zu Hängebacken geworden. Sein Gang war schleppend.

Zweimal hatte sie ihn bei früheren Untersuchungen zurechtgewiesen, weil er angesichts der Frauenleichen sexistische Bemerkungen gemacht hatte. Sie wettete jetzt mit sich selbst, dass er diesmal keinen dummen Spruch absondern würde. Aber wenn doch, so nahm sie sich vor, würde sie ihn fragen, ob es diese weißen Overalls nicht auch in seiner Größe gäbe, denn seiner säße ja wohl ziemlich spack.

Natürlich maulte er rum. Weller und sie sollten gefälligst Abstand halten und den Tatort nicht verunreinigen. Helmut sprach immer die Männer an, als wäre es ihm am liebsten, ohne Frauen zu arbeiten.

Weller fuhr ihn sofort an: »Wir verunreinigen den Tatort nicht. Wir sichern ihn. Wir haben hier erst mal ein halbes Dutzend Tauben verjagt.«

»Tauben?«, fragte Helmut, als sei das unmöglich.

»Ja«, antwortete Ann Kathrin für Weller, in der Hoffnung, dass Helmut sie dann auch zur Kenntnis nehmen würde. »Tauben und Dohlen. Möwen waren keine da.«

Der Tote lag mit dem Rücken an die große Doornkaat-Flasche gelehnt, die Füße von sich gestreckt. Die Beine gespreizt. An seinen Genitalien hatte jemand herumgeschnitten. Etwas steckte in seinem Mund. Seine Kleidung hatte der Täter in einen blauen Müllsack gestopft und neben die Leiche deponiert wie ein Gepäckstück. Die rechte Hand des Toten lag auf dem Müllsack. Ann Kathrin kniete vor dem Opfer. Es sah aus, als würde sie mit der Leiche reden.

»Warum«, fragte Ann Kathrin, »warum?«

»Der antwortet nicht mehr, der ist tot«, stichelte Helmut.

»Tote«, belehrte Ann Kathrin ihn, »sagen uns eine Menge. Wir müssen sie nur verstehen.«

Er ließ sich das nicht gefallen und quatschte Weller grinsend an: »Für eine, die den Mörder hat laufen lassen, spielt sie sich ganz schön auf, findest du nicht, Kumpel?«

Weller stellte sich sofort gerade und blaffte: »Was?! Quatschkopf! Und ich bin nicht dein Kumpel!«

»Ach, hör doch auf, mach hier nicht so eine Welle. Das weiß doch jeder von hier bis Münster. Sie hat ihn beim Kaffeeklatsch verhört, und er ist ihr abgehauen, während sie den Kuchen genossen hat. Wie blöde kann man eigentlich sein?« Helmut zeigte auf den Toten und fuhr vorwurfsvoll fort: »Wenn unsere Starkommissarin sich nicht hätte reinlegen lassen, würde der da noch leben.«

Weller schnaubte und ballte die rechte Faust. Ann Kathrin hielt ihn davon ab zuzuschlagen: »Lass ihn, Frank.«

Rupert und Jessi kamen an. Rupert mischte sich schon ein, ehe er ganz aus dem Auto war: »Wenn deine Domina dich nicht lässt, kann ich ihm ja eine reinhauen«, lästerte Rupert, der offensichtlich noch eine Rechnung mit Helmut offen hatte und die gerne begleichen wollte.

Holger Bloem hatte es von der Redaktion hierher nicht weit. Er reagierte auf die aufgeheizte Situation mit dem Satz: »Moin. Bloem vom *Ostfriesland Magazin*.« So brachte er alle dazu, erst einmal kurz durchzuatmen.

Das Auftauchen der Presse veränderte eine Situation oftmals. Aber Weller war so sauer, dass er die Stimmung weiter anheizte. Er rief Bloem zu: »Mach doch mal rasch deinen Fotoapparat klar, Holger, wenn du gern ein Bild von einem KTUler haben willst, dem ich eine reinsemmle.«

»Och, ich dachte jetzt, das ist mein Job«, beschwerte Rupert sich enttäuscht.

Ann Kathrin wurde laut: »Hier liegt ein Mordopfer! Wir werden uns jetzt alle angemessen verhalten und professionell unsere Arbeit tun.«

Weller und Rupert nickten. Jessi hätte am liebsten Beifall geklatscht.

Helmut feixte: »Ach, jetzt auf einmal wieder professionell … «

Weller deutete einen Boxhieb in Helmuts Richtung an, führte ihn aber nicht aus.

»Ann«, fragte Holger Bloem, »was ist hier los?« Er zeigte auf den Toten. »Der wievielte ist das?«

»Noch kann man die Leichen an einer Hand abzählen«, spottete Helmut. »Aber wenn ihr nicht bald in die Puschen kommt, braucht ihr auch noch die andere Hand dazu.«

Niemand beachtete ihn mehr. Er tadelte Rupert: »Entweder Abstand halten oder Maske auf. Am besten beides.«

Rupert griff in seine Tasche und fischte die Maske heraus, die Marion Wolters ihm gegeben hatte. Jessi schüttelte den Kopf. Rupert kapierte und steckte sie wieder ein.

Christina Wewes hatte den Frühstückstisch für drei Personen gedeckt. Sie saß aber allein in der Küche und starrte auf ihr Telefon. Sie konnte nichts essen.

In ihrem Kopf war ein Dröhnen, als würde dort jemand Motorrad fahren. Gleichzeitig hatte sie das Gefühl, ihr Gehirn würde wachsen und gegen die Schädeldecke drücken, als sei ihm das Gefängnis ihres Kopfes zu klein geworden. Ihr war schwindlig. Sie war auf eine somnambule Art todmüde und gleichzeitig hellwach.

Da war eine Stimme in ihr. Leise, wie noch von sehr weit weg, doch langsam näher kommend. *Was tust du mit deinem Leben?*, fragte die Stimme. *Alles, was geschieht, hast du zugelassen. Du hättest es verhindern können.*

Sie hörte diesen schuldzuweisenden Ton. Sie wehrte sich: »Wie denn? Wie?!«

Ihr Mann verhöhnte sie: »Führst du jetzt schon Selbstgespräche?«

Sie bemerkte ihn erst jetzt. Hatte er schon lange hier gestanden? Beobachtete er sie? Weidete er sich an ihrem desolaten Zustand?

»Er ist nicht nach Hause gekommen«, stellte er fest.

»Ich weiß. Er ist auf der Flucht.«

Clemens Wewes lachte bitter: »Das hast du jetzt von deiner Affenliebe!« Er betrachtete sie, als sei sie verabscheuungswürdig. Und spottete: »Auf der Flucht! Das klingt so heroisch. So nach großem Kino. Darauf stehst du doch, was? Wo soll der denn hin? Wir wissen doch alle ganz genau, wo der ist.«

Sie sah hoch und starrte ihren Mann an: »Wo denn?«

Er zeigte zur Decke: »Bei seiner kleinen Freundin über uns. Tu nicht so unschuldig. Du weißt es genau. Die nutzt die Chance aus, dass ihr Sven nicht da ist und vernascht unseren Sohn. Ja, guck nicht so! Was Besseres kann ihm gar nicht passieren. Oder soll er als Jungfrau ins Gefängnis gehen?«

»Sag nicht so was«, empörte sie sich.

Es klingelte. Sie sprang auf und drängelte sich an ihrem Mann vorbei zur Eingangstür. Er roch säuerlich.

Sie riss die Tür auf, doch sie wurde enttäuscht. Vor ihr stand nicht ihr Sohn Niklas, sondern Rupert. Hinter ihm Jessi. Beide wirkten angespannt.

»Hat Ihr Sohn sich bei Ihnen gemeldet?«, wollte Rupert wissen. Er sagte nicht einmal *Moin*.

Frau Wewes schüttelte den Kopf. Damit hatte Rupert gerechnet. Er fuhr hart fort: »Heute Nacht ist ein weiterer Mord geschehen.«

Sie taumelte und hielt sich am Türrahmen fest.

Rupert nahm darauf keine Rücksicht: »Wenn Sie uns geholfen hätten, hätte das vermutlich verhindert werden können. Jetzt ist Schluss mit lustig! Wo steckt der Bengel?«

»Ich ... Aber Herr Kommissar ...«

»Halten Sie uns nicht länger mit dummen Sprüchen hin! Wo?!«, schimpfte Rupert.

Jessi meldete sich. Sie reckte sich hinter Ruperts Rücken hoch und schlug über seine Schulter vor: »Es wäre wirklich für alle Beteiligten besser, Sie würden mit uns kooperieren, Frau Wewes.«

Hinter Christina Wewes erschien ihr Mann. Er sah zehn Jahre älter aus, als er in Wirklichkeit war. Er sagte knapp: »Er ist bei seiner Freundin.«

Rupert guckte nur.

Clemens Wewes deutete die Treppe hoch. Rupert stöhnte. Wahrscheinlich würde es ihnen später von irgendwelchen Sesselpupsern und Wichtigtuern als Nachlässigkeit ausgelegt werden, dass sie die Ferienwohnung oben nicht schon längst durchsucht hatten.

Jessi bedankte sich freundlich für den Hinweis. Rupert stürmte schon die Treppe hoch.

Jessi rief: »Sollen wir nicht lieber das SEK rufen?«

Rupert drehte sich nicht einmal um. Er antwortete: »Mit dem Bengel werde ich wohl noch alleine fertigwerden!«

»Er hat vier Leute auf dem Gewissen, Rupi! Mach keinen Scheiß!«

Treppen steigen, Spülmaschinen ein- und ausräumen oder Gartenarbeit waren nicht wirklich Ruperts Ding. Es meldete sich jedes Mal sein Rücken, genauer gesagt das Iliosakralgelenk, von ihm auch gern *Arschhaken* genannt. Er griff sich in den unteren Rücken. Der Schmerz war noch ein punktuelles Glimmen. Daraus konnte aber schnell ein großflächiges Glühen und dann ein Schmerzfeuerwerk werden.

Rupert klopfte. Jessi stellte sich neben die Tür und zog ihre Dienstwaffe.

Rupert wirkte, als wolle er dem Lümmel ein paar Ohrfeigen geben und ihn dann einfach mitnehmen. Jessi fragte sich, ob er gerade wieder mal den Helden spielte oder ob er den Täter wirklich nicht ernst nahm, weil der erst siebzehn war. Sie hielt es durchaus für denkbar, dass sie gleich mit einem gezielten Schuss Ruperts Leben retten musste. Wer vier Menschen tötete und ihnen die Genitalien abschnitt, mit dem war nicht zu spaßen.

Da auf sein Klingeln und Klopfen keine Reaktion erfolgte, rief Rupert: »Aufmachen! Polizei!«

Von unten kam Christina Wewes die Treppe hoch. Jessi stoppte sie und flüsterte: »Gehen Sie bitte in Ihre Wohnung zurück.«

»Aber ich … «

»Das ist jetzt unser Ding, Frau Wewes. Bitte halten Sie sich zurück.«

Rupert zischte: »Pssst!« Er glaubte, hinter der Tür ein Geräusch gehört zu haben.

Frau Wewes zog sich sofort in ihre Wohnung zurück, ließ aber die Tür offen und lauschte.

Rupert schimpfte: »Niklas Wewes! Mach die Scheißtür auf und lass uns rein oder ich … «

Jessi berührte Rupert am Rücken, um ihn zu beruhigen. Manchmal war er wie ein kleines Kind, fand sie. Eine Berührung brachte ihn zur Vernunft oder zur Ruhe.

Er kniete sich auf die *Moin*-Fußmatte vor die Tür und versuchte, durch den Briefschlitz in die Ferienwohnung zu gucken. In dem Moment öffnete Anke Reiter die Tür. Sie trug einen nachtblauen Unterrock aus Seide mit schwarzen Spitzen. Rupert roch praktisch daran. Für ihn stand sofort fest, dass er und Jessi ein Liebespaar störten, genau wie von

Herrn Wewes behauptet. Sie hatte so einen postkoitalen Gesichtsausdruck. Das registrierte Rupert zwar, sagte es aber nicht. Stattdessen erhob er sich ächzend und unterdrückte den Schmerz im unteren Rückenbereich.

»Niklas, komm raus! Wir stören zwar Liebespärchen nur ungern, aber wir haben ein paar Fragen an dich.«

Anke Reiter antwortete: »Niki ist nicht bei mir, Herr Kommissar.«

Rupert drängte sie zur Seite. »Davon würde ich mich gern selbst überzeugen.«

Jessi hielt ihr Polizeiausweismäppchen hoch. Darin ihre ovale Dienstmarke aus Messinglegierung und ihr Plastikpolizeiausweis. Rupert besaß noch gar keinen neuen Ausweis, sondern den alten aus grünem Schreibleinen. Das Ding sah so vergammelt aus, dass er es nur in besonderen Ausnahmefällen vorzeigte. Sein resolutes Auftreten reichte meist aus. Er musste sich nur selten mit Dienstmarke oder -ausweis zusätzlich Autorität verschaffen.

»Niki ist wirklich nicht hier!«, rief Anke empört. »Brauchen Sie nicht einen Hausdurchsuchungsbefehl? Sie dürfen doch nicht einfach so in meine Wohnung ...«

Jessi korrigierte: »Das heißt Hausdurchsuchungsbeschluss.«

»Ja«, gab Rupert gespielt reumütig zu, »braucht man eigentlich.« Er wurde laut: »Ist mir aber scheißegal, wenn Sie hier einen Mörder verstecken! Außerdem ist das eine Ferienwohnung, und Sie dürften gar nicht hier sein.«

Schon war Rupert im Wohnzimmer. Vor ihm stand Tatie. Er trug eine Stoffhose von Ankes Mann und ein Feinrippunterhemd. Er lächelte Rupert an.

»Sie sind aber keine siebzehn mehr ...«, staunte Rupert.

»Nein, leider nicht. Und ein Mörder bin ich auch nicht.«
Rupert sah seinen Fehler sofort ein. Jessi war es peinlich.
Ihm nicht. Er fragte mit unterdrücktem Zorn, aber höflich:
»Darf ich trotzdem noch kurz ins Schlafzimmer schauen?«

Tatie grinste: »Glauben Sie, wir haben hier einen flotten
Dreier geschoben oder was?«

Jessi wedelte sich mit ihrem Mäppchen Luft zu. Rupert
öffnete ungebeten die Schlafzimmertür, danach guckte er
sich auch noch das Badezimmer an.

Anke wandte sich händeringend an Jessi: »Das kann doch
alles unter uns bleiben, oder? Ich bin verheiratet … Bitte tun
Sie mir das nicht an …«

Rupert räusperte sich und versuchte, die Situation für alle
ohne größeren Ärger zu klären: »Mir ist völlig egal, mit wem
Sie es treiben, Frau …?«

»Reiter«, ergänzte Jessi.

»Und dass Sie sich im Moment beide illegal hier aufhalten,
ist mir auch wurst. Wir jagen einen Mörder. Das ist stressig
genug. Ich denke, wir verabschieden uns jetzt und vergessen
das alles hier einfach. Ist das okay für Sie?«

Anke und Tatie waren mit Ruperts Vorschlag sofort einverstanden.

Jessi steckte erst jetzt ihr Ausweismäppchen wieder ein.
Sie sagte: »Falls Niklas hier auftaucht, würden Sie uns doch
informieren, oder?«

»Sofort«, behauptete Anke, und Tatie nickte.

»Unternehmen Sie selbst bitte nichts. Versuchen Sie nicht,
ihn festzuhalten. Rufen Sie uns einfach an. Er ist gefährlich«,
sagte Jessi.

»Klar«, bestätigte Tatie.

Kaum waren Rupert und Jessi draußen, bekam Tatie einen

Lachkrampf: »War das nicht klasse?«, freute er sich über seine schlagfertige Reaktion. »Ich bin keine siebzehn mehr und auch kein Mörder. Ich schrei mich weg!!!«

»Was hättest du denn getan, wenn sie versucht hätten, dich festzunehmen?«

Er schmunzelte und sah Anke durchdringend an: »Dann müssten wir jetzt zwei Leichen entsorgen und uns nach einer neuen Bleibe umschauen.«

Sie sah ihm an, dass er es genau so meinte, wie er es gesagt hatte.

Bettina Göschl bereitete einen Obstsalat mit Haferflocken und Flohsamenschalen vor. Auf dem Frühstückstisch standen eine Kanne mit Schwarztee und eine mit Kaffee. Es gab aufgebackene Roggenbrötchen und Schwarzbrot. Selbstgemachte Marmeladen. Manuka-Honig und drei Sorten Käse. Sie selbst frühstückte sonst nicht ganz so üppig, aber Niklas sollte sich als willkommener Gast fühlen.

Er griff erstaunlich kräftig zu und trank abwechselnd einen Schluck Tee, dann wieder Kaffee. Er sah unausgeschlafen aus und nervös, wie jemand, der wusste, dass heute ein schwerer Gang vor ihm lag. Eine Zahn-OP. Eine Prüfung, für die die Vorbereitungszeit zu knapp gewesen war, oder eine Gerichtsverhandlung, in der es um Schuld oder Unschuld ging. Er aß, als hätte er Angst, für lange Zeit nichts mehr zu bekommen.

Radio 21 mit der *Annette-Radüg-Show* lief leise im Hintergrund. So war ihr Schweigen weniger unangenehm.

Niklas kaute laut. Bettina hörte seine Zähne selbst beim

Haferflockenbrei. Auch seine Schluckgeräusche ertönten wie aus einem Hohlkörper. Er trank den Kaffee zwar schwarz, rührte aber mit einem Silberlöffel ständig darin herum.

Die Rockmusik wurde unterbrochen. Die Moderatorin Annette Radüg mit ihrer sympathischen Stimme sagte, es habe in Norden erneut einen Mord gegeben. Der mutmaßliche Täter, Niklas Wewes, sei siebzehn Jahre alt und auf der Flucht. Sie wandte sich mit einem persönlichen Aufruf an ihn. Annette nannte ihn beim Vornamen und forderte ihn höflich, aber bestimmt auf, sich der Polizei zu stellen.

»Ich kann mir vorstellen, dass du schreckliche Angst hast, Niklas. Atme jetzt mal ruhig durch und denk nach. Es ist für alle das Beste, wenn du dich stellst, Niklas. Wenn du unschuldig bist, dann wird sich das herausstellen und wenn du es gewesen bist, dann wird es für dich sprechen, dass du freiwillig aufgegeben hast.«

Niklas hockte wie versteinert da.

Bettina versuchte, ihn zu erreichen: »Annette Radüg hat recht.«

Radio 21 spielte jetzt wieder AC/DC. Bettina brauchte eine Weile, sich zu sortieren. Was sollte das mit dem weiteren Mord? Hatte er das Haus verlassen, um zu töten und war dann kaltblütig wieder zurückgekehrt? Sie weigerte sich, das zu glauben.

»Sie hat recht«, sagte Bettina noch einmal, »aber du solltest nicht alleine gehen. Ich kenne einen guten Anwalt. Wolfgang Weßling. Wir könnten ihn anrufen und … «

Niklas' Erstarrung löste sich. Er sprang abrupt auf. Seine Teetasse fiel um. Das Roggenbrötchen schwamm jetzt in einer Teelache. Er schrie: »Nein! Nein! Nein!«

Bettina versuchte, ihn zu besänftigen, und wollte ihn aufhalten. Er schien kurz davor, eine Dummheit zu begehen. In seinen Blicken flackerte verwirrte Entschlossenheit. Er drohte Bettina mit dem Zeigefinger: »Lass mich in Ruhe!«

Er rannte die Treppe hoch und holte von oben irgendetwas. Sie erwartete ihn an der Haustür und versuchte noch einmal, auf ihn einzuwirken.

»Wolfgang ist ein guter Strafverteidiger, und ich kann doch bezeugen, dass du heute Nacht hier warst ...«

Er stand direkt vor ihr: »Ja?«, fauchte er aggressiv. »Kannst du das?«

Sie war aufgeregt, reagierte aber ruhig: »Ich bin nicht dein Feind, Niklas.«

»Lass mich! Ich muss jetzt ...«

»Wo willst du hin?«

»Weg!« Er schob Bettina zur Seite und verließ das Haus. Er rannte in Richtung Grendels. Ein dunkler Lieferwagen parkte vor dem Haus. Einen Moment sah es für Bettina so aus, als würde Niklas versuchen, auf die Ladefläche zu steigen. Dann verlor sie ihn aus den Augen.

Sie blieb noch eine Weile im Türrahmen stehen und beobachtete die Straße. Sie kam sich vor, als hätte sie alles falsch gemacht und wusste doch nicht, wie sie es hätte besser machen können. Alles schien ausweglos.

Sie fragte sich, ob es überhaupt eine Möglichkeit für einen guten Ausgang gab. Sie galt als sehr phantasiebegabt, schrieb Bücher und Lieder über Fabelwesen und Piraten. Da es Kinderbücher waren, gingen sie immer gut aus. Aber jetzt fiel ihr einfach kein Happy End ein.

Schon im Haferkamp kam Niklas der grüne Twingo entgegen. Er kannte, wie wohl die meisten in der Stadt, das klapprige Auto der Kommissarin und rettete sich mit einem Sprung in eine Hecke. Er konnte Ann Kathrins Gesicht sehen, als sie an ihm vorbeifuhr. Sie wirkte angestrengt und hochkonzentriert, wie eine Frau, die genau wusste, was sie wollte.

Sie hielt im Distelkamp direkt vor Bettinas Haus.

Na bitte, dachte er. Sie hat mich also doch verraten.

Er musste damit rechnen, dass sein Elternhaus beobachtet wurde, aber er kannte einen Schleichweg. Er hatte ihn oft benutzt, um heimlich rein- oder rauszukommen, als er noch oben in der Ferienwohnung seinen Rückzugsort hatte. Er kam vom Fenster leicht auf die Garage, von dort in den Garten und dann durch die Gärten der Nachbarn, zwischen den hohen Hecken hindurch, fast bis zum Deich.

Er wählte auch jetzt diesen Schleichweg seiner Kindheit, um zurückzukehren. Wie oft hatte er ihn voller Angst, Verzweiflung und Wut genommen? Erst auf der dem Meer zugewandten Seite des Deiches hatte er mit Blick auf die Weite zu heulen begonnen und sich eingeredet, die Tränen kämen nur vom Wind.

Anke Reiter würde ihn verstecken. Er war oft für sie einkaufen gegangen. Sie mochte ihn. Wenn nicht sie, wer dann? Er musste doch nur eine kurze Zeit irgendwo unterkriechen, bis diese Scheißpandemie vorbei war. Dann, so hoffte er, konnte er sich nach Hamburg durchschlagen, als Schwarzfahrer in der Bahn oder als Tramp. Dort war es bestimmt möglich, auf einem Frachter anzuheuern oder zumindest als blinder Passagier mitzufahren. Hauptsache weg. Irgendwohin nach Übersee, um dort neu anzufangen. Alles war besser, als für den Rest des Lebens im Knast zu landen.

Bei Anke kann ich bleiben, dachte er. Wenigstens heute, bis der schlimmste Fahndungsdruck in Norddeich gelaufen ist.

Ann Kathrin klingelte bei Bettina. Ihre Freundin öffnete ihr, anders als sonst, nur zögerlich die Tür. Ann benutzte ihr blau-weißes Kopftuch als provisorischen Mund-Nasen-Schutz. Ihre Maske hatte sie in der Aufregung irgendwo verloren.

Normalerweise umarmten die beiden sich zur Begrüßung, jetzt standen sie ein bisschen hilflos herum. Aber in der Zurückhaltung war mehr als die Angst vor einer Virusübertragung.

»Ist er bei dir?«, frage Ann Kathrin unvermittelt.

Bettina schüttelte nur stumm den Kopf. Sie bat Ann Kathrin nicht rein, öffnete aber die Tür weit genug, dass Ann es als Einladung missverstehen konnte.

Sie trat ein. Bettina wich vor ihr zurück und hielt mehr als die empfohlenen anderthalb Meter Abstand.

»Aber du weißt, wo er ist?«

Bettinas *Nein* kam zögernd. Zwischen ihnen entstand eine nie gekannte Peinlichkeit.

»Wo soll er denn hin?«, fragte Ann. »Er kennt dich, seit er im Kindergarten war, Bettina.«

»Ja«, gab Bettina zu, »aber ich weiß nicht, wo er jetzt ist. Er war nicht hier.«

Ann Kathrin ging durch bis in die Küche. Sie stellte sich an den Frühstückstisch, nahm sich ein Stück Schwarzbrot und bestrich es mit Butter. Sie stupste die umgekippte Tasse und das aufgeweichte Roggenbrötchen an.

Bettina verstand die Aufforderung zu reden, tat es aber nicht.

Ann Kathrin führte das Brot zu ihren Lippen, hatte aber den Mundschutz vergessen. Es sah witzig aus, doch weder sie noch Bettina lachten. Ann zog das Tuch runter bis zum Kinn und biss erneut ins Brot.

»Hier hast du also bis gerade mit deinem Lover gefrühstückt, oder was?«

Bettina schaltete, um überhaupt irgendetwas zu tun, das Radio aus und seufzte.

»Ist er oben?«, hakte Ann nach. Sie kannte das Gästezimmer dort.

»Nein, er ist abgehauen, als er im Radio gehört hat, dass ...«

Ann hatte keine Zeit für lange Erklärungen: »Wohin?«

»Ich weiß es wirklich nicht!«

Ann kaute und taxierte ihre Freundin misstrauisch, wie sie es noch nie getan hatte. Sie überlegte, ob sie in dieser Frage Bettina trauen konnte oder ob sie oben nachgucken musste. Professionell gab es da überhaupt keine Frage. Sie musste sich per Augenschein überzeugen. Aber es war ihr Bettina gegenüber unangenehm. Sie würden weiterhin hier in der Straße zusammenleben, mit einem gemeinsamen Freundeskreis, sich bei den Grendels zum Grillen treffen oder bei den Tappers zum Frühstück. Es war auch ein Problem, wenn man sich gut kannte und Mitglied einer Gemeinschaft war. Einerseits war vieles einfacher, andererseits emotional schwieriger.

Bettina erkannte ihre Not und machte es ihr leichter: »Du kannst gerne nach oben gehen und nachsehen. Bei mir brauchst du keinen richterlichen Beschluss. Du kannst dich frei im ganzen Haus bewegen.«

Ann Kathrin nahm das dankbar zur Kenntnis: »Du kennst ihn besser als ich. Wo will er hin? Was hat er vor? Er ist doch ein intelligenter Junge. Er kann unmöglich glauben, er könnte uns entkommen.«

»Glaubst du echt, dass er es war?«, fragte Bettina.

»Es spricht eine Menge gegen ihn.«

»Zwei Morde?«

»Vier«, sagte Ann hart.

Bettina winkte ab, als sei das unfassbarer Blödsinn.

»War er gestern Nacht bei dir, Bettina?«

»Ja.«

»Ich will jetzt gar nicht damit anfangen, dass du mich hättest informieren müssen, sondern es geht um ein mögliches Alibi.«

»Das kann ich ihm geben«, sagte Bettina erleichtert.

»Er hat im Gästezimmer geschlafen?«

»Ja, natürlich.«

Ann nahm eine Tasse aus dem Hängeschrank und goss sich Kaffee ein. Sie hatte sich immer in diesem gemütlichen Haus wohlgefühlt.

»Und du?«

»Na, in meinem Schlafzimmer, hier unten, was denkst du denn?«

Ann Kathrin verließ mit der Tasse die Küche. Bettina ging hinter ihr her. Ann sprach weiter, während sie die Treppe nach oben zum Gästezimmer nahm.

»Wann bist du ins Bett gegangen?«

»Keine Ahnung, ich bin nicht so die ständige Auf-die-Uhr-Guckerin.«

»Was lief im Fernsehen?«

»Weiß ich nicht, wir haben kein Fernsehen geguckt.«

»Was hast du im Bett gemacht?«

»Musik gehört.«

Ann Kathrin verschlabberte etwas von ihrem Kaffee auf den Teppich. Für beide Frauen war es nicht der Rede wert.

»Wo war der Haustürschlüssel?«

»Er steckte, wie immer.«

»Niklas konnte also kommen und gehen, wie er wollte.«

Ann Kathrin bückte sich und fischte aus dem Papierkorb ein zerrissenes Plakat. Hinten drauf hatte Niklas ein Porträt gemalt. Ann Kathrin legte die zerrissenen Stücke auf dem Schreibtisch zusammen.

Bettina wurde heftig: »Du glaubst doch nicht im Ernst, dass der Junge sich nachts hier rausgeschlichen, schnell jemanden umgebracht hat und danach wieder friedlich ins Bett gegangen ist, oder?«

»Diese Möglichkeit«, sagte Ann, »wird die Staatsanwaltschaft zweifellos in Erwägung ziehen.«

»Und du?«

»Ich darf das auch nicht von vornherein ausschließen, nur weil ich Niki als netten, ein bisschen verklemmten, in sich zurückgezogenen Jungen kenne.«

Ann Kathrin deutete auf das Bild und winkte Bettina näher heran.

»Soll ich das sein?«, fragte Bettina.

Ann Kathrin zuckte mit den Schultern: »Oder seine Mutter.«

»Er hat es zerrissen, weil es misslungen ist«, vermutete Bettina.

Ann Kathrin trank ihren Kaffee aus und stellte die Tasse auf das Bild, als wolle sie damit die Einzelteile zusammenhalten. »Weißt du, wonach das für mich aussieht?«, fragte sie und beantwortete ihre Frage gleich selbst: »Als sei der Junge völlig durch den Wind. Wenn wir ihn nicht bald kriegen, wird er mehr kaputt machen als ein altes Plakat von dir ... «

Alexandra hatte nicht vor abzuwarten, bis die Polizei ihre Beziehung zu Richter Fröhling herausfand. Es gab viel zu viele Telefongespräche, gebuchte Hotelzimmer, Fotos, Überweisungen. Nein, ihr Verhältnis konnte unmöglich weiterhin geheim bleiben. Nicht in einem Mordfall. Sie war höchstens in der Lage, es anders darzustellen, als es in Wirklichkeit gewesen war.

Nachdem sie die Nachricht vom ermordeten Richter in Norddeich im Online-Portal ihrer Tageszeitung gelesen hatte, wusste sie gleich, dass er es war. Sein Alter und sein Vorname standen dabei. Vom Nachnamen gab es nur den ersten Buchstaben. Den hätte sie schon gar nicht mehr gebraucht. Irgendwie hatte sie immer gewusst, dass es mit ihm böse enden würde. Sie hatte aber eher an einen Autounfall gedacht oder etwas Ähnliches. Er, der gesunde Mann, der so sehr auf gutes vegetarisches Essen achtete und Wellness machte, hatte etwas an sich, das sie manchmal an seinen frühen Tod denken ließ. Vielleicht hatte er deshalb so gern und intensiv gelebt, weil er eine Ahnung davon gehabt hatte, dass seine Lebensuhr tickte.

Sie rief zunächst in Oldenburg an, aber von dort wurde sie rasch nach Aurich weitergeleitet.

Marion Wolters nahm den Anruf entgegen. Alexandra bezeichnete sich als Bekannte von Herrn Fröhling. Sie sagte, sie seien gestern in Greetsiel gemeinsam spazieren gegangen. Er habe dann einen Anruf von der *NWZ* bekommen und sei nach Norddeich gefahren, um dort den Journalisten Lasse Deppe zu treffen, der schon einmal ein Porträt über ihn geschrieben hatte.

Marion fand das Porträt über die Google-Suche bei der *NWZ* sofort. Es war also etwas dran an der Geschichte. Sie fragte trotzdem nach: »Sie sind einfach so in Greetsiel spazieren gegangen? Hat da denn nicht alles zu?«

»Die Natur nicht. Es war einsam, aber schön.«

»Hatte es einen bestimmten Grund?«

»Was?«

»Na, Ihr Treffen.«

»Wir haben ab und zu Spaziergänge gemacht und dabei über Gott und die Welt philosophiert.«

Schöne Beschreibung für eine Affäre, dachte Marion Wolters. »Hat die *NWZ* denn neuerdings in Norddeich eine Redaktion?«, wollte sie wissen. Sie verifizierte gern so viel wie möglich, bevor sie eine Meldung weitergab. Bei jedem Schwerverbrechen, das durch die Presse ging, spielten sich Wichtigtuer und Witzbolde auf. Sie erzählten viel Müll und beschäftigten damit die Ermittlungsbehörden. Es war Marions Ehrgeiz, wirklich ernstzunehmende Informationen von Unsinn zu filtern, um die Kollegen arbeitstechnisch zu entlasten. Jedem ernsthaften Hinweis musste nachgegangen werden. Das konnte eine ganze Inspektion lahmlegen. Oft wurden Ermittlungen durch eine Vielzahl an Tipps, Beobachtungen und sinnlosen oder irreführenden Aussagen zum Fall behindert. Marion empfand es als ihre Pflicht, vorher jeden Anrufer zu testen.

»Keine Ahnung«, sagte Alexandra, »aber sie wollten sich

in Norddeich treffen, weil die Oma des Journalisten achtzig wurde, glaube ich. Oder neunzig, das weiß ich nicht mehr so genau. Auf jeden Fall war es ein runder Geburtstag, und er war deswegen sowieso da.«

»Haben Sie mit Herrn Deppe selbst gesprochen?«

»Nein. Wolfgang Fröhling hat es mir nur erzählt. Er hat wohl auch gar nicht mit dem Journalisten selbst gesprochen, sondern mit seiner Sekretärin.«

Marion Wolters bedankte sich für den Hinweis und fragte zur Sicherheit noch einmal alle Daten ab. Direkt danach ging sie hoch zu Rupert. Als sie das Büro betrat, sah sie ihn zunächst nicht. Er machte im Unterhemd hinter seinem Schreibtisch Liegestütze.

»Was machst du denn da?«

Er aalte sich jetzt auf dem Boden, drehte sich auf den Rücken, verschränkte die Arme hinter dem Kopf und antwortete: »Fitness. Verstehst du nichts von. Ein gesunder Geist in einem gesunden Körper.«

»Ich hab was für dich, mein Hase«, spottete sie. »Du stehst doch auf Journalisten.«

Er richtete sich auf. »Der Bloem?«, fragte er, neugierig geworden.

»Nee, diesmal der Deppe.« Sie hielt ihm einen Zettel mit den Angaben hin.

Er pfiff leise. Er wusste, dass sie zu gern mitgefahren wäre, aber bis Oldenburg hielt er es mit ihr im Auto nicht aus. Da fuhr er lieber mit Jessi. Die hatte eine angenehme Stimme, fand er, nicht so nölig und grundbeleidigt.

Rupert rief Jessi. Marion wusste sofort, worauf das hinauslief und sagte: »Wäre es nicht einfacher, die Oldenburger Kollegen um Amtshilfe zu bitten?«

Rupert zog sein Hemd an: »Willst du die Verantwortung dafür übernehmen, wenn dieser Deppe unser Killer ist? Die Dilettanten können wir nicht ins offene Messer laufen lassen.«

»Wie kommst du darauf, dass die Oldenburger Kollegen Dilettanten sind?«

Er stopfte die Enden des Hemdes in seine Hose. »Ich meine das ja nicht grundsätzlich ... Nur ...«

»Nur verglichen mit dir?«, grinste sie.

Er hätte fast genickt, beherrschte sich aber im letzten Moment.

Niklas war schon auf dem Garagendach. Das gebückte Laufen, das Springen von Hecke zu Busch und Mülltonne, immer die Deckung suchend, hatte ihn um Jahre zurückkatapultiert. Ein bisschen wurde er wieder zu dem kleinen Jungen. Hier kannte er sich aus. Jeder Strauch war ihm Heimat.

Er spürte wieder, wie sehr er sich immer für seinen Vater geschämt hatte. Zunächst für ihn, später dann für seine eigenen Taten. Manchmal empfand er sich aber auch als Held. Er wusste nicht, wer er wirklich war: der letzte blöde Arsch, ein vernachlässigtes Kind oder ein Kämpfer für eine gerechte Sache. Am liebsten wäre er Maler gewesen. Stumm mit Pinsel und Farbe die Welt zu gestalten, erschien ihm erstrebenswert. Mit einem Stift in der Hand konnte er Dinge beeinflussen.

Der ostfriesische Himmel über ihm war einladend blau. Vogelgezwitscher ermutigte ihn. Vom Garagendach aus sah er einen Igel auf Futtersuche quer durch den Garten wackeln. Seit vielen Jahren wohnte in der Nähe ihres Hauses eine Igelfamilie. Niklas hatte sich mit den stacheligen Freunden immer wohlgefühlt.

Er streckte den rechten Arm aus und klopfte gegen die Scheibe. Das Fenster war nur gekippt. Er hätte es leicht öffnen und einsteigen können, aber er wollte sich Anke Reiter gegenüber nicht übergriffig verhalten. Was sollte sie von ihm denken, wenn er plötzlich mitten in ihrer Wohnung stand? Er wollte sie nicht erschrecken. Vielleicht machte sie ja auch gerade etwas, wobei sie nicht beobachtet oder gestört werden wollte. Er hoffte darauf, von ihr eingeladen zu werden. Aber auf sein Klopfen erfolgte keine Reaktion.

Er versuchte es erneut. Die Sonne ließ die Glasscheibe glänzen und machte Putzstreifen sichtbar. Er hörte Schritte und Stimmen.

War sie nicht allein? Wartete die Polizei hier schon auf ihn?

Das Fenster wurde zunächst komplett geschlossen, dann geöffnet. Anke guckte kurz raus und staunte: »Niki?«

»Psst!«, sagte er. »Darf ich?«

Sie wirkte verwirrt, half ihm aber. Es wäre ohne ihre Hilfe zwar leichter für ihn gewesen, aber er nahm sie trotzdem dankbar an. Er hatte diesen Weg oft gewählt, kannte jeden Griff, den er brauchte, um reinzukommen. Er hatte es immer allein geschafft. Trotzdem nahm er ihre Hand. Sie fühlte sich eiskalt und verschwitzt an.

Schon war er im Raum. Er dampfte. Erleichtert atmete er auf. Sein Hemd war am Rücken feucht. Am liebsten hätte er geduscht.

Da saß ein Mann auf dem Sofa, die Beine lässig übereinander und grinste fröhlich: »Moin! So sagt man doch hier, oder? *Moin Moin* gilt schon als Geschwätz, habe ich gehört.«

Niklas glaubte, einen Polizisten vor sich zu haben. Er hob die Hände und sagte: »Okay, ihr habt mich. Wie konnte ich nur so blöd sein, direkt in die Falle zu laufen?«

Er spürte eine irritierende Erleichterung, als hätte er bereits das Schlimmste hinter sich. Im Grunde hatte er doch gewusst, dass am Ende alles auf diesen Moment hinauslaufen würde.

Der Mann deutete mit dem Finger seiner rechten Hand eine Pistole an und gab aus seinem Zeigefinger lachend zwei Schuss auf Niklas ab. »Willkommen, Cowboy!«

Niklas guckte Anke an. Sie setzte zu einer Erklärung an: »Das ist …« Sie stoppte, als hätte sie den Namen vergessen oder als sei es ein streng gehütetes Geheimnis.

»Du kannst mich Tatie nennen, Kleiner.« Er setzte sich anders hin und machte eine einladende Geste: »Du hast also diesen Spix umgelegt? Respekt. Ich meine, eine typische Anfängerarbeit ist das schon, aber längst nicht dieses laienhafte Herumgestümpere, sondern immerhin ein sauberer Versuch, mich nachzumachen.« Er zog Anke zu sich und prahlte: »Der Junge ist ein Rohdiamant. Noch ungeschliffen, aber aus ihm könnte man etwas machen. Wir drei zusammen! Wir könnten eine florierende Firma gründen. Was haltet ihr davon?« Er lachte über sich selbst. »Dass ausgerechnet ich das sage, ich, der einsame Wolf!«

Das ist kein Polizist, dachte Niklas und fragte sich, ob er tatsächlich den wirklichen Serienkiller vor sich hatte, der überall gesucht wurde.

Niklas presste den Satz mühsam heraus: »Man will mir Ihre Morde anhängen …«

»Ja, beschwer dich doch«, lachte Tatie. »Das hat man davon, wenn man einen anderen nachmacht. Die Provinzbullen hier halten die Kopie für das Original.«

»Ich habe niemanden nachgemacht«, verteidigte Niklas sich.

»Nicht so laut«, bat Anke. »Dieses Haus ist sehr hellhörig.«

Kevin Janssen knackte jedes Passwort, rekonstruierte zerstörte Festplatten und galt als Zauberer, wenn es darum ging, gelöschte Nachrichten auf Computern wieder sichtbar zu machen. Deswegen nannten ihn viele in der Polizeiinspektion Lisbeth Salander, nach einer Figur der Stieg-Larsson-Romane. Nur Rupert glaubte, das sei eine Anspielung auf Kevins sexuelle Ausrichtung.

Kevin hatte sich Niklas Wewes' Laptop vorgeknöpft. Eigentlich war es mehr der Versuch gewesen, sich von den Videos zu erholen, die er in Spix' digitalem Nachlass gefunden hatte. Wenn man bis dahin als Mann ein fröhliches, befriedigendes, wenn auch unspektakuläres Sexualleben geführt hatte, so konnte einem bei den Aufzeichnungen der Spaß vergehen, fand Kevin Lisbeth Salander Janssen. Manchmal, nicht oft, schämte er sich, ein Mann zu sein. Er verstand nicht wirklich, warum Männer Frauen so etwas antaten. Einer wie dieser Spix hätte im Grunde viele Möglichkeiten haben müssen. So unattraktiv war er schließlich gar nicht. Da hätte er in seiner Altersgruppe bestimmt noch einige Herzen brechen können. Aber ihm hatte wohl mehr an Erniedrigung und Unterdrückung gelegen.

Er hätte ja auch in ein Bordell gehen können, fand Kevin, aber nein, dieser Drecksack musste Frauen in schwierigen Situationen drangsalieren und erpressen. Er weidete sich an ihren Gewissensbissen und Ängsten. Es machte ihm Freude, etwas zu beschmutzen, das eigentlich rein war. Im Grunde, fand Kevin, hatte der Mörder ein längst fälliges Urteil vollstreckt. Doch das würde er niemals jemandem sagen. Er war Polizist und trat für die Werte dieser Gesellschaft ein. Das Grundgesetz war sein Leitfaden. Nur manchmal, da ...

Er hatte sich von seinen Aggressionen Spix gegenüber mit dem Laptop des Schülers ablenken wollen. Er glaubte, schwülstige Liebesmails zu finden, vielleicht Fotos von Besäufnissen, Hausaufgaben, Referate, all dieses Zeug. Aber dann entdeckte er bei den Videos eine geheime Datei mit leicht zu knackendem Passwort.

Er wusste sofort, dass es mit einer versteckten Kamera aufgenommen worden war. Ein Buchrücken war unscharf zu erkennen und ein Buchschnitt.

Kevin sah und hörte, was Spix mit Frau Wewes anstellte. Das ganze Video auf Niklas' Laptop!

Kevin stellte sich vor, er hätte solche Aufnahmen von irgendeinem Drecksack mit seiner Mutter anschauen müssen. Der kleine Junge in ihm war der Meinung, Niklas hätte es genau richtig gemacht. Dieser Verbrecher sollte für seine Tat bezahlen und nie wieder einer anderen Mutter so etwas Gemeines antun. Eigentlich wäre dieser Spix ein Fall für Dr. Bernhard Sommerfeldt gewesen. Kevin bewunderte ihn manchmal, was er aber auch niemandem sagte.

Er ging mit dem Laptop eine Etage höher zu Weller. Der wertete gerade Bewegungsbilder der Frauenwohngemeinschaft in Wildeshausen aus. Er hatte die Genehmigung bekommen, die GPS-Daten ihrer Handys zu benutzen. Damit waren sie entlastet. Sie hatten sich zwar im Raum Oldenburg bewegt, aber keine von ihnen war auch nur bis Leer oder Aurich gekommen, geschweige denn bis Norddeich.

Weller war erleichtert. Allerdings hatten alle vier Handys viel Zeit im Haus der Wohngemeinschaft in Wildeshausen verbracht. Was, fragte Weller sich, wenn sie ohne ihre Handys nach Norddeich gefahren waren, um Spix und dann den Richter zu töten? Wieso ging man immer davon aus, dass sich ein Mensch genau dort befand, wo sein Handy war? Vielleicht setzten kluge Täterinnen diesen intellektuellen Trugschluss für sich ein und verschafften sich so digitale Alibis.

Alles sah danach aus, als seien sie zu Hause gewesen, hätten dort gekocht, vielleicht Filme geguckt, während der Richter ermordet worden war. Hatten sie ihn deshalb nach Norddeich gelockt, möglichst weit weg von Oldenburg? Waren diese jungen Frauen so gerissen?

Weller stellte fest, dass sie ihm als Verdächtige genauso wenig in den Kram passten wie dieser Niklas. Er wusste, dass das schrecklich unprofessionell war, aber er hatte es lieber mit richtig bösen Schwerverbrechern zu tun. Er fühlte sich wohl, wenn Gut und Böse klar voneinander getrennt waren. Die Bösen sollten nicht sympathisch sein, fand er. Das machte alles nur komplizierter.

Er sah Kevin an, dass er mehr entdeckt hatte als den üblichen Computermüll. Selbstbewusst, aber wortlos, stellte Kevin den Laptop vor Weller auf den Schreibtisch.

»Du hast also was für mich?«, fragte Weller. Diese Computerfachleute waren oft sozial nicht sehr geschickt und wirkten auf Weller manchmal emotional gestört. Sie waren gewöhnt, dass Dinge auf Knopfdruck oder per Touchscreen funktionierten. Man konnte brummig am Bildschirm sitzen und bekam doch bei Google eine Auskunft, als hätte man freundlich lächelnd nachgefragt. So etwas veränderte die Menschen auf die Dauer. Es machte den Umgang mit ihnen nicht gerade einfacher.

Kevin schaltete ein. Weller brauchte nur wenige Sekunden, um zu kapieren, was da gerade lief. »Er hat das aufgenommen? Er hat das alles gesehen? Konnte der Junge damit umgehen?«

Kevin kaute auf der Unterlippe herum und starrte auf den Bildschirm. »Wenn der meine Mutter so erniedrigt hätte ... Ich hätte ihn auch umgelegt«, stöhnte er.

»Ja«, sagte Weller, »aber das behalten wir jetzt besser für uns. Ich frage mich, was der gegen Frau Wewes in der Hand hatte ...«

Marion Wolters öffnete die Tür. Hinter ihr standen Sylvia Hoppe und Rieke Gersema im Flur und diskutierten, ob Polizeiarbeit im Home-Office möglich sei.

»Meine Putzfrau hat sich ins Home-Office verabschiedet«, spottete Sylvia. »Läuft super. Sie gibt mir am Computer genaue Anweisungen, wo ich wie wischen soll.«

Marion sah sich im Raum um und sagte in Richtung Weller: »Frau Wewes ist da. Sie will Ann Kathrin sprechen.« Als sei das erklärungsbedürftig, fügte sie hinzu: »Also, nicht euch beide.«

Auf dem Bildschirm stieg Frau Wewes gerade auf den Tisch, um sich zu entkleiden. Weller klappte den Laptop zu. Er schämte sich, ihr zugesehen zu haben.

Verdammt, fragte er sich, wie soll ich ihr sagen, was ich hier habe?

Er nickte Marion zu. Er war glücklich, dass das Kommende jetzt nicht seine Aufgabe war. Er informierte Ann Kathrin per WhatsApp.

Da der Twingo nicht ansprang, nahm Ann Kathrin ihr Rad. Sie fuhr bei *ten Cate* vorbei. Es war ein komisches Gefühl, dieses leere Café zu sehen. Normalerweise war man froh, dort einen freien Platz zu bekommen. Lediglich der Verkaufsraum war geöffnet. Jörg Tapper stand am Eingang und achtete darauf, dass es nicht zu voll wurde. Er ließ eine neue Kundin rein, weil eine andere gerade rausging.

Ann Kathrin nickte ihm zu. Er sah ihre müden, traurigen Augen und wollte sie mit Schokolade oder einem Stückchen Kuchen aufmuntern, doch sie hatte keine Zeit. Angeblich wartete Frau Wewes in der Polizeiinspektion am Markt auf sie. Christina Wewes weigerte sich, mit einem Mann zu sprechen. Wenn überhaupt, dann nur mit der Kommissarin.

Holger Bloem verließ gerade die Schwanen-Apotheke und kam Ann Kathrin entgegen. Der Journalist grinste: »Du hast es aber eilig, Ann. Eigentlich ist Radfahren um diese Zeit hier verboten.«

»Ich fahre ja praktisch mit Blaulicht«, konterte sie.

Er lachte und machte ihr Platz: »Na, dann wollen wir mal eine Rettungsgasse bilden … «

Ann stellte ihr Rad zwischen den Polizeiwagen ab und ließ den Blick noch einmal über den Marktplatz schweifen, bevor sie die Inspektion betrat. Eine Möwe jagte einer Dohle ein halbes Brötchen ab. Ihr Luftkampf erfreute die Spatzen am Boden, die herunterfallende Krümel aufpickten. Unter die Spatzenbande hatten sich auch zwei Rotkehlchen gemischt. Ann Kathrin staunte.

Die Dohle gewann den Streit. Die Möwe segelte schimpfend davon.

Ann Kathrin atmete noch einmal tief durch. Marion führte sie quer durch die Polizeiinspektion nach hinten hinaus zu Frau Wewes, die wegen der Pandemie draußen im Innenhof wartete. Sie sah gequält aus. Sorgenvoll und doch entschlossen. Hier – an der frischen Luft – wirkte sie auf Ann Kathrin anders als in ihrem Haus in Norddeich. Irgendwie größer. Sie drückte mit ihren Händen gegen ihre Oberarme, als müsse sie sich zusammenhalten, um nicht in Einzelstücke zu zerfallen.

»Sie wollten mich sprechen, Frau Wewes«, sagte Ann Kathrin.

Die Angesprochene wandte ihr Gesicht ab, so dass es Ann Kathrin unmöglich war, ihr in die Augen zu sehen. Gleichzeitig erhöhte Frau Wewes den Druck auf ihre Oberarme. Dieses Verhalten zeigten Menschen oft kurz vor einem Geständnis. Als wollten sie in ihrem Körper etwas einsperren, das unbedingt herausdrängte.

Ann wusste, dass sie gleich Dinge erfahren würde, die ihr bisher verschwiegen worden waren.

Christina Wewes trat mit dem rechten Fuß trotzig auf: »Ich will aber nicht in so einen Raum mit großer Glasscheibe, wo immer Leute dahinterstehen und zuhören.«

»Sie meinen einen Verhörraum mit venezianischem Spiegel?«

Christina Wewes nickte, sah aber weiterhin weg.

»So etwas kommt in Fernsehfilmen öfter vor als in der Realität. Die meisten Gespräche finden einfach bei mir im

Büro statt – wir können aber auch einen Spaziergang machen, wenn Sie wollen. Die Cafés haben ja leider geschlossen.«

Christina Wewes sah sich um, wie Menschen es tun, die sich verfolgt fühlen. »Also nur wir zwei! Wo können wir denn hin?«

»In mein Büro?«

Christina Wewes brummte nur wenig begeistert.

»Oder in den Lütetsburger Schlosspark?«, schlug Ann Kathrin vor. »Das Café da ist natürlich auch geschlossen, aber wir könnten im Park in Ruhe reden.«

Damit kam sie gut bei Frau Wewes an. Da beide Frauen mit ihren Rädern gekommen waren, stand die Frage zwischen ihnen, auch mit den Rädern zum Schlosspark zu fahren. Doch Ann Kathrin zog einen Dienstwagen vor.

Christina zögerte einzusteigen. Es war ihr unangenehm, in einem Polizeiauto gesehen zu werden. Sie musste es gar nicht formulieren, Ann Kathrin verstand es auch so. Sie deutete auf Wellers Auto: »Nehmen wir den?«

Erleichtert ging Christina Wewes auf den Wagen zu.

Noch bevor sie im Kreisverkehr waren, platzte es aus ihr heraus: »Ich habe Spix getötet. Ich!«

Ann Kathrin konzentrierte sich ganz darauf, den Wagen zu steuern. Beim Golfplatz fuhr sie auf den Parkplatz. Christina Wewes saß bewegungslos wie eine Puppe auf dem Beifahrersitz und starrte vor sich hin.

»Sie haben Uwe Spix getötet?«, fragte Ann Kathrin nach, als hätte sie die Aussage nicht richtig verstanden.

»Ja. Ich.«

»Warum?«

»Er hat mich jahrelang erpresst. Ich habe es nicht länger ausgehalten.«

»Hat er Geld erpresst?«

Christina lachte bitter.

»Sex?«

»Was glauben Sie denn? Dass ich seine Socken waschen oder ihm einen Pullover stricken sollte?«

Plötzlich war da eine latente Aggression. Das kannte Ann, die Stimmung mit Geständigen konnte schnell umschlagen. Wer gerade noch um Verständnis für seine Verzweiflungstat geworben hatte, wurde einen Wimpernschlag später angriffslustig.

Ubbo Heide, der ehemalige Kripochef, hatte ihr dazu gesagt: »Wenn der geprügelte Hund zum bissigen Köter wird, muss man sich in Acht nehmen, Ann.«

Ann Kathrin mochte Vergleiche zwischen Menschen und Tieren nicht gern, auch wenn es bei Ubbo immer wie eine Fabel klang. Sie hatte ihn damals darauf hingewiesen, und er hatte erwidert: »Geprügelte Hunde haben jedes Vertrauen in die Menschen verloren. Es ist im wahrsten Sinne des Wortes aus ihnen herausgeprügelt worden. Deswegen werden sie unterwürfig oder sehr gefährlich. Meistens beides.«

Sie registrierte, dass Ubbo gerade ganz präsent für sie war. Wahrscheinlich weil sie ahnte, gleich eine sehr schwierige Situation meistern zu müssen. Eine Situation, die viel Erfahrung erforderte.

Ann Kathrin konfrontierte Christina Wewes damit, was gegen ihre Aussage sprach: »Ihr Sohn hat behauptet, es sei Notwehr gewesen. Spix habe ihn mit dem Messer angegriffen. Die Verletzungen an Niklas' Hand sprechen dafür. Seine Aussage ist also in gewisser Weise schlüssig.«

Christinas Finger verwandelten sich in Krallen. Sie griff damit aber nicht Ann Kathrin an, sondern kratzte sich über die Oberschenkel. Ann Kathrin hatte einige Menschen kennengelernt, die sich selbst Schmerzen zufügten, um sich zu spüren. Sie fragte sich, ob Frau Wewes dazugehörte.

»Er hat das nur gesagt, um mich zu schützen«, behauptete Christina.

»Ist es nicht vielleicht umgekehrt?«

Jetzt funkelte Christina Wewes Ann Kathrin zornig an: »Nein, ist es nicht! Ich habe das Schwein umgebracht und dann versucht, ihm die Geschlechtsteile abzuschneiden.«

»Warum?«

»Warum will eine Frau einem Mann den Schwanz abschneiden?«, fauchte Christina.

Ann Kathrin stieg aus, ging um den Wagen herum und öffnete die Beifahrertür. »Also, was hat Spix gegen Sie in der Hand?«

»Hatte«, giftete Christina.

Ann Kathrin blieb hart: »Was?«

Christina Wewes warf den Kopf in den Nacken und reckte ihr Kinn hoch: »Er ist tot. Glauben Sie im Ernst, ich gebe jetzt dem Nächstbesten wieder die Möglichkeit, mich zu erpressen? Halten Sie mich für eine Idiotin?«

Ann Kathrin staunte: »Es ist schlimmer als Mord? Sie gestehen den Mord, wollen aber nicht sagen, womit er Sie erpresst hat?«

Christina schwieg.

»Hat es etwas mit Ihrem Sohn zu tun?«

»Nein.«

»Sie gestehen das alles nur, um ihn zu schützen, Frau Wewes. Es hat aber keinen Sinn. Sein Blut klebte an Uwe Spix' Hals. Er hat ihn erwürgt, nachdem er von ihm verletzt wurde.«

Christina Wewes stöhnte und fuhr sich durch die Haare. Sie stieg aus, streckte sich und versuchte, Ann Kathrin direkt in die Augen zu blicken. Es war für Ann fast so, als hätte sie eine andere Frau vor sich.

»Irrtum. Spix ist auf meinen Sohn losgegangen. Er ist der Verbrecher. Er hat ihn schwer verletzt. Klar klebt das Blut meines Sohnes an dem Schwein. Der Junge hat sich gewehrt. Ich habe dann eingegriffen. Er hätte mein Kind sonst getötet. Er ...« Sie stoppte und wirkte, als wisse sie noch nicht genau, was sie als Nächstes erzählen sollte.

Ann Kathrin tat überzeugt: »Klar. Verstehe ich. Es war praktisch Notwehr.«

Christina Wewes nickte erleichtert.

Ann Kathrin fuhr fort: »Notwehr ... ja, eigentlich überzogene Notwehr. Kommt oft vor. Aber nur sehr selten endet es mit einer Leiche, die entkleidet und verstümmelt wird.«

Patzig zischte Christina: »Was haben Sie gegen mich, Frau Klaasen?«

»Gar nichts. Ich bin ebenfalls Mutter. Ich habe auch einen Sohn und würde alles tun, um ihn zu schützen. Im Grunde verstehe ich Sie.«

Christina drehte Ann Kathrin den Rücken zu und ging ein paar Meter in Richtung Golfplatz. Ann Kathrin folgte ihr mit gut zwei Metern Abstand. Sie wollte auf Nummer sicher gehen. Diese Frau hatte etwas Unberechenbares an sich. Gleichzeitig konnte Ann Kathrin sie wirklich verstehen. Wenn sie versuchte, sich in ihre Lage zu versetzen, krampfte sich ihr Magen zusammen.

Christina Wewes blieb abrupt stehen und drehte sich um. Der Wind ließ ihre Haare in Ann Kathrins Richtung flattern wie spitze Giftpfeile.

»Sie haben versucht, es wie einen Mord im Rahmen der Serie aussehen zu lassen ... stimmt's?«, fragte Ann Kathrin. Knallharte Konfrontation war manchmal die schnellste Methode, um zu einem Geständnis zu kommen, konnte aber auch genau zum Gegenteil führen, der totalen Blockade der Beschuldigten. Ann Kathrin ging das Risiko ein.

Christina starrte Ann Kathrin an, als würde sie gleich auf sie losgehen und ihr wie ein Vampir in den Hals beißen. »Ja, verdammt, das habe ich getan! Ich dachte, wenn dieser Sommerfeldt sich das Schwein nicht holt, dann muss es eben jemand anders machen.« Sie sah plötzlich stolz aus. »Jede Mutter hätte das für ihr Kind getan. Nehmen Sie mich, und lassen Sie meinen Jungen in Ruhe. Wir Mütter müssen doch zusammenhalten. Niemand sonst versteht so etwas.«

Ann Kathrin schluckte und fasste zusammen: »Ihr Sohn hat den Mann getötet, der Sie erpresst hat. Ob in Notwehr oder nicht, das sei jetzt mal dahingestellt. Er kommt zu Ihnen nach Hause. Sie sehen, was los ist, oder er erzählt es. Sie fahren hin, und dann haben Sie die Leiche verstümmelt, um uns auf die falsche Fährte zu locken ... «

Christina Wewes sagte nichts. Sie presste ihre Lippen fest aufeinander und guckte Ann Kathrin nur an.

»Was Sie erreicht haben, Frau Wewes, ist, dass wir nun Niklas verdächtigen, auch die anderen Morde begangen zu haben. Erschwerend kommt hinzu, dass er auf der Flucht ist. Die Kollegen sind nervös. Bitte helfen Sie uns.«

Christina seufzte und saugte scharf Luft ein: »Wobei? Glauben Sie wirklich, dass ich Ihnen dabei helfe, meinen Sohn zu überführen?! Sind Sie wahnsinnig?«

»Wollen Sie, dass er sich wegen Notwehr verantworten muss, oder wollen Sie, dass er als Serienkiller gejagt wird?«

Ann Kathrin hatte das Gefühl, Frau Wewes würde wanken wie ein Baum im Wind. In der Tat fegte eine heftige Brise aus Nordwest. Als Christina zusammensackte, fing Ann Kathrin sie auf und bettete die ohnmächtige Frau vorsichtig ins Gras.

Nicht weit von ihnen übte ein Golfer den Abschlag mit dem Driver.

Rupert parkte vor dem NWZ-Verlagshaus im Oldenburger Stadtteil Etzhorn in der Wilhelmshavener Heerstraße. Er hatte noch kurz überlegt, bei McDonald's anzuhalten, aber eine anständige Currywurst war ihm bedeutend lieber als ein Big Mac.

Während der Fahrt hatte Jessi ihn mit dem Problem zugesülzt, einen richtigen Mann zu finden. Sie war enttäuscht von der Männerwelt. Ihre Kernaussage war, die Jungs ihrer Generation seien im Grunde beziehungsunfähig.

Rupert verstand schon, dass sie ihn nicht anbaggern wollte, sondern sich mehr bei ihm ausheulte. Er hörte einfach nur zu und lenkte dabei den Wagen. Allerdings fiel es ihm schwer, ihren Satz: »Alle Männer sind Schweine, Rupi!« unwidersprochen zu lassen.

Er stieg aus und ruckelte seine Hose am Gürtel zurecht. »Die haben es einfach noch nicht drauf, Jessi. Aus Angst, richtige Männer zu sein, sind sie Pussys geworden.« Er wollte noch hinzufügen: *Du findest schon den Richtigen,* doch da sah er den Schauspieler Barnaby Metschurat auf das Verlagsgebäude zugehen. Jessi reagierte sofort. Ihre Augen bekamen diesen Glanz, den Rupert in Frauenaugen so sehr liebte. Allerdings galt ihr verklärter Blick nicht ihm. Er wölbte stolz die Brust und sagte dann wie nebenbei: »Ich kenn den.«

»Barnaby!«, freute Jessi sich.

»Ja. Also, wir sind praktisch Freunde. Wir haben uns in Köln mal an einer Hotelbar getroffen.«

»Ich weiß, Rupi. Ich weiß.«

Sie kannte diese alten Geschichten. Rupert konnte nicht aufhören, sie zu erzählen und merkte nicht, wie sehr er sie inzwischen damit langweilte.

»Aber … mit *Bar*, Jessi, da meine ich jetzt nicht so einen schmuddeligen Tabledance-Schuppen.«

»Ich weiß doch, Rupi. Ich weiß!« Sie hörte gar nicht mehr zu. Barnaby war für sie viel wichtiger.

Rupert räusperte sich und fasste sie an, damit sie ihm weiter zuhörte: »Nicht, dass du jetzt etwas Falsches von mir denkst. Das war kein Stripclub, sondern eine gepflegte Hotelbar. Im *Savoy* in Köln! Da gehen Schauspieler ein und aus, Regisseure und Filmproduzenten.«

Barnaby nickte Rupert freundlich zu. Rupert fühlte sich dadurch geradezu geadelt und stieg in Jessis Ansehen gewaltig. Zumindest hoffte er das.

Rupert gab stolz an: »Wir haben uns neulich noch im Tierpark getroffen.«

»Ich weiß, Rupi. Ich war doch dabei. Barnaby ist voll der gute Schauspieler. Und so süß!«, schwärmte Jessi. »Leider darf er immer nur so einen blöden Macho-Bullen spielen. Aber selbst das macht er toll. Ich hoffe ja immer, dass er mal eine richtig gute, tragende Rolle bekommt.«

»So? Was soll das denn sein? Ich meine, Jessi, er spielt immerhin einen Kommissar. Einen Hauptkommissar sogar! Das sind die Helden von heute. Die tapferen Ritter gegen das

Unrecht! Für das Gute! Gegen das Böse! Das ist doch unser Job!« Er überzeugte Jessi nicht wirklich.

»Trotzdem«, zickte sie. »Ich fände den Barnaby zum Beispiel auch als Gangsterboss großartig!«

Rupert bohrte nach: »Ich dachte, du stehst mehr auf Christian Erdmann ...«

»Ja, den finde ich auch ganz toll – aber der ist ja jetzt nicht da.«

Bisher hatte Rupert immer geglaubt, sie würde für ihn schwärmen. Oder war es mehr eine Hoffnung? Jetzt bekam er schmerzhaft mit, wie es aussah, wenn Jessi wirklich jemanden anhimmelte.

Sie begrüßten sich mit Ellbogen und gingen hintereinander auf den Eingang zu.

»Ich bin zu einem Interview eingeladen«, sagte Barnaby. »Bei Lasse Deppe.«

»Zu dem wollen wir auch«, warf Jessi ein.

»Hat der dich nicht schon im Tierpark interviewt?«, fragte Rupert.

»Ja, schon, aber jetzt geht es um was anderes. Ich mache bei einer Serie in Paris mit. Das hat sich ganz neu ergeben.«

»In Paris?«, freute Jessi sich.

»Ja, in Paris. Im Lockdown. Und da wollte Lasse vorher noch ...«

Rupert unterbrach ihn: »Mit französischen Schauspielern und so?«

»Ja, klar. Ich hoffe, ich kann wegen dieser blöden Pandemie überhaupt einreisen«, antwortete Barnaby.

»Ja, muss man denn dann nicht Französisch sprechen?«, staunte Rupert.

»Sicher, sonst würde es ein Problem«, lachte Barnaby.

Lasse Deppe kam aus dem Gebäude. Er kam direkt auf die drei zu. Wegen der Pandemie wollte er das Gespräch mit Barnaby lieber bei einem Spaziergang führen.

Rupert wandte ein: »Ich bin mir gar nicht so sicher, ob euer Interview heute überhaupt stattfinden wird.«

»Wieso?«, fragte Lasse.

»Na, weil wir in einem Mordfall ermitteln. Wir haben Hinweise darauf, dass Sie, Herr Deppe, der Vorletzte gewesen sind, der das Opfer gesehen hat. Also ... falls Sie der Täter sind, sogar der Allerletzte.«

»Wie? Was? Ich?«

Rupert zählte auf, was er an Belastendem vorzubringen hatte: »Sie haben über Ihre Sekretärin ein Treffen mit Richter Fröhling in Norddeich vereinbart. Wo Sie gerade beim Geburtstag Ihrer Oma waren. Er ist hingefahren, und danach haben wir ihn mit abgeschnittenen Geschlechtsteilen am Ortseingang Norden bei der Doornkaat-Flasche gefunden.«

Lasse zeigte journalistisches Interesse, konnte aber über die Mutmaßungen nur den Kopf schütteln: »Meine Sekretärin hat ganz sicher keinen Termin in Norddeich für mich vereinbart. Ich habe auch keine Oma, die in Norddeich wohnt und ganz sicher habe ich nichts mit dem Mord zu tun.«

Rupert trat von einem Fuß auf den anderen. Er kam sich blöd vor.

Der Journalist versuchte, ihn abzuwimmeln: »Es tut mir leid, aber ich habe einen knapp bemessenen Zeitplan. Ich würde jetzt gerne ein Gespräch mit Herrn Metschurat führen«, stellte Lasse Deppe klar.

»Barnaby«, schlug Barnaby vor.

»Lasse«, sagte Lasse.

Aber Rupert wollte sich nicht so leicht abspeisen lassen. »Sie leugnen also alles?«

»Ja.«

Barnaby ging ein paar Schritte mit Lasse. Jessi legte eine Hand auf Ruperts Unterarm. Sie hatte das Gefühl, er bräuchte jetzt Trost.

»Sie können mich doch hier jetzt nicht so einfach rumstehen lassen! Wir sind zwei Stunden gefahren, um Ihnen diese Fragen zu stellen«, rief Rupert hinter dem Journalisten her.

Lasse Deppe drehte sich um: »Ist jetzt nicht Ihr Ernst, oder? Warum haben Sie nicht einfach angerufen?«

Rupert hatte so schnell keine gute Antwort parat. Er fragte sich, was Ann Kathrin in so einer Situation wohl sagen würde. Sofort stand seine Verteidigungsstrategie. Er wollte vor Jessi nicht so blöd dastehen.

»Ich wollte mir ein persönliches Bild machen. So ein Buchregal in der Wohnung ist doch wie ein Fingerabdruck der Seele.«

»Buchregal? Was für ein Buchregal?«, fragte Lasse Deppe und deutete auf die Gegend und den blauen Himmel.

»Wir sind draußen«, flüsterte Jessi Rupert zu, als hätte er das vergessen.

»Trotzdem!«, protestierte er.

Lasse Deppe nahm es gelassen. Er zeigte seine leeren Hände vor und bat um Verständnis. Er deutete auf das Verlagsgebäude: »Das ist auch nicht meine Wohnung. Da haben wir nur die Redaktion und … Wäre jetzt nicht Corona, würde ich Sie gerne ein bisschen herumführen, aber so … «

Rupert tat ihm leid. Er sah plötzlich so verloren aus, wie ein kleiner Junge, der kurz davor war zu heulen.

»Ich kann jetzt nicht gut einen Mord gestehen, bloß damit sich für Sie die lange Anfahrt gelohnt hat, Herr Kommissar ...«

Barnaby gab ihm recht: »Stimmt!«

Rupert kratzte sich am Kopf. »Würde ich an Ihrer Stelle auch nicht.«

»Lass uns wieder nach Norden zurück, Rupi. Das bringt hier nichts mehr. Wir haben uns vergaloppiert.«

Rupert nahm erfreut zur Kenntnis, dass sie *wir* sagte und ihm keinen Vorwurf machte. Trotzdem stampfte er sauer auf: »Wir können nicht mal in ein Eiscafé. Herrgott! Bei dem tollen Wetter, und dann hat alles zu. Himmel, Arsch und Zwirn, was ist nur aus dieser Welt geworden?«

Tatie ließ es sich gutgehen. Er genoss die Situation demonstrativ. Es fehlte eigentlich nur, dass er Fotos der Speisen auf Instagram posten würde. Ihm gefiel Ankes Vorratsraum sehr gut. Anders als ihr Mann Sven spottete er nicht darüber, sondern betrachtete die Einweckgläser mit staunendem Wohlwollen: »Du hast also hier sogar Currywurst in Gläsern?«

»Ja, und Gulasch und Bolognese-Soße. Halb Schwein, halb Rind. Das Fleisch ist vom Biohof ...«

Er nahm sogar Gläser aus dem Regal und streichelte sie liebevoll. Auf jedem Glas pappte ein beschrifteter Aufkleber. Tatie las vor: »Currywurst. Rind. Extra scharf. Februar ... Die Jahreszahl ist verwischt, kann ich gar nicht lesen. Hmm! Wie lange hält sich so etwas?«

»Gut sechs Monate«, sagte Anke.

Er lachte. »So alt wird das hier aber nicht werden!« Er

grinste Niklas an: »Wir könnten uns Monate hier verstecken, mein Freund. Monate!«

Etwas an dem Gedanken war für Niklas unangenehm. Er wäre diesen Tatie nur zu gern losgeworden.

»Unten wohnen meine Eltern. Und wenn Ankes Mann zurückkommt, dann …«, gab Niklas zu bedenken.

Tatie sah ihn amüsiert an, zog am roten Gummiring und lauschte, als die Luft einströmte und der Deckel hochploppte. Er stieß den Zeigefinger in den Glasinhalt und rührte um. Genüsslich leckte er seinen Finger ab. Etwas, das Niklas sehr an Blut erinnerte, tropfte auf den Boden.

»Hmm, Rote Grütze! Scheißname, aber saulecker! Hab ich ja am liebsten mit Vanilleeis«, schmatzte Tatie. Er stellte das offene Glas ins Regal zurück, legte einen Arm um Niklas und zog ihn aus dem Vorratsraum. Komplizenhaft flüsterte er: »Sieh mal, Junge, Probleme sind dazu da, um gelöst zu werden. Da geht unsereins einfach forscher ran als andere.«

»Wie? Ich verstehe nicht.«

»Nun stell dich nicht blöder an als du bist. Deine Eltern verpfeifen dich sowieso nicht, und dieser Sven – ihr Mann – muss eh weg.«

»Weg?«

»Ja. Weg.«

»Er meint«, erklärte Anke, »es wäre besser für mich, wenn wir meinen Ex-Mann beseitigen, als mich scheiden zu lassen.« Sie sprach das Wort *Ex-Mann* so aus, als sei sie bereits von ihm geschieden.

Immer wieder ging Niklas zum Fenster. Das kleinste Geräusch schreckte ihn auf. Es war sehr ruhig in der Siedlung. Bei offenem Fenster konnten sie die Fahrräder vorbeifahrender Jugendlicher hören.

Sie saßen jetzt im Wohnzimmer zusammen wie eine Familie am Sonntag vor dem Fernseher. Es gab Kaffee und Kuchen. Viele Nachrichten rankten sich um die Morde. Norden spielte eine wichtige Rolle. Einige Prozesse gegen das organisierte Verbrechen, an denen Fröhling beteiligt gewesen war, wurden erwähnt. Er galt als mutiger Mann, bereit durchzugreifen. Er bereitete wohl gerade einen großen Prozess gegen den Sohn eines Clanchefs vor, der beschuldigt wurde, seine Ehefrau erschlagen zu haben.

»Musste er deshalb sterben?«, wollte Anke wissen.

Niklas fragte sich, ob Tatie gerade zugab, keine Ahnung zu haben, oder ob er nur so tat als ob.

»Der Nächste auf meiner Liste ist ein Bulle. Ein hohes Tier. Dirk Klatt. Eigentlich aus Wiesbaden. Hält sich aber seit einer Weile hier in Norden auf. Die erste Zeit hat er wohl im Hotel gewohnt, jetzt ist er in eine Ferienwohnung umgezogen.« Tatie stupste Niklas an: »Willst du den Job nicht übernehmen? Ich lerne dich an.«

»Ich töte doch nicht grundlos einen Menschen!«, empörte Niklas sich.

»Ich auch nicht«, behauptete Tatie. Er nahm einen Schluck Kaffee und genoss die Blicke von Anke und Niklas. Er fuhr triumphierend fort: »Sind zehntausend Grund genug?«

»Nein«, sagte Niklas hart. »Nein.«

Tatie nahm das als Scherz und lachte herausgestellt: »Ist es dir zu wenig oder brauchst du edle Gründe?«

Niklas antwortete nicht sofort.

Anke wunderte sich: »Ist es so billig, einen Killer zu mieten?«

Tatie verzog angesäuert das Gesicht. »Amateure haben die Preise versaut. Die Rumänen, die Russen und die Tschetschen. Da kannst du für ein-, zweitausend irgendeinen Stümper mit Knarre anmieten. Aber wer einen richtigen Künstler – wie mich – haben will, muss schon mal etwas tiefer in die Tasche greifen. Außerdem kommt es sehr darauf an, wer ins Jenseits befördert werden soll: Richter, Politiker, Wirtschaftsbosse oder Journalisten sind natürlich teurer – Promis sowieso ... Da gibt es immer so ein großes Tralala in der Öffentlichkeit und folglich eine intensive Fahndung. Glaub ja nicht, dass die für jeden Mord den gleichen Aufwand betreiben. Ob du einen Blumenhändler, einen Dönerverkäufer oder Pizzabäcker umlegst oder einen Promi, das, mein Lieber, macht einen Riesenunterschied.«

»Wie heißt das Fach eigentlich, in dem ich hier gerade Unterricht bekomme?«, fragte Niklas spitz.

»Kann ich noch etwas von diesem selbstgemachten Eis bekommen?«, fragte Tatie.

Anke war froh, etwas tun zu können und holte ihm, wonach er verlangte. Komisch, dachte sie, ich habe mein ganzes Leben in der Angst verbracht, etwas Schlimmes könnte jederzeit passieren. Die Angst hat mich manchmal richtig gelähmt. Jetzt sitze ich mitten in einer Pandemie, gegen die es noch keine Medizin gibt, mit einem Berufskiller und einem frischgebackenen Mörder in meiner Wohnung fest, in der ich nicht mal sein dürfte, während mein Ehemann mich betrügt. Aber ich fühle mich auf eine verrückte Art frei.

Sie trat anders auf als sonst. Fester. Als hätten ihre Füße erst seit kurzem gelernt, wirklich den Boden zu berühren. Sie nahm ihren Körper ganz neu in Besitz. Dieses Bewusstsein, dass sich der Arm nur hob, wenn sie es wollte und dass sie ihre Atmung kontrollieren konnte, erlebte sie als neu. Ein bisschen kam sie sich vor wie unter Drogen. Sie kannte den Ausdruck *bewusstseinserweiternde Drogen*. Sie hatte so etwas nie genommen. Sie fragte sich, was gerade mit ihr geschah. Noch vor kurzem hatte die Angst sie sogar daran gehindert, einkaufen zu gehen. Jetzt, da ein tödliches Virus grassierte, verspürte sie Lust darauf, einen Bummel über den Markt zu machen.

Tatie aß das Eis und lobte es. Er gab den Genießer. Jetzt sprach er mit der gleichen Leichtigkeit über Eis wie vorher über Morde.

Niklas wunderte sich. Taties Anwesenheit veränderte auch für ihn so einiges. Zum ersten Mal verspürte er den Drang, über das Geheimnis zu reden, das seine Mutter und ihn verband. Etwas, das er ewig in sich eingemauert und versteckt hatte, wollte raus.

Als hätte Tatie genau das bemerkt, ermunterte er ihn: »Nun raus mit der Sprache. Warum hast du ihn umgelegt?«

Niklas zögerte und holte tief Luft. Sein rechter Unterarm begann plötzlich zu jucken und seine linke Gesichtshälfte bis zum Hals ebenfalls. Er kratzte sich.

»Na komm! Erzähl uns etwas, Niki. Ich habe ein Recht darauf. Du hast es immerhin so gedreht, dass man mich jetzt verdächtigt.« Tatie drohte ihm scherzhaft mit dem erhobenen Zeigefinger: »Du wolltest mir den Mord in die Schuhe schieben.«

»Wollte ich nicht.«

»Beleidige meine Intelligenz nicht, Kleiner.«

Anke fragte: »Was ist wirklich geschehen?« Sie fügte gleich hinzu: »Dieser Spix war ein schrecklicher Mensch. Er hat mir Angst gemacht.«

Tatie grinste: »Der ist ja dann wohl dank unseres jungen Helden hier ein für alle Mal erledigt.«

Niklas begann zu erzählen. Es war, als würde er sich selbst dabei zuhören. Ja, er hörte sich reden. Seine Stimme kam ihm erwachsener vor als sonst. Er sah sich von außen, als sei er aus seinem Körper ausgetreten und würde alles wie in einem Film sehen. Jetzt und hier, mit Tatie und Anke, fiel es ihm leicht, über Antabus zu reden. Darüber, wie er seinem Vater die in der Weinbrandpraline versteckte Pille zwischen die Lippen geschoben hatte. Diese schreckliche Obskurität, dieses lang gehütete Geheimnis, lüftete er scheinbar mühelos. Er sprach nicht stockend. Er rang nicht um Worte. Er erzählte, wie man über einen Roman redet, den die anderen noch nicht gelesen haben.

Anke weinte beim Zuhören und nahm seine Hände. Sie rieb sie unentwegt, tat das aber fast unbewusst, irgendwie zwanghaft. Geistesabwesend.

Wie schlimm das war, was ihm in seiner Familie angetan worden war, begriff er erst jetzt wirklich, als er die Reaktion der beiden mitbekam.

Anke zerfloss fast, so sehr ging sie emotional mit. Tatie dagegen wurde zornig. Seine Lippen wurden schmal. In seinen Augen flackerte eine Mischung aus Empörung und Mordlust.

Zwischen Anke und Tatie saß Niki, als sei er ihr Sohn, der den Eltern etwas beichtete. So viel Verständnis wie von Tatie hatte er von seinem richtigen Vater nie bekommen. Zumindest fühlte es sich für ihn jetzt so an.

Tatie wäre am liebsten runtergegangen, um diesen *Drecksack von einem Vater*, wie er ihn nannte, sofort zu erledigen.

Anke war stattdessen wütend auf Niklas' Mutter. »Was hat Christina dir angetan?«, fragte sie. »Man darf ein Kind doch nicht in solche Konflikte stürzen.«

»Okay«, schlug Tatie vor, »gehen wir runter und erledigen beide. Danach holen wir uns diesen Klatt. Räumen wir hier an der Küste mal so richtig auf.«

Christina Wewes kapierte, dass sie ihre Geschichte modifizieren musste. Sie nahm die Einladung zu einem Spaziergang gemeinsam mit Ann Kathrin Klaasen im Lütetsburger Park jetzt wahr. Ann Kathrin spendierte die zwei Euro Eintritt pro Person.

Ein fast schwarzes Eichhörnchen huschte vor ihnen über den Weg. Ann Kathrin betrachtete den zauberhaften Park, dessen Magie sie sich trotz häufiger Besuche nicht entziehen konnte.

Christina sah nur auf ihre Fußspitzen. Vorsichtig machte sie tastend einen Schritt nach dem anderen, als hätte sie Angst umzufallen.

»Okay, ich will Ihnen die ganze Wahrheit sagen. Herr Spix hatte meinen Sohn übel verletzt. Niklas kam zu mir nach Hause. Ich habe ihn zu Hause verbunden, und dann bin ich zu der Angelstelle gefahren.«

»Es war also keine Notwehr? Sie haben nicht Ihren Sohn verteidigt?«

»Nein. Ich wollte die Sache ein für alle Mal beenden. Ich bin mit der vollen Absicht hingefahren, ihn zu töten. Mein Sohn hat damit nichts zu tun. Der saß mit seiner verbundenen Hand zu Hause. Ich habe Spix gesagt, was ich von ihm halte. – Sie haben schon recht, Frau Klaasen, ich wollte die Chance nutzen und es so aussehen lassen, als sei es Sommerfeldt gewesen.«

»Sommerfeldt?«

»Ja, glauben Sie denn nicht, dass die Morde von ihm begangen worden sind?«

»Dafür gibt es keine Hinweise.«

»Ach, Frau Klaasen, machen Sie sich nichts vor. Das ist doch die typische Sommerfeldt-Geschichte. Er befreit uns von dem Dreck dieser Welt. Er ist der Rächer, der Befreier, der Drachentöter von heute.« Sie winkte ab und fuhr fort: »Na, ist ja auch egal. Jedenfalls hat er mir nicht geholfen. Ich habe lange auf ihn gewartet, es dann aber am Ende selbst getan.«

»Wenn ich Ihnen glauben soll, Frau Wewes, dann müssen Sie mir schon sagen, was Spix gegen Sie in der Hand hatte.«

Christina sah ein, dass es nicht anders ging. Sie schluckte. Was hatte sie jetzt noch zu verlieren? Es ging ihr nur noch darum, ihren Sohn zu schützen. Sie erzählte von den Tabletten und wie befreiend es für sie war, ihrem Mann damit *das aggressive Potenzial zu nehmen.* Sie verschwieg, dass sie ihren Sohn motiviert hatte, seinem Vater die Pillen zu verabreichen. Es fiel ihr schwer, das einer anderen Mutter gegenüber zu gestehen. Ihr Verhalten kam ihr jetzt verabscheuungswürdig vor.

»Wusste Niki davon?«, fragte Ann Kathrin.

Christina Wewes schüttelte wild den Kopf. »Nein, natürlich nicht.«

»Ich hatte auch Probleme mit meinem Mann. Hero hatte ständig andere Frauen. Ich habe mich von ihm scheiden lassen. Wäre das für Sie nicht auch ein Weg gewesen?«

»Ja, von so einem Fremdgänger kann man sich vielleicht einfach trennen. Von meinem Clemens nicht ... Ich habe natürlich oft darüber nachgedacht, aber irgendwie habe ich es nicht hingekriegt, habe mich nicht getraut. Es war so, als würde ich ihm gehören, als hätte ich gar kein Recht, mich von ihm zu trennen. Ich glaube, er sieht das genauso. Und Spix hat natürlich damit gedroht, zur Polizei zu gehen. Ich wäre ja nicht einfach geschieden worden, ich musste damit rechnen, verhaftet zu werden.«

»Verhaftet?«

»Na ja, das ist doch wohl so was wie Körperverletzung, wenn nicht gar Schlimmeres ...«

»Sie hätten sich Rat suchen können, Frau Wewes. Bei einem Rechtsanwalt. Bei einem Arzt. Wir haben Beratungsstellen ...«

Christina Wewes zerrte an Ann Kathrins Kleidung. »Machen Sie mit mir, was Sie wollen. Verhaften Sie mich, stellen Sie mich vor Gericht, verachten Sie mich. Aber bitte, lassen Sie um Himmels willen meinen Sohn in Ruhe!«

»Und den Richter haben Sie dann auch umgebracht, oder was?«, wollte Ann Kathrin wissen.

Christina sah sie aus irren Augen an: »Das war ich nicht! Das war Sommerfeldt, genau wie bei all den anderen auch. Das wissen Sie doch genau!« Plötzlich, als hätte sie eine Erkenntnis, schrie sie Ann Kathrin an: »Wollen Sie meinem Sohn die Morde in die Schuhe schieben, um Ihren Freund Sommerfeldt vor der Verfolgung zu bewahren?«

Ann Kathrin drehte sich von Christina weg und sah einem Pfau hinterher. »So ein Blödsinn!«, zischte sie. »Damit versuchen Sie doch nur, von den eigentlichen Problemen abzulenken. Wenn Sie im Gefängnis sitzen, soll dann Ihr Sohn alleine mit Ihrem Mann bleiben, oder wie stellen Sie sich das vor, Frau Wewes?«

Mit fahrigen Bewegungen fuhr sich Christina durchs Gesicht. Sie wischte Haare weg, wo keine waren. Ihre Finger zitterten. »Ich weiß auch nicht, was jetzt werden soll«, schluchzte sie. »Das Ganze ist mir ... entglitten ... «

Holger Bloem redigierte einen Artikel über die Meyer-Werft. Ein neues Kreuzfahrtschiff, die *Odyssey of the Seas*, war mit zwei Schleppern über die Ems nach Eemshaven überführt worden und von dort aus nach Bremerhaven. Das Manöver erstreckte sich wegen der enormen Größe des Luxusliners über drei Tiden.

Die Endredaktion eines Heftes war immer sehr aufwendig. Holger Bloem hatte großartiges Fotomaterial und wusste, dass er die Leser des *Ostfriesland Magazins* damit begeistern würde. Aber jetzt musste er eine Auswahl treffen, das war immer schmerzhaft.

Holger suchte Fotos aus, die das alles besonders schön dokumentierten. Die Arbeit der zwei Schlepper hatte er aus der Nähe betrachtet.

Er erschrak, als er die Leserbriefe sah, die seine Redaktion per E-Mail erreicht hatten. Er wusste sofort, dass hier jemand versuchte, etwas Schlimmes loszutreten.

Er musste Ann Kathrin warnen. Obwohl ein Tag vor ihm lag, an dem es mehr zu tun gab, als zu schaffen war, schob er jetzt alles beiseite und rief Ann Kathrin an.

Ann Kathrins Stimme klang gehetzt, und er hatte das Gefühl, nicht gerade zu ihrer Beruhigung beitragen zu können. »Liebe Ann, es ist irgendwie meine Pflicht, dich darauf hinzuweisen ... Ich befürchte, da versucht gerade jemand, dir was ans Zeug zu flicken. Bei uns gehen Leserbriefe ein, die dich betreffen.«

»Mich?«

»Ja. Ich würde das nicht auf die leichte Schulter nehmen. Hier zum Beispiel.« Holger las vor: »Wie lange wird die schwer belastete Kommissarin noch von ihren alten Seilschaften gedeckt werden können? Die Spatzen pfeifen es in Ostfriesland von den Dächern: Sie hat einen unschuldigen Schüler, Niklas W., zur Jagd freigegeben, um ihren alten Freund, den Serienkiller Dr. Bernhard Sommerfeldt, zu schützen. Während der gesamte Polizeiapparat hinter einem Schüler her ist, kann Sommerfeldt munter weitermorden und seine Liste abarbeiten, die er möglicherweise sogar von der ostfriesischen Kripo erhalten hat. Er beseitigt alle Problemfälle. Das Ganze wird schon als ›ostfriesischer Weg‹ bezeichnet oder als die ›Ann-Kathrin-Klaasen-Methode‹. Der Rechtsstaat ist in Gefahr!«

Ann Kathrin hatte Mühe, auf den Straßenverkehr zu achten und den Wagen in der Spur zu halten. Sie wusste nicht, wie viel Frau Wewes von Holgers Worten mitbekam. Sie saß neben ihr und guckte sauer, weil sie es nicht in Ordnung fand, dass die Kommissarin mit einer Hand lenkte und mit der anderen ein Handy ans Ohr hielt.

»Wenn ich so Auto fahren würde«, sagte sie, »bekäme ich dafür ein Strafmandat.«

Trotzdem war Ann Kathrin froh, nicht die Freisprechanlage eingeschaltet zu haben. Sie befürchtete, Christina Wewes hätte ohnehin schon zu viel mitbekommen.

Ann Kathrin schluckte und fragte: »Wer schreibt denn so was?«

»Ich habe den Absender noch nicht überprüft. Hier sind

aber fünf vergleichbare E-Mails eingegangen. Liebe Ann, das Ganze sieht nach einer organisierten Aktion gegen dich aus.«

Anns Lachen klang bemüht. »Aber so was bringt doch niemand«, sagte sie. In ihrer Stimme schwangen Zweifel mit.

»Kein seriöses Blatt würde das tun, Ann, ist schon klar. Aber das hier ist garantiert nicht nur an uns gegangen, sondern auch an andere Blätter. Und wir wissen beide, dass du in Ostfriesland nicht nur Freunde hast.«

»Manchmal musste ich Leuten ganz schön auf die Füße treten, das stimmt. Aber deswegen wird niemand solche Ungeheuerlichkeiten gegen mich in die Welt setzen.«

»Ich fürchte, Ann, das, was jetzt kommt, hat Methode. Ein seriöser Journalist würde solchen Blödsinn und solche Verdächtigungen nicht schreiben. Aber wenn dich jemand nicht leiden kann, ist der jetzt in der Lage, sich hinter Leserbriefen zu verstecken. So nach dem Motto: Man darf ja der Meinung sein, dass, und man darf Fragen stellen. Alles, was ich hier lese, Ann, ist am Rande des Justiziablen. Und ich sage das ganz bewusst: am Rande. Kann sein, dass die damit vor Gericht sogar durchkämen, falls du klagst.«

»So weit wird es nicht kommen, Holger.« Sie atmete tief. »Du machst mir ja richtig Angst.«

»Würden Sie jetzt bitte aufhören zu telefonieren und wieder auf die Straße gucken? Ich habe schon Probleme genug, ich will lebend nach Hause kommen!«, fauchte Christina.

»Kannst du nicht ein paar Kollegen von dir anrufen und fragen ...«

Holger tat, als sei das gar kein Problem. »Hätte ich sowieso gleich gemacht. Ich wollte dich nur vorab informieren.«

»Danke.«

Zum Abschied zitierte er Bob Dylan: »I'll be with you when the deal goes down.«

Vielleicht begriff Ann Kathrin erst in diesem Moment, wie ernst es wirklich um sie stand. Sie erinnerte sich an eine Diskussion am Feuer. Ihr Ehemann Frank Weller hatte auf der Haut gebratenen Zander serviert, dazu grünen Spargel. Sie hatte mit Angela Bloem eine Flasche Weißwein geleert, während die Männer sich an den großen *Ostfriesenbräu*-Flaschen festhielten.

Sie hatten lange über den Nobelpreis für Bob Dylan gesprochen. Weller war der Meinung, ein Kriminalschriftsteller sei endlich mal an der Reihe gewesen und schickte Henning Mankell ins Rennen, weil seiner Meinung nach die Kriminalliteratur die eigentlichen gesellschaftlichen Probleme dieser Zeit beleuchtete.

Sie hatte ein paar Lieblingssätze aus Bob Dylans lyrischem Werk zitiert und unter anderem die Zeile: »I'll be with you when the deal goes down.«

Sie hatten lange über die Bedeutung diskutiert. Angela war mit Ann Kathrin der Meinung, es ginge hier um mehr als darum, dass sich jemand daran beteiligen wolle, wenn die Rechnung präsentiert wurde und bezahlt werden sollte. Ann Kathrin sah darin die eigentliche Frage: Was ist, wenn es mal hart auf hart geht? Hast du dann noch Freunde, die bei dir sind? Wünscht sich nicht jeder in einer schwierigen Situation einen neben sich, der sagt: Ich bin bei dir, wenn die Rechnung präsentiert wird, wenn wir für all das, was wir getan haben, zahlen müssen. Wenn ein Gericht urteilen wird, ob unsere Handlungen bestraft werden müssen oder nicht.

Weller hatte den Song dann noch für alle gespielt. Sie hatten ihn sich mehrfach angehört und kamen von der Musik zu einem Gespräch über Freundschaft, Zusammenhalt und dass sich wohl jeder einen Freund wünscht, der im entscheidenden Moment nicht wegrennt, sondern bei einem bleibt.

Ann Kathrin merkte nicht, dass sie feuchte Augen bekommen hatte. Es war ein sehr aufwühlender Tag. Das Gespräch mit Christina Wewes und jetzt dieser Anruf von Holger. Sie hätte sich am liebsten zu Hause unter der Bettdecke verkrochen und geheult. Ein bisschen aus Angst vor der Zukunft, aber auch weil sie zutiefst gerührt war.

Sie drückte das Gespräch weg und legte beide Hände fest ums Lenkrad. Sie sagte sich selbst: Ich werde das genaue Gegenteil tun. Ich werde tapfer sein und alles durchstehen, was auch immer dieser Tag noch an Überraschungen bereithält. Ich werde jetzt hier nicht zur Heulsuse werden.

Kann man, fragte sie sich, einen Gefühlsausbruch einfach verschieben? Aufs Wochenende oder den nächsten freien Tag?

Holger Bloem rief zunächst Lasse Deppe von der *NWZ* und Aike Ruhr von den *Ostfriesischen Nachrichten* an, um sich nach merkwürdigen Leserbriefen zu erkundigen. Beide mussten erst in der Leserbriefredaktion nachforschen und meldeten sich dann bei Holger zurück. In beiden Redaktionen waren wortgleiche Leserbriefe angekommen. Man hatte sich aber entschieden, sie wegen der darin enthaltenen Verdächtigungen und Beleidigungen nicht zu bringen.

Holger rief einen Leserbriefschreiber aus Wittmund an, um sich zu erkundigen, ob der Brief überhaupt von ihm sei.

Er hatte einen äußerst empörten Bürger am Telefon. Schon in den ersten Sekunden des Gesprächs wurde Holger klar, dass hier jemand, vom Lockdown genervt, seinen Frust abließ und nun die Polizei für alles verantwortlich machte, was er im Moment im Leben als einengend empfand. Da Ann Kathrin Klaasen zweifelsfrei die bekannteste Person der ostfriesischen Kriminalpolizei war, entlud sich alles an ihr.

Der Leserbriefschreiber hakte dann noch einmal nach: »Bloem? D e r Bloem? Sind Sie der, der diese schreckliche Frau immer so hochgejubelt hat?«

»Ich habe sie nicht hochgejubelt«, antwortete Holger, »ich habe über sie berichtet. Niemand in unserem Land hat mehr Serienmörder überführt als sie. Und niemand hat mehr ... «

»Ach, hören Sie doch auf! Sie hat sie laufen lassen! Sie und dieser Sommerfeldt! Das ist ein Kopp und ein Arsch!«, schrie der aufgebrachte Mann und legte auf.

Holger widmete sich wieder dem Artikel über den Luxusliner und suchte passende Fotos aus.

Rieke Gersema, die Pressesprecherin der ostfriesischen Polizei, war ihren Job leid. Sie hätte ihn gern an den Nagel gehängt und wäre am liebsten in die Betrugsabteilung gewechselt. Dort hatte man es ihrer Meinung nach nicht so oft mit Blut und Brutalitäten zu tun, sondern mit intelligenteren Verbrechern. Sie kannte aus ihrer Nachbarschaft mehrere Personen, die auf Trickbetrüger hereingefallen waren. Der »Enkeltrick«, mit dem Omis und Opis abgezockt wurden, erfreute sich gerade unter Ganoven großer Beliebtheit. In den Seniorenheimen war das Personal vorgewarnt, aber viele, die allein lebten und sich nach Kontakt sehnten, waren ideale Opfer.

Statt diese alten Menschen vor üblen Betrügern zu schützen, musste sie sich jetzt mit diesem Müll beschäftigen. Aike Ruhr hatte sie angerufen und gefragt, was denn *los sei und ob sie über diese Kampagne gegen Ann Kathrin Klaasen etwas wüsste.*

Sie hatte ihm für die Warnung gedankt. Sie konnte sich auf die seriöse ostfriesische Presse verlassen, aber sie wusste nicht, wie es im Rest des Landes aussah. Sie hatte keine Ahnung, wie weit diese Leserbriefe gestreut worden waren und das Internet bot für solche haltlosen Behauptungen viele Foren.

Rieke Gersema googelte *Ann Kathrin Klaasen* und wurde augenblicklich fündig. Seit einer knappen Stunde wurde Ann Kathrin in zahlreichen Online-Portalen attackiert. Sie wurde als *Geliebte von Sommerfeldt* bezeichnet. Über Sätze wie: *Eine Krähe hackt der anderen kein Auge aus* oder *Sie schützt ihren Lover* konnte man vielleicht noch schmunzeln, aber die Suche nach Niklas Wewes wurde ihr übel angekreidet. Sie wurde als eine Person hingestellt, die wissentlich den Falschen zur Jagd freigegeben hätte.

Es gab zwar sofort Gegenstimmen, aber auch die gefielen Rieke nicht. Die meisten Sommerfeldt-Fans waren Frauen. Sie bezeichneten ihn als *Meinen Lieblingshausarzt* oder *Unseren Doktor.* Einige stellten Namenslisten auf, wem er als Nächstes zu einem *Rendezvous mit dem Schöpfer* verhelfen sollte. *Wenn Polizei und Gerichte nicht für Ordnung sorgen können, muss es eben unser Doktor Sommerfeldt tun.* Darin waren sich viele einig. Es wurde sogar bereits für ihn gesammelt, um ihn bei einem Prozess unterstützen zu können.

Den letzten Kommentar las Rieke Gersema zweimal: *Prozess? Was für ein Prozess? Den Doktor kriegt ihr nie! Der schwimmt in Ostfriesland wie ein Fisch im Wasser. Wir sind doch alle bereit, ihn zu verstecken. Bravo Ann Kathrin, weiter so!*

Rieke Gersema löste eine Aspirin-Sprudeltablette mit Vitamin C in einem Wasserglas auf. Sie hatte noch keine Kopfschmerzen, aber sie ahnte, dass sie bald welche bekommen würde. Wie viel einfacher wäre es beim Betrugsdezernat, dachte sie. Sie leerte das Glas in einem Zug. Die Tablette hatte sich noch nicht vollständig aufgelöst, ein paar weiße Krümel blieben unten drin. Sie ging noch einmal zum Wasserhahn, ließ das Glas erneut volllaufen und trank gierig.

So muss der Name *Störtebeker* entstanden sein, dachte sie. Es heißt doch: *Stürz den Becher*, oder nicht?

Sie druckte einige der aufschlussreichsten Leserbriefe und Kommentare aus und ging damit zu ihrem Chef, Martin Büscher. Bevor sie den Flur betrat, setzte sie sich den Mund-Nasen-Schutz auf, allerdings nicht so sehr als Schutz gegen das Virus, sondern, damit die anderen nicht sahen, wie sauer sie war.

Als sie Martin Büschers Büro betrat, waren der Kripochef und Dirk Klatt bereits mitten in der Diskussion. Es war, als würde sie in eine Giftwolke hineinlaufen.

Um festzustellen, dass Klatts Bluthochdruck einen kritischen Wert erreicht hatte, brauchte man kein Messgerät. Sein teigiges Gesicht wies große, rote Flecken auf, die sich in Richtung Hals ausdehnten. Seine Augäpfel quollen hervor. Beim Sprechen drohte seine Zunge immer wieder aus dem Mund zu fallen, als sei sie aufgequollen und zu dick für die Mundhöhle geworden. Bei jedem S-Laut sprühte er Speichel.

Rieke Gersema blieb auf Abstand und richtete ihren Mund-Nasen-Schutz, obwohl er für Dirk Klatt sicherlich wichtiger gewesen wäre.

Büscher stand von Klatt weit entfernt, als wolle er sich seiner Aura entziehen. Er drückte seinen Rücken gegen ein geschlossenes Fenster und saß halb auf der Fensterbank.

Alle Computerbildschirme leuchteten, aber von einem digitalen Büro konnte nicht die Rede sein. Ein umgefallener Papierstapel bedeckte den Schreibtisch. Aus unerfindlichen Gründen lag ein Stempelkissen auf dem Boden. Rieke bemerkte es, weil sie mit der Fußspitze dagegenstieß. Sie bückte sich aber nicht, um es aufzuheben.

Büscher war eindeutig in der Defensive. Er klammerte sich mit den Händen an der Fensterbank fest, als hätte er Angst, sonst nach hinten rauszustürzen.

Klatt gab hier den Ankläger: »Die Leute haben doch im Grunde recht! Die Zustände in dieser Polizeiinspektion sind unhaltbar. Und komm mir jetzt bitte nicht mit der Erfolgsquote deiner«, er wirbelte mit der Hand in der Luft herum, als müsse er den richtigen Ausdruck von der Decke fangen. Ein Sprühregen aus Speichelbläschen ergoss sich über den Schreibtisch. »Deiner Superkommissarin! Das ist für euch alles eine Nummer zu groß! Deine Führungsschwäche fällt uns jetzt auf die Füße! Zieh sie von dem Fall ab! Lass die Klaasen Fahrraddiebe auf Borkum jagen, oder, wenn es schon die Mordkommission sein muss, dann gib ihr Fälle, bei denen die tote Ehefrau im Garten liegt, ihr Mann den Spaten in der Hand hält und die Spusi uns eine eindeutige Indizienlage liefert. Es gibt nur zwei Möglichkeiten, mein Lieber: Entweder, sie führt uns alle an der Nase herum und versucht nur, ihrem G'spusi Sommerfeldt einen Vorsprung zu verschaffen oder sie ist wirklich so blöd ... «

Rieke Gersema fühlte sich nicht beachtet. Klatt machte wieder Gesten mit den Händen, aber sie wusste nicht genau, wie sie sie deuten sollte. Schickte er sie etwa einfach weg? Schlug er nach einer Fliege? Oder nutzte er seine Hände wie Antennen, mit denen er versuchte aufzufangen, was die Menschen im Raum dachten? Sie wurde nicht schlau aus ihm. Er war ihr unangenehm. Seine genaue Funktion hier war ihr immer noch nicht klar.

Sie suchte Blickkontakt zu Martin Büscher. Immerhin war er ihr direkter Vorgesetzter. Büscher nickte ihr vom Fenster aus zu.

»Wir brauchen eine Sprachregelung, wie wir damit umgehen ... «

Sie musste gar nicht ausführen, womit. Klatt beantwortete ihre Frage, bevor Büscher die Gelegenheit dazu hatte. Er tippte dabei mit seinem Zeigefinger auf die Schreibtischplatte. Es entstand ein Ton, als sei ein Specht im Büro: »Die Sprachregelung ist ganz einfach«, keifte er. »Frau Klaasen wurde beurlaubt, und wir sind kurz davor, Dr. Bernhard Sommerfeldt zu verhaften. Das Ganze ist nicht mehr die Sache der ostfriesischen Polizei. Aus fahndungstechnischen Gründen können wir nicht mehr bekannt geben.«

Rieke fragte Martin Büscher: »Ist das euer Ernst?«

Er stieß sich mühsam von der Fensterbank ab, als sei er dort festgeklebt gewesen. Er bewegte sich einen Schritt auf Rieke zu und sagte: »Mir ist schlecht.«

Rieke ging nicht darauf ein: »Das können wir doch jetzt nicht machen! Ich kann nicht offiziell bekannt geben, dass Ann Kathrin ... «

Rieke bemühte sich, Klatt nicht anzusehen. Sie hatte Angst, vor seiner Wut einzuknicken. Er erinnerte sie an ihren gewalttätigen Vater, der ihre Mutter immer wieder verprügelt hatte. Da sie mit Gewalterfahrungen groß geworden war, spürte sie angestaute Wut bei ausflippenden Männern sehr schnell. Es machte ihr Angst. Sie musste dann aufpassen, nicht in ihre Kindheit zurückzufallen und stumm zu werden. Als Polizistin neigte sie dann dazu, nichts zu tun oder total zu überziehen.

Vielleicht, dachte sie in dem Moment, ist es doch besser für mich, als Pressesprecherin zu arbeiten. Bei aggressivem männlichen Verhalten könnte ich rasch die weibliche Ausgabe von Dr. Sommerfeldt werden.

»Weiß das Ann Kathrin überhaupt schon?«, fragte sie Büscher.

»Im Moment«, antwortete Büscher so langsam, als müsse er jedes Wort aus einem fremden Sprachschatz vorsichtig übersetzen, »ist das alles nur die Meinung des BKA.«

»Und von einigen besorgten Bürgern«, behauptete Klatt. Er wusste also schon, was im Netz stand, und in Rieke keimte der Verdacht auf, er könne sogar dahinterstecken und die Kampagne gegen Ann Kathrin initiiert haben.

Allein dieser Gedanke reichte aus, und Rieke war sofort vollständig auf Anns Seite. Sie machte sich ganz gerade und sprach mit angespannter Rückenmuskulatur: »Den Überlegungen fehlt jede Logik. Nehmen wir einmal an – gegen jede Vernunft und gegen besseres Wissen –, Ann Kathrin hätte Sommerfeldt wirklich laufen lassen, und er würde gerade diese Mordserie begehen, und Ann Kathrin versucht, diese Taten einem Siebzehnjährigen in die Schuhe zu schieben, um Sommerfeldt zu decken. Warum, frage ich euch, lässt sie dann den Siebzehnjährigen laufen, statt ihn hier zu grillen? Sie ist eine Verhörspezialistin! Außerdem gibt es eindeutige Blutspuren von Niklas Wewes, und wir haben sein Geständnis ... «

Klatt verließ seine Stellung hinterm Schreibtisch und kam bullig näher, Rieke entschieden zu nah. Sie wich zurück. Sie konnte ihn im wahrsten Sinne des Wortes nicht riechen. Sie fand sein Rasierwasser widerlich. Obwohl er eine andere Marke benutzte, erinnerte es sie an das ihres Vaters.

»Ich will Ihnen sagen, junge Frau, warum Frau Klaasen diesen Niklas hat laufen lassen.« Er holte tief Luft und brüllte dann: »Damit wir uns alle mit ihm beschäftigen! Damit der gesamte Apparat hinter dem Jungen her ist und Sommerfeldt freien Raum hat! Sie verschafft ihm Luft, damit er sich das nächste Opfer aussuchen kann!«

»Und wer soll das sein?«, fragte Rieke.

»Böse Jungs finden sich doch genug. Vielleicht ein Drogendealer, der gerade aus dem Knast entlassen wurde und jetzt versucht, auf ostfriesischen Schulhöfen neue Kunden zu gewinnen.«

»Das dürfte ihm während der Pandemie nicht leichtfallen«, konterte Rieke. Sie wollte den Raum eigentlich nur noch verlassen, ja, sie ärgerte sich, überhaupt gekommen zu sein.

Büscher hatte sich endlich sortiert, stöhnte laut, als hätte er Schmerzen und sagte dann: »Das alles geht nicht so einfach. Sie wird sich das nicht gefallen lassen. Sie tut, was sie will.«

Das war Wasser auf Klatts Mühle: »Ja, verdammt! Weil sie nie einer bremst! Du bist hier der Boss! Nimm deine Verantwortung wahr! Du führst den Laden nicht richtig! Die tanzen dir die ganze Zeit auf der Nase herum! Ich verstehe sowieso nicht, warum du dir das gefallen lässt!«

»Wir sind hier in Ostfriesland«, gab Büscher zu bedenken, der sich wieder nach Bremerhaven zurücksehnte, wo er damals aus heutiger Sicht ein ruhigeres Leben geführt hatte, mit weniger Verantwortung, weniger Druck und einfacheren Kollegen. »Wir haben hier«, gab Büscher zu, »nur so lange etwas zu sagen, wie sie uns lässt.«

»Was soll das heißen? Gibt es hier informelle Strukturen, von denen ich keine Ahnung habe?«

»Wir haben hier in Ostfriesland«, klärte Rieke ihn auf, »unseren eigenen *way of life.*«

»Und das heißt?«, fauchte Klatt angriffslustig. »Ihr entscheidet hier basisdemokratisch, wer das Rudel führt, oder was?«

Büscher versuchte einzulenken: »Das sind normale gruppendynamische Prozesse. Es gibt dienstliche Hierarchien, klar. Aber dann gibt es noch etwas: Menschen, die sich vertrauen, einander verbunden fühlen und … «

»Papperlapapp!«, schrie Klatt und griff sich ans Herz. Rieke hätte sich nicht gewundert, wenn der übergewichtige Mann jeden Moment zusammengebrochen wäre. Sie fragte sich, ob sie bereit wäre, Erste Hilfe zu leisten. Sicherlich hätte sie bis auf eine Mund-zu-Mund-Beatmung alles getan, um ihn zu retten, redete sie sich ein.

Büscher versuchte noch einmal, Brücken zu bauen: »Vielleicht können wir ihr erklären, dass es im Augenblick besser ist, sie aus der Schusslinie zu nehmen. Das hört sich auf jeden Fall anders an, und vielleicht lässt sie sich darauf ein.«

Klatt äffte eine Ballerina nach, die sich vor ihrem Publikum verbeugt. Er versuchte es auf einem Bein, dabei wackelte er bedenklich: »Ja, dann machen wir es Madame doch mundgerecht. Vielleicht sollten wir auch noch einen Strauß Blumen kaufen und ein paar Pralinen.« Er drehte Rieke und Büscher jetzt den Rücken zu, hob die Hände zur Decke und sprach die Wand an: »Wo bin ich hier nur hingeraten?! Lauter Luschen!«

»Wir können so nicht weitermachen«, sagte Jara. »Florian schöpft Verdacht.«

Sven Reiter hatte immer Angst vor diesem Moment gehabt. Für ihn selbst war diese Affäre ein problemloses Vergnügen. Die sozialen Ängste seiner Frau machten es ihm leicht. Aber Jara war eine verdammt schöne Frau, und ihr Mann begann, eifersüchtig zu werden.

Jara drängte ihn zu einer Entscheidung. Wenn sie mit ihm zusammen war, tat sie so, als würde sie nur zu gern seine Ehefrau werden. Sie schlief weiterhin mit ihrem Mann, einerseits, damit er nicht misstrauisch wurde, andererseits aber auch, weil es ihr Spaß machte. Sie genoss es, den einen mit dem anderen während des Liebesaktes geistig zu betrügen. So war es, als würde sie mit zwei Männern gleichzeitig schlafen.

Beim letzten Mal hatte Florian während des Sex den Namen Susi gestöhnt. Sie war ausgerastet vor Wut, hatte ihn beschuldigt, dabei an eine andere zu denken.

Er hatte gekontert: »Das sagst du mir? Ich hab's doch nur gemacht, um dich wachzurütteln!«

»Wachzurütteln?«

»Wer hat mich denn zweimal Sven genannt?«

Sie forderte eine Entscheidung von Sven. »Ich kann«, sagte sie, »nicht weiter bei dir arbeiten, wenn wir unsere Beziehung beenden. So läuft das einfach nicht. Entweder, wir machen beide reinen Tisch, ziehen zusammen und betreiben diesen Laden hier gemeinsam, oder wir machen einen harten Schnitt.«

Er hasste schwierige Beziehungsgespräche. Vor dem, was jetzt passierte, hatte er immer Angst gehabt. Wie unkompliziert war dagegen doch das Zusammensein mit Anke. Er regelte die Außenkontakte, sie lebte ihr zurückgezogenes Einsiedlerkrebsleben und war ihm noch dankbar, dass er ihr keine Vorwürfe machte.

Er bat sich zwei Tage Bedenkzeit aus. Er müsse ohnehin nach Norddeich, um dort nach dem Rechten zu sehen, gab er an.

Das gefiel Jara überhaupt nicht: »Du ziehst sie vor, ja? Was soll das denn heißen, nach dem Rechten sehen? Du willst zu ihr! Macht es dir dein Hausmütterchen besser als ich?«, keifte sie. »Ist sie leichter handhabbar als ich, stimmt's? Und wenn's dir mit ihr langweilig wird, suchst du dir ein anderes Mäuschen hier fürs Büro und für ein bisschen Spaß im Bett? Die Mädels stehen bestimmt Schlange. Du siehst ja gut aus, bist eloquent, verheiratet, aber im Grunde völlig unabhängig. Ein unkompliziertes Verhältnis – wer hat so was nicht gerne?«, spottete sie.

Ann Kathrin lenkte den Wagen aufs Parkdeck vom *Norder Tor*. Ihre Nachbarin Rita Grendel nannte das Einkaufszentrum *Norder Eigentor*, weil es viele Kunden aus der Innenstadt abzog und so zum Sterben des Einzelhandels beitrug.

Oben hielt Ann Kathrin an und stieg aus.

Christina Wewes fragte: »Ja, gehen wir jetzt einkaufen, oder was?«

Die beiden Frauen standen neben dem Auto und sahen von oben über die Stadt. Von hier aus konnte man die Windmühle sehen, die vom Einkaufszentrum fast eingerahmt wurde.

»Was mache ich jetzt mit Ihnen?«, fragte Ann Kathrin.

Christina legte ihre Arme aufs Dach des Citroën Picasso, als würde sie an der Theke stehen und sich gleich ein neues Bier bestellen. Sie spielte jetzt bewusst die Lässige. »Nun, ich schlage vor, wir fahren in die Polizeiinspektion. Sie nehmen mein Geständnis auf, und die Fahndung nach meinem Sohn wird sofort beendet. Am besten geben Sie eine Pressekonferenz. Sie würden super dastehen, als die tolle Kommissarin, die mich erwischt hat. Sie mögen doch solche Zeitungsartikel, oder? Ganz uneitel sind Sie nicht gerade, Frau Klaasen. Mir soll es recht sein, Hauptsache, alle Welt erfährt, dass mein Sohn unschuldig ist. Dann kann er endlich zur Ruhe kommen.«

»Endlich zur Ruhe kommen?«, fragte Ann Kathrin kritisch nach. »Und ab dann gibt er Ihrem saufenden Mann die Antabus-Tabletten selbst, oder was?«

»Vielleicht«, hoffte Christina Wewes, »ist der Schock für Clemens ja groß genug, und er geht endlich in Therapie. Gibt es in Norden nicht eine Gruppe der Anonymen Alkoholiker?«

»O ja«, sagte Ann Kathrin, »die gibt es.«

»Ich weiß«, gestand Christina. »Einmal habe ich es geschafft, meinen Mann dahinzulotsen. Einmal. Er ist nicht mal die ganze Sitzung lang geblieben. Er meinte, er hätte das nicht nötig.«

Ann Kathrin bewegte sich ein paar Schritte vom Auto weg. Hier oben, über den Dächern der Stadt, hatte sie das Gefühl, ein bisschen besser nachdenken zu können. Nicht ganz so gut wie am Deich, aber trotzdem wurden die Probleme anders, wenn man die Perspektive wechselte. Diese Erfahrung hatte sie oft gemacht.

»Ich glaube, das Beste ist«, sagte sie, »wenn Sie sich noch ein wenig Zeit nehmen, Frau Wewes. Besprechen Sie alles mit einem Anwalt. Dazu sind Anwälte doch schließlich da.«

Christina spürte die Fürsorglichkeit von Ann Kathrin und fühlte sich dadurch merkwürdig berührt. Es war dieser Frau nicht egal, was aus ihr wurde. Die machte nicht nur einfach ihren Job, sondern sie versuchte, etwas gutzumachen, etwas in die Waage zu bringen. Mit allem, was sie tat, wollte sie zur Verbesserung, ja, zur Heilung der Welt beitragen. Es gelang ihr nicht immer, aber das war ihre eigentliche Antriebsfeder.

Bei mir selbst, dachte Christina, ist es genauso. Auch ich wollte doch eigentlich immer nur das Gute, habe aber das Unheil damit geradezu heraufbeschworen und alles nur noch schlimmer gemacht.

Jetzt tat es ihr leid, dass sie Ann Kathrin gerade so hart angegangen war. Sie zögerte und fragte sich, ob es eine Möglichkeit gab, sich zu entschuldigen. Doch noch bevor sie sich den richtigen Satz zurechtgelegt hatte, sagte Ann Kathrin: »Nehmen Sie sich keinen Anwalt aus der Gegend hier. Es fällt Ihnen bestimmt leichter, sich jemandem anzuvertrauen, dem Sie später nicht ständig begegnen.«

»Das stimmt«, sagte Christina. »Außerdem will ich nicht

an einen Saufkumpan von meinem Mann geraten. Kennen Sie vertrauenswürdige Anwälte, die mir helfen könnten?«

»Vielleicht Berendes aus Gelsenkirchen oder Weßling aus Nordhorn.«

»Sind das nicht alles Leute, die mal Dr. Bernhard Sommerfeldt verteidigt haben?«, fragte Christina und sah dabei aus, als würde sie es als Ehre empfinden, von solchen Anwälten beraten zu werden.

»Der Doktor ist nicht durch seine Anwälte freigekommen, sondern bei einer Tatortbesichtigung geflohen.«

Christina verzog den Mund. »Das, Frau Klaasen, weiß jeder. Und Sie waren dabei und Ihr Mann Weller und Kommissar Rupert.«

»Das wird mir wohl ewig nachhängen«, seufzte Ann Kathrin.

»Und jetzt ist Ihnen auch noch mein Sohn entwischt. Ich möchte nicht in Ihrer Haut stecken, Frau Kommissarin.«

Ann Kathrin sagte darauf nichts mehr. Sie fragte sich nur selbst: Was gebe ich bloß für eine Figur ab, dass eine Frau, die gerade dabei ist, einen Mord zu gestehen, nicht in meiner Haut stecken möchte?

Es irritierte Niklas, dass Anke Reiter in ihrem nachtblauen seidenen Unterrock durch die Ferienwohnung lief und sich darin genauso selbstverständlich bewegte, wie seine Mutter im ausgebeulten Jogginganzug. Er öffnete das Fenster. Kühle Nordseeluft durchflutete den Raum. Anke rieb sich die Oberarme und zog sich den flauschigen weißen Bademantel über.

Tatie nahm Niklas zur Seite und sagte: »So, Kleiner, jetzt beginnen wir mit dem Grundkurs. Sobald es an der Tür klingelt, liebe Anke, möchte ich, dass du den Bademantel ausziehst oder ihn zumindest lasziv an einer Seite der Schulter runterhängen lässt.«

Anke stand still im Raum. Tatie ging zu ihr und demonstrierte, was er meinte. Dann pustete er ihr in die Haare, so dass ihr zwei Locken in die Stirn fielen.

»Na«, fragte er Niklas, »ist sie so verwirrend genug?«

Niklas fühlte sich als ihr Beschützer, und gleichzeitig genierte er sich. »Lassen Sie sie in Ruhe!«

Tatie gab Niklas einen Klaps in den Nacken: »Regel Nummer eins: Wenn es an der Tür klingelt und eine Frau in Unterwäsche öffnet, erinnert sich später kein Polizist mehr an das Gesicht des Mannes in der Wohnung. Aber er kann dir sehr viel über die Frau erzählen.« Tatie lachte. »Das nutzt uns, Kleiner. Nicht wahr, Anke, damit haben wir doch schon gute Erfahrungen gesammelt.«

Sie nickte und probierte aus, wie weit sie den Bademantel über die Schulter rutschen lassen konnte. Sie spiegelte sich im Fenster. Sie versuchte, an sich Gefallen zu finden.

»Und wenn eine Polizistin klingelt?«, fragte Niklas, um Taties Theorie zu erschüttern.

»Dann ist es nicht anders. Sie wird sich später darüber aufregen, wie die Schlampe rumgelaufen ist. Frauen setzen sich immer gleich in Konkurrenz zueinander, weißt du. Ich wette, wenn du die Bullen fragst, welche Personen hier oben waren, als sie Niki gesucht haben, könnten die nicht mal meine Augenfarbe bestimmen oder mein Alter.«

»Haben die sich keine Ausweispapiere zeigen lassen?«, fragte Niklas.

Anke schloss ihren Bademantel wieder und brachte die Haare mit den Fingern in ihre frühere Form. Sie schaffte es tatsächlich, mit wenigen Handbewegungen wieder zu der Frau zu werden, für die Niki manchmal Einkäufe erledigt hatte. Von der verführerischen Gangsterbraut zur züchtigen Zweitwohnungsbesitzerin.

»Lasst uns mal überlegen«, schlug Tatie vor und setzte sich breitbeinig an den Tisch, »wo wir diesen Klatt am besten präsentieren. Das wäre dann die dritte Leiche in Norden. Es wird einen Riesenaufstand geben. Wir machen die Küstenregion berühmt. Was haltet ihr von einer fetten, nackten Leiche in der Ludgeri-Kirche?«

Tatie fand das witzig und versuchte, Anke und Niklas zum Lachen zu motivieren. Ankes Mund verzog sich zu einem verkrampften, gespielten Lächeln.

»Das Problem ist«, fuhr Tatie fort, »der Typ ist schwer übergewichtig. Wir müssen uns etwas für den Transport einfallen lassen. Diese Schlepperei hasse ich wirklich an dem Job. Im Grunde bräuchten wir einen Gabelstapler.« Er winkte ab, als seien seine eigenen Worte überholt. »Immerhin sind wir ja jetzt zu dritt.«

»Können wir ihn nicht einfach in seiner Ferienwohnung töten und gut ist?«, fragte Anke und sah aus, als könne sie nicht glauben, diesen Satz ausgesprochen zu haben. Sie brühte Tee auf, aber nicht, um ihn zu trinken, sondern mehr, um ihre Hände daran zu wärmen. Ihre Finger und die Füße waren kalt, aber unter den Achselhöhlen schwitzte sie. Auch auf ihrer Stirn bildeten sich feine Schweißperlen.

»Unser Auftraggeber besteht auf einer öffentlichen Zurschaustellung. Das Ganze ist eine Demonstration, kapiert ihr? Er will damit andere einschüchtern.«

»Wen denn?«, fragte Niklas, obwohl es ihn eigentlich nicht wirklich interessierte. Er versuchte, Tatie einfach zu beschäftigen.

»Bei mir meldet sich immer einer, der ganz auf Clint Eastwood macht, aber mit Kohlenpottdialekt. Bestimmt ist er auch so dürr und so alt. Er spielt gern den Chef, ist es aber garantiert nicht. Die richtigen Bosse haben für so etwas ihre Laufburschen. Die spielen sich allerdings immer auf, als seien sie der Boss. Das ist den eigentlichen Chefs nur recht. Wenn die ganze Sache auffliegt, geht irgend so ein Laufbursche als Auftraggeber über die Klinge. Die wissen aber natürlich nicht genug, um den großen Boss verraten oder gefährden zu können.«

»Ein Deutscher?«, fragte Niklas.

»Ja, und das deutet auf einen arabischen Clan hin. Es ist immer das gleiche Spiel, fast schon langweilig. Die Kölner, Düsseldorfer und Frankfurter Gangs bedienen sich gerne arabischer Laufburschen, die türkischen, kurdischen und arabischen Clans deutscher. So wird im Regelfall immer die falsche Gruppe verdächtigt. Das Spiel ist so alt wie das organisierte Verbrechen.«

»Haben die keine eigenen Leute, um ihre Morde zu begehen?«, wollte Anke wissen. Sie verbrühte sich am heißen Wasser und hielt jetzt ihre Hand unter den Wasserhahn. Der kalte Strahl erleichterte ihren Schmerz. »Ist gar nicht so schlimm«, sagte sie. Ihr Gesicht machte aber einen anderen Eindruck.

»Man trennt die Geschäftsbereiche heute gerne auf, weißt du. Die einen verdienen das Schwarzgeld, eine ganz andere Gruppe macht daraus weißes und dann kommen die BWL-Studenten«, er sprach das Wort so spöttisch aus, als gebe es gar kein wirkliches Studium der Betriebswirtschaftslehre, sondern als sei das alles nur ein Fake, »und legen die Kohle gewinnbringend an. Den schlagenden Arm trennt man gern völlig von der Organisation, Outsourcing nennt man so etwas wohl«, lachte Tatie, »denn so geraten nur die bewaffneten Söldner unter wirklichen Verfolgungsdruck.«

Eigentlich gefiel es Tatie, dass Niklas ihn siezte, er ihn aber duzte. So wurde das Meister-Schüler-Verhältnis schon in der Anrede dokumentiert. Gleichzeitig wollte er einen auf Kumpel machen und bot zwischendurch immer wieder das Du an.

»Wir wissen also gar nicht, für wen oder warum wir eigentlich morden?«, fragte Niklas noch einmal, der es immer noch nicht glauben konnte.

»Sei doch nicht so naiv, Junge«, forderte Tatie. »Das ist immer so. Glaubst du, die Soldaten dieser Welt wissen, wen sie warum töten? Man erzählt ihnen irgendeinen Scheiß von Ehre und Vaterland oder auch von Freiheit und Menschenrechten. Denen sagt doch keiner die Wahrheit: *Wir wollen eigentlich bloß deren Öl*! Das klingt doch auch ein bisschen profan, oder? Weißt du, was uns von den staatlichen Söldnertruppen dieser Welt unterscheidet?«

Niklas sah ihn nur fragend an, sagte aber nichts. Anke lutschte an ihrem verbrannten Finger.

»Wir bekommen mehr Geld«, stellte Tatie klar. »Wir sind die eigentliche Elitetruppe.«

»Elitetruppe?«, wiederholte Niklas.

Tatie nickte fröhlich und freute sich, dass Niklas es endlich verstanden hatte. »Jawohl. Ich frage mich nicht mal: Töten wir im staatlichen oder im privaten Auftrag? Den Unterschied versteht sowieso kaum noch jemand. Ich bin nicht mit irgendeinem Gesülze zu überzeugen. Ich mache mich mit keiner Sache gemein. Ich tue es nur für mich. Und jetzt sind wir eine Gruppe. Wenn du nach meinen Regeln zu spielen lernst, Junge, wird es dir gutgehen im Leben.«

»Haben wir irgendein Ziel?«, fragte Anke. »Hören wir irgendwann auf?«

Einen Moment wirkte er nachdenklich, schien fast in sich zu versinken, als müsse er nach der Antwort lange kramen. Dann sagte er sachlich: »Es ist erst vorbei, wenn es vorbei ist. Wenn wir so viel Geld zurückgelegt haben, dass wir es uns mit neuen Papieren in einem anderen Land gemütlich machen können und nie wieder arbeiten müssen. Ist das nicht das Ziel von allen?«

»Was?«, hakte Niklas nach.

»Nun, irgendwann in Rente zu gehen und genug Pension zu erhalten. Genug zurückgelegt zu haben für ein ruhiges Leben an einem schönen Ort der Welt. Guck dich doch hier in Norddeich um. Die Leute haben irgendwo ihr Geld verdient, ein kleines Vermögen gemacht, in ihrem Architektenbüro in Düsseldorf, in ihrer Boutique in Essen, als Rechtsanwalt in Dinslaken oder Verwaltungsangestellter in Posemuckel. Dann kaufen sie sich hier in ihr kleines ostfriesisches Paradies ein. Mehr wollen wir auch nicht.« Mit einer Handbewegung quer über den Tisch wischte er all das Gesagte weg und führte wieder zum Eigentlichen zurück: »Also – wo werden wir diesen Klatt der Öffentlichkeit präsentieren?«

Niklas und Anke schwiegen. Sie hielt den Bademantel jetzt mit beiden Händen am Hals zu und drückte die Knie gegeneinander.

»Na los«, forderte Tatie, »ich erwarte eure Vorschläge. Im Lockdown ist es schwierig, großes Aufsehen zu erregen. Meine Auftraggeber hätten es gerne überall auf Seite eins.

Dieser Richter und dieser Bulle sind nur kleine Figuren. Sie wollen ganz andere damit einschüchtern.« Er strahlte, als hätte er gerade einen genialen Einfall. Er tippte sich an die Stirn: »Hey! Wir könnten ihn als Galionsfigur an die Frisia-Fähre hängen! Das gibt ein paar geile Fotos. Die Möwen werden uns dankbar sein, die Touristen füttern sie ja im Moment nicht. Da gibt es dann statt Pommes und Fischbrötchen mal einen BKA-Beamten zum Frühstück.«

Als würde er diesen Vorschlag wirklich in Betracht ziehen, formulierte Niklas vorsichtig einen Einwand: »Als Galionsfigur? Wenn er wirklich so übergewichtig ist, könnte das ein Problem werden.«

»Da hast du recht, Junge«, gab Tatie zu. »Hast du eine bessere Idee?«

Tatie ging zur Toilette. Niklas beugte sich zu Anke vor und flüsterte: »Er wird uns töten, Anke. Wir wissen viel zu viel über ihn. Er kann uns gar nicht mehr laufen lassen.«

»Wir müssen sein Spiel mitspielen ...«, raunte sie.

Die Toilettenspülung war zu hören. Schnell nahm Niklas wieder Abstand von Anke. Sie flüsterte noch: »Lass mich nur machen ...«

Gegen die Saufgelage meines Vaters hatten wir Antabus, dachte Niklas. Aber gegen so einen Profikiller helfen keine Tabletten. Oder hatte Anke etwa vor, ihn zu vergiften?

Tatie machte sich erst im Wohnzimmer die Hose zu. Er hatte sich sehr beeilt, um die beiden nicht zu lange allein zu lassen.

»Na«, fragte er, »irgendwelche Ideen? Kirche? Fähre? Oder höre ich etwas Besseres?«

Weil der Seehund in Ann Kathrins Handy nicht aufhörte zu heulen und sie in der letzten halben Stunde mehr als siebzig Text- und Sprachnachrichten erhalten hatte, alle verbunden mit der Aufforderung, sofort zurückzurufen, schaltete sie ihr Handy aus. Es braute sich etwas um ihre Person zusammen, so viel war ihr klar. Sie wollte sich nicht von dem eigentlichen Fall abbringen lassen. Oftmals passierte so viel um die Ermittlungsarbeit herum, dass das Wesentliche in den Hintergrund geriet und sich bürokratische Maßnahmen, bis hin zu Überstundenregelungen, in den Vordergrund drängten. Plötzlich waren Dienstpläne wichtiger als die Ergreifung eines Täters, Datenschutzrichtlinien behinderten die Fahndung nach dem Täter und die politisch korrekte Außendarstellung wurde wichtiger als die saubere Ermittlung.

Sich zu fokussieren, hatte sie von Ubbo Heide gelernt, dem ehemaligen Chef der Kripo, den sie jetzt zu gern als Berater an ihrer Seite gehabt hätte.

Sie schlug Frau Wewes vor: »Wir fahren jetzt nicht zur Polizeiinspektion. Werden Sie erst mal klar darüber, was Sie wirklich wollen!«

Christina walkte ihr blasses Gesicht durch. Sie rang mit einem Schwächeanfall. Hier oben auf dem Parkdeck schien sie kaum Luft zu bekommen, was angesichts der Weite um sie herum nur noch beängstigender wurde. Hier konnte niemand ein Fenster öffnen. Sie standen bereits im Wind.

»Ich kann nicht nach Hause zurück. Ich kann jetzt nicht in der Nähe meines Mannes sein … «

»Ich hatte auch nicht vor, Sie nach Hause zurückzubringen, sondern zu mir.«

»Zu Ihnen? Warum tun Sie das, Frau Klaasen?«, fragte sie.

»Ich will ehrlich zu Ihnen sein: Ich hoffe, dass Sie mir helfen, Niklas zur Vernunft zu bringen. Und dann sehen wir weiter. Einige Kollegen sind sehr nervös. Er wird für zwei Morde in Norden verantwortlich gemacht. Logischerweise rechnet ihm jeder auch noch die beiden vorherigen zu. Ich möchte verhindern, dass er sich eine Kugel fängt oder sich selbst etwas antut. Wenn er weiß, dass Sie bei mir sind, wird er vielleicht zu mir nach Hause kommen. Das wird ihm leichter fallen, als Sie in der Polizeiinspektion zu besuchen.«

»Damit Sie ihn dann verhaften können?«

»Damit ich dann mit ihm reden kann. Für vieles von dem Mist, in dem der Junge steckt, tragen andere die Verantwortung.«

Christina sah ihr an, dass sie eigentlich hatte sagen wollen: Tragen Sie die Verantwortung. Im letzten Moment hatte Ann Kathrin es weniger anklagend formuliert.

»Wie soll er erfahren, dass ich bei Ihnen bin? Wir können es ja schlecht in die Zeitung setzen.«

Ann Kathrin versuchte, sie aufzumuntern. »Ostfriesland ist klein. Im Grunde ein Dorf. Hier kennt doch noch jeder jeden. Es reicht, wenn ein paar Leute Bescheid wissen und er wird es erfahren. Er hatte sich bei Bettina Göschl versteckt. Sobald er kein Geld mehr hat oder irgendwo untertauchen muss, wird er sich wieder bei ihr melden, davon gehe ich ganz sicher aus.«

Christina Wewes sah ein, dass sie kaum eine andere Wahl hatte. Ann Kathrins Weg schien ihr in der jetzigen Situation einladend wie ein roter Teppich.

»Es könnte auch sein«, sagte Christina, »dass er sich bei Anke Reiter meldet. Die beiden haben ein gutes Verhältnis. Er hat viel für sie getan, wenn es ihr schlechtging. Sie hat manchmal psychische Probleme, das soll aber keiner erfahren. Sie glaubt, niemand habe eine Ahnung, dabei … «

»Ich weiß«, sagte Ann Kathrin. »Wir haben ihn sogar dort gesucht.«

Christina stieg wieder ins Auto. Sie knallte die Tür zu, aber ein Stück vom Anschnallgurt hing nach draußen. Die Tür schloss nicht richtig.

Ann Kathrin ging ums Auto herum, öffnete die Tür erneut und half Christina, sich richtig anzuschnallen.

»Müssten Sie mich nicht einfach verhaften?«

»Ja«, sagte Ann Kathrin, »müsste ich.«

»Warum tun Sie es nicht?«

Ann Kathrin ging ums Auto herum, klemmte sich hinters Steuer und antwortete, nachdem sie den Picasso angelassen hatte: »Hätten Sie sich nicht von Ihrem Mann scheiden lassen sollen oder mit ihm eine Beratungsstelle aufsuchen müssen?«

»Ja, das wäre wohl besser gewesen.«

»Und warum haben Sie es nicht getan?«

Christina atmete aus. »Weil ich … etwas anderes für richtig gehalten habe.«

»Sehen Sie«, sagte Ann Kathrin, »und so geht es mir gerade.«

Sie hielten im Distelkamp, und Ann Kathrin führte Christina in ihr Haus. »Sie können sich gerne bedienen. Es ist nicht gerade viel im Kühlschrank, aber nehmen Sie sich ruhig … «

»Danke, ich habe keinen Hunger.«

Christina staunte über die vielen Bücher im Haus. Buchregale bis unter die Decke. Aus einigen Bilderbüchern, die Ann Kathrin sehr liebte, hatte sie Illustrationen signieren lassen und nun zierten diese Bilder einige Wände, so dass man den Eindruck bekommen konnte, hier wohne ein Grundschulkind. Es war die wohl größte Bilderbuchsammlung, die Christina je gesehen hatte. Sie fühlte sich sehr zu diesen Büchern hingezogen, als gäbe es neben der schrecklichen Wirklichkeit, in der sie sich gerade befand, noch eine andere. Auch darin lauerten Monster und fürchterliche Gefahren. Doch diese Bilderbücher vermittelten, schon bevor man sie aufklappte, das Gefühl, alles könne gut werden.

Am Frühstückstisch lagen mehrere aufgeklappte Bilderbücher. Ann Kathrin kommentierte das lächelnd: »Mir hilft es manchmal. Ich benutze Bilderbücher wie ein Schutzschild gegen diese Welt.«

»So etwas hat mir lange gefehlt«, gab Christina zu.

Draußen ging Rita Grendel mit den Hunden spazieren. Ann Kathrin rief ihr zu: »Hallo, Rita! Christina Wewes ist bei mir, nicht, dass du dich wunderst, wenn du hier jemanden rumlaufen siehst. Ich muss zurück in die Polizeiinspektion.«

Rita winkte: »Bleib gesund, Mädchen, und nicht den Schnutenpulli vergessen!«

Ann Kathrin lächelte.

»Haben Sie das gemacht«, fragte Christina, »damit Niki es erfährt?«

»Ja, auch. Aber hier passt man gut aufeinander auf. Wenn einer nicht da ist, haben die anderen einen Blick auf sein Zuhause. Ich erlebe das nicht als soziale Kontrolle, sondern«, Ann Kathrin sprach das Wort mit Überzeugung aus, »als Geborgenheit.«

Christina weinte. Geborgen hatte sie sich schon lange nicht mehr gefühlt. Und Geborgenheit hatte sie ihrem Sohn auch nicht bieten können.

Bevor Ann Kathrin das Haus verließ, drückte sie Christina

ein Päckchen Papiertaschentücher in die Hand. Sie hatte das Gefühl, die würden noch gebraucht werden.

Clemens Wewes fühlte sich verlassen. Er tigerte durch die Wohnung und kämpfte mit dem Drang, am liebsten die Möbel kaputtzuschlagen oder so schnell wie möglich Alkohol in sich hineinzuschütten. Am besten beides. Das Zeug musste jetzt nicht schmecken, sondern einfach nur eine Wirkung erzielen.

Manchmal gab es Situationen, da suchte er gerne etwas aus, das ihm überhaupt nicht schmeckte. Dann setzte er Alkohol ein wie andere Leute Medizin. Je schlechter Medizin schmeckt, umso besser wirkt sie, hatte seine Mutter ihm beigebracht.

Sie hatten ihn alle verlassen. Seine Frau trieb sich irgendwo herum, und Niklas war auf der Flucht. Die Welt war gemein zu ihm, wie so oft. Wenn niemand mehr für ihn da war, dann wollte er wenigstens mit Johnnie Walker spazieren gehen.

Da er keinen Ansprechpartner für seine Wut hatte, ging er ins Internet. Da fand er immer etwas, worüber er sich aufregen konnte. Manchmal hinterließ er gehässige Kommentare, allerdings nie mit seinem richtigen Namen.

Er wusste, dass das jämmerlich war, aber es erleichterte ihn eben doch. Wenn er schon sein Leben nicht auf die Reihe bekam, so konnte er wenigstens ein paar Bösartigkeiten über seine ehemaligen Arbeitgeber verbreiten oder das Essen im *Smutje* schlechtmachen. Patrik und Kathi waren doch selber schuld, dass sie ihn nicht eingestellt hatten.

Er kam gar nicht so weit, denn es ploppten Nachrichten über seinen Sohn auf, den Ann Kathrin Klaasen zum Schuldigen auserkoren hatte, um ihren Freund, den Serienmörder Dr. Bernhard Sommerfeldt, zu entlasten.

Einer forderte, Menschen wie die Kommissarin sollten *bei Nebel ins Watt gejagt werden*, andere wollten sie *nackt über den Marktplatz treiben*.

Für ihre dreckigen Spiele wollten sie seinen Sohn opfern. Endlich hatte er ein Ziel für seine Wut: diese gottverdammte Kommissarin und ihren Lover, den Serienkiller. Sie wohnten ja keine dreihundert Meter Luftlinie von ihm entfernt. Am liebsten wäre er hingegangen, um sie zur Rechenschaft zu ziehen.

Er stellte sich vor, wie er all das mit ihr machen würde, was hier im Netz gefordert wurde. Natürlich waren auch gleich ein paar Helden da, die Ann Kathrin Klaasen oder sogar Dr. Bernhard Sommerfeldt verteidigten.

Diese Leute, dachte er, sind im Grunde auch nicht besser. Einer musste diesen Volkszorn in die Wirklichkeit umsetzen, bevor er einfach so verrauchte.

Er stellte sich vor, zum Helden zu werden, indem er den Volkswillen vollstreckte, die Kommissarin zur Rechenschaft zog, damit gleichzeitig die Unschuld seines Sohnes bewies, und darauf würde er dann mit einem guten Tropfen anstoßen.

Ich mach dich fertig, du verfluchte Bullenschlampe! Du kriegst meinen Sohn nicht! Du zerstörst unser Leben nicht! Du nicht!

Ann Kathrin wollte gerade jetzt Präsenz zeigen. Sie ignorierte aber, dass Büscher sie über alle zur Verfügung stehenden Kanäle in sein Büro zitiert hatte.

Rupert fand das richtig. Er begegnete Klatt und Büscher auf dem Flur beim Kaffeeautomaten. Rupert wollte einen doppelten Espresso mit Milch und Zucker, aber es tropfte Hühnersuppe in den Plastikbecher. Er warf das Zeug in den Papierkorb und versuchte es noch einmal. Jetzt kamen erst Zucker, dann Milch, schließlich der Espresso und dann der Becher.

Rupert fluchte.

Klatt schimpfte: »Weißt du, wo Frau Klaasen ist? Sie entzieht sich uns. Ihr Chef hat sie zu sich zitiert, aber ... «

»Ostfriesen«, antwortete Rupert ruhig, »zitiert man besser nicht irgendwohin. Als Befehlsempfänger ist so ein altes Piratenvolk nicht besonders gut. Uns lädt man zu einem Tee ein oder auf ein Bier, wenn man uns etwas zu sagen hat.«

Er ignorierte, dass Ann Kathrin gar keine Ostfriesin war. Im Zweifelsfall hielt diese Truppe hier zusammen, das wollte er Klatt mit seiner Antwort unmissverständlich klarmachen. Hier in der Polizeiinspektion baute sich gerade eine klare Front auf: *Wir notfalls gegen alle.*

Die Reihen schlossen sich dicht um Ann Kathrin Klaasen. Es gab viel Unterstützung von den Kolleginnen und Kollegen. Klatt und Büscher standen ziemlich isoliert da, und das wussten sie auch.

»Hilf uns, deine Kollegin zur Vernunft zu bringen, Rupert«, forderte Klatt ultimativ.

Büscher stand schweigend dabei, mit den Händen in den Hosentaschen, als hätte er Angst, gleich jemanden zu erwürgen.

Der Journalist Holger Bloem kam kurz nach Ann Kathrin in die Polizeiinspektion. Sie hatte ihn gebeten, sie zu beraten. Sie musste irgendwie vor die Öffentlichkeit treten und eine Erklärung abgeben, aber sie wusste nicht, was jetzt die nächsten richtigen Schritte waren oder wen sie dazu einladen sollte.

Weller glaubte, einen dieser Typen aus dem Internet, der Kommentare gegen Ann absonderte, die an Aufforderung zur Gewalt grenzten, zu kennen. Dem Computerfachmann Kevin Lisbeth Salander Janssen gelang es bei einigen anonymisierten Profilen, die realen Namen aufzudecken. Das war nicht so richtig legal, aber nur schwer nachvollziehbar. Er fragte sich jetzt, ob er Weller und Ann nicht etwas damit antat, wenn er ihnen sagte, wer vermutlich hinter einigen rufschädigenden Attacken stand. Kevin befürchtete, dass Frank Weller sich Einzelne vorknöpfen könnte. Der ruhige Weller konnte zur tickenden Bombe werden, wenn es um Ann oder eine seiner zwei Töchter ging.

Marion Wolters schlug vor, die Dreckschleudern vor Gericht zu zerren und wegen Beleidigung und Aufforderung zu Gewalttaten zu verklagen. Aber dazu hätten sie aufdecken müssen, wie sie an die realen Namen gekommen waren. Der Gesetzgeber machte es den Bösen mal wieder leicht und den Guten schwer. Versteckt in der Sicherheit des Datenschutzpanzers feuerten diese Leute ihre Geschosse gefahrlos auf Menschen ab, die ihnen wehrlos vorkommen mussten.

Das Treffen der vermummten Ann-Kathrin-Klaasen-Unterstützer fand in ihrem völlig überfüllten Büro statt.

»Home-Office sieht anders aus«, maulte Rieke Gersema und bat alle darum: »Jetzt bloß keine Fotos. Wir stehen alle viel zu nah zusammen und ... wenn wir nicht in der Öffentlichkeit zum Hotspot erklärt werden wollen, dann ...«

Holgers Handy meldete sich, und er ging ran. Seine Körperhaltung veränderte sich sofort. Er hob den linken Arm. Augenblicklich war allen klar, dass hier gerade etwas Entscheidendes geschah. Etwas, das alles verändern könnte.

Holger nahm sein Handy vom Ohr und sah es an, als müsse er sich vergewissern, dass es wirklich echt war. Sofort drückte er es wieder gegen sein Ohr. Er versuchte, mit der anderen Hand den Lautsprecher zuzuhalten und flüsterte: »Sommerfeldt!«

Ann Kathrin gab ihm Zeichen, er solle auf Laut stellen. Holger war so perplex, dass er einen Moment brauchte, um sich daran zu erinnern, wie das überhaupt ging.

»Ja, ich bin es wirklich. Du erkennst doch hoffentlich meine Stimme, Holger, oder?«

Holger hütete sich vor einem allzu vertraulichen Ton. »Ja, Herr Doktor, klar erkenne ich Ihre Stimme.«

Wenn man in der Polizeiinspektion einen Anruf von einem gesuchten Serienkiller bekommt, sollte man ihn besser nicht duzen, dachte Holger. Er hatte es als Journalist ohnehin nicht leicht. Die einen sagten ihm eine viel zu große Nähe zur Polizei nach, die anderen zu Schwerkriminellen.

»Bitte informiere deine Kollegen darüber, dass ich nicht der verlängerte Arm der ostfriesischen Polizei bin oder gar der von Ann Kathrin Klaasen! Das ist ja alles völlig absurd. Ihr habt es übrigens auch nicht mit einem Serienkiller zu tun, sondern mit einem Auftragsmörder. Einem bezahlten Söldner. Ich erledige weder euer Geschäft noch das von Verbrecherbanden. Aber ich würde mir am liebsten einen der Typen holen, die Ann so gerne Schwierigkeiten machen. Ich habe mich zur Ruhe gesetzt. Ich mische mich nicht mehr ein. Das ist jetzt alles euer Bier!«

Holger blickte in belämmerte Gesichter. »Aufgelegt«, stellte er fest.

Rieke Gersema flüsterte: »Wir haben Mitte März, Leute. Das ist kein verfrühter Aprilscherz ... Das war er wirklich!«

»O ja, das war er«, bestätigte Holger, »und er hat eine klare Botschaft an uns.«

»Nämlich?«, fragte Rupert, der zwar alles genau verstanden hatte, den aber Holgers Auslegung interessierte.

Holger fasste zusammen: »Er ist nicht der verlängerte Arm der ostfriesischen Polizei, und er hat nichts mit den Morden zu tun.«

»Na klasse«, kasperte Rieke herum, »damit gehe ich aber nicht vor die Presse!«

Ann Kathrin malte es mit den Fingern in die Luft: »Ich sehe schon die Schlagzeilen vor mir: *Serienkiller behauptet, nicht der verlängerte Arm der ostfriesischen Polizei zu sein!*«

Marion Wolters stellte eine verblüffend einfache Frage: »Und nur, weil der behauptet, unschuldig zu sein, glauben wir ihm das jetzt alle?« Sie tippte sich mit dem Zeigefinger gegen die Stirn. »Seid ihr völlig plemplem? Leugnet nicht jeder Mörder erst mal? Ist es nicht genau unsere Aufgabe, den Täter zu überführen, statt ihm zu glauben?«

»Nein«, sagte Rupert hart.

»Wie, nein?«, fragte sie und stellte sich so hin, dass deutlich wurde, dass sie nicht bereit war, sich von Rupert abwimmeln zu lassen.

»Sommerfeldt hat nie einen Mord geleugnet. Der ist anders. Der ist sogar stolz auf seine Taten. Er hat Bücher darüber geschrieben!«

»Ich bin eigentlich nur gekommen«, erklärte Holger, »weil ich euch vor diesem Dreck im Internet warnen wollte und ...«

»Ja, und was?«, hakte Rieke nach, die sich als Pressesprecherin immer in einem komischen Konkurrenzgefühl Holger Bloem gegenüber befand, als müsse sie dem Chefredakteur des *Ostfriesland Magazins* beweisen, dass sie Ahnung von Pressearbeit hatte.

Holger sah Ann Kathrin an: »Falls du in dieser schwierigen Lage Hilfe brauchst ... zum Beispiel bei Formulierungen oder ...«

Ann und Weller nickten dankbar.

Rieke Gersema verschränkte beleidigt die Arme vor der Brust. »Das ist eigentlich mein Job.«

Dirk Klatt riss die Tür auf. Er stand da wie ein dampfender Drache. Hinter ihm, zerknirscht, mit sorgenvollem Gesicht, guckte Kripochef Martin Büscher auf das Display seines Handys und wischte mehrfach darüber, statt sich im Raum umzusehen. Ann Kathrin kapierte sofort, dass es ihm schwerfiel, einem der Anwesenden in die Augen zu blicken.

»Was ist hier überhaupt los?«, wollte Klatt wissen. Bevor jemand antworten konnte, schob er seine Einschätzung hinterher: »Zwergenaufstand im Kindergarten, oder was?«

Rupert stieß Marion Wolters an: »Gib ihm 'n Keks. Der guckt so brummig ...«

Clemens Wewes ging zu Fuß in den Distelkamp. Er setzte sich keine Mütze auf. Er wickelte sich keinen Schal um den

Hals. Er wollte die kalte Luft spüren. Der Wind blies ihm hier im Schutz der Häuser viel zu zaghaft. Clemens wollte ihn auf der Haut spüren. Er hatte das Gefühl, von innen zu glühen. Ostwind wäre jetzt gut gewesen, nicht dieses milde Lüftchen aus Nordwest.

Er öffnete zwei Knöpfe an seinem Hemd. Der Wind sollte seine Haut abkühlen, aber nicht einmal das funktionierte an Tagen wie diesen. Es war dann, als hätte sich alles gegen ihn verschworen. Die Menschen, die Dinge und die Naturgewalten. Als Koch konnte er dann nicht mal seinen Geschmacksnerven vertrauen.

Er ging in der Mitte der Straße. Ja! Sollten ihn doch alle sehen. Er hatte nichts zu verbergen. Er würde dieser Kommissarin jetzt mal richtig den Kopf waschen. Er musste es jetzt tun.

Er war schon im Distelkamp. Eine friedliche kleine Straße. Gepflegte Vorgärten. Freistehende Häuser. Um die Jahrtausendwende herum gebaut. Kein Mensch auf der Straße. Völlige Stille.

Der uralte Twingo stand vor dem Haus. Sie war also da, folgerte er.

Als er vor der Tür stand, hörte er in der Ferne einen Zug herbeikommen. Die Personenzüge fahren noch nach Norddeich, dachte er, aber es wird niemand drin sitzen. Der Tourismus kommt in der Touristenhochburg zum Erliegen. Muss man mehr wissen, um zu verstehen, dass wir alle erledigt sind?

Wie lange würde die Region das durchhalten? Ein paar Wochen vielleicht. Länger nicht. Er konnte sich nicht vorstellen, dass die Regierung den Mut hatte, das Ostergeschäft zu verbieten und noch weniger konnte er glauben, dass die

Gastwirte und Hoteliers bereit waren, sich ihre Existenzen zerstören zu lassen. Bald schon, so glaubte er, würden keine Ministerpräsidenten und Landräte mehr den Ton angeben, sondern Rädelsführer.

Er klingelte mehrmals, aber niemand öffnete. Er machte eine Runde ums Haus. Er sah durch jedes Fenster rein. Er betrat den Garten, als sei es seiner. Am Vogelhäuschen hing ein angepiekster Meisenknödel. Er riss ihn ab und schleuderte ihn gegen die Fensterscheibe.

Im Haus war eine deutliche Bewegung für ihn erkennbar. Da huschte jemand gebückt von einem Zimmer ins andere. Oder hatte die Kommissarin einen großen Hund? Nein. Ein Hund würde jetzt bellen, Haus und Hof verteidigen und nicht ängstlich vom Wohnzimmer in die Küche laufen.

Dass sie sich vor ihm versteckte, stachelte ihn noch mehr auf. Er bekam dadurch irgendwie recht. Diese verfluchte Kommissarin fühlte sich ihm gegenüber schuldig. Sie wusste genau, was sie ihm und seiner Familie angetan hatte, nur, um diesen Sommerfeldt zu schützen. Er würde sie zur Rede stellen. Mehr als das. Er würde sie richtig zusammenfalten. Um Vergebung sollte sie winseln, alles gestehen und rückgängig machen. Schmerzensgeld würde er verlangen! Und Schweigegeld dazu. Wenn er das Haus sah, hatte sie genug Geld. Notfalls konnte sie ja eine Hypothek aufnehmen.

Er machte seiner Wut kurz Luft, kippte das Vogelhäuschen um und schleuderte einen Gartenstuhl gegen die Fasssauna. Es klang hohl und dumpf, als sei die Sauna ein Musikinstrument.

Er verließ das Grundstück. Bestimmt beobachtete sie ihn. Sollte sie sich nur in Sicherheit wiegen! Er hatte Zeit. Er würde wiederkommen. Er machte nur eine kurze Runde durch die Siedlung. Bestimmt würde sie gleich herauskommen und sich anschauen, was er kaputt gemacht hatte. Um ganz sicherzugehen, zerkratzte er in der Einfahrt den Lack des grünen Twingo. So, wie die Kiste aussah, fiel es sowieso kaum auf. Außerdem wollte er mehr Lärm machen, um sie rauszulocken. Er hob einen Blumenkübel hoch und schmetterte das Teil gegen die Windschutzscheibe. Es klirrte und krachte.

Das sollte reichen, freute er sich. Wenn sie rauskommt, dachte er, werde ich sie als Erstes fragen, warum sie nicht die Polizei gerufen hat. Allein das wird schon klarmachen, wie viel Dreck sie am Stecken hat. Er wollte ihr Angst machen. So richtige Angst! Er freute sich darauf.

Christina Wewes versteckte sich in der Küche neben dem großen Kühlschrank. Sie drückte sich fest an die Wand. Wenn sie den Kopf vorschob, konnte sie durch ein Fenster den Twingo draußen sehen. Clemens schlich um ihn herum. Sie kannte diesen Blick. Er war jetzt voller Hass auf die Welt und vermutlich auch auf sich selbst. Jemand sollte leiden, damit er seinen eigenen Schmerz vergessen konnte.

Sie kroch unter den Küchentisch, um für ihn unsichtbar zu werden. Sie zitterte, und sie schämte sich. Als sie das Blech des Twingos krachen hörte, dachte sie sofort: Er macht jetzt nur Lärm, damit ich rauskomme. Den Gefallen wollte sie ihm nicht tun.

Ihr Sohn war auf der Flucht. Sie hatte gerade einen Mord gestanden – sollte sie da die Polizei rufen, weil ihr Mann draußen randalierte? Nein, diese Möglichkeit schloss sie für

sich aus. Sie hatte der Kommissarin schon genug Schwierigkeiten gemacht, und jetzt auch noch das ...

Wenn ihr Mann nicht wusste, was er tun sollte, und keine
Ahnung hatte, wohin mit seinen Gefühlen, dann goss er sich
Alkohol ein, als sei das eine Lösung. Sie wischte sich ihre
Tränen ab, zitterte und fühlte sich innerlich zerrissen. Sie
würde das hier nicht wiedergutmachen können. Sie konnte
sich nicht vorstellen, Ann Kathrin Klaasen jemals wieder
in die Augen sehen zu können. Wie überhaupt irgendeinem Menschen. Am liebsten wäre sie unsichtbar geworden.
Wenn sie sich nicht für Niklas verantwortlich gefühlt hätte,
wäre jetzt Selbstmord vielleicht eine Alternative gewesen.
Endlich Ruhe zu haben fand sie gerade verlockend. Aber
solange ihr Sohn sie brauchte, schloss sie diese Möglichkeit
für sich aus – oder würde es ihm sogar nutzen? Bedeutete ihr
Selbstmord zusammen mit ihrem Geständnis, Spix ermordet zu haben, die Freiheit für ihren Sohn? War sie ihm das
schuldig?

Sie lag zusammengekauert unter Ann Kathrins Küchentisch. In ihrem Kopf war ein Pochen, ja, es kam ihr vor, als
würde dort ihr Herz schlagen. Sie wollte sich verkriechen.
Da war eine Sehnsucht nach dicken Kissen und Wolldecken.
Kindheitsfluchtpunkte.

Sie wusste nicht, ob Minuten vergangen waren oder Stun-
den. Sie kroch auf allen vieren ins Bad. Sie hätte nicht sa-
gen können, ob sie das machte, weil sie zu wacklig auf den
Beinen war oder um sich vor seinen Blicken zu schützen.
Kriechen schien ihr im Moment die angemessene Art der
Fortbewegung zu sein.

In ihrem Kopf waren fremde, gurgelnde Geräusche und
immer noch dieses Pochen. Kündigte sich so ein Schlaganfall

an oder ein Herzinfarkt? Ein Engegefühl in der Brust hatte sie schon seit Jahren. Morgens, wenn sie aufstand, war es besonders schlimm und nachts, wenn sie im Bett lag, aber nicht schlafen konnte, musste sie manchmal gegen einen Ring anatmen, der ihre Brust zusammendrückte.

Ist er gekommen, weil er weiß, dass ich hier bin, oder will er die Kommissarin sprechen? Was hat er vor? Sucht er Niki?

In ihrer Vorstellung war sein Gesicht von Missgunst entstellt. So voller Hass und Neid hatte er manchmal vor dem Fernseher gesessen und Kochsendungen spöttisch kommentiert. Er war dann so durchschaubar für sie. Er wünschte sich dorthin, ins Scheinwerferlicht. Er behauptete, das Zeug dazu zu haben, ja, besser zu sein als die Fernsehköche, nur hätte er eben nicht die Beziehungen. Dabei wussten sie beide genau, dass er im entscheidenden Moment versagen würde. Druck hielt er nicht gut aus. Er war immer nur theoretisch besser als alle anderen. In der Praxis versagte er häufig.

Christina wollte jetzt nur noch weg. Weg aus diesem Haus. Weg von ihrem Mann. Weg aus Norddeich. Weg aus ihrem ganzen, verfluchten Leben.

Zu gern hätte sie noch einmal ganz von vorne begonnen. Am liebsten wäre sie noch einmal ein junges Mädchen gewesen. Für einen befreienden Moment atmete sie sich in diese Phantasie hinein. Niemals würde sie heiraten. Sie war doch nicht blöd! Sie wollte frei sein – vielleicht studieren … Ihr eigenes Geld verdienen und sich niemals von einem Kerl abhängig machen! Sie wollte nicht mehr krabbeln. Nie wieder kriechen.

Sie erhob sich und ging aufrecht zur Tür. Sie wurde nicht gesucht. Noch nicht. Sie hatte eine Chance wegzukommen. Mit Ann Kathrins oder Wellers Fahrrad zum Bahnhof und dann in den nächsten Zug. In Emden wohnte eine alte Klassenkameradin, die sie seit mehr als zehn Jahren nicht gesehen hatte. In ihrer Vorstellung war sie eine freie, unabhängige Frau. Möglicherweise konnte sie bei ihr für ein paar Nächte Zuflucht finden. Einerseits hatte sie Angst, Marie könne sie vielleicht nicht mehr erkennen oder wäre irritiert über ihr Ansinnen, andererseits befürchtete sie, nicht die freie Frau anzutreffen, die Marie in ihrem Kopf immer geblieben war. Konnte man eine Beziehung nach mehr als zehn Jahren einfach so reaktivieren und anknüpfen, wo man aufgehört hatte?

Warum, fragte sie sich, habe ich mich so isoliert und meine Freundinnen nicht mehr getroffen? Immer nur wegen Clemens, oder war es auch einfach Bequemlichkeit?

Sie hatte immer befürchtet, Clemens könne sich betrinken und danebenbenehmen, deshalb hatte sie viele Einladungen ausgeschlagen, bis irgendwann keine mehr gekommen waren. Sie wollte nicht dabei sein, wenn er sich in Gesellschaft betrank. Er wurde dann nicht einfach laut und unangenehm, nein, das alleine war es nicht. Sie ertrug seine peinlichen Witzeleien nicht, wenn der Alkohol langsam seinen Verstand benebelte und die Zunge gleichzeitig locker und doch schwer machte.

Wie oft endete all ihr Nachdenken darüber, was schiefgelaufen war in ihrem Leben damit, dass er alleine an allem schuld gewesen sei. Er! Wer sonst?

Clemens Wewes hatte eine kleine Runde um das Viertel gedreht. Dabei war sein Zorn noch gewachsen. Er kam zurück, um sich diese Kommissarin vorzunehmen. Er würde sich nicht mehr abwimmeln lassen.

Er stellte sich vor, dass sie im Dunkeln müde nach Hause zurückkam und die verschwitzten Kleidungsstücke – schlampig, wie sie garantiert war – einfach fallen ließ, ohne zu bemerken, dass er bei ihr im Wohnzimmer im Sessel saß und ihren Cognac trank. Ja, das war eine gute Phantasie. Die Bilder ihres Erschreckens gefielen ihm.

Aber daraus würde nichts werden. Er vermutete sie zu Hause. Falls er sich geirrt hatte und sie wirklich nicht da war, würde sie schon in der Einfahrt den lädierten Twingo sehen. Damit wäre sie gewarnt.

Er beschloss, ins Haus einzudringen. Als er schon bei der Garage war, öffnete sich die Tür. Zaghaft nur. Einen Schlitzbreit, mehr nicht.

Er drückte sich gegen die Wand und pirschte im toten Winkel näher. Jetzt konnte er sie schon berühren, ohne durch den Schlitz gesehen zu werden.

Da war entweder jemand unentschlossen, oder er war längst erkannt worden und sollte hereingelockt werden. Schließlich waren ums Haus Kameras installiert. Vielleicht hatte sie ihn darauf gesehen? Erwartete sie ihn drinnen mit der Waffe in der Hand?

So einfach wollte er es ihr nicht machen. Er stand jetzt in einem günstigen Winkel neben der Tür. Er entschied sich für einen Überraschungsangriff. Er warf sich mit der Wucht seines ganzen Körpers gegen die Tür. Sie krachte gegen die Person, die dahinterstand. Das typisch patschende Geräusch eines umfallenden Menschen, der versuchte, sich mit den Händen abzufangen, erfreute ihn.

Schon war Clemens Wewes im Haus. Vor ihm auf dem

Boden lag zu seiner Verblüffung aber nicht Ann Kathrin Klaasen, sondern seine Ehefrau Christina.

»Was machst du denn hier?«, fragte er, und während sie auf dem Boden liegend versuchte, wie eine umgefallene Schildkröte zu entkommen, gab er sich gleich selbst die Antwort: »Du bist hier, um unseren Sohn zu verraten!? Du bist ja noch viel schlimmer, als ich dachte!«

Sie fauchte: »Du weißt genau, dass das nicht stimmt! Ich würde alles tun, um Niki zu helfen. Alles! Ich habe sogar den Mord an Uwe gestanden.«

Er schloss die Tür hinter sich und sicherte sie mit der Kette. Er brauchte einen Moment, um mit der neuen Situation klarzukommen.

Er reckte sein Kinn vor und bog den Rücken durch. Sein Körper gab Knackgeräusche von sich. Clemens zog Grimassen. Schließlich griff er in Christinas Haare und schleifte sie über den Boden hinter sich her in die Küche. Dort öffnete er den Kühlschrank. Er suchte Bier, fand aber nur eine angebrochene Flasche Grauburgunder.

Er klappte das Kühlregal auf. Er brauchte etwas Stärkeres. Eine grüne Doornkaat-Flasche lag neben gefrorenen Schnapsgläsern.

»Doornkaat?! Wer trinkt denn heute noch so was? Ist wohl eine echte Nostalgikerin, deine neue Freundin, was?« Er goss sich ein.

Sie versuchte, in die Nähe des Festnetztelefons zu kommen. Sie überlegte sogar, ob sie es schaffen könnte, ein Messer aus dem Messerblock zu ziehen. Antabus konnte sie ihm ja schlecht jetzt verabreichen.

Schon ihr Versuch aufzustehen scheiterte. Er hob einen Stuhl hoch und stellte ihn über ihren Oberkörper, so dass sie zwischen den Holzbeinen gefangen war. Er setzte sich auf den Stuhl und fischte sich die Flasche herbei. Er sah auf Christina herab.

Sie zappelte und fühlte sich wehrlos wie nie in ihrem Leben.

Über ihr thronend trank er drei Schnäpse rasch nacheinander. Nach jedem stöhnte er laut und wischte sich mit dem Handrücken über die Lippen. Ein paar Tropfen Doornkaat fielen herunter und trafen ihr Gesicht.

»Ich lass mich nicht mehr verarschen«, behauptete er grimmig. »Was läuft hier? Was?«

Sie fragte sich, was sie noch zu verlieren hatte. »Du bist an allem schuld!«, schrie sie. »Du!«

»Hose runter und Karten auf den Tisch!«, forderte Klatt und griff an den Gürtel seiner Hose, um sie höher zu ziehen. Sie hing bereits zu tief unterm Bauch.

Marion Wolters hielt sich eine Hand demonstrativ vor die Augen. »Nein, bitte nicht«, spottete sie, als hätte sie Sorge, Klatt könne seine Hose tatsächlich runterlassen. Stattdessen zog er sie über seinen Bauchnabel.

Kripochef Büscher stand in der Ecke wie ein Boxer, der wusste, dass er geschlagen war, und darauf hoffte, dass sein Trainer das Handtuch warf, um ihm die Schande zu ersparen, selbst aufgeben zu müssen. Er schielte zur Uhr. Gleich würde die nächste Runde beginnen. Er befürchtete, noch ein paar harte Treffer einzustecken. Dann, und darauf freute er sich, würde er endlich k. o. gehen. Bewusstlos wollte er aus dem Ring getragen werden. Sollten sie sich nur alle

Sorgen um ihn machen! Vielleicht hätten der eine oder die andere sogar ein bisschen ein schlechtes Gewissen, weil sie ihm, nachdem er den Sauhaufen hier übernommen hatte, so schwer zugesetzt hatten. Er war dazu nicht gemacht, mit diesen anarchistischen Spießern fertigzuwerden. Ja, genau das waren sie für ihn: anarchistische Spießer.

Sie lebten nach ihren eigenen Regeln und legten die Dienstvorschriften aus, als seien es nur gute Ideen von ganz oben, gut gemeint, aber doch recht realitätsfremd und natürlich keineswegs verpflichtend. Sie pflegten ihre Vorgärten, schnitten ihre Rosen, damit waren sie aber auch der Gesellschaft schon genügend entgegengekommen. Einerseits wollte er gern einer von ihnen sein, andererseits aber nur hier weg. Es war für ihn unmöglich, hier länger den Chef zu spielen, das hatte er inzwischen gelernt.

Das Gummiband an seiner Maske war gerissen, und jetzt hielt sie hinterm Ohr nicht mehr. Er versuchte, das Band zusammenzuknoten, so wusste er wenigstens, wohin mit seinen Händen. Er stellte sich dabei aber so ungeschickt an, dass Marion Wolters ihm die Maske aus der Hand zog, um die Arbeit für ihn zu erledigen. Sie nahm das mit der Pandemiebekämpfung besonders ernst, und er, als ihr Chef, sollte in ihren Augen Vorbild sein. Zumindest in dieser Frage.

Er erlebte ihr stummes Eingreifen aber nicht als Hilfe, sondern fühlte sich, als sei ihm damit symbolisch auch das noch aus der Hand genommen worden. Beschrieb etwas seine Unfähigkeit besser als diese Situation? *Betreutes Chefspiel* nannte man so etwas hier. Sie taten nicht einmal mehr so, als ob sie ihn respektieren würden. Kein Wunder, dass Klatt die Chance wahrnahm und versuchte, das Machtvakuum auszufüllen.

Alle warteten darauf, dass Ann Kathrin etwas sagte. Sie musste diese Auseinandersetzung mit Klatt führen. Sie standen sich gegenüber wie bei einem Duell, nur ihr Schreibtisch trennte sie. Das Möbelstück stand im Raum wie eine Erinnerung an eine längst untergegangene Zivilisation.

Noch bevor Ann Kathrin etwas gesagt hatte, sah Weller ihr an, dass sie jetzt bereit war auszupacken. Er wusste nicht, was sie genau vorhatte und ausplaudern wollte, aber er fürchtete, sie könne sich dabei um Kopf und Kragen reden. Sie hatte ja durchaus einen Hang dazu, Menschen mit ihrer provokativen Offenheit zu brüskieren. Er sendete ihr mit kleinen Gesten Signale, sie solle vorsichtig sein. Sie nahm das durchaus wahr, aber ihre Körperhaltung verriet ihm alles. Sie wollte jetzt aufs Ganze gehen.

»Also gut«, sagte Ann Kathrin, »Niklas Wewes ist genauso wenig der Serienkiller wie Dr. Sommerfeldt.« Sie atmete ruhig und blickte einzelnen Personen ins Gesicht. Was Weller auffiel, war die Reihenfolge. Andere, Hierarchiegläubigere, starrten vielleicht gebannt auf das Gesicht ihres Chefs, um darin etwas zu lesen. Ann Kathrin dagegen guckte zuerst die Frauen an. Von ihnen erhoffte sie sich Zustimmung. Es war ihr, völlig unabhängig von ihrem Dienstgrad, wichtig, was die Frauen dachten. Zu Klatt und Büscher schaute sie erst ganz am Schluss und dann auch nur flüchtig, als wolle sie damit beiläufig sagen: *Ach, ihr seid ja auch noch da.*

Weller kapierte genau, was Ann machte. Sie legte gerade eine eigene Reihenfolge fest, strukturierte Wichtigkeiten neu, unabhängig von irgendwelchen Pöstchenschiebereien. Sie setzte nur mit Blicken einen gruppendynamischen Prozess in Gang, der die Führung neu ordnete. Büscher bewunderte sie dafür. Er konnte so etwas nicht.

Klatt wurde total sauer. Sie wollte ihm zeigen, wie bedeutungslos er und seine Meinung für sie waren. Das ließ er sich nicht gefallen. Er fuhr sie an, aber ihre Vorgehensweise hatte seinen Worten den Druck genommen, bevor er sie aussprechen konnte. Er wirkte jetzt wie jemand, der nur noch um Anerkennung rang. Diese zufällig hier im Büro versammelte Gruppe bekam dadurch sogar Macht über ihn.

»Ooooch! Kommen Sie mir jetzt mit dem großen Unbekannten? Läuft es darauf hinaus, Frau Klaasen?«

»Nein«, konterte Ann Kathrin. Sie lächelte Weller an. Auch er hatte Klatts Fehler genau registriert. Klatt hatte gesagt: *Kommen Sie mir jetzt mit dem großen Unbekannten.*« Es wäre klüger gewesen, die anderen mit einzubeziehen: *Kommen Sie uns jetzt ...* hätte seine mögliche Basis verbreitert. So isolierte er sich selbst.

»W i r«, sagte Ann Kathrin mit besonderer Betonung, »neigen nicht zu Vorverurteilungen. Wir suchen nicht nach jemandem, der es gewesen sein könnte. Wir suchen einen, der es wirklich war. Gegen diese Person sammeln wir dann gerichtsverwertbare Beweise, und dann ...«

So, wie die Bande reagiert, dachte Klatt missmutig, habe ich schon verloren. Er unterbrach Ann Kathrin scharf: »Sie unterrichten hier keine Kommissaranwärter!«

»Innen«, ergänzte Rieke leise.

Klatt posaunte: »Behalten Sie Ihre Plattheiten für sich, Frau Klaasen. Die kriminaltechnische Untersuchung des Tatorts und des Toten hat eindeutig ergeben, dass Niklas Wewes ...«

»Niemand bestreitet, dass die Blutspuren an Herrn Spix' Hals von Niklas Wewes stammen. Aber das macht ihn nicht zwangsläufig zu unserem Serienkiller, der ja sonst sehr sauber gearbeitet hat«, stellte Ann Kathrin klar.

Weller ergänzte: »Spix und Niklas waren Angelfreunde. Es kann auch sein ...«

»Blödsinn«, schimpfte Klatt. »Euer Sommerfeldt lernt hier gerade einen ostfriesischen Bengel an.« Er deutete in die Runde. »Ihr wisst doch im Grunde alle Bescheid!«

Protestierendes Stöhnen und Seufzen war der Gruppenkommentar gegen diesen Vorwurf.

Klatt drehte sich zu Büscher um, der immer noch wie paralysiert in der Ecke stand: »Sie erkennen weder deine noch meine Autorität an, Martin. Der Unterschied zwischen uns ist nur: Ich lasse mir das nicht gefallen! Dieses ganze verfluchte Ostfriesland steht mir inzwischen bis hier! Die gesamte Polizeiinspektion müsste unter Zwangsverwaltung gestellt werden, so wie eure Scheißinseln, die immer mehr Schulden machen, aber auf wertvollen Grundstücken sitzen, die sie nicht verkaufen wollen.«

Er merkte, dass er sich vergaloppiert hatte und nun auch noch einige Anwesende beleidigt waren. Die waren hier stolz auf ihre Inseln, als hätten sie sie selbst gemacht.

»Frau Wewes hat mir gegenüber den Mord an Spix gestanden.« Ann Kathrins Satz ließ Büscher zusammenzucken.

Jetzt beginnt es, dachte Weller. Genau jetzt setzt sie sich ins Unrecht und verspielt eine Partie, die sie eigentlich schon so gut wie gewonnen hatte. Er wusste nicht, wie er sie davor bewahren sollte. Er konnte ihr schlecht den Mund zuhalten, aber er hätte es gern getan.

»Ich denke aber«, fuhr Ann Kathrin fort, »das ist eine Schutzbehauptung. Sie will ihren Sohn entlasten.«

Klatt stellte sich breitbeinig hin, wippte auf knatschenden Sohlen auf und ab und kicherte affektiert: »Sie denken, Frau Klaasen, Sie denken ...«

Weller sah nur einen Weg, das alles zu unterbrechen. Er ermahnte Ann Kathrin und Klatt: »Vielleicht sollten wir heute nicht in Anwesenheit eines Journalisten den ganzen Fall diskutieren ... «

Holger staunte und guckte Weller an. Wellers Blick sagte ihm: *Das geht nicht gegen dich, Holger.*

Rupert winkte ab: »Aber das ist doch nur der Holger ... «

In letzter Zeit hatte sich ihr Verhältnis auffällig gebessert. Holger nickte Rupert zu, sagte aber: »Ich will dann mal nicht länger stören. In der *OMA*-Redaktion wartet noch Arbeit auf mich.«

Rieke erklärte Klatt, der komisch guckte: »Das *Ostfriesland Magazin* wird bei uns OMA genannt.«

»Ich weiß«, zischte Klatt zurück, obwohl er bisher keine Ahnung gehabt hatte. »Wo ist Frau Wewes jetzt?«, fragte er Ann Kathrin streng.

Sie antwortete nicht sofort. Sie hatte sich selbst in diese dumme Situation gebracht. Sie atmete einmal ein und aus, dann sagte sie: »Bei mir.«

»Bei Ihnen? Wo bei Ihnen? Bei Ihnen im Büro?«, schrie Klatt und tat, als würde er Frau Wewes im Raum suchen. Er entblödete sich nicht, sogar unter Anns Schreibtisch nachzugucken. Er versuchte, Ann zu verspotten. Damit machte er sich hier keine Freunde.

Weller zitierte den alten Kripochef Ubbo Heide, der ihm jetzt schmerzlich fehlte: »Wenn einer glaubt, das Licht eines anderen unter den Scheffel stellen zu müssen, um selbst leuchten zu können, dann stimmt mit dem meist etwas nicht.«

Das saß. Alle rückten weiter von Klatt ab. Niemand hatte jetzt so viel Platz im Raum wie er. Es war fast, als habe er eine ansteckende Krankheit und niemand wollte ihm zu nahe kommen.

Klatt versuchte, die Situation zu nutzen und das Ruder rumzureißen. Mit einer raumnehmenden Geste brüllte er: »Na, endlich halten Sie so viel Abstand, wie eigentlich vorgeschrieben ist! Wir sind sogar viel zu viele Personen hier in einem Raum. Sie glauben vielleicht alle, tun zu dürfen, wonach Ihnen gerade ist, aber ich werde dafür sorgen, dass Ihnen die Flausen ausgetrieben werden!«

Er fühlte sich wohl damit, alle zu siezen. Es machte einen klaren Abstand deutlich und gab ihm plötzlich mehr Spielraum. Er ging Ann Kathrin direkt an: »Geben Sie mir Ihr Handy.«

Sie trat noch einen Schritt hinter ihren Schreibtisch zurück und machte nicht den Eindruck, als sei sie bereit, ihm tatsächlich ihr Handy zu geben.

Weller mischte sich ein: »Darf ich fragen, was das soll?«

Klatt wendete sich an die anderen und drehte Ann Kathrin den Rücken zu: »In Frau Klaasens Wohnung befindet sich eine Frau, die gestanden hat, einen Mord begangen zu haben. Ist Ihnen eigentlich klar, was das bedeutet? Ist der Distelkamp jetzt die neue Außenstelle unserer Inspektion, nachdem das *Café ten Cate* ja offensichtlich auch schon dazugehört? Wie geht das weiter? Als Nächstes das Freibad? Ich habe das Handy von Hauptkommissarin Klassen verlangt, weil ich befürchte, dass sie die geständige Täterin sonst warnt.«

Ann Kathrin steckte ihr Handy, anders als sonst, jetzt hinten in ihre Hosentasche, so dass ein Griff danach gleichzeitig wie eine sexuelle Belästigung ausgesehen hätte.

»Wir werden jetzt ein Mobiles Einsatzkommando aus Aurich anfordern und dann eine Verhaftung vornehmen. Frau Wewes steht unter dem dringenden Verdacht, mindestens vier Menschen ... «

»Das ist doch Blödsinn«, wandte Weller ein. »Sie betreiben doch hier nur einen Riesenaufwand, um Ann Kathrin in der Nachbarschaft unmöglich zu machen. Wenn es darum geht, Frau Wewes festzunehmen, können wir einfach hinfahren. Geständige Täter machen keine Schwierigkeiten.«

Rupert sprang Weller zur Seite: »Das ist übrigens nicht seine Meinung, sondern einfache Polizeistatistik. Rangeleien gibt es immer vor den Geständnissen, nicht danach.« Rupert erklärte nun Marion Wolters, als hätte die davon keine Ahnung: »Manche wollen nämlich ihre Unschuld beweisen, indem sie auf Polizeibeamte losgehen.« Lässig fügte er hinzu: »Funktioniert übrigens nicht, diese Methode.«

Klatt drehte sich zu Ann Kathrin, hielt seine offene rechte Hand über den Schreibtisch und forderte erneut: »Ihr Handy, Frau Klaasen.«

Ann Kathrin griff nach hinten, zog mit spitzen Fingern ihr Handy hervor und hielt es ihm hin wie eine illegale Waffe. Bis zu Klatts Hand fehlte noch gut ein Meter. Es sah für Weller ein bisschen so aus, als wolle sie ihn locken, sich zu weit über den Schreibtisch zu beugen.

Laut sagte Ann Kathrin: »Liebe Kollegen, ich gebe mein privates Handy Herrn Dirk Klatt vom Bundeskriminalamt. Ich tue dies unter Protest. Er hat keinerlei Recht, es von mir zu fordern. Ich werde mich bei der Polizeidirektion in Osnabrück darüber beschweren. Ihr seid meine Zeugen.«

Klatt ließ sich nicht verunsichern. Nervös klopfte er mit dem rechten Fuß einen Rhythmus auf dem Boden. »Ihr Handy.«

»Tu was, verdammt!«, zischte Weller zu Martin Büscher.

»Wir werden jetzt eine Verhaftung vornehmen«, sagte Büscher mit brüchiger Stimme. Er tat Marion Wolters fast leid. Am liebsten hätte sie ihm einen Beruhigungstee gekocht und so, wie er dastand, auch gleich noch einen Blasen- und Nierentee dazu.

Ann Kathrin zog das Handy wieder zurück. Sie sah sich um, ob auch alle Kollegen genau mitkriegten, was sie tat. Dann erst ließ sie es in Klatts fleischige Hand fallen.

»Wollen Sie auch noch meinen PIN-Code?«, fragte sie.

»Nein, danke«, blaffte er beleidigt zurück. »Keine Sorge, Frau Klaasen, Ihre privaten E-Mails und Fotos interessieren mich nicht. Ich will nur verhindern, dass Sie weiterhin Unsinn machen.«

»Da ist sie bisher ganz gut ohne Hilfe des BKA klargekommen«, stichelte Weller.

Klatt versuchte, die Handlungsführung zu behalten. Er drehte Ann Kathrin den Rücken zu, als spiele sie jetzt keine Rolle mehr und er könne sich endlich wichtigeren Dingen widmen. Er beauftragte Rupert und machte dabei gleich den nächsten Fehler, indem er Marion Wolters mit einbezog: »Rupert und Marion, ihr beide fahrt in den Distelkamp und holt Frau Wewes.«

Da die beiden in einer heftigen Hassliebe verbunden waren, schüttelten sie gleichzeitig den Kopf. Als hätten sie es vorher eingeübt, sagten sie synchron: »Kann nicht jemand anderes mitfahren?«

»Das ist jetzt nicht mehr euer Fall, das ist Sache des BKA«, triumphierte Klatt, hielt das Handy an sein Ohr, doch noch bevor er sprechen konnte, sagte Ann Kathrin: »Das ist übrigens mein Handy.«

Vor Wut hätte Klatt es am liebsten gegen die Wand geworfen. Er stoppte mitten in der Bewegung, steckte es ein und zog sein eigenes Handy.

Büscher hob die Hand. »Ich sehe keine Veranlassung dafür, jetzt eine Bundesbehörde einzuschalten. Frau Wewes hat einer Mitarbeiterin unserer Polizeiinspektion ein Geständnis gemacht, und sie befindet sich im Haus unserer Kommissarin zunächst einmal in Sicherheit. Von dort werden wir sie jetzt abholen und zu uns hierher einladen.«

Büscher blickte Rupert und Marion streng an: »Bitte«, sagte er und spürte wieder ein bisschen Boden unter den Füßen, als sei er gerade wieder dabei, Chef zu werden. Er war dankbar, dass weder Rupert noch Marion ihm Widerstand entgegensetzten. Jetzt seinem Befehl zu folgen war praktisch ein Protest gegen Klatt, und in dieser Frage konnte er sich hier auf jeden verlassen.

Weller war zwar hin- und hergerissen, ob er bei Ann Kathrin bleiben sollte oder ob es besser sei mitzufahren. Er guckte Ann Kathrin nur an. Worte waren nicht nötig. Sie wollte, dass er dabei war.

»Ich fahre mit«, sagte Weller.

»O nein, das werden Sie keineswegs«, polterte Klatt.

»Erstens ist das mein Haus«, konterte Weller, »und dahin gehe ich, wann immer ich will. Und zweitens melde ich mich hiermit krank. Ich fürchte, ich hab Corona.« Er hielt sich die Hand gegen die Stirn. »Mir ist ganz heiß. Ich hab auch so ein Kratzen im Hals. Und ich rieche gar nichts mehr, nicht mal Ihr grässliches Rasierwasser, Herr Klatt.«

Rupert, Marion Wolters und Weller verließen den Raum. Holger Bloem hatte sich zwar schon längst verabschiedet, stand aber immer noch in der Gruppe. Es war einfach zu spannend für ihn, was hier ablief. Jetzt nutzte er die Gelegenheit, um hinter Weller den Raum zu verlassen.

Klatt wurde klar, dass er die Aktion, Frau Wewes zu verhaften, zwar veranlasst hatte, aber keineswegs beherrschen konnte. Er brummte: »Ich werde natürlich dabei sein und alles beaufsichtigen. Nicht, dass uns wieder ein Verdächtiger türmt.«

»Eine Verdächtige«, korrigierte Rieke ihn und fing sich dafür einen wütenden Blick ein.

»Wenn Sie Pressesprecherin der ostfriesischen Polizei bleiben wollen«, zischte Klatt, während er hinter Rupert, Marion Wolters und Weller den Flur entlanglief, »sollten Sie sich einen anderen Ton angewöhnen, Frau Gersema.«

Rieke hielt mit ihm Schritt und lachte: »Ich gebe den Posten gerne ab. Ich habe mich eh nie darum gerissen.«

Draußen vor der Polizeiinspektion wollte niemand mit Klatt zusammen in ein Auto. Weller stieg rasch bei Holger Bloem ein.

Klatt stellte sich vor den Wagen. Holger bremste abrupt, und Weller ließ die Scheibe runter.

Klatt sprach Weller an und zeigte auf Holger Bloem: »Was will der denn jetzt da?«

»Den habe ich gerade zu einer Tasse Kaffee eingeladen. Das ist ein Freund des Hauses, und ich würde mich gerne mit ihm ausquatschen, über einen Typen, der sich bei uns als Chef aufspielt und alles durcheinanderbringt. Ich habe da gerade ein kleines Autoritätsproblem, Herr Klatt, da brauche ich einen Freund, mit dem ich in Ruhe darüber reden kann. Wissen Sie, wenn ich diesen Möchtegernchef sehe, kriege ich«, Weller deutete auf seine rechte Hand, die er zur Faust geballt hatte, »das Flackern in der Pfote, und ich muss verhindern, dass ich dem einfach eine reinhaue. Da kann ein Gespräch unter Freunden schon mal ganz wertvoll sein.«

»Drohen Sie mir gerade?«, fragte Klatt.

Weller ließ die Fensterscheibe wieder hochfahren, um das Gespräch mit Klatt zu beenden. »Im Gegenteil«, sagte er schon gegen die sich schließende Scheibe.

Tatie lag auf dem Sofa. Er hatte die Füße hochgelegt und sah von da aus Anke in der Küche zu. Er bewegte seine Zehen, als würde er sie von weitem berühren. Er schwärmte in Richtung Niklas, der im Sessel neben ihm saß: »Gibt es etwas Schöneres, Junge, als eine so wunderschöne Frau, die im seidenen Unterrock ein köstliches Mahl zubereitet?«

Niklas fragte sich, ob Tatie ihn einfach nur eifersüchtig machen wollte. Gleichzeitig fürchtete er, kein Recht zu haben, überhaupt eifersüchtig zu sein, ja, genierte sich bei dem Gedanken. Immerhin war sie mindestens zwanzig Jahre älter als er. Seine Finger krampften sich in die Sessellehne.

»Sie macht einfach nur warm, was sie eingeweckt hat«, sagte Niklas und fand seinen eigenen Satz doof, als würde er damit ihre Kochkunst schmälern.

»Ja«, lachte Tatie, »ist das nicht wunderbar? Ich habe bisher immer so ein mönchhaftes Leben geführt. Wenn ich sie anschaue, könnte ich schwach werden und mich tatsächlich binden. Wie sieht's bei dir aus? Wie läuft es mit den Frauen?«

»Ach.«

»Was soll das heißen, ach? Ist es dir peinlich, darüber zu

reden? Jungs in deinem Alter können doch den ganzen Tag an nichts anderes denken, oder? Also, als ich so alt war, da …«

Anke machte ein paar Schritte auf die beiden zu, blieb aber im Türrahmen stehen. Sie stemmte ihre Fäuste in die Hüften und versuchte, es scherzhaft zu formulieren: »Ja, spiele ich jetzt hier das Hausmütterchen und ihr die Gangster, oder was?«

Niklas sprang sofort aus seinem Sessel hoch. »Ich helfe gerne«, beteuerte er.

»Es ist nicht so«, sagte Tatie, zog den Socken von seinem linken Fuß und kratzte sich an der Sohle, »als würden wir nichts tun. Wir schmieden gerade Pläne.«

»Na toll. Ich koche, und ihr schmiedet Pläne? So hatte ich mir das Leben als Gangsterbraut immer vorgestellt.«

»Oh«, lachte Tatie, »bei uns wird Emanzipation sehr ernst genommen. Du darfst gerne beim nächsten Mal die Klinge führen und Herrn Klatt entmannen. Ich beschränke mich dann darauf, zuzusehen und danach, wenn wir hier feiern, kann ich ja für uns kochen und ein Fläschchen Wein öffnen.«

»Wollen wir das wirklich zu dritt machen?«, fragte Niklas ungläubig nach.

Tatie zog den Socken wieder über den Fuß und fragte: »Hat dein Mann meine Schuhgröße? Diese Socken sind irgendwie falsch gewaschen worden, mit denen stimmt was nicht. Je länger ich sie trage, umso mehr jucken sie.«

Niklas versuchte einen Scherz. Er rümpfte die Nase, hielt sich einen Finger darunter und stichelte: »Ja, frische Socken wären nicht schlecht. Ich hatte schon Angst, die Gerüche kämen aus der Küche.«

Wenn man uns hier so sitzen sieht, könnte man glatt glauben, wir seien eine Familie, dachte Anke.

»Was gibt's denn?«

»Spaghetti Bolognese, natürlich mit selbstgemachter Soße. Und jetzt brauche ich einen Gentleman, der den Parmesankäse reibt.«

Niklas bot sich sofort an.

»Ein großes Stück Parmesan liegt in der Küche neben dem Herd«, sagte sie. Niklas ging hin.

Sie nahm in dem Sessel Platz, in dem er vorher gesessen hatte. Tatie legte eine Hand auf ihr rechtes Knie und flüsterte: »Frauen, die ich nachts toll fand, mit denen habe ich mich tagsüber meist gelangweilt oder gezankt. In deiner Nähe fühle ich mich, wie ich mich sonst nie mit einer Frau gefühlt habe. Ich ...«, er suchte nach Worten und malte mit seinem Finger eine Landschaft auf ihren Oberschenkel. »Ich bin einfach gern mit dir zusammen.«

»Ich auch mit dir«, sagte sie, und es klang nicht gelogen.

»Für mich wurden Frauen zu reinen Jagdobjekten«, gestand er ihr und rief dann laut in die Küche: »Halt dir die Ohren zu, Kleiner!«

Niklas tat es demonstrativ, lachte aber: »So kann ich schlecht den Parmesan reiben!«

Tatie begann noch einmal. Sie führte ihr Ohr nah an seinen Mund. »Bisher haben alle Frauen am anderen Morgen den Reiz für mich verloren, verstehst du? Ich will das nicht. Ich habe Angst davor. Ich möchte das, was wir hier haben miteinander, halten.«

Sie rief in die Küche: »Niklas, kannst du mal umrühren? Lass bloß nicht die Bolognese-Soße anbrennen!«

Niklas brummte: »Ohren zuhalten, Soße umrühren, Parmesan reiben ... ach, wäre ich doch als achtarmige Krake geboren worden und nicht als Mensch ...«

»Hattest du viele Männer?«, fragte Tatie.

Sie schüttelte den Kopf, musste über seine Frage lachen. »Nein, ich war treu in der Ehe.«

»Was man von deinem Mann ja nicht gerade behaupten kann«, sagte Tatie und fuhr fort: »Was wir miteinander haben, möchte ich nicht verlieren, Anke. Es ist mir wirklich wertvoll, verstehst du? Ich habe Angst, dass wir ...«

Sie half ihm: »Du fürchtest, dass ich im Bett so eine Versagerin bin, dass du mich danach nicht mehr willst?« Es tat ihr gut, es auszusprechen, und er protestierte: »Nein, nein, ganz im Gegenteil! Es wird bestimmt großartig sein mit dir. Aber ich habe da dieses Problem ... weißt du, am anderen Tag interessieren mich die Frauen nicht mehr.«

»Ja«, gestand sie, »da bist du wohl nicht der einzige Mann.« Und damit er nichts Falsches von ihr dachte, fügte sie gleich hinzu: »Haben mir ein paar Freundinnen erzählt.«

»Aber vielleicht«, sagte er und folgte seinem Finger, der sich langsam auf ihrem Schenkel weiterbewegte wie ein Deckung suchendes Tier, »könnten wir es miteinander versuchen. Wir sind ja jetzt schon eine Familie, mit einem ziemlich erwachsenen Sohn.«

»Und wenn danach deine alten Mechanismen greifen?«, fragte sie.

»Dann ...«, er holte tief Luft.

»Bitte sag jetzt nicht: Dann bleiben wir Freunde.«

Er schüttelte den Kopf. »Nein. Dann werde ich einfach gehen, so, wie ich gekommen bin, und wir sehen uns nie wieder. Und wenn es läuft, leg ich deinen Typen um, während du mit unserem großen Sohn ganz woanders bist, damit ja kein Verdacht auf dich fallen kann. Wir kassieren die ganze Erbschaft und fangen irgendwo ein neues Leben an.«

»Deal«, sagte sie und erschrak vor sich selbst.

Tatie stand auf, nahm ihre Hand und zog sie aus dem Sessel. »Halt das Essen warm. Pass auf, dass nichts anbrennt, Kleiner. Wir haben gleich etwas zu feiern.«

Niklas versuchte zu lächeln, doch er blieb fassungslos zurück, als die beiden miteinander im Schlafzimmer verschwanden. In der Tür drehte Anke den Kopf zu ihm und sagte lächelnd: »Es ist alles in Ordnung, Niki. Alles in Ordnung.«

Am liebsten hätte er es laut herausgeschrien: »Nichts ist in Ordnung, gar nichts, verdammt nochmal!« Aber er schwieg verbissen und rührte hilflos im Topf.

Weller stand vor dem froschgrünen Twingo und sah die zersplitterte Windschutzscheibe und den zerdepperten Blumenkübel. Unwillkürlich griff er zu seiner Dienstwaffe. Holger Bloem bemerkte den Ansatz dieser Bewegung und verstand Weller nur zu gut. Ann und diese Schrottkarre gehörten total zusammen. Wer das Auto attackierte, meinte sie.

Holger zögerte, ob er ein Foto davon machen sollte. Es kam ihm pietätlos vor. Gleichzeitig spürte er, das könne vielleicht noch mal wichtig werden.

Als könne er seine Gedanken lesen, nickte Weller ihm zu und Holger machte zwei Aufnahmen.

Klatt interessierte sich überhaupt nicht für den Twingo, sondern stand schon vor der Haustür und fragte Marion Wolters: »Hat jemand den Schlüsseldienst gerufen?«

»Ja«, sagte sie und zeigte auf Weller, der in seiner Jacken-tasche nach dem Haustürschlüssel kramte.

Rupert schob Klatt zur Seite, denn er sah auf dem Boden rote Flecken. »Entweder ist das Rotwein, Tomatensoße oder Blut«, stellte Rupert fest. Klatt ärgerte sich, dass er den Feh-ler gemacht hatte, beinahe hineinzutreten.

Rupert tippte jetzt mit dem Zeigefinger gegen die Haus-tür. Sie öffnete sich nach innen. Ein strenger Alkoholgeruch schlug ihnen entgegen. Rupert schnüffelte und hielt Weller auf, der sofort ins Haus wollte. »Das ist«, sagte Rupert, noch einmal den Geruch einsaugend, »doppelt gebrannter Klarer. Aber nicht der billige Corvit, sondern unser guter alter Doornkaat.«

Weller brauchte noch einen Moment, um sich zu verge-genwärtigen, dass seine Frau Ann Kathrin zum Glück in Sicherheit in der Polizeiinspektion war, denn im Eingangsbe-reich der Wohnung, auf dem großen, runden, sandfarbenen Teppich, war eine deutliche Blutspur unübersehbar, in die jemand hineingetreten war.

Jetzt zogen Weller und Rupert gleichzeitig ihre Waffen. Rupert rief: »Hier ist die Kriminalpolizei! Bitte geben Sie Laut! Wo befinden Sie sich?«

Der Schnapsgestank kam aus der Küche und breitete sich von dort in der gesamten unteren Etage aus. Rupert rannte ins Wohnzimmer, Weller in die Küche. Marion Wolters nahm sich das Bad vor.

Weller sah den umgekippten Stuhl, die zerbrochene grüne Doornkaatflasche, auf dem Boden eine Lache von Blut und Schnaps. Am Kühlschrank in Kopfhöhe ein haariger Blut-fleck, als sei jemand mit dem Hinterkopf dagegen geknallt. Während des Kampfes, der hier offensichtlich stattgefunden hatte, war auch die Kaffeemaschine verrückt worden. Sie stand zwar immer noch auf der Anrichte, doch einen halben Meter weiter als üblich. Diese Kaffeemaschine war für Weller ungefähr so wichtig wie der Twingo für Ann Kathrin.

Klatt war mit Holger Bloem vor der Tür stehen geblieben. Er zog sich Gummihandschuhe an und rief von draußen ins Haus: »Das ist jetzt ein Tatort! Ich bitte um professionelle Herangehensweise!«

Er ließ den Gummihandschuh an seinem rechten Handrücken einmal laut flitschen, um klarzumachen, was er damit meinte. In Holgers Richtung drohte Klatt: »Wenn Sie auch nur ein Foto machen, sorge ich dafür, dass Sie Ihre Akkreditierung verlieren.«

»Ich habe in Ostfriesland noch nie eine Akkreditierung gebraucht«, konterte Holger.

Klatt vermutete nicht ganz zu Unrecht, dass die einzige Person, die sich hier möglicherweise noch an seine Anweisungen halten würde, Marion Wolters war. Deswegen verlangte er von ihr: »Die Spusi soll hier anrücken, aber sofort! Und Frau Wewes wird zur Fahndung ausgeschrieben.«

Weller, der gerade dabei war, die Kaffeemaschine wieder richtig hinzustellen und zu überprüfen, ob sie auch noch funktionierte, hörte Klatts Worte und war sofort im Flur. »Spusi? Wieso denn Spusi? Wir brauchen doch in unserem Haus nicht die Spurensicherung.«

Klatt steckte seine Hände in die Taschen, drückte seinen dicken Bauch heraus und erinnerte Weller an eine Buddhastatue. Allerdings einem zornigen Buddha, sofern es so etwas überhaupt gab.

»O ja, wir brauchen hier eine genaue kriminaltechnische Untersuchung.«

»Das ist unser Zuhause«, stellte Weller fest.

Klatt schüttelte den Kopf. »Jetzt ist es ein Tatort. Hier ist doch ganz offensichtlich ein Verbrechen geschehen. Vielleicht haben Mutter und Sohn hier gemeinsam den Nächsten umgebracht. Die Leichen, die wir aufgefunden haben, wurden ja selten dort getötet, wo man sie uns präsentiert hat.« Wieder in Richtung Marion Wolters sagte Klatt belehrend: »Killerpärchen kennt man ja. Aber Mutter und Sohn, das ist doch mal was ganz Besonderes. Das wird in die Kriminalgeschichte eingehen.«

Klatt, der die Leute siezte oder duzte, je nach augenblicklichem Stand der Beziehungen, und manchmal mehrmals am Tag wechselte, pflaumte Weller jetzt an: »Und fass jetzt hier nichts mehr an!«

»Wieso nicht?«, fragte Weller irritiert.

Klatt hob einen Finger wie ein gestrenger Lehrer und erinnerte ihn daran: »Tatort?! Sagt dir das was?! Fingerabdrücke?! Kriminaltechnische Untersuchung?!«

»Fingerabdrücke«, spottete Weller. »Die sind von mir doch hier sowieso überall. Ich wohne hier!«

Der Gedanke, dass gleich dieser Helmut von der Kriminaltechnik, dessen Nachnamen Ann Kathrin immer vergaß, in ihren Privaträumen herumwühlen würde, machte Weller ganz kirre. Ann Kathrin konnte diesen Typen überhaupt nicht leiden und auch Weller empfand tiefe Abneigung gegen diesen Mann, der, wie Rupert behauptete, mit Maske besser aussah als ohne.

»Das ist doch jetzt wirklich nicht nötig«, sagte Weller und verschwand ins Schlafzimmer, um dort aufzuräumen. Auf keinen Fall sollte dieser Helmut in Anns Unterwäsche herumwühlen. Weller registrierte, dass ihm ziemlich egal war, ob dieser unangenehme Mensch seine Sachen anfasste oder nicht. Aber in Bezug auf Ann wollte Weller das auf jeden Fall verhindern. Er wusste, dass sie das als tiefe Erniedrigung empfinden würde.

Hinter ihm erschien Klatt im Schlafzimmer: »Sagte ich nicht, Sie sollen hier nichts mehr anfassen?«

»Nein«, korrigierte Weller, ohne sich zu Klatt umzudrehen. »Sie sagten Du zu mir. Es wäre mir aber lieber, wenn wir beim Sie bleiben könnten. In Ostfriesland duzt man nur Leute, die man gut leiden kann.«

»Notfalls werde ich Sie«, Klatt betonte das *Sie* und zog es ganz lang, »verhaften lassen, wenn Sie sich nicht sofort von diesem Tatort entfernen, H e r r Weller.«

Rupert rief laut durchs ganze Haus: »Hier hat ein Kampf stattgefunden, bei dem einer heftig verletzt wurde! Guck mal draußen nach, ob wir der Blutspur folgen können, Mariönchen. Ich sehe mir die oberen Räume an.« Schon waren Ruperts Tritte auf der Holztreppe zu hören.

Marion Wolters verdrehte die Augen und schimpfte hinter ihm her: »Ich bin doch nicht dein Fiffi! Mariönchen?!«

»Ist es dir lieber, wenn ich Bratarsch sage?«, bellte Rupert zurück.

Obwohl es ihr widerstrebte, tat Marion, was Rupert gesagt hatte, denn der Logik seiner Anweisung konnte sie sich schlecht entziehen. In der Tat fand sie draußen mehrere Blutflecken, die in Richtung Haferkamp deuteten.

Holger Bloem hatte das Haus inzwischen ebenfalls verlassen. Er, der oft hier zu Gast gewesen war, fühlte sich dort zum ersten Mal unwohl. Er ging neben Marion Wolters her. Sie zeigte auf einzelne Blutflecken und bat ihn: »Kannst du das fotografieren, Holger?«

»Ich denke, ich soll nicht?«

»Ja, das ist seine Meinung.« So, wie sie es sagte, schwang die Frage mit: *Aber wer interessiert sich schon dafür?* Sie lenkte Holgers Aufmerksamkeit zum Himmel, wo sich zwei dicke Regenwolken zeigten. Mehr Erklärungen waren nicht nötig, trotzdem sagte sie es zu Holger, als könne er den Zusammenhang nicht alleine deuten: »Nach dem ersten Regenguss ist das hier alles unbrauchbar.«

Schon klickte Holgers Kamera. »Ich bin zwar kein Polizeifotograf, aber meine Bilder sind nicht zum ersten Mal Gegenstand eurer Ermittlungen.«

»Und eine große Hilfe«, ergänzte Marion. Sie fand Holger Bloem toll. Leider war er ziemlich verheiratet.

Sie folgten ein paar Blutstropfen bis zu der Ecke, wo der Haferkamp in den Stiekelkamp mündete. Aus wenigen Tropfen und ein paar Fußabdrücken, an denen Blut klebte, wurde hier eine breite Schleifspur bis zur Hecke.

»Hier«, sagte Marion Wolters, »ist die Person zusammengebrochen, hat versucht, sich noch ein paar Meter weit zu schleppen und dann ...«

»Das sehe ich genauso«, sagte Holger und guckte rechts und links in den Stiekelkamp. »Aber dann«, bemerkte er, »ist hier nichts mehr, als hätte es schon geregnet.«

»Hat es aber noch nicht«, korrigierte Marion und tastete den trockenen Boden ab, als müsse sie den Beweis sichern.

»Aber was kann passiert sein?«, fragte Holger. »Soll ich mal Richtung Grasweg gehen, ob da vielleicht ...«

Marion schüttelte den Kopf. »Wir müssen die Leute in den umliegenden Häusern befragen. Entweder, jemand hat gesehen, was passiert ist, und die verletzte Christina Wewes ins Haus gebeten oder ...«

»Wer sagt uns denn, dass es Christina Wewes' Blut ist? Kannst du männliches von weiblichem Blut unterscheiden?«

»Per Augenschein ganz sicher nicht«, sagte sie. Ihr leuchtete Holgers Einwand völlig ein. »Für einen Kampf«, erklärte sie ihm jetzt, »sind immer mindestens zwei Leute nötig, und wir wissen nicht, wer verletzt ist. Möglicherweise sogar beide.«

»Vielleicht hat hier auch jemand mit dem Auto gehalten und sie dann mitgenommen, den Stiekelkamp runter zum Flökeshauser Weg. Von da aus ist man schnell auf der Umgehungsstraße, in Norddeich oder ...«

»Hier muss etwas passiert sein, aber ich habe keine Ahnung, was«, gestand Marion Wolters ein. »Eine Leiche sehen wir jedenfalls nicht.« Sie zog ihr Handy und sagte: »Ich werde Ann informieren. Sie muss Leute schicken, die die gesamte Nachbarschaft befragen.«

Trocken stellte Holger fest: »Klatt hat Anns Handy.«

»Man hat mit dem nur Probleme!«, schimpfte Marion. »Hoffentlich sind wir den Arsch bald los. Soll der doch in Wiesbaden an der Akademie Polizeischüler unterrichten – oder besser noch, einfach in Ruhe seine Pension genießen.«

»Gibt es das bei euch?«, fragte Holger. »Pensionierung wegen galoppierender Unfähigkeit?«

»Bei uns nicht, aber vielleicht beim BKA«, antwortete Marion.

Niklas wusste nicht, wohin mit sich. Er hörte die Geräusche aus dem Schlafzimmer. Ihm war das schon in Fernsehfilmen unangenehm, wenn er mit seinen Eltern einen Film sah. Wenigstens das kriegten sie ja gemeinsam immer wieder hin, ohne Streit zu bekommen.

Er sah nicht gerne Paaren beim Geschlechtsverkehr zu, während er mit seiner Mutter auf dem Sofa saß. Das musste einfach nicht sein.

Nachdem er das Video gesehen hatte, das er heimlich von Spix und seiner Mutter aufgenommen hatte, war Sexualität für ihn etwas ganz anderes geworden. Fern jeder Sehnsucht, fern aller Wünsche, etwas Schmutziges, Verwerfliches. Zutiefst widerlich.

Jetzt schämte er sich dafür, dass er sich zugestehen musste, Anke Reiter zu begehren und sie gleichzeitig fast in den Stand einer Heiligen erhoben hatte. Als unberührbare Schönheit konnte er sie bewundern, aber das hier jetzt machte alles kaputt. Er war kurz davor, die Tür aufzureißen und ins Schlafzimmer zu brüllen: *Für dich habe ich Spix umgebracht! Nur für dich! Weil er dich genauso erpressen wollte wie meine Mutter!* Einerseits hätte er das nur getan, um ihr ein schlechtes Gewissen zu machen, andererseits war es nicht mal die Hälfte der Wahrheit. Aber vom Schlechtes-Gewissen-Machen verstand er etwas. Er wurde damit wach, und er ging damit schlafen.

Vor der Tür dem rhythmischen Knarren des Bettes und dem Gestöhne lauschend, ahnte er, wie sehr seine Mutter ihn manipuliert hatte. Er fühlte sich benutzt und beschmutzt.

Was macht es noch, dachte er, wenn ich mir aus der Küche ein Messer hole, damit ins Schlafzimmer stürme und Tatie töte? Ich habe doch sowieso schon einen Mord auf dem Gewissen. Was soll mir da noch groß passieren? Vielleicht erwartet Anke es sogar von mir. Oder hat sie mir nur deshalb zugelächelt und gesagt – *Es ist alles in Ordnung, Niki. Alles in Ordnung* –, um mich daran zu hindern? Weiß sie, dass ich, um sie zu beschützen, in der Lage wäre, Tatie zu töten?

Er hatte das Gefühl zu ersticken. Seine Lunge machte beim Einatmen pfeifende Geräusche, wie der Wind, wenn er im Hafen durch die Reihen der Segelboote fuhr.

Er riss ein Fenster auf und lehnte sich nach draußen in den frischen Wind. Es begann zu regnen. Er reckte sein Gesicht zum Himmel, um ein paar reinigende Regentropfen aufzufangen.

Unten klappte eine Autotür zu. Er reckte sich weiter raus und sah seine Mutter. Sie holte den Verbandskasten aus dem Auto.

Er fragte sich kurz, was unten los war, widmete dem Ganzen aber nicht zu viel Aufmerksamkeit. Seine Mutter war gut im Versorgen kleiner Wunden. Als er ein kleiner Junge war, hatte er sie gern *meine liebe Krankenschwester* genannt, wenn sie ihn nach einem Fahrradsturz versorgte, und er erinnerte sich daran, wie liebevoll sie zu ihm gewesen war, als er Windpocken hatte. Seine Mutter war ihm immer lieber gewesen als jeder Arzt. Wenn er krank war, hatte er in ihrer Aufmerksamkeit gebadet.

Vielleicht hatte sich der Alte geschnitten oder war mal wieder besoffen gestürzt. Sie verabreichte ihm ja selbst das Gift wie eine heilende Medizin.

Niklas schloss das Fenster wieder.

Anke und Tatie kamen aus dem Schlafzimmer. Ankes Haare waren zerwühlt. Sie richtete ihre Kleider. Huschte da ein Lächeln über ihr Gesicht? War sie froh, dass es vorbei war, oder hatte es so viel Spaß gemacht?

Tatie gähnte: »Jetzt hab ich richtig Hunger.«

Anke und Niklas schlenderten gleichzeitig in Richtung

Küche. Die Bolognese-Soße blubberte schon viel zu lange vor sich hin. Rote Flecken waren auf dem Herd um den Topf herum verteilt. Anke hatte den Löffel als Erste in der Hand und rührte um. »Zum Glück ist noch nichts angebrannt«, sagte sie und probierte mit spitzen Lippen vom Kochlöffel.

»So lange hat es ja auch nicht gedauert«, stichelte Niklas. Tatie kommentierte, bei ihm habe sich noch keine beschwert.

»Bitte hört auf«, mahnte Anke. »Ich will so etwas nicht hören.«

»Anständige Mädchen«, spottete Tatie, »sprechen über so etwas nicht.«

Er zog Niklas zu sich und nahm ihn in den Arm wie einen guten, alten Freund. Die Berührung ließ Niklas einen kalten Schauer über den Rücken laufen. Er wehrte sich nicht dagegen, sondern nahm es hin. Bei seinem Vater war es manchmal auch so gewesen. Einerseits wünschte er sich Nähe und Berührung, andererseits ertrug er es nicht, besonders nicht, wenn der Alte nach Alkohol roch.

»Du hast die freie Wahl, Kleiner«, sagte Tatie und schob Niklas in den Sessel, während er sich selbst wieder aufs Sofa fläzte. »Entweder, du machst ihren Ehemann kalt oder diesen Klatt.«

»Ja, ich … äh … «

»Wir können auch würfeln, wenn es dir besser gefällt.«

»Vielleicht deckt ihr beiden mal den Tisch«, rief Anke aus der Küche. »Das ist das einundzwanzigste Jahrhundert, da lassen sich Männer nicht mehr bedienen, sondern helfen fleißig mit.«

Niklas federte sofort hoch. Tatie grinste und sah Niklas zu, wie er Teller und Gabeln aus der Küche holte.

»Für mich ein Glas kühles Leitungswasser«, bestellte Tatie, als sei er hier in einem Restaurant. »Ich mag das ostfriesische Wasser sehr. Das in Köln ist mir zu kalkhaltig und das in Hamburg ... «

Niklas verteilte die Teller auf dem Tisch und legte die Gabeln daneben. Anke wies ihn aus der Küche darauf hin, dass sie gerne Servietten benutze. Als Niklas zu ihr zurückkam, um die Servietten zu holen, reichte sie sie ihm mit den Worten: »Willkommen in der Zivilisation. Und vergiss den Parmesan nicht.«

Niklas tat, was sie ihm auftrug.

In die Mitte des Tisches stellte sie ein Teestövchen und zündete die Kerze darin an. »Hol den Topf mit der Bolognese und stell ihn drauf«, bat sie. »Aber pass auf, der ist heiß.«

Sie setzte sich Tatie gegenüber, sah ihn an und kämmte mit den Fingern durch ihre Haare. Tatie kommentierte: »Er weiß noch nicht, ob er deinen Sven oder Klatt wählt. Aber ich weiß schon genau, wie wir es machen.«

Beim Essen erklärte er seinen Plan. Dabei stockte er immer wieder, weil er mit Heißhunger die Spaghetti in sich hineinschlang. Er drehte die Gabel immer zu voll und saugte dann die herunterhängenden Nudelfäden geräuschvoll in den Mund.

Niklas dagegen hatte gelernt zu essen, ohne Geräusche zu machen. Je lautloser, desto besser.

Tatie lachte darüber. Er fand, das sei die verklemmteste Art zu essen überhaupt. Während er zum dritten Mal Parmesan über seine Spaghetti streute, verkündete er stolz: »Essen hat etwas mit Lust zu tun. Das muss geräuschvoll sein, Kleiner. Hast du ja gerade wohl gehört. Das sind alles ganz menschliche Bedürfnisse. Essen und Liebe machen. Man muss das nicht heimlich tun, im Dunkeln, ohne einen Laut von sich zu geben. Nicht wahr, Anke?«

Sie sagte nichts und konzentrierte sich auf ihre Spaghetti.

»Wir werden«, sagte Tatie stolz, »Klatt in eine Falle locken. Genauso, wie wir es mit diesem Richter gemacht haben. Du, mein lieber Niki, wirst ihn anrufen und sagen, dass du die Morde zwar nicht begangen hast, aber bereit bist, ihm alles darüber zu erzählen. Du willst ihn natürlich ganz allein treffen, niemand darf dabei sein, nur dann bist du bereit zu plaudern. Ich wette, wir kriegen den alten Fettsack dazu.«

»Und falls er doch seine Leute mitbringt?«, gab Anke zu bedenken.

Tatie lachte: »Wir machen eine kleine Schnitzeljagd mit ihm, wie bei einer Geldübergabe. Wir haben doch Zeit. Am Ende werden seine Neugier und der Wunsch, besser zu sein als alle anderen, sein großer Fehler sein. Sie haben alle ein Handicap und einen Preis. Man muss nur genau den Knopf kennen, auf den man drücken muss. Dann klappt das. Ich habe einiges über diesen Klatt von meinen Auftraggebern erfahren. Er ist hier unglücklich. Er will hier weg. Dieses ganze operative Geschäft ist ihm zuwider. Er würde gerne seine Erfahrungen weitergeben, Vorträge halten, Bücher schreiben, an der Polizeischule unterrichten, und wir geben ihm jetzt die Möglichkeit dazu. Wenn er glaubt, dass er dieses spektakuläre Verbrechen im Alleingang aufklären kann, wird er alles tun, um es zu versuchen. Er möchte doch so gerne der Champion sein – klar, wer möchte das nicht gerne?«

»Und dann?«, fragte Niklas.

»Und dann stirbt er, Kleiner. Durch deine oder meine

Hand. Es sei denn, Anke drängelt sich vor. Ladies first, ist doch klar. Wir sind ja Gentlemen. Das sind übrigens die besten Spaghetti, die ich seit langem gegessen habe«, lobte er, ließ eine Gabel voll am ausgestreckten Arm über seinem Mund baumeln und lachte: »Und die Soße ist göttlich!«

Ann Kathrin war mit Büscher in der Polizeiinspektion geblieben. Es kam ihr fast so vor, als bräuchte er Betreuung. Er saß mit hängenden Schultern auf seinem Schreibtischstuhl, wie jemand, der sich in fremder Kleidung unwohl fühlt. Seine Augen fokussierten nichts.

»Was ist mit dir los, Martin?«, fragte sie.

Er seufzte nur.

»Du gefällst mir gar nicht in letzter Zeit. Hast du etwas auf dem Herzen? Brauchst du Hilfe?«

»Das sollte ich dich fragen Ann. *Du* stehst gerade im Kreuzfeuer ...« Seine Stimme war so kraftlos, dass sich seine Sätze wie geheimes Flüstern anhörten.

»Ja, ich weiß. Aber du siehst aus, als würden dich die Schläge, die mir gelten, viel härter treffen als mich.«

Er guckte jetzt zwar in ihre Richtung, aber er sah sie trotzdem nicht an, sondern durch sie hindurch. »Ich komme nicht mehr klar, Ann. Das ist mir alles zu viel. Ich werde der Dinge nicht mehr Herr. Machen wir uns doch nichts vor. Ich bin euch kein guter Chef. Ich kann kein Ubbo Heide für euch werden.« Er sank tiefer in das lederne Sitzmöbel und streckte die Beine aus. »Ich bin fertig, Ann. Fertig. Im Grunde leitest du die Inspektion. Nicht ich.«

»Ich habe eher das Gefühl, Klatt versucht hier gerade ...«

»Sei nicht so streng mit ihm. Vielleicht sieht er nur meine Not und will mich unterstützen.«

»Indem er dich vorführt und entmündigt?«

Büscher versuchte, sich im Sessel wieder hochzudrücken. Es fiel ihm schwer. Er verzog das Gesicht. »Ja, so wirkt das bestimmt manchmal. Er ist ein Geheimniskrämer, hat immer irgendeine zweite Agenda, der er folgt.«

Ann Kathrin machte sich Luft: »Was will er wirklich hier, Martin? Eine einfache Unterstützung des BKA für diese unterbesetzte Dienststelle ist das jedenfalls nicht ...« Jetzt, da es endlich ausgesprochen war, fühlte sie sich gleich besser.

Büscher wiegelte halbherzig ab: »Ja, manchmal sieht das schon komisch aus, wie der so agiert ... Es ist nicht immer nur eine Hilfe ... Aber ohne ihn ...« Büscher saugte scharf Luft ein. Er kam Ann Kathrin im Sessel jetzt vor wie ein Ertrinkender, der den Kopf aus dem Wasser reckte, um zu atmen.

»Ich kann nicht mehr, Ann«, gestand er. »Guck mich an. Ich bin fertig. Ihr habt mich hier im Grunde nie akzeptiert. Ich bin kein Ostfriese ...«

»Ich auch nicht«, unterbrach sie ihn.

»Das ist etwas anderes, Ann. Du bist aus dem Pott. Die Ostfriesen und die Ruhris haben viel gemeinsam.«

»So?«

»Ja. Diese Sturheit. Dieses Wir-gegen-die-da-Oben. Die Ruhris glauben wie die Ostfriesen, dass der Rest der Welt völlig verrückt ist und dabei machen sie genauso wenig mit wie ihr. Ich komme aus Bremerhaven. Wir halten uns gern an die Regeln. Sind eher konfliktscheu. Ihr dagegen ...«

Ann Kathrin widersprach: »Was soll das? Was redest du da für einen Blödsinn?«

Er versuchte, sich zu rechtfertigen: »Ihr brennt alle so. Ihr bekämpft das Verbrechen so leidenschaftlich. Ich dagegen … ich bin … ich habe … In mir glüht einfach nicht mal mehr die Asche. Ich quäle mich morgens aus dem Bett, und nachts kann ich nicht schlafen. Ich grüble über jeden Fehler nach, den ich tagsüber gemacht habe und … nachts brauche ich Schlaftabletten und morgens Hallo Wach.«

Ann setzte sich auf den Schreibtisch. Sie war ihm ganz zugewandt. Ihre Stimme war warm und voller Mitgefühl: »Du solltest mit unserer Psychologin sprechen, Martin. Elke Sommer ist gar nicht so verkehrt, und ich finde, du solltest dir eine Auszeit nehmen. Wir wuppen das hier schon in der Zeit.«

Er schüttelte den Kopf. »Nein. Ich sollte ganz aufhören. Meine Zeit ist gekommen. Ich könnte mich frühzeitig pensionieren lassen. Das Land Niedersachen gibt Polizeibeamten, die unter einer hohen Belastung stehen, die Möglichkeit …«

»Du willst doch nicht ernsthaft aufhören?!«

»Doch. Ich kann wirklich nicht mehr, Ann.«

Clemens Wewes saß mit nacktem Oberkörper in der Küche am Tisch. Sein rechter Arm lag darauf wie ein toter, gefangener Fisch, der ausgenommen werden sollte. Statt Schnaps hatte Christina ihm Schmerztabletten und Leitungswasser angeboten. Zwei Ibuprofen 400. Lächerlich!

Sie hatte nicht einmal vorgeschlagen, einen Krankenwagen zu rufen. Trotzdem schimpfte er: »Nein, ich will nicht zu einem Arzt! Das hättest du wohl gerne, dass ich mir jetzt noch diesen Scheißvirus fange und verrecke!«

Sie holte die Schere aus dem offenen Verbandskasten und zog zwei Mullbinden aus der Verpackung.

»Besorg mir lieber was zu trinken!«, schimpfte er.

Seine verletzte Hand steckte immer noch in dem Hemd, das Christina zu einem dicken Klumpen um seine Finger gewickelt hatte. Mit seinem Hosengürtel hatte sie den Arm abgebunden. Seitdem suppte nicht mehr so viel durch. Die Schnittwunden am Bauch hatte sie bereits mit Pflastern versorgt. Die Verletzungen waren halb so wild und machten ihm kaum Sorgen. Doch jetzt, da sie das blutgetränkte Handtuch abwickelte, wurde er kurz panisch. Er befürchtete, seine Finger könnten gleich einfach abfallen und wie tote Nacktschnecken auf dem Küchentisch liegen.

Wenigstens in dieser Frage waren sie sich einig: kein Arzt. Keine Polizei. Das hier war reine Privatsache.

Die eigentliche Machtprobe zwischen ihnen spitzte sich auf die Frage zu: Würde sie ihm Alkohol servieren oder nicht. Er glaubte, sie habe inzwischen so viel Schuld auf sich geladen, so viel Nicht-Wiedergutzumachendes auf dem Gewissen, dass sie ab jetzt alles tun würde, um wieder die moralische Überlegenheit zu erlangen oder wenigstens mit ihm auf Augenhöhe zu kommen. Er stellte sich als ihr Opfer dar.

»Du hast versucht, mich umzubringen«, sagte er vorwurfsvoll. Er wusste, dass es so nicht stimmte, aber er fand es so herrlich theatralisch. Gab es etwas Schlimmeres, das man einem Menschen sagen konnte?

»Hab ich nicht«, widersprach sie. »Du bist in die Scherben der Schnapsflasche gefallen.«

Er akzeptierte ihre Klarstellung nicht: »Du hast mich umgeworfen!«

Er konnte nicht hinsehen, während sie seine Hand auspackte und dann verarztete. Sie träufelte Betaisodona auf die Wunde und zog mit ihrer Pinzette einen Splitter aus dem Handballen. Clemens stöhnte: »Gib mir was!«

Sie wusste, dass er nicht Ibuprofen meinte, doch sie tat, als ginge es um eine Tablette.

»Ich habe sogar noch Sechshunderter in der Nachttischschublade, glaube ich. Lass mich das hier erst zu Ende bringen, damit es keine Blutvergiftung gibt. Dann hole ich sie dir.«

Fast hätte er ihr mit der anderen Hand eine Ohrfeige gegeben. Fast.

»Ich brauche etwas Richtiges!«, quengelte er.

»Ich habe alles weggekippt – auch deinen Aufgesetzten! Alles!«

»Dann fahr zum Combi und hol mir was. Ich halte das hier nicht aus! Verstehst du das nicht?!«

»Nein, das verstehe ich nicht. Halt jetzt still, da ist noch ein Splitter.«

Sie pikste mit der Pinzette tiefer in seinen Daumen, als könne der Schmerz ihn wecken. »Du quälst mich!«, schrie er und zog die Hand weg.

Sie warf die Pinzette auf den Tisch. »Dann mach es doch selber!«

»Hexe!«, zischte er.

Sie zeigte ihre offenen Handflächen, als müsse sie beweisen, keine Waffe zu tragen.

Er riskierte einen Blick auf seine Hand. Es war ihm peinlich, aber er konnte kein Blut sehen. Er, der ständig mit toten Tieren umging und sie mühelos zerteilte, neigte zur Ohnmacht, wenn er sein eigenes Blut sah.

»Gefällt es dir, mich so zu sehen?«, fragte er.

»Ich kann das nicht besser. Vielleicht brauchst du wirklich einen Arzt.«

»Quassel nicht. Besorg mir einen Kasten Bier und eine Flasche Calvados. Oder besser, zwei. Scotch wäre auch nicht schlecht.«

Sie wollte jetzt endlich reinen Tisch machen. Sie rechnete damit, dass jeden Moment die Polizei kommen könnte, um sie zu holen. Sie knallte die runde, weiße Schachtel Antabus auf den Tisch. »Weißt du, was das ist, Clemens?«

Er wollte die Schachtel vom Tisch wischen. »Ich will keine Tabletten! Ich will was zu trinken, verdammt!«

»Das«, sagte sie fast triumphierend, »ist Antabus.«

Er glotzte sie dumm an. Er hatte keine Ahnung, wovon sie sprach.

»Das gebe ich dir schon seit langem. Das war meine große Hoffnung. Ich dachte, damit könnte ich unsere Ehe retten.«

Er schüttelte sich. »Das ist … Sind das …Kotztabletten? Ging es mir deshalb immer so dreckig, kurz nachdem ich nach Hause gekommen war?«

Sie lehnte sich fluchtbereit an den Türbalken und nickte. »Ja.«

Er brauchte eine Weile. Er starrte seine zerschnittene Hand an und bewegte die Finger. »Und ich habe gedacht, ich hätte Darmkrebs … Dabei hast du versucht, mich zu vergiften …«

»Ich habe versucht, dir zu helfen.«

»Zu helfen?!« Er starrte sie an.

»Ja, ich wollte dich heilen.«

»Bist du jetzt völlig irre?«, fragte er. Dabei sah er aus wie ein Mann, der schreit, doch seine Stimme war energielos und kratzig.

»Eigentlich«, klärte sie ihn auf, »sollte damit jede Lust auf

Alkohol vergehen. Es hilft schweren Trinkern über die ersten Tage des Entzugs hinweg.«

»Das bin ich für dich? Ein schwerer Trinker?«

»Ja. Ein Alkoholiker.«

Aus seinem Handballen sprudelte wieder Blut. Es sah für sie aus, als hätte er sich absichtlich durch Bewegungen der Finger die Wunde wieder aufgerissen. Wollte er ihr Mitleid oder sie nur näher locken, um sie zu packen?

Er zeigte auf die Hand. »Hilf mir.«

Sie nahm einen Mullverband und näherte sich ihm.

Während sie zum Distelkamp zurückgingen, zog Marion Wolters Holger Bloem ins Vertrauen: »Frank Weller«, sagte sie, »ist so ein feiner Kerl. Es fasst mich richtig an, wenn ich sehe, wie er versucht, Ann Kathrin zu schützen. Hast du mitbekommen, wie er ihre Wäsche schnell weggeräumt hat?«

»Jo. Hab ich.«

»Aber dann verrate mir eins, Holger: Wie kann so ein netter Mann mit einem Typen wie Rupert befreundet sein?«

Holger sagte erst einmal nichts. Er sah sich nur um.

»Was ist?«, fragte Marion. »Erzähl mir jetzt nicht, dass ihr dicke miteinander seid. Läuft da irgend so ein Männerding zwischen euch? Irgend so ein Machomist, den Frauen nie begreifen werden?«

Holger lächelte: »Befreundet bin ich nicht gerade mit ihm, aber ich bin schon gern mit ihm zusammen. Genau wie Weller.«

Sie empörte sich: »Wie kann man mit diesem Idioten gern zusammen sein?«

»Nun«, sagte Holger, »er macht es einem leicht.«

»Leicht? Was macht er leicht?«

»Na ja, neben ihm wirkt man als Mann gleich einfach viel sympathischer.«

Marion Wolters schlug gegen Holgers rechten Oberarm und stöhnte: »Ach, Mensch!« Sie wusste nicht, ob er es ernst meinte oder sie auf den Arm nahm. Das hasste sie an Männern. Bei Frauen war das ganz anders. Bei einer Frau wusste sie meist ganz genau, wo sie dran war.

Holger blieb vor dem Distelkamp Nummer 1 stehen und sah hoch. Marion wollte weitergehen, doch Holger klingelte bei Grendels. »Vielleicht«, sagte er, »hat Rita etwas gesehen.«

Es dauerte nicht lange, da kam Rita aus dem Garten.

»Ist dir etwas aufgefallen?«, fragte er.

Marion Wolters ging jetzt davon aus, dass es ihre Sache als Polizistin war und nicht seine als Journalist, den Sachverhalt aufzuklären. »Haben Sie hier einen verletzten Menschen entlanglaufen sehen?«

Holger zeigte zur Ecke. »Da hinten ist eine Person zusammengebrochen. Wir haben Blutspuren gefunden.«

Marion sah in Ritas Gesicht sofort, dass sie keine Ahnung hatte. Ihr Erschrecken verriet alles.

Ihre zwei Hunde liefen jetzt bellend heran. Auf eine Handbewegung von Rita hin waren sie ruhig.

Wenn ich mir jemals einen Hund anschaffe, dachte Holger, gebe ich ihn bei Rita in die Schule. Er selbst war Katzenliebhaber, genau wie seine Frau Angela.

Tatie war satt und befriedigt. Er fühlte sich großartig. Er hatte sich Judith Rakers' Buch *Home Farming* aus Ankes Regal gefischt. Er blätterte darin, als sei es sein geheimer Traum, als Selbstversorger mit dem grünen Daumen den eigenen Garten zu bewirtschaften. Vom Einwecken verstand Anke ja schon mal etwas. Deutete sich da eine gemeinsame Zukunft an? Vom Auftragskiller zum Ökobauern?

Er klappte das Buch zu und zog Anke näher zu sich: »Wir werden es heute machen«, verkündete er und rieb sich voller Vorfreude die Hände. »Ich denke«, lachte er, »wir veranstalten eine kleine Schnitzeljagd mit ihm. Wir könnten ihn erst mit dem Fahrrad nach Greetsiel schicken, immer schön am Deich entlang, gegen den Wind. Und – wenn er überhaupt so lange durchhält – dann auch wieder zurück nach Neßmersiel. Ich wette, so weit kommt der aber gar nicht. Der bricht schon auf halber Strecke zusammen und kriegt einen Herzinfarkt.«

»Schnitzeljagd? Der ist doch nicht blöd«, protestierte Niklas. »Der sucht keine versteckten Zettelchen. Der soll doch denken, dass ich aussagen will …«

Tatie hatte seinen Spaß an Niklas. Er spielte gern den Lehrer. Jetzt zeigte er ein Handy vor: »Weißt du, was das ist?«

»Ja, klar. Ein Handy. Ein ziemlich altes.«

»Es ist ein neutrales Prepaid-Handy, mein Junge. Das spielen wir ihm zu. Darüber kontaktierst du ihn, und nur darüber. Das können sie dann nicht abhören und auch nicht orten. Sie kennen nicht einmal die Nummer. Wir jagen ihn damit so lange kreuz und quer durch die Gegend, bis wir ganz sicher sind, dass er alleine ist und dann…«, er machte mit Mittel- und Zeigefinger eine schneidende Geste, »schnipp schnapp, schnipp schnapp, Schwänzchen ab!«

»Und wo tun wir es? Wo platzieren wir die Leiche?«, fragte Anke sachlich.

Niklas fragte sich, ob sie die Fummeleien von Tatie genoss, oder ob es ihr unangenehm war. Spielte sie hier die verführerische Geliebte, um sich zu retten? Opferte sie sich gar auf für ihn? War das Taktik oder echt? War sie wie seine Mutter, die dem Vater vorspielte, sie wolle ihm etwas Gutes tun und ihm dann doch Tabletten unterschob, die ihn fertigmachen sollten? War er jetzt Ankes Komplize gegen Tatie, oder traten sie drei gemeinsam gegen Klatt an?

Es kam ihm vor, als würde sich hier oben in der Ferienwohnung nahtlos fortsetzen, was unten im Elternhaus vor Jahren begonnen hatte: Er wurde instrumentalisiert und zum Täter und Komplizen gemacht.

Er wusste nicht mehr, ob er Held war oder Opfer. Jäger oder Gejagter.

Niklas bemühte sich, woandershin zu gucken, aber er schaffte es nicht. Seine Blicke folgten Taties Hand. Der nahm sich spielerisch heraus, Ankes Körper zu berühren. Wie ein fünfbeiniges Tier ging seine Hand auf ihr spazieren.

Niklas stellte sich vor, wie es wäre, die Gabel in Taties rechtes Auge zu rammen, bis tief hinein in sein Gehirn.

Die zwei knutschten jetzt ausgiebig mit Schmatzgeräuschen. Tatie hatte Ankes Frage immer noch nicht beantwortet. Er wollte lustig sein. Mit links knetete er ihre Brust, mit rechts tippte er auf Judith Rakers' Gartenbuch: »Wir könnten Klatt in ihrem Hühnergehege ablegen. Das würde für Aufsehen sorgen! Das bekannteste Gesicht des deutschen Fernsehens gibt in der Tagesschau bekannt, dass ihre Hühner an einem fetten BKAler herumgepickt haben ...« Er krümmte sich vor Lachen, so witzig fand er seine Idee.

»Das ist doch jetzt ein Scherz, oder?«, fragte Anke.

»Ja, sicher. Bei der Rakers ist bestimmt alles mit Kameras abgeschirmt. Ich will doch nicht in einem Video auftauchen. Wir legen ihn stattdessen in Aggis Huus in Neßmersiel um, was meint ihr? Das ist ähnlich gemütlich wie Judiths Garten, aber wir müssen nicht erst bis Hamburg. Und außerdem … «

Niklas führte wie ein gelehriger Schüler den Gedanken zu Ende: »Bei *Aggi* ist wegen Corona geschlossen. Touristen sind sowieso keine da. Wir hätten freie Bahn und einen Parkplatz direkt vor dem Haus.«

Tatie holte ein Geldstück aus seinem Portemonnaie. Er schnippte den Euro hoch und fragte: »Ludgeri-Kirche oder *Aggis Huus*? Messwein oder Ostfriesentee? Kopf oder Zahl?«

»Zahl«, sagte Anke.

Das Geldstück überschlug sich mehrmals in der Luft. Tatie schnappte es und klatschte die Münze auf ihren Oberschenkel. Noch verdeckte seine Hand das Ergebnis. Langsam, genüsslich, zog er die Hand weg. Der Euro lag mit dem Kopf nach oben auf ihrem Schenkel und rutschte runter. Sie bückte sich und hob ihn auf.

»Also gut«, sagte Tatie, »wir töten ihn bei *Aggi* und fahren ihn dann in die Ludgeri-Kirche.«

Das alles war Taties voller Ernst, so viel war Niklas klar.

Tatie befahl, als sei er dazu ermächtigt: »Du, liebe Anke, bringst ihm das Handy.«

Obwohl seine Stimme keinen Widerspruch duldete, versuchte sie es. Sie verkleidete ihren Protest als freundliche Frage: »Wie? Ich bringe es ihm?«

Er grinste: »Na, wir können es ihm ja schlecht per Post schicken. Das dauert zu lange. Du fährst zu seiner Ferienwohnung und wirfst es da in den Briefkasten. Du kannst sogar zu Fuß gehen. Es ist ja nicht weit.«

Das bedeutet, dachte Niklas, er vertraut ihr wirklich. Er lässt sie gehen und bleibt mit mir hier. Er riskiert, dass sie mit der Polizei wiederkommt. Wird sie das tun?

Damit würde sie nicht nur Tatie, sondern auch ihn an die Behörden ausliefern. Was zwischen ihr und Tatie gelaufen war, würde man ihr kaum anlasten. Die Verbrüderung von Geiseln und Geiselnehmern, von Entführten und Entführer, war als Stockholm-Syndrom bekannt. Er hatte mal eine Dokumentation darüber gesehen. Es hatte ihn erschüttert, als er sah, dass die Opfer bei einer Geiselnahme in Stockholm, die über mehrere Tage ging, mehr Angst vor der Polizei als vor den Tätern zeigten. Später sprachen sie sogar recht freundlich über die Gangster, waren voller Respekt, ja Dankbarkeit, für die gute Behandlung und baten um Gnade für sie.

Er hatte das zunächst völlig irre gefunden, sich später aber gefragt, ob es bei ihm nicht genauso war. Identifizierte er sich nicht viel zu sehr mit seiner Mutter und entschuldigte alles, was sie tat? Danach hatte er sich für seine Gedanken geschämt. Schließlich war er hier in Norddeich nicht Geisel in einer überfallenen Bank, sondern Kind in einer Familie. Trotzdem sah er wieder Parallelen, allerdings jetzt nicht bei sich und seinem Verhalten, sondern bei Anke. Inwiefern waren Menschen, die gegen ihren Willen in etwas verstrickt wurden, noch für ihre Gefühle oder Taten verantwortlich? Es war leichter, die Geliebte eines Mörders zu sein, als seine Gefangene, die das nächste Opfer werden sollte.

Am Ende, dachte Niklas, wird er uns beide sowieso töten. Sie kann sich eine Weile als zukünftige Ehefrau fühlen und ich mich als sein Lehrling und Komplize. Das macht es für ihn und auch für uns irgendwie leichter. So verbringen wir nicht die Stunden in Angst. Statt Panik haben wir Hoffnung. Aber es läuft doch alles auf dasselbe hinaus, nur sind wir handhabbarer. Statt Widerstand zu leisten, fühlen wir uns auf eine schaurige Weise wohl.

»Zieh dir etwas Warmes an, Süße«, sagte Tatie. »Wir wollen doch nicht, dass du dich draußen erkältest. Es ist windig an der Küste, das weißt du ja.«

Er wischte das Handy ab und bat sie um einen Gefrierbeutel. Er wählte ein paar Nummern, kontrollierte die Funktion, wischte es noch einmal ab und steckte es in das durchsichtige Plastiksäckchen. Es sah jetzt schon aus, als sei es reif für die Asservatenkammer der Kriminalpolizei.

»Das soll ich ihm bringen?«, fragte Anke, obwohl sie die Antwort längst kannte.

»Genieß es«, lächelte Tatie. »Es ist das letzte Geschenk, das er von einer schönen Frau bekommen wird.«

»Aber ... er wird mich doch nicht sehen, oder?«

Tatie überlegte: »Eigentlich habe ich gedacht, du wirfst es in seiner Ferienwohnung in den Briefkasten. Aber«, Tatie sah auf sein Handy, »er ist gar nicht weit von uns, im Distelkamp. Ich kann natürlich jeden seiner Schritte verfolgen. Es wäre auch originell, wenn du es ihm direkt aushändigst und ihm dabei schöne Grüße von Niklas bestellst.«

»Und dann?«, fragte sie sorgenvoll.

»Dann rennst du weg«, lachte Tatie. »Der dicke alte Mann würde dich nicht mal einholen, wenn du auf High Heels läufst.« Er fand die Vorstellung köstlich. Überhaupt schien ihm alles viel Spaß zu machen. Für ihn war das hier wie eine amüsante Freizeitbeschäftigung.

»Aber er kennt mich doch dann ...«, wandte sie ein. Es

klang für Tatie schon fast wie Protest. Er guckte ein bisschen beleidigt: »Er wird nur wenig Gelegenheit haben, jemandem davon zu erzählen. Dies ist sein Todestag, Schönste.«

Sie schluckte. Ihr ganzes Leben schien ihr plötzlich ein Rätsel zu sein. Ein schier unlösbares Problem.

»Aber«, sagte sie, »ich kann doch nicht einfach so rausgehen und ihm das Handy bringen.«

Tatie breitete seine Arme aus: »Warum nicht? Hält dich jemand gefangen?«

Sie sprach es aus, als sei es eine besondere Qualifikation, eine Art Doktortitel: »Ich habe eine Agoraphobie.«

Tatie guckte mit einer Mischung aus Anerkennung und Belustigung. Sie kam sofort in Erklärungsnot: »Ich ... das ist ... eine Angststörung. Ich bekomme dann Herzrasen. Atemnot. Schweißausbrüche. Ich beginne zu zittern. Es wird mir in der Brust ganz eng, wie bei einem Herzinfarkt ...«

Tatie schien ihr nicht zu glauben.

Sie führte Niklas als Beweis an: »Darum geht er ja für mich einkaufen«, sagte sie und zeigte auf den Jungen. »Ich fühle mich nur hier in der Wohnung sicher ... Ich ertrage andere Menschen praktisch gar nicht ... Ich ...«

Tatie streichelte ihr Gesicht. »Ja, das war bestimmt einmal so, ich weiß. Aber es ist vorbei. Du hast mit mir diesen schmierigen Richter gekillt. Du bist jetzt jenseits der Angst.«

»Ich habe ihn nicht ...«, sie hatte Mühe, das Wort auszusprechen, »gekillt. Ich war nur dabei.«

»Nun mach dich mal nicht kleiner als du bist. Du hast ihn hingelockt und ...«

»Und den Part soll ich jetzt übernehmen«, stellte Niklas fest.

Tatie nickte.

Anke verschwand ins Schlafzimmer, um sich umzuziehen. Sie wählte warme Wintersachen aus. Sie kam sich dick darin vor, aber auch geschützt. Sie brauchte eine Sonnenbrille. Mit Maske und Sonnenbrille hoffte sie, sich freier zu fühlen.

Sie spielte eine Frau, die sie nicht selbst war. Ja, genau so kam es ihr vor: Als würde sie sich erst durch die Verkleidung ganz neu ausprobieren.

Vor dem Spiegel entschied sie sich, eine schöne, stolze Frau zu werden. Eine, die mit den Männern spielte, statt sich von ihnen dirigieren zu lassen.

Obwohl sie vorhatte, einen Mundschutz zu tragen, schminkte sie sich und zog auch ihre Lippen nach. Dicker als sonst.

Tatie lachte darüber: »So sind sie, die Frauen, Niki. Schau sie dir nur an.«

»Man weiß ja nie, wie es ausgeht«, verteidigte sich Anke. »Vielleicht werde ich am Ende in einem Polizeipräsidium landen und verhört werden. Dann will ich wenigstens gut aussehen.«

»Sag ich doch«, lachte Tatie.

Er ließ sie tatsächlich gehen. Am Fenster sahen beide ihr nach.

»Und was, wenn sie uns einfach verrät?«, fragte Niklas.

»Das macht sie nicht.«

»Wie können wir das wissen?«

»Ich habe es in ihren Augen gesehen, Junge. Sie will ihren Mann loswerden, und dazu braucht sie uns beide. Mit uns erlebt sie gerade das größte Abenteuer ihres Lebens. Schau uns an. Mit uns kann man einfach mehr Spaß haben als mit so einem Versicherungsfuzzi.«

Das bezweifelte Niklas, aber er schwieg. Wenn sie ihre

Aufgabe erledigte und zurückkam, würde er noch heute einen Polizisten in eine tödliche Falle locken. Wenn sie stattdessen die Polizei verständigte, würde er gleich verhaftet werden.

Er hätte nicht einmal sagen können, was ihm lieber war.

Dirk Klatt fühlte sich einsam. Niemand hielt zu ihm. Das kannte er aus der Zeit in Wiesbaden. Er musste jederzeit damit rechnen, dass ihm ein lieber Kollege lächelnd eine Bananenschale vor die Füße warf. Er hatte sich daran gewöhnt, bei jedem Schritt nach unten zu gucken, um nicht auszurutschen. Aber hier in Norden, in Aurich und Wittmund, war es besonders heftig.

In Wiesbaden hatte er ständig das Gefühl gehabt, in einen Wattebausch zu laufen. Hier in Ostfriesland war daraus eine gläserne Wand geworden. Eine durchsichtige, aber kugelsichere Scheibe. Die ganze Bande stand dahinter und kochte dort ihr eigenes Süppchen. Sie lächelten ihn an, winkten ihm zu und baten ihn, doch bei ihnen mitzuspielen. Aber er rannte dann gegen diese Glasscheibe und stieß sich die Nase blutig.

Er hatte nicht einen Menschen hier, dem er trauen konnte. Den Frauen sowieso nicht. Die bildeten eine ganz eigene Fraktion. Aber auch unter den Männern galt: *die da oben, wir hier unten.* Es reichte schon aus, aus einer Großstadt zu kommen und man war denen verdächtig.

Martin Büscher war in Klatts Augen ein armes Schwein. Er hätte ein Exempel statuieren und einen dieser hochnäsigen Versager fertigmachen müssen, bis zur Suspendierung.

So verschaffte man sich seiner Meinung nach als Chef am schnellsten Respekt. Man zeigte allen, was passieren konnte, wenn man sich wirklich unbeliebt machte. Ja, die brauchten das, dieses Wissen: *Wir können auch anders, Leute. Es gibt keinen Freibrief für Schludrigkeiten und selbstherrliches Verhalten.* Denen hier musste man die klare Kante zeigen.

Er stand im Distelkamp Nummer 13 vor der Tür und rauchte, was ihm nicht guttat, weil er ohnehin schon schwer Luft bekam. Aber irgendwie brauchte er es jetzt, zu dampfen wie ein kampfbereiter Drache.

Drinnen brüllte Weller einen Kriminaltechniker an und drohte, ihn zu verhauen, wenn er seine Finger nicht aus Ann Kathrins Wäscheschrank lasse.

Sollen sie das unter sich ausmachen, dachte Klatt. Ich werde jetzt nicht eingreifen, sondern später Helmut bitten, ein Protokoll über den Vorfall zu verfassen.

Er hielt es für möglich, dass darin stehen würde, der anwesende Ehemann sei äußerst zuvorkommend und kooperativ gewesen.

Er musste hier weg, wieder unter richtige Menschen. Ja, so dachte er oft. Er traute sich nur nicht, es laut zu sagen. Er begann zunehmend, Ostfriesland und die Ostfriesen zu hassen.

Nach Hause lockte ihn aber auch wenig. Wenn er seinen linksradikalen Schwiegersohn nur von weitem sah, blubberte schon seine Magensäure. Er würde nie verstehen, wie seine Tochter auf diese Arschgeige hereinfallen konnte.

Seine Ehe konnte er auch vergessen. Im Grunde mochte ihn in Wiesbaden niemand wirklich, die Bedienung im *Café Maldaner* in Wiesbaden vielleicht ausgenommen. Dort war er für sehr großzügige Trinkgelder bekannt. Er erkaufte sich damit ein bisschen Freundlichkeit und ein Lächeln. Gleichzeitig erniedrigte er sich selbst dadurch, weil er es peinlich fand, so etwas nötig zu haben. Gab es etwas Schlimmeres, als sich ein Lächeln erkaufen zu müssen?

Er wollte die Sache hier in Ostfriesland noch zu Ende bringen und sich dann entweder zur Ruhe setzen oder in der Akademie unterrichten. Auf jeden Fall raus aus dem operativen Geschäft. Er wollte nicht enden wie Martin Büscher – ausgebrannt und aufs Abstellgleis geschoben.

Manchmal stellte er sich ein Leben in einem Hotel vor. Im Süden. Mit Swimmingpool und Bar. Andere gingen ins Altersheim. Er wollte seinen Lebensabend lieber in einem Ferienhotel verbringen.

Während ich mich am Pool im Liegestuhl aale und mir unter dem Sonnenschirm einen Drink servieren lasse, schaue ich schönen Urlauberinnen zu, die sich im Bikini sonnen und Kopfsprünge ins kalte Nass machen – ja, davon träumte er. Viel mehr wollte er doch gar nicht: in angenehmer Atmosphäre faul herumhängen, bei gutem, wenig kreislaufbelastendem Klima. Gleichzeitig wusste er nicht, ob er dazu überhaupt in der Lage war. Musste einer wie er nicht arbeiten? War man, fragte er sich, was man tat, und wenn ja, wer war man dann, wenn man es nicht mehr tat? Wenn man gar nichts mehr machte? Gab es überhaupt ein Leben nach dem Beruf?

Dieser Ubbo Heide, der ehemalige Kripochef, hatte wohl auch das hingekriegt. Zwar im Rollstuhl, aber mit einer Frau, die ihn liebte und in einer Ferienwohnung auf Wangerooge. Sein Rat war immer noch gefragt, und alle sprachen nur voller Hochachtung von ihm. So etwas war für Klatt nicht zu erreichen, das wusste er genau.

Immerhin hatte er vierhunderttausend in bar zurückgelegt. Eine kleine Aufbesserung der jämmerlichen Pension, die er erwarten durfte.

Seine Frau Martha durfte nichts davon erfahren. Erstens würde sie Fragen stellen, und zweitens hatte er Angst, sie könnte gierig werden. Er hatte so oft einen auf den Deckel bekommen, war so oft enttäuscht worden, dass er immer mehr für sich behielt, schwieg und der Welt misstraute. Er lebte mit dem schlimmen Gefühl, keinen Freund zu haben, auf den er sich verlassen konnte. Nicht einmal seine eigene Familie stand zu ihm. Es war zum Heulen, aber er traute niemandem mehr. Wenn er Macht hatte und Druck auf Menschen ausüben konnte, redeten sie ihm vielleicht nach dem Mund oder wurden höflich. Aber ehrlich war das alles nicht.

Er trat die Zigarette aus und schnippte die Kippe unter den grünen Twingo. Er lutschte jetzt eine Fisherman's Pastille, die ihm zwar nicht schmeckte, aber den Tabakatem verdecken sollte. In dieser Gesundheitsgesellschaft wurden Raucher ja schon angeguckt, als seien sie bedauernswerte, charakterlose Schwachköpfe.

Eine Frau kam auf ihn zu. Sie trug eine Sonnenbrille, einen Mund-Nasen-Schutz und einen offenen Wintermantel mit Kunstpelz. Sie wog nicht halb so viel wie er und war gut zwanzig Jahre jünger, schätzte er, obwohl er ihr Gesicht nicht sah. Aber sie hatte einen leichten, federnden Gang, wie jemand, der noch keine Probleme mit den Gelenken hat.

Er hielt sie für eine Kollegin aus Leer, die zur Verstärkung kam. Zu Fuß, denn man hatte hier ja Zeit.

Als Gott die Zeit erschuf, hat er von Eile nichts gesagt. Den Spruch bekam er hier oft zu hören, wenn er auf Pünktlichkeit oder Effektivität bei der Arbeit bestand. Das Wort

Schnelligkeit nahm er schon gar nicht in den Mund. Wer sich gegen den Satz auflehnte, hatte gleich Gott zum Gegner, und wer wollte das schon.

Die Frau blieb mit gut drei Metern Abstand zu ihm stehen: »Herr Klatt?«, fragte sie.

Er brummte zur Bestätigung und setzte umständlich seine blaue Chirurgenmaske auf. Sie behielt den Abstand trotzdem bei.

Eine Möwe kackte auf sein Autodach und segelte mit einem triumphierenden Schrei davon. Ann Kathrins Twingo hatte sie verschont. Sie wollen mich hier einfach nicht haben, dachte er.

Die Frau griff in ihre Manteltasche. Für einen Moment sah es so aus, als wollte sie eine Waffe ziehen und ihn niederstrecken. Doch sie richtete mit ihrem ausgestreckten rechten Arm keinen Lauf auf ihn, sondern ein Handy in einem durchsichtigen Plastikbeutel.

Er zuckte im ersten Moment zusammen und fluchte: »Man hätte Ihre Geste auch verdammt missverstehen können!«

Sie wedelte mit den Händen gut eine Armlänge entfernt vor seinem Gesicht herum. »Das soll ich Ihnen von Niklas bringen.«

Klatt griff sofort danach, aber sie machte einen Schritt rückwärts.

»Ja, was jetzt?«, fragte er.

Sie blickte sich um. »Er will mit Ihnen allein sprechen. Wenn Ihnen jemand folgt, können Sie die Sache sofort vergessen.«

Diesmal zog sie das Handy nicht weg, so dass er es zu fassen bekam.

»Frau Wewes«, sagte er, »Ihr Sohn hat keine Chance. Er muss sich stellen!«

»Ich bin nicht ...« Sie stoppte mitten im Satz und wiederholte: »Er will mit Ihnen allein reden.«

Er kam einen Schritt näher. Sie deutete mit der offenen linken Hand ein *Stopp, bis hierher und nicht weiter* an. Sie sagte etwas, was ihr danach dämlich vorkam. Sie kannte es aus Krimis: »Keine Polizei!«

»Ich bin von der Polizei«, grinste er und riss sich den Mund-Nasen-Schutz so ungestüm vom Gesicht, dass hinter seinem linken Ohr das Gummi riss. Die Maske fiel zu Boden.

Anke Reiter rannte ein paar Meter in Richtung Haferkamp, drehte sich nach ihm um und verlangsamte ihre Schritte, als sie sah, dass ihr niemand folgte.

Er denkt, ich sei die Mutter. Vielleicht gar nicht so schlecht ...

Sie schlug keine Haken, versuchte nicht, Verfolger abzuschütteln, sondern sie ging auf direktem Weg zurück zu Niklas und Tatie. Sie fühlte sich auf eine nie gekannte Art sicher, als habe sie eine Grenze überschritten, hinter der alles anders war. Sogar das Gras wirkte grüner. Sie schien die Stimmen der Vögel zu verstehen, ohne zu wissen, was sie genau sagen wollten. Sie fühlte sich mehr eins mit dieser Welt. Plötzlich zugehörig zu allem. Als Bestandteil von etwas. Sie fühlte sich den Möwen zugehörig, die nicht säten, aber doch ernteten, was immer sie an Fressbarem fanden.

Aus dem braven, gut erzogenen Mädchen, das sie die ganze Zeit versucht hatte zu sein, schlüpfte sie heraus wie aus einer zu engen Schlangenhaut und wurde zu einer Frau, die ihr eigenes Ding durchzog. Ja, es war wie eine Häutung. Indem sie sich den Gefahren der Welt aussetzte und an den

Kämpfen der Gesellschaft teilnahm, verlor sie ihre Angst, die in der Sicherheit der eigenen vier Wände immer noch größer geworden war.

Das Handy lag im Gefrierbeutel wie eine betäubte Ratte, die jederzeit wieder wach werden und um sich beißen konnte. Klatt war sich absolut sicher, gerade mit Frau Wewes gesprochen zu haben. Sie lebte also, und sie schien unverletzt. Von wem stammte dann das Blut im Haus? Er stellte sich die Frage kurz, sie interessierte ihn aber nicht mehr wirklich. Dieses Handy würde ihm allen anderen Ermittlern gegenüber einen bedeutenden Vorteil verschaffen. Seine Instinkte als Polizist sagten ihm zwei Dinge: Erstens, die Sache würde jetzt eine entscheidende Wendung nehmen, und zweitens, der Anruf käme mit dem Einbruch der Dunkelheit.

Tatie probte mit Niklas, was er zu sagen hatte. Aber bei aller Übung war eins klar: Am Ende würde Niklas improvisieren müssen. Es war längst nicht jede mögliche Wendung, die so ein Gespräch nehmen konnte, vorauszuberechnen.

»Sobald sie zurück ist, rufst du ihn an. Und ab dann machen wir Druck. Ein Hin und Her. Ein Hüh und Hott. Wir müssen ihn wirr machen, aber immer seine Hoffnung nähren. Er darf keine Chance bekommen, dich einzuwickeln. Der ist ein hochkarätiger BKAler, vergiss das nie. Das sind ausgebuffte Kerle. Die sind ausgebildet worden, solche Gespräche zu führen. Du darfst dich nicht von ihm aus dem Konzept bringen lassen, und genau das wird er versuchen.«

Niklas hörte zu, nickte eifrig und glaubte doch nicht wirklich daran, dass Anke nach getaner Arbeit zurückkommen würde. Er fand es viel wahrscheinlicher, dass gleich Handschellen um seine Gelenke klicken würden.

Anke klingelte nicht. Es war ja ihre Ferienwohnung. Sie schloss einfach auf.

Niklas' Finger krampften sich in den Stoff der Sessellehne, als er hörte, wie die Tür geöffnet wurde.

Tatie blieb betont entspannt.

Kein Einsatzkommando stürmte herein. Anke stand stattdessen wie eine Erscheinung im Wohnzimmer, reckte sich und pellte sich aus den dicken Sachen. »Ich schwitze«, stöhnte sie. »Ich habe noch nie in meinem Leben so geschwitzt.«

»Kein Wunder«, lachte Tatie, »wer trägt denn auch zwei Pullover übereinander?«

»Drei«, korrigierte sie.

Sie behielt nur einen davon an. Sie zog ihn bis über ihre Knie, als sie sich in den Sessel fallen ließ. Es war ein Männerpullover. Altbacken und vermutlich selbstgestrickt. Mehr Tirol als Ostfriesland.

»Nun sag schon«, forderte Tatie, »wie ist es gelaufen?«

Sie lächelte. Ihre Wangen glühten. »Es war eigentlich ganz einfach. Er stand allein vor der Tür, fast so, als hätte er auf mich gewartet«, sagte sie und kicherte. »Er hält mich für deine Mutter, Niki.«

Tatie fand das köstlich. »Dann werden wir jetzt einen ersten Kontakt riskieren.«

Er tippte eine Nummer in sein Handy und gab es Niklas.

Anke hielt sich selbst den Mund zu und beobachtete Niklas mit weit aufgerissenen Augen. Sie verkroch sich dabei in den viel zu großen Pullover wie in ein Zelt. Nur ihr Kopf guckte oben raus.

»Klatt«, sagte Klatt.

Niklas bekam zunächst keinen Ton raus und starrte Tatie an. Der machte eine aufmunternde Geste. Mit trockenem Mund sagte Niklas: »Hier ist Niki Wewes. Ich habe eine Information für Sie, Herr Klatt. Ich bin nicht vor der Polizei auf der Flucht, wie Sie vielleicht denken, sondern vor dem Mörder. Ich kenne ihn, und er weiß, dass ich ihn kenne.«

»Wir können dich schützen, Niklas. Wir haben ein hervorragendes Zeugenschutzprogramm und …«

Tatie winkte vehement ab. Niklas kapierte. Klatt versuchte schon, ihn einzuwickeln, genau wie Tatie prophezeit hatte.

»Ich will Sie alleine sprechen, Herr Klatt. Ich traue Ihren Leuten nicht, und das würde ich an Ihrer Stelle auch nicht.«

»So? Warum denn nicht?«

Wie ein Dirigent, nur ohne Taktstock, gab Tatie Niklas das Zeichen für den Einsatz. Es lief jetzt alles wie geplant.

»Der Mörder ist ein Bulle.«

»Wer?«, fragte Klatt.

Tatie zeigte sich äußerst zufrieden mit Niklas. Klatts Frage bedeutete ja auch, dass er ihm auf den Leim ging. Alles entwickelte sich gut.

»Kann ich Ihnen trauen, Herr Klatt?«, fragte Niklas.

»Ja, natürlich.«

»Sie sind meine einzige Hoffnung. Sie sind nicht von hier. Die halten alle zusammen. Eine Krähe hackt der anderen kein Auge aus. Die wollen mir das in die Schuhe schieben.«

Klatt bot an: »Ich kann unbelastete Leute aus Osnabrück oder Oldenburg kommen lassen und …«

»Nein, ich spreche nur mit Ihnen.«

»Okay. Wer ist es, Niklas?«

»Ich weiß seinen Namen nicht, aber ich habe Fotos von ihm und auch ein paar Sachen, die ihm gehören.«

»Was für Sachen?«

»Ich übergebe Ihnen alles, aber ich muss sicher sein, dass Sie alleine kommen. Ich will nicht zufällig von einem Ihrer Leute erschossen werden oder so.«

»Du hast mein Wort, Niklas. Und liebe Grüße an deine Mutter.«

»Werde ich ausrichten«, sagte Niklas.

Tatie deutete an, jetzt solle Niklas das mit dem Fahrrad klären. Er liebte den Gedanken, Klatt bis zur Erschöpfung radeln zu lassen.

»Haben Sie ein Fahrrad?«

»Warum?«

»Bitte nehmen Sie sich ein Rad und fahren Sie nach Greetsiel. Aber allein.«

»Nach Greetsiel? Auf dem Rad? Aber das sind gut zwanzig, wenn nicht dreißig Kilometer!«

»Ja, sind es. Aber es geht nicht anders, glauben Sie mir.«

Klatt protestierte: »Kann ich nicht mit dem Auto nach Greetsiel kommen?«

Tatie winkte grinsend ab.

Niklas bestand darauf: »Nein. Sie müssen mit dem Rad kommen. Ich habe dafür meine Gründe. Ich kann das nicht mit Ihnen diskutieren. Wissen Sie, wo das Buddelschiffmuseum ist?«

»Nein … Aber ich kann das rasch …«

»Okay, dann treffen wir uns zwischen den Zwillingsmühlen. Setzen Sie sich dort auf eine Bank. Ich spreche Sie
an.«

»Ja … ich … äh …«

Tatie machte eine schneidende Geste. Niklas drückte das
Gespräch weg und legte das Handy auf den Tisch. Er war
klatschnass. Hitzewallungen jagten durch seinen Körper.

»Das hast du prima gemacht«, lobte Tatie ihn. »Du wirst
mein Meisterschüler!« Zu Anke sagte er stolz, als sei Niklas
sein eigener Sohn: »Aus dem Jungen wird noch mal was. Der
hat das Talent, zu einem der ganz großen Hitmen zu werden.
Einer, der die goldenen Jobs erledigt. Der Könige, Thronfol-
ger, Präsidenten oder Wirtschaftsbosse killt.«

Ann Kathrin brauchte nur knapp zwei Minuten, und der
IT-Spezialist Kevin Lisbeth Salander Janssen sagte ihr alles, was sie wissen wollte. Er begriff sofort, warum sie als
Verhörspezialistin galt, von der man sagte, sie bringe auch
einen Tisch, einen Stuhl oder einen Kasten Bier zum Reden.
Sie hatte ihn nur durchdringend angeschaut, als könne sie
problemlos seine Seele röntgen und dabei seine Gedanken
lesen, wolle ihm aber die Möglichkeit geben, es mit eigenen
Worten zu sagen. So ließ sie ihm die Ehre.

Ihr Satz »Sie verschweigen mir etwas« war eine Feststel-
lung, keine Frage. Und nun zappelte er herum, um zu beweisen, dass es nicht so war.

»Nein, ich … also … ich dachte nur …« Er bekam einen
Schluckauf.

»Ja?«, fragte sie mit einem sehr lang gezogenen »a«.

»Ich bin nicht ganz legal an die Daten gekommen, Frau Klaasen. Aber ich kenne jetzt drei Leute, die im Netz schwere Beleidigungen und Drohungen gegen Sie ausgestoßen haben.«

»Prima. Und ich hätte jetzt gern die Namen.«

Er schluckte, versuchte, durch Luftanhalten ein erneutes Aufstoßen zu verhindern, schaffte es aber nicht.

»Wir können das vor Gericht nicht verwenden. Was ich gemacht habe, verstößt gegen die elementarsten Datenschutzbestimmungen.«

»Ich weiß«, sagte sie illusionslos und schnippte mit den Fingern. »Ich will auch keinen Gebrauch vor Gericht davon machen, Kevin, da können Sie ganz sicher sein.«

»Sondern?«, fragte Kevin, streckte die Arme aus, verschränkte die Hände ineinander und knackte mit den Fingern. Wenn Verdächtige die Arme lang machten und die Finger so durchbogen, waren sie kurz davor, etwas zu gestehen, das sie bisher geleugnet hatten, oder sie belasteten nur wenig später einen Menschen, den sie eigentlich aus dem Spiel lassen wollten.

Ihre Erfahrung sagte ihr, dass sie gewonnen hatte. »Die Namen«, forderte sie nun, und er schrieb drei Namen auf einen Zettel. Er malte sie mit großen Druckbuchstaben, als wolle er verhindern, später durch seine Handschrift überführt werden zu können. Er wirkte dabei auf Ann Kathrin, als hätte er Angst, sie könnten hier abgehört werden.

Sie hatte keine Lust mehr, länger in diesem düsteren Kellerbüro zu bleiben, das modrig roch. Hier standen mehr Computer herum als in den meisten Fachhandlungen. Computer und Handys aller Generationen. Die meisten waren beschlagnahmt worden, und es war Kevins Aufgabe, gelöschte Festplatten wieder lesbar zu machen, Passwörter zu knacken und Verschlüsselungen zu entzaubern.

Ein kurzer Blick auf den Zettel reichte. Sie konnte mit jedem Namen etwas anfangen. Sie fühlte sich bestätigt: »Dem«, sagte sie und tippte mit dem Zeigefinger auf den obersten Namen, »habe ich mal den Arm gebrochen. Er hatte seine Tochter und seine Frau übel zugerichtet. Ich habe ihn gefragt, ob er es nicht auch mal mit mir versuchen möchte. Er hat das dann wohl ernst genommen und tatsächlich ausprobiert.«

»Kein Wunder, dass er Sie hasst, Frau Klaasen«, sagte Kevin.

»Oh«, wunderte sie sich, »bei dem hier dachte ich, der sitzt noch. Er fühlt sich wie Superman, ist aber nur ein kleiner Idiot.«

»Und das haben Sie – nehme ich an – dem auch genauso gesagt, ja?«, fragte Kevin.

»Nein, ich habe ihn nur zweimal verhört. Er ist ein jämmerlicher Frauenhasser, der eigentlich nur Angst vor Frauen hat. Weil er sich das aber nicht eingestehen kann, hasst er sie eben. Jedes Verhör endete mit einer Heulerei. Wenn er keine Macht mehr über Frauen hat, dann unterwirft er sich und möchte getröstet werden.«

»Jetzt tobt er den Hass gegen Sie aus, Frau Klaasen. Er wünscht Ihnen, dass …« Kevin erschrak über sich selbst. Fast hätte er die sexistische Drohung aus dem Netz einfach wiederholt. Er wusste jetzt nicht, wo er hingucken sollte. Er hatte Angst, einen schlimmen Fehler gemacht zu haben.

Sie half ihm, die unangenehme Situation zu überbrücken: »Und der hier, dieser Joachim Braumüller, den kenne ich auch. Das ist so ein verklemmter Schreibtischtäter. Ein Troll, der unter zig Pseudonymen schreibt und sich dann immer selbst likt. Kann einem im Grunde leidtun. Er bräuchte eigentlich dringend Betreuung oder wenigstens eine Therapie, um wieder in die Spur zu kommen. Er ist lästig wie eine Scheißhausfliege. Er hasst die Polizei, das öffentlich-rechtliche Fernsehen und alle Prominenten, die, wie er glaubt, mehr Geld verdienen als er, aber dafür weniger arbeiten müssen als er.«

»Harmlos?«, fragte Kevin erleichtert.

»Da bin ich mir gar nicht so sicher. All diese Menschen sind von Hass, Neid und Missgunst getrieben. Das Internet ist eine Art Ventil für sie. Aber so etwas kann rasch in reale Gewalt umschlagen. Da können Alkohol oder andere Substanzen Katastrophen anrichten.«

»Was haben Sie denn jetzt vor?«

Ann Kathrin beantwortete die Frage nicht, sondern zog mit links ihr T-Shirt ein Stück vom Hals weg und steckte den Zettel dann von oben in ihren BH. Das wirkte auf Kevin, als würde sie hier die Barfrau in einem Western spielen. Er kapierte aber, was sie damit sagen wollte: Es ging ihn nichts an. Sie betrachtete das Ganze als persönliche, ja intime Angelegenheit.

»Von mir haben Sie die Namen jedenfalls nicht.«

Ann Kathrin lächelte: »Natürlich nicht.« Sie verschwand und schloss leise die Tür hinter sich.

Sie war schon am Ende des Flurs und wollte die Treppe hoch, als Kevin die Tür noch einmal öffnete und hinter ihr herrief: »Aber irgendwann müssen Sie sagen, woher Sie die Namen haben ... «

Sie drehte sich im Kreis und steppte, für ihn verwirrend, einen Tanzschritt auf den Boden: »Intuition. Einfach weibliche Intuition.«

Sie kam ihm jetzt ein bisschen vor wie Mary Poppins. Er ging in sein Büro zurück und fragte sich, ob so ihr Ruf zustande gekommen war. Sie galt als sehr spirituell veranlagt, ja fast hellsichtig. Die einen lachten darüber, die anderen bewunderten sie deswegen. Setzte sie diesen Ruf vielleicht nur ein, um nicht zu verraten, dass sie auf ungesetzliche Weise an die eine oder andere Information gekommen war? War so dieser Mythos um sie herum entstanden? Die Kommissarin, die etwas spürt, ahnt oder so ein Bauchgefühl hat? War alles nur Tarnung für nicht immer ganz legale Ermittlungen?

Für ihn, den Kopfmenschen, der sich die Welt mathematisch erschloss, war das eine durchaus logische Erklärung. Er war fast erleichtert, sie jetzt zu haben. So war es einfacher für ihn, mit ihr umzugehen.

Dirk Klatt sah sich Radsport gern im Fernsehen an, ebenso Fußball oder Boxen. Aber für ihn selbst war das nichts. Die viel zu große Prostata bereitete ihm auf dem bequemen Bürosessel kaum Schwierigkeiten, auf dem Fahrradsattel aber schon.

Er hatte sich Wellers E-Bike ausgeliehen. Wahrscheinlich waren alle froh, ihn endlich los zu sein und stellten deshalb so wenig Fragen. Er hatte behauptet, er müsse sich ein bisschen Wind um die Nase wehen lassen. Dafür hatte auch sofort jeder Küstenmensch Verständnis. Es wäre wenig ostfriesisch gewesen, jemanden, der es offensichtlich so nötig hatte wie er, daran zu hindern, beim Radfahren am Deich runterzukommen, hatte er in ihren fast mitleidigen Gesichtern gelesen.

Auf den ersten paar hundert Metern knirschten seine Knie

verdächtig, doch dann ließ es nach und auch der Schmerz verschwand, als täte das Radfahren den geschundenen Gelenken gut.

Oben auf der Bank saß ein knutschendes Pärchen. Ach, dachte er, muss Liebe schön sein. Lockdown hin, Lockdown her, egal, wie schlimm es auf der Welt gerade aussieht, die Liebe bahnt sich ihren Weg.

Er selbst hatte für sich die Hoffnung längst aufgegeben. Martha zurückzugewinnen schien ihm aussichtslos und manchmal auch nicht mehr erstrebenswert. Aber er wollte nicht den Rest seines Lebens auf Liebe verzichten.

Der Sauerstoff weckte schlafende Lebensgeister in ihm. Ein Hochgefühl erfasste ihn. Er spürte den Wind im Rücken, als würde er von ihm geschoben. Das machte gute Laune, und er kam mit der Gangschaltung prima klar, obwohl er seit Jahren einen Automatikwagen fuhr. Er war stolz auf sich. Mit der Elektrounterstützung fühlte er sich, als säße er auf einer nagelneuen Harley. Er schaltete auf *Sport* und ihm schien, als würde die Energie nicht ins Rad, sondern direkt in seinen Körper schießen.

Neben ihm blökte eine Schafherde. Es klang wie Anfeuerungsrufe versammelter Fans für ihn, den Star der Tour de France. Er freute sich. Der Tacho zeigte 26 Stundenkilometer an. Er schaltete noch einen Gang höher und versuchte, auf 30 zu kommen, aber knapp unter 29 war Schluss.

Rechts neben ihm im Watt pickten Austernfischer eifrig nach Nahrung. Links neben ihm auf dem Deich grasten die Schafe jetzt. Das Blöken hatte aufgehört. Er hörte, wie sie das Gras rupften.

Er reckte sich auf dem Rad hoch und spürte etwas, das ihm vor langer Zeit abhandengekommen war: gute Laune.

Probleme, die ihn gerade noch rasend gemacht hatten, fielen jetzt von ihm ab. Er fuhr ihnen einfach davon. Der Würgegriff der Bürokratie existierte nicht mehr. Er kam sich schlanker vor, als würde er mit den Problemen auch Pfunde verlieren.

Er war Niklas jetzt richtig dankbar. Warum mache ich das nicht viel öfter, dachte er. Es machte Spaß, in diesem flachen Land Rad zu fahren, und der Wind tat gut.

Ja, der Wind war sein Freund! Wie lange hatte er keine Natur mehr gespürt? Diese Büros machten ihn krank! Jetzt wusste er, was ihm die ganze Zeit gefehlt hatte. Dieses ständige Eingesperrtsein hatte ihn mieslaunig, ja aggressiv, gemacht. Überall um sich herum nur Türen, Wände, Fenster, Flure, Akten … Plötzlich konnte er über das Wort lachen: Akten! Klang das nicht surreal?

Für einen kurzen Moment verstand er, warum Ann Kathrin Klaasen und ihre ganze Bande diesen bürokratischen Mist nicht wirklich ernst nahmen. Angesichts des gigantischen Ausblicks, der Weite, mit dem Wind im Rücken, empfand er vieles, was gerade noch so enorm wichtig gewesen war, nur noch als aufgeblasenen Unfug, den sich Menschen ausgedacht hatten, die das hier einfach nicht kannten.

An einem Tor, das die Schafe daran hindern sollte wegzulaufen, musste er kurz anhalten. Die Tiere sahen ihm beim Öffnen zu, als wollten sie von ihm lernen.

»Ja«, sagte er, »da staunt ihr, was der alte Mann alles kann. Sesam öffne dich!«

Er konnte von hier aus Eemshaven in den Niederlanden sehen. Zwischen den Schafen sah er einen jungen Mann mit einem Fotoapparat und einem gigantischen Teleobjektiv. Da fotografierte jemand die Schönheit Ostfrieslands.

Eigentlich, dachte Klatt, gehörst du wahrscheinlich noch in die Schule. Wie bist du denn an so einen teuren Fotoapparat gekommen? Der Polizist in ihm sagte: Das Teil ist geklaut. Der Vater in ihm vermutete ein Weihnachtsgeschenk von Eltern mit schlechtem Gewissen, weil sie zu wenig Zeit für ihren Nachwuchs hatten.

Er hatte Durst bekommen. Jetzt wäre ein frisch gezapftes Pils genau das Richtige. Ihm wurde bewusst, dass es dämlich gewesen war, ohne Wasser und Proviant einfach so loszufahren. Alle Restaurants und Cafés hatten geschlossen.

Zunächst dachte er: Scheißlockdown. Dann: Scheiß auf den Lockdown. Er wollte sich die gute Stimmung nicht verderben lassen. Er radelte weiter Richtung Westen nach Greetsiel.

Zum ersten Mal seit Jahrzehnten jubelte er einfach so, stieß ein »Yippieyeah« aus und wedelte mit der rechten Hand wie ein Cowboy, der sein Lasso schwingt. Er konnte sich dran erinnern, das einmal, in seiner Jugend, getan zu haben. Damals hatte er laut »Yippieyeah« gerufen, weil es ihm gelungen war, sich mit einem schönen Mädchen zu verabreden. Er war unfassbar verliebt in sie gewesen. Damals hätte er sich vorstellen können, Doris zu heiraten. Doch sie hatte ihn nur benutzt, um irgendeinen Heiner eifersüchtig zu machen. Und als Heiner sich wieder für Doris interessierte, war er noch vor dem ersten Kuss Luft für sie.

Er fuhr auf einen Schwarm Vögel zu. Er wusste nicht, was für Vögel es waren. Er ärgerte sich darüber, so wenig Ahnung zu haben. Warum hatte er sich nie Zeit für so etwas genommen? Von Fingerabdrücken, verdeckten Ermittlungen und Verhörstrategien wusste er mehr als über die heimische Tierwelt. Er kannte mehr Dienstvorschriften als Vogel- oder Fischarten. Jetzt kam ihm das erbärmlich vor.

Er hatte Angst, die Vögel aufzuscheuchen. Er fand, das stünde ihm nicht zu. Er stieg vom Rad und näherte sich ihnen langsam. Da jaulte ein Seehund los.

Er zuckte zusammen. Es war, als würde sich das Tier direkt links neben ihm befinden. Er fuhr herum, doch da war kein Seehund. Er brauchte einen Moment, bis er registrierte, dass das Heulen aus seiner Jackentasche kam. Aus Ann Kathrin Klaasens Handy.

Er zog es heraus. Da ging gerade ein Anruf ein. Er wollte das Heulen irgendwie abstellen, aber die Gesichtserkennung des Handys hatte keinen Zweifel daran, dass er nicht Ann Kathrin Klaasen war und gewährte ihm keinen Zugriff.

Die Vögel flatterten auf, und gefühlt zweihundert umkreisten ihn. Mal sah er ihre schwarzen Rücken, dann drehten sie sich plötzlich, wie auf ein geheimes Kommando um, und ihre weißen Bäuche wurden sichtbar.

Klatt folgte dem Schwarm so lange wie möglich. Immer wieder wechselte die Farbe von schwarz zu weiß. So, dachte er, war auch mein Leben. Nur meistens eher schwarz. Selten so hell und fröhlich weiß.

Er steckte das Handy ein. Es tat ihm fast leid, es Ann Kathrin abgenommen zu haben, doch es war notwendig gewesen. Er beschloss, es ihr morgen, am besten zusammen mit einer Entschuldigung, zurückzugeben. Vielleicht ein paar Blumen ... Obwohl ... es wurde gleich wieder schwierig. Konnte es falsch verstanden werden, wenn er einer Kollegin Blumen schenkte? Wären da Pralinen von ten Cate angebrachter?

Mit Blumen hatte er schon mehrfach einen Reinfall erlebt. Zum letzten Mal bei seiner Frau Martha, als er zur Entschuldigung mit Chrysanthemen ankam und sie sagte, das seien erstens Beerdigungsblumen und zweitens sei sie allergisch dagegen. Von einer Blumenallergie hatte er bis da noch nichts gewusst.

Aber dieses ganze *ten-Cate*-Zeugs, darauf standen die doch hier alle. Weil ihr ehemaliger Chef behauptet hatte, Marzipan mache intelligent, aßen die sich daran dumm und dämlich.

Mit seinem eigenen Handy machte er ein paar Landschaftsfotos. Am liebsten hätte er sie in alle Welt verschickt. Ihm kam es vor, als würden diese Bilder sagen: *Seht nur, ich bin ein anderer geworden. Fröhlicher. Weiter. Gelassener. Nicht der Miesepeter, den ihr in Erinnerung habt.* Doch er wusste nicht, wen er damit beeindrucken sollte. Deshalb behielt er sie zunächst für sich.

Als er den Deich verließ und links über die Brücke nach Greetsiel fuhr, hielt er noch einmal an, um ein paar Krabbenkutter zu fotografieren. An wen werden die ihre Krabben verkaufen, wenn keine Touristen mehr kommen dürfen?

Greetsiel ohne Touristen … Irre. Ihm wurde bewusst, dass er die Gegend sah, wie kaum jemand sie kannte. Nicht einmal die Einheimischen. Er machte noch ein paar Fotos.

Er sah sich das kleine Fischerdörfchen an. Jetzt musste er dringend zur Toilette, aber er konnte nirgendwo einkehren. Er wusste nicht, wo er sich erleichtern konnte und ärgerte sich, dass er es nicht bereits am Deich getan hatte. Hier, zwischen den Häusern, schien es ihm unmöglich. Hinter jedem Fenster konnte jemand sitzen und ihn anschauen.

Er stieg noch einmal aufs Rad und fuhr zu dem Parkplatz, wo sonst die Tagestouristen Tür an Tür parkten. Jetzt war der Parkplatz leer. Nur zwei Möwen stolzierten irritiert herum und suchten die fehlenden Besucher.

Es gab am Eingang eine öffentliche Toilette. Doch sie war verschlossen.

Na toll, dachte er. Dass man im Lockdown die Cafés und Restaurants zumacht, mag ja seuchenpolitisch ein kluger Gedanke sein. Aber auch alle öffentlichen Toiletten?

Jetzt ging es aber nicht mehr anders. Er stellte sich an einen Strauch. Die beiden Parkplatzmöwen näherten sich ihm neugierig und sahen ihm zu.

»Haut ab!«, rief er ihnen zu. »Das ist kein Wurm!«

Tatie lachte: »Na bitte, er ist in Greetsiel. Mensch, das hat ja gedauert.« Er zeigte Niklas den blinkenden Punkt auf dem Display. »Sollen wir ihm eine kleine Verschnaufpause gönnen, oder jagen wir ihn jetzt direkt nach Neßmersiel?«

»Das ist eine ganz schöne Tour. Nicht, dass der sich einen Polizeiwagen ruft und sich hinfahren lässt«, gab Anke zu bedenken.

Tatie schlürfte die zweite Tasse Tee leer und behauptete: »Man sagt doch, dreimal ist Ostfriesenrecht, oder?«

Anke wollte ihm erneut eingießen, doch das machte er gern selbst. »Komm, Niki«, lachte er, »schicken wir ihn los. Lassen wir ihn so richtig strampeln, bevor wir ihn kaltmachen.« Tatie sah auf die Uhr. »Er wird zwei Stunden brauchen, und dann ist es auch schön dunkel. Hast du es dir schon überlegt, Niki, ob du es machst?«

Niklas machte auf Tatie einen unentschlossenen Eindruck.

Er ermunterte seinen neuen Partner: »Wenn du mit ihm telefonierst, dann redest du praktisch mit einem Toten.«

Ann Kathrin war in ihrem Büro zurück. Sie wählte die Nummer von Joachim Braumüller. Warum sollte sie ihn nicht von einem offiziellen Polizeiapparat aus anrufen? Er sollte ruhig wissen, dass sie ihn auf dem Schirm hatten und beobachteten.

Sie wollte ihm Angst machen, doch das war gar nicht nötig. Am anderen Ende der Leitung hatte sie einen panischen Menschen. Er meldete sich nur mit: »Joachim.«

»Hier Kommissarin Ann Kathrin Klaasen. Oder erinnern Sie sich besser, wenn ich sage, die Schlampe, die unbedingt mal richtig durchgebumst werden muss?«

»Frau Klaasen, gut, dass Sie anrufen. Ich ... ich hätte mich sowieso bei Ihnen gemeldet.«

»So? Um mich dann nackt bei Nebel ins Watt zu jagen, oder was haben Sie für Pläne?«

Er klang ehrlich verzweifelt. »Nein, ich habe das doch nicht so gemeint ... Ich meinte Sie auch eigentlich gar nicht persönlich ...«

»Was? Etwas Persönlicheres gibt es überhaupt nicht! Sie haben mit meinem realen Namen und mit meiner Berufsbezeichnung Beleidigungen und Falschaussagen gegen mich verbreitet. Ihren eigenen Namen haben Sie ja vorsichtshalber nicht genannt, so mutig waren Sie dann doch nicht. Oder sind Sie wirklich *Tom Brook 17* und entstammen einem mächtigen ostfriesischen Häuptlingsgeschlecht?«

»Frau Klaasen ... ich ... Das tut mir alles so leid.«

»Dann lassen Sie den Mist einfach! Gehen Sie in Therapie. Gucken Sie sich an, was mit Ihnen nicht stimmt. Vielleicht kann aus Ihnen noch ein glücklicher Mensch werden, aber da haben Sie einen weiten Weg vor sich.«

Er flehte: »Bitte, Sie müssen ihm sagen, dass es mir leid-tut!«

»Wem?«

Ihr Gesprächspartner schwieg zunächst. Sie hörte ihn nur atmen. Dann sprach er den Namen aus, als würde es ihm schwerfallen: »Sommerfeldt.«

»Er hat Sie angerufen?«

»Ja. Er war ziemlich sauer. Er hat gedroht, mich umzu-bringen, wenn ich nicht ...«

»Wenn Sie nicht was?«, drängelte Ann Kathrin.

»Ich habe ihm vorgeschlagen, alle Posts zu löschen und mich bei Ihnen zu entschuldigen ...«

»Und warum haben Sie es nicht getan?«

Er seufzte und fluchte: »Das reicht ihm nicht! Der war wirklich richtig sauer.«

»Was hat er denn von Ihnen verlangt?«

»Dass ich unter jeden Post meinen richtigen Namen schreibe, mein Foto veröffentliche, meine Adresse und dazu dann eine Entschuldigung. Aber das kann ich doch nicht machen ...«

Sie gestand sich ein, dass sie Sommerfeldts Idee zwar ille-gal, aber sehr amüsant fand und bestimmt lehrreich für den Maulhelden, mit dem sie gerade sprach.

»Das kann ich meinen Eltern nicht antun. Außerdem habe ich ein Geschäft ... Es würde mein Leben zerstören.«

»Sehen Sie, Sommerfeldt will, dass Sie wissen, wie es ist, wenn man jemanden an die Öffentlichkeit zerrt und den

Wölfen zum Fraß vorwirft. Früher hat man Menschen an den Pranger gestellt, und jeder durfte sie mit Dreck bewerfen. Es endete oft mit ihrem Tod. Leute wie Sie machen das Internet zu einem Pranger.«

Kleinlaut jammerte er: »Sommerfeldt hat mir eine Alternative gelassen.«

»Das tut er doch meist. Welche denn?«

Braumüller schluckte: »Er hat mich gefragt, ob ich mit dem Zehn-Finger-System tippe und Schreibmaschine schreiben richtig gelernt habe oder ob ich mit dem Zwei-Finger-Adler-Suchsystem arbeite.«

»Und was haben Sie geantwortet?«

»Die Wahrheit natürlich. Dass ich es mit zwei Fingern mache. Jeweils dem Zeigefinger der rechten und der linken Hand.«

Ann Kathrin ahnte, was Sommerfeldt vorgeschlagen hatte. Braumüller musste es gar nicht ausführen. Sie wusste auch so, worauf es hinauslief.

»Ich soll mir die beiden Finger abschneiden und ein Foto von den Fingern unter den Post setzen. Dann darf ich anonym bleiben, hat er gesagt.«

»Ja, so ist er, unser Doktor«, sagte Ann Kathrin, und ein Schauer lief ihr den Rücken runter. »Der löst solche Probleme auf seine Art.«

»Was soll ich denn jetzt machen?«

»Das fragen Sie ausgerechnet mich?«

»Können Sie nicht ein gutes Wort bei Ihrem Freund Sommerfeldt für mich einlegen?«

»Er ist nicht mein Freund.«

»Und warum macht er dann so etwas?«, fragte Joachim Braumüller fassungslos.

»Vermutlich hat er das Gefühl, mir etwas schuldig zu sein. Er weiß, wie sehr mir der Wind ins Gesicht weht, seitdem er mir entkommen ist. Er will nicht daran schuld sein, dass man mir das Leben schwer macht.«

»Haben Sie ihm meine Adresse gegeben?«

»Nein, die hat er selbst herausgefunden. Für Leute, die sich nicht an die Regeln halten, ist das kein Problem.«

»Und wie sind Sie an meine Nummer gekommen?«

Sie sah keine Veranlassung, es ihm zu verraten. »Es geht hier nicht mehr um mich, Herr Braumüller, sondern um Sie.«

»Was soll ich denn machen?«

»Da fällt es mir schwer, Ihnen einen Rat zu geben. An Ihrer Stelle würde ich mich nur bald entscheiden. Der Doktor wartet nicht gerne. Geduld zählt nicht zu seinen hervorstechendsten Eigenschaften. Zumindest hat er wenig Geduld mit Typen wie Ihnen.«

Ann Kathrin legte auf.

Dirk Klatt streckte die Beine auf der Bank aus. Das Holz der Windmühle knarrte. Er sah aufs Wasser und spürte, dass er schon zu viel Sonne abbekommen hatte. Er war es einfach nicht mehr gewohnt, so viel draußen zu sein.

Ein wunderbarer Sonnenuntergang kündigte sich in seiner Phantasie an. Warum, fragte er sich, fahre ich nicht abends mal an den Deich und schaue mir so einen Sonnenuntergang an? Alle erzählen davon, machen Fotos, nur ich lebe, als ob es so etwas gar nicht gäbe. Ann Kathrin Klaasen und Frank Weller, diese ganze Blase, die lassen sich all das nicht nehmen.

Diese Radtour nach Greetsiel war ein einschneidendes Erlebnis in seinem Leben. Mindestens ebenso heftig wie die Hochzeit mit Martha, die Geburt ihrer Tochter und sein Einstellungsgespräch beim BKA. Er wollte sich das bewahren. Es durfte später nicht alles wieder so werden, wie es war. Er war es leid, ein unglücklicher, missverstandener Mann zu sein.

Als er begonnen hatte, war sein Plan ganz anders gewesen. Er wollte so etwas wie ein Held werden. Ein Vorbild. Einer, der eine positive Spur hinterlässt.

Selbst wenn der Junge mich nicht anruft, dachte er und betrachtete das Handy in der Plastiktüte, selbst dann hat es sich für mich gelohnt.

Wenn dieser Niklas Wewes wirklich Fotos und Beweismaterial hatte gegen einen dieser ostfriesischen Clowns, die so taten, als seien sie Polizeibeamte, dann würde er ihn hochnehmen und den Laden so richtig ausmisten. Ein fauler Apfel war selten allein in einer Kiste. Wer solche Verbrechen beging, hatte Mitwisser und wurde von den anderen gedeckt. Das war für ihn ganz klar.

Er ging die Gestalten im Einzelnen durch. Wer von ihnen konnte es sein? Dieser Frank Weller, der immer ein bisschen im Schatten seiner Frau stand, der einen auf Frauenversteher und Familienpapi machte, aber in Wirklichkeit ein hohes Aggressionspotenzial hatte und total ausflippen konnte, wenn ihm etwas gegen den Strich lief?

Oder dieser Rupert, der sich gern blöder stellte, als er war? War das seine Methode? Wollte er unterschätzt werden, um in Ruhe ein Ding durchzuziehen, das ihm niemand zutraute? Er spielte hier den aus der Zeit gefallenen Macho, eine Humphrey-Bogart-Kopie, der so tat, als hätte er nichts anderes im Kopf, als Frauen flachzulegen und schottischen Whisky zu trinken. Hatte der diese Abgründe in sich? Arbeitete er im Auftrag eines Kartells oder eines Clans?

War es eine der Frauen? Marion Wolters traute er einiges zu. Ihr Feminismus grenzte für ihn an Männerhass.

Oder Ann Kathrin Klaasen persönlich? War die ermittelnde Kommissarin, die sich diesen Fall um keinen Preis der Welt aus den Händen nehmen lassen wollte, in Wirklichkeit die Täterin? Einige ihrer Verhaltensweisen würde das erklären.

Oder ging es nur darum, dass alle gemeinsam Dr. Bernhard Sommerfeldt den Rücken freihielten, damit der freie Hand hatte? Stimmten die Verdächtigungen, die in einigen Zeitungsreportagen zwischen den Zeilen zu lesen waren und inzwischen sogar laut ausgesprochen wurden?

Es gab noch ein paar andere mögliche Kandidaten in der Polizeiinspektion. Er schloss eigentlich nur Martin Büscher aus. Der war in seinen Augen fertig. Nur noch ein Schatten seiner selbst. Er gab ihm keine sechs Wochen mehr bis zum ersten Herzinfarkt, wenn er nicht vorher aufhören würde.

Das Handy im Gefrierbeutel meldete sich und Klatt nahm das Gespräch sofort an.

»Hier Niklas Wewes.«

»Wo bist du?«

»Sag ich nicht. Wie war die Tour?«

»Ich muss dir eigentlich dankbar sein«, sagte Klatt ehrlich. »Es war ganz zauberhaft. Ich hatte eine großartige Aussicht. Es ist wunderbar, in einer Ecke der Welt zu arbeiten, wo andere Menschen Urlaub machen wollen. Ich verstehe jeden, der hier gerne hinzieht. Aber wo bist du, Niklas?«

»Ist Ihnen jemand gefolgt?«

»Nein, ganz sicher nicht. Ich hatte freien Blick, und ich bin auch hier jetzt ganz alleine.«

»Wir können uns nicht in Greetsiel treffen.«

»Warum nicht?«

»Auf dem Weg dahin habe ich ein Bullenauto gesehen.«

»Das hat mit mir nichts zu tun. Wenn, dann sind die Kollegen ganz einfach nur Streife gefahren. Niemand weiß, dass ich hier bin.«

Niklas räusperte sich, hustete, als hätte er sich bereits Corona gefangen und sagte dann: »Kommen sie nach Neßmersiel.«

»Das ist jetzt nicht dein Ernst!«

»Doch. Ich werde Sie auf der ganzen Strecke beobachten. Dann kann ich sehen, ob Ihnen wirklich keiner folgt.«

»Das ist doch Wahnsinn!«

»Ich habe Angst um mein Leben, Herr Klatt. Kapieren Sie das nicht? Ihre Leute werden mich nicht verhaften, die knallen mich ab. Die wissen genau, was ich weiß. Es gibt in Neßmersiel ein kleines Café, *Aggis Huus*. Dort werde ich sein. Die haben einen lauschigen Vorgarten mit Sichtschutz zur Straße, da kann man im Sommer schön draußen sitzen. Ein ideales Versteck.«

»Muss das wirklich sein? Können wir uns nicht so schnell wie möglich ... «

»Nein. Tun Sie, was ich sage, oder aus unserem Deal wird nichts. Halten Sie unterwegs nicht an, sprechen Sie mit niemandem, telefonieren Sie nicht.«

»Beobachtest du mich etwa?«

»Natürlich. Ich muss doch sichergehen.«

Klatt lachte, wusste aber nicht, ob Niklas' Aussage wirklich lustig gedacht war. »Wie willst du das denn machen?«

»Ich habe Freunde«, entgegnete Niklas, und damit war das Gespräch beendet.

Die Sonne glitzerte auf dem Wasser. Klatt sah das Handy noch eine Weile an, als müsse er sich vergewissern, dass dieses Gespräch wirklich stattgefunden hatte.

Er erinnerte sich, als er in Norddeich in Richtung Greetsiel abgebogen war, hatte er ein Pärchen auf der Bank gesehen. Sie waren sehr jung, möglicherweise in einer Klasse mit Niklas Wewes. Er hatte geglaubt, ein knutschendes Liebespaar zu sehen. Aber vielleicht waren es Posten, die ihn beobachteten. Spielte er hier gerade gegen eine ganze Bande Jugendlicher? Kam daher die Idee mit dem Fahrrad und der Schnitzeljagd? Der Junge mit dem riesigen Teleobjektiv ... Gehörte auch er zu Niklas?

Kurz vor der Brücke war ihm ein junger Mann mit dunkel gefärbter Skibrille begegnet. Er hatte ein bisschen wie ein Alien gewirkt. Dazu der metallicgrüne Fahrradhelm und die bunten Klamotten ... In dem ganzen Aufzug sah der Typ aus wie eine Comicfigur.

Der Gedanke bekam immer mehr Logik für Klatt. Er hatte es mit einer Bande Jugendlicher zu tun. Aber es ging hier nicht um einen Streich. Die hatten alle keine Schule. Die hielten zusammen und halfen einem Freund, an dessen Unschuld sie glaubten. Ein bisschen beneidete er Niklas um solche Freunde und fühlte sich geehrt, dass der Junge ihm vertraute.

Er setzte sich aufs Rad, um nach Neßmersiel zu fahren. Er schätzte, dreißig, wenn nicht vierzig Kilometer vor sich zu haben. Für eine Flasche Wasser hätte er gerne fünfzig Euro gegeben.

Vom Glücksgefühl auf dem Fahrrad konnte jetzt keine

Rede mehr sein. Er hatte mit Gegenwind zu kämpfen. Er brauchte die volle Kraft des Elektromotors. Es war wie ein ständiges Bergauffahren. Er wunderte sich, dass sich der Schmerz in den Knien nicht zurückmeldete, sonst taten sie schon weh, wenn er nur ein paar Minuten stand oder eine Treppe hochmusste. Aber der Schmerz würde kommen, das war ihm klar. Er hatte immer ein paar Schmerztabletten bei sich, doch ganz ohne Wasser traute er sich nicht, sie zu nehmen. Seine Leberwerte waren ohnehin katastrophal.

Kann man irgendwo an einer Tür einfach klingeln, fragte er sich. *Konnte er einfach sagen: Ich bin von der Kriminalpolizei, bitte geben Sie mir ein Glas Leitungswasser. Dies ist eine wichtige Mission, ich jage einen Serienkiller.*

Der Gedanke erschien ihm völlig abwegig. Außerdem, falls er dabei beobachtet werden würde, konnte so eine Aktion Niklas verjagen.

Er brauchte die Information des Schülers. Er brauchte sie unbedingt.

Die Batterie des E-Bikes hatte er kurz hinter Norddeich leergefahren. Aber der Gegenwind ließ nicht nach. Jetzt wusste er erst, wie wertvoll die Motorunterstützung gewesen war. Er kam kaum von der Stelle. Die Schönheit des Sonnenuntergangs konnte er nicht mehr bewundern. Er fand ihn nicht mal schön. Der Wind wurde einfach nur schneidender und kälter.

Gerade noch hätte er sein Auto gern gegen ein E-Bike eingetauscht, wollte endlich anfangen, Sport zu machen und abzunehmen. Jetzt konnte er sich nichts Schöneres vorstellen, als hinterm Steuer zu sitzen, eine Cola in der Hand, nein, nicht Cola light, sondern eine richtige, oder einen Energy-Drink. Wie gern hätte er bei Burger King am Norder

Bahnhof einen King's Beef mit doppelt Pommes und Mayo bestellt ...

Oben auf dem Deich saßen sechs junge Leute und fotografierten mit ihren Handys den Sonnenuntergang. Er vermutete, dass sie zu Niklas gehörten. Sie hatten Bier dabei, und nicht alles, was sie rauchten, war legal, das roch er schon von weitem.

Er hätte als Polizist hingehen können, um ihren Alkohol zu konfiszieren, ihnen die Drogen abzunehmen, ihre Personalien festzustellen und sie darauf hinzuweisen, dass sie als so große Gruppe gar nicht gemeinsam unterwegs sein durften. Stattdessen legte er zwanzig Meter entfernt von ihnen sein Fahrrad in die Wiese, ging mit zittrigen Beinen auf sie zu und sagte: »Ich habe einen Mörderdurst. Kann ich von euch eine Flasche Bier kaufen?«

Ein blonder Junge mit Augen so blau, wie der Himmel heute den ganzen Tag gewesen war, sagte recht patzig: »Wir haben selbst nur 'n Sixpack.«

Ein junges Mädchen rief: »Zwei!«

»Halt dich da raus, Malu«, forderte Blauauge.

»Sei nicht so gemein«, meckerte Malu. »Der hat dir doch nichts getan.«

Klatt zog sein Portemonnaie und hielt einen Zwanzig-Euro-Schein hoch. »Reicht das für ein Bier? Ich nehme auch was anderes, es muss kein Alkohol drin sein. Habt ihr ein Wasser oder eine Cola?«

»Ins Wasser pinkeln nur die Fische rein«, scherzte Blauauge, und alle Jungs lachten. Die Mädchen fanden es weniger witzig. Sie verständigten sich mit Blicken. Malu erhob sich aus dem Gras und brachte Klatt eine Flasche Bier.

Blauauge war sofort da und nahm die Flasche an sich.

Für einen Moment glaubte Klatt, der Junge würde sie ihm verweigern, doch der ließ nur den Kronkorken ploppen und reichte Klatt dann die geöffnete Flasche. »Trinken können Sie ja vermutlich selber«, frotzelte er und nahm den Zwanziger an sich. Er steckte ihn schnell ein.

»Du nimmst doch jetzt nicht echt zwanzig Euro von dem?«, fragte Malu.

»Klar«, sagte Blauauge, »Geschäft ist Geschäft. Bei dem Bier zahlt man außerdem den Joke mit.«

Klatt verstand nicht. Er trank gierig, dann erst sah er die Aufschrift. Die Jugendlichen hatten ihm ein Corona-Bier verkauft.

Klatt wollte kein Spielverderber sein. »Ja«, sagte er, »haha, sehr lustig.« Aber er klang nur genervt.

Er spürte schon auf dem Weg zum Fahrrad zurück den Alkohol wirken. Normalerweise machte ihm eine Flasche Bier gar nichts aus, nicht mal, wenn er zwei Schnäpse dazu trank. Heute war das anders. Entweder, die Jugendlichen hatten ihm etwas reingemischt oder sein Kreislauf spielte verrückt.

Er trank die Flasche leer und wollte sie im hohen Bogen wegwerfen, aber dann ging der Polizist mit ihm durch und er legte die Flasche hinten in den Fahrradkorb. Bei jedem noch so kleinen Buckel hopste die Flasche auf und ab und klirrte gegen das Metall.

Das waren auch Niklas' Leute, dachte Klatt. Die lachen sich kaputt über mich. Jetzt haben sie mir auch noch zwanzig Euro abgezockt. Macht nichts. Wenn er gutes Material für mich hat, ist es das wert. Und wenn nicht, werde ich ihn fertigmachen. Dann verbringst du den Rest deiner schönen Jugend in einem Erziehungsheim, mein Lieber, und ich werde dafür sorgen, dass du keine schöne Zeit hast.

Während er weiter gegen den Wind anradelte, spürte er, dass er langsam wieder der Alte wurde. Schlechtgelaunt und missgünstig. Er schätzte, dass er noch acht, wenn nicht zehn Kilometer vor der Nase hatte. Er war langsam am Ende seiner Kräfte.

Wenn der kleine Grünschnabel sich dort noch etwas Neues für mich einfallen lässt, ist Feierabend, schwor er sich. Eine weitere Tour wird es nicht geben.

Wenn der Junge sein Versprechen hielt, würde er sich mit dem Material abholen lassen. Mit einem Polizeiwagen oder Taxi, völlig egal. Auf keinen Fall würde er so bald wieder auf ein Fahrrad steigen.

Der Schmerz in den Knien pochte. Rechts besonders stark. Seine Schenkel und sein Hintern wurden langsam wund. Schlimmer war der Ohrenschmerz. Er begann links, zog hoch bis ins Gehirn und runter in den Nacken.

Auf der Ückendorfer Straße wurde Jara klar, wie dämlich es gewesen war, die Geschichte mit Sven zu beenden. Plötzlich erschien ihr ihre Ehe keineswegs mehr wie eine Insel im wilden Meer des Lebens zu sein, sondern ein Gefängnis, in das sie nicht zurückwollte. Eigentlich hatte sie vorgehabt, ihre restlichen Sachen aus dem Versicherungsbüro zu holen und dann nie wieder dorthin zurückzukehren. Jetzt, da sie wusste, dass alles ein Fehler gewesen war, konnte sie den Schmerz kaum aushalten, wenn sie daran dachte, dass Sven noch heute Abend seine Frau in den Arm nehmen würde.

Die weiß, was sie an ihm hat, glaubte Jara. Sie wird alles tun, um ihn zu behalten. Alles. Sie wusste, dass Frauen da so ihre Möglichkeiten hatten und sie hatte ihre noch lange nicht ausgespielt.

Je weiter Sven von ihr weg war, umso attraktiver erschien er ihr. Das Leben mit ihrem Mann Florian war bei weitem nicht so erstrebenswert wie ein Neuanfang mit Sven.

Es waren nur wenige Menschen auf der Straße. Vielleicht fünfzig Meter von ihr entfernt, an der Ecke, standen zwei türkische Frauen, die stolz ihre Kopftücher trugen und Aldi-Tüten schleppten. Irgendwo kläffte ein Hund. Jara stellte sich in eine Einfahrt, in der es nach Pommes roch. Hier fühlte sie sich geschützt und allein. Von hier aus rief sie Sven an. Noch bevor er sich meldete, hörte sie eine Stimme von unten. Im Schatten saß ein Kind auf dem Boden und aß Pommes mit den Fingern aus einer Schale.

»Tach. Stör ich dich?«, fragte Jara.

»Nee. Ich dich?«

»Ich will telefonieren. Hast du kein Zuhause?«

»Da bin ich gerade abgehauen. Die brüllen sich bloß an. Ich halte Streit nicht so gut aus.«

»Na, damit bist du nicht alleine. Meinetwegen bleib da sitzen. Aber sei ruhig.«

»Okay.«

Sven ging nicht ran. Sie schrieb ihm eine Nachricht: *Bitte komm zurück. Lass uns reden. Ich liebe dich. Jara.*

Er fuhr immer mit seinem Navi, egal, wie gut er den Weg kannte, denn sein Navigationsassistent führte ihn um jeden Stau herum. Auf dem Display erschienen seine Whats-App-Nachrichten, die er regelmäßig mitlas. Jara ging also davon aus, dass er es jetzt lesen würde. Sie hoffte, dass er noch nicht in Norddeich war. Nichts war schlimmer für sie als der Gedanke, er könne vielleicht mit seiner Anke auf dem Sofa

sitzen und ihr seine Affäre beichten. Dann käme diese Whats-
App an, und die beiden würden sich über sie amüsieren.

Sven Reiter tankte seinen Wagen in Ems-Vechte noch einmal
voll. Er war ein Gewohnheitstier. Er nahm diese Tankstelle
immer, wenn er allein aus dem Ruhrgebiet nach Ostfriesland
fuhr. Mit seiner Frau im Auto versuchte er, ohne jeden Halt
durchzukommen.

Die Atmosphäre war anders als sonst. Der Lockdown
wirkte sich aus. Die Menschen begegneten sich mit Vorsicht,
ja Angst. Jeder konnte die tödliche Krankheit in sich tragen
und weiterverbreiten.

Etwas in ihm weigerte sich, das Ganze zu glauben. Star-
ben nicht auch jedes Jahr Tausende an Grippe? Er ließ sich
jedes Jahr im Herbst dagegen impfen.

Er hatte bezahlt und sich noch einen Kaffee gekauft, als
er die Nachricht auf seinem Handy sah. Er stellte den Kaffeebecher aufs Autodach und blieb nachdenklich vor dem
Wagen stehen. Anke oder Jara? Warum kann ich nicht beide
haben, fragte er sich.

Er hatte vorgehabt, Anke zu überraschen und seine Rück-
kehr nicht angekündigt. Er könnte sich noch ein paar Tage
Zeit lassen und erst mal zu Jara nach Gelsenkirchen zurück-
fahren. Aber über kurz oder lang würde sie eine Entscheidung von ihm verlangen.

Er nahm einen Schluck Kaffee und verbrannte sich die
Zunge. »Verdammt, ist das heiß«, fluchte er.

Niklas fühlte sich unwirklich in der Realität. Nichts von dem, was er bisher in der Schule gelernt hatte, half ihm jetzt, um mit der Situation klarzukommen. Einmal, beim Kramermarkt in Oldenburg, hatte er sich überreden lassen, an einer der Attraktionen teilzunehmen, auf die sich seine Mitschüler sehr gefreut hatten. In einem Sessel wurde er einen Turm hochgefahren. Das Ding wurde *Freefall Tower* genannt.

Seine Beine baumelten frei in der Luft. Nach oben war es ein mulmiges, aber schwereloses Gefühl für ihn gewesen. Die anderen neben ihm kreischten voller Vorfreude: »Jetzt geht's los! Jetzt geht's los!«

Er wollte kein Spielverderber sein.

Er machte mit, um dazuzugehören, obwohl sich ihm der Sinn dieses Vergnügens nicht wirklich erschloss. War es eine Mutprobe? Sollte es Spaß machen? Fast kam es ihm vor wie ein Ritual zur Mannwerdung.

Während die anderen sich amüsierten – oder zumindest so taten –, wusste er wieder, dass er einfach nicht dazugehörte. Er war keiner von ihnen. Zumindest war er anders. Er stand das hier nur durch und fürchtete sich schon vor dem nächsten Vorschlag, danach auf die Achterbahn zu gehen. Vorher wollten aber alle eine Currywurst mit Pommes und Mayo essen. Wer alles drin behielt, hatte dann wohl gewonnen.

Oben stoppte die Fahrt kurz. Der Ausblick von hier über die Stadt war wirklich prima, aber er hätte gut darauf verzichten können, denn er wusste, was jetzt kam: der freie Fall aus achtzig Metern Höhe.

Die anderen kreischten. Er auch. In dem Moment schien es ihm eine abgemachte Sache zu sein, dass er sterben würde.

Das hier konnte man nicht überleben. Der Sessel würde nicht unten aufschlagen, doch sein Herz würde einfach stehen bleiben.

Sein Magen und sein Gehirn befanden sich zehn Meter über ihm. Es war, als würden die Organe den Körper verlassen. Die anderen fanden das *toll, cool, total krass* – ihm war einfach nur noch schlecht. Er hatte sich für den Rest des Tages ausgeklinkt.

So ähnlich fühlte er sich jetzt. Er sauste nach unten. Nur, dass diesmal keine vom TÜV abgenommene hydraulische Sicherheitsvorrichtung ihn daran hindern würde, unten hart aufzuschlagen. Das hier endete über kurz oder lang in einer Katastrophe. Bestenfalls im Gefängnis.

Anke saß auf Taties Schoß, beide Arme um ihn geschlungen. Sie knutschten miteinander.

Niklas hörte sich schreien: »Hört auf! Ihr sollt aufhören, verdammt nochmal!«

Erschrocken ließ sie von ihm ab, fühlte sich gleich schuldig, Tatie dagegen grinste breit. »Ja, ist schlimm, wenn man immer nur zugucken muss, was, Kleiner?«

»Wir planen hier einen Mord, verdammt!«, fauchte Niklas und schlug mit der Faust auf den Tisch, dass die Teetassen hüpften.

Tatie lehnte sich zurück, hielt Anke aber mit einer Hand auf seinem Schoß fest. Sie saß kerzengerade, wäre am liebsten aufgesprungen, war aber zu keiner Handlung fähig. Tatie formte mit Mittel- und Zeigefinger der anderen Hand ein V und hielt es hoch. »Zwei.« Da Niklas nicht zu kapieren schien, stellte er es klar wie ein Lehrer, der die Hausaufgaben noch mal zum Mitschreiben diktiert. »Wir legen zwei um. Ihren Ehekrüppel und diesen Bullen.«

»Für euch ist das alles nur ein Witz, oder was?!«, rief Niklas empört.

Da er *euch* gesagt hatte, bekam Anke das Gefühl, sich ein bisschen mehr von Tatie abgrenzen zu müssen. Aber er hielt sie mit seiner kräftigen Hand auf dem Schoß fest. Als er spürte, dass sie aufstehen wollte, erhöhte er den Druck.

Tatie spottete: »Du bist natürlich der moralisch viel höher stehende Mensch, das ist ja klar, Niki. Du versuchst ja nur, deinen Vater zu vergiften, und räumst dann Leute aus dem Weg, die dich verpfeifen könnten. Verglichen mit dir bin ich natürlich nur ein ganz übler Berufsverbrecher.«

Es gefiel Anke nicht, wie Tatie sprach. Sie griff mit beiden Händen seine Finger und versuchte, sich zu befreien. Er merkte, wie unangenehm es ihr war, weiterhin auf seinem Schoß zu sitzen und griff ihr jetzt mit links in die Haare. Gleichzeitig sprach er mit der verständnisvollen Freundlichkeit eines Hausarztes, der die Diagnose geliefert hat und nun ein Mittel zur Behandlung vorschlägt: »Du bist ja völlig verkrampft. Entspann dich, Junge. So kannst du doch gar nicht arbeiten. Wir müssen den Geist freihaben, um unser Ding zu machen. Locker sein und mit allen Sinnen die Umwelt wahrnehmen, statt nur nach innen zu gucken und uns selbst zu betrachten.«

Anke bog den Mittelfinger seiner Hand hoch, die fest auf ihren Oberschenkel drückte. Er tat, als würde er das nicht einmal bemerken und sprach weiter mit Niklas: »Soll sie dir eine kleine Entspannungsmassage geben? Brauchst du das?«

Seine Frage löste in Anke solchen Widerstand aus, dass es ihr gelang, seine Hand von ihrem Schenkel zu reißen.

»Für mich ist das überhaupt kein Problem«, behauptete

Tatie. »Eifersucht und all so einen bürgerlichen Kram kenne ich nicht. Das ist was für die Seriösen.«

»Und du verfügst so ganz einfach über mich?«, fragte Anke fassungslos.

»Stell dich nicht so an, er ist doch ein netter Junge. Und wir drei sind ein Team, oder nicht?«

Diesmal konnte Niklas sich nicht darauf verlassen, dass technisch ausgefeilte Sicherheitssysteme den Fall nach unten abbremsen würden. Diesmal musste er es selber tun. Er dachte nicht nach. Er handelte impulsiv. Er griff die Kuchengabel, die auf dem Tisch lag und attackierte damit Tatie.

Niklas hatte nicht die geringste Chance.

Anke krachte zwischen Tisch und Sofa auf den Boden. Die Gabel flog durch die Luft bis zur Küche. Niklas' Arm schmerzte, als sei er ausgekugelt worden, und schon hielt Tatie ihn fest im Würgegriff. Er hatte Niklas jetzt auf seinen Schoß gezogen, drückte ihm mit einem Armhebel den Hals zu. Niklas zappelte.

Tatie bemühte sich, ruhig zu sprechen, um zu zeigen, dass er vollständig Herr der Lage war: »Ein kleiner Ruck und dein Genick ist gebrochen. Halt lieber still. Ich kann jetzt den Druck langsam erhöhen. Es kommt kein Sauerstoff mehr in dein Gehirn. In ein, zwei Minuten wirst du ohnmächtig. Kurz danach reitest du auch schon durch die Ewigen Jagdgründe. Ich mache es nur, um dich zu beruhigen, Junge. Komm runter. Mit einer Entspannungsmassage wäre es leichter gewesen. Aber jeder bekommt, was er bestellt hat.«

Niklas versuchte, den Ellbogen seines linken Arms gegen Taties Rippen zu knallen. Es krachte, und Tatie stöhnte. Niklas holte sofort ein zweites Mal aus. Tatie erhöhte den

Druck auf Niklas' Hals. Er presste es, vom Schmerz gequält, heraus: »Na bitte – du willst es ja nicht anders.«

Anke raffte sich auf. Sie stand im Wohnzimmer, ordnete mit der linken Hand ihre Kleidung, der rechte Arm hing schlaff herab. Sie flehte Tatie an: »Bitte, lass ihn am Leben! Ich tu alles, was du sagst, aber lass ihn am Leben.«

»So eine schöne Fürsprecherin hast du gar nicht verdient«, raunte Tatie in Niklas' Ohr. Niklas versuchte, Luft zu holen, aber der Würgegriff war zu kräftig. Er konnte nichts mehr sagen. Er sah an sich selbst herunter. Seine zappelnden Beine sagten ihm, dass er verloren hatte.

Er nahm Anke nur noch von sehr weit weg wahr. Ihre Worte waberten für ihn durch den Raum, aber er verstand sie nicht.

Dann wurde alles schwarz.

Ann Kathrin Klaasen war jetzt alleine in ihrem Büro. Sie ging auf und ab wie beim Verhör: drei Schritte, eine Kehrtwendung, drei Schritte. Bei jedem zweiten Schritt ein Blick auf Wellers leeren Stuhl. Er fehlte ihr jetzt als Gesprächspartner. Manchmal, in solchen Situationen, hatte sie das Gefühl, als würde sie mit ihrem Vater reden oder auch mit Ubbo Heide. Sie vermied es, Ubbo anzurufen. Sie wollte ihn so wenig wie möglich in diese Sache hineinziehen. Doch jetzt war es, als würde er in ihrem Büro herumlungern und sie beobachten. Gemeinsam mit ihrem toten Vater stand er – in ihrer Vorstellung – lässig an die Wand gelehnt da. Die beiden schienen sich gut zu verstehen und waren einer Meinung.

»Was grinst ihr so?«, fragte sie. »Weidet ihr euch an meinem Versagen?«

Das Bild ihres Vaters zerplatzte wie eine Seifenblase. Er war plötzlich weg. Doch Ubbo Heide, der so oft in diesem Büro mit ihr diskutiert hatte, blieb als Energie erhalten. Sie hatte das Gefühl, sich an ihm geradezu festhalten zu können. Dies war eigentlich immer Ubbos Büro geblieben. Sie fühlte sich hier nur von ihm geduldet.

Nein, sie war nicht verrückt. Sie wusste, dass er nicht da war. Aber wie oft hatte sie ihm Rede und Antwort gestanden? Wie oft hatte er sie mit Fragen auf den richtigen Weg gebracht? Sie wusste genau, was er jetzt sagen würde: *ein Lehrer aus Emden, ein Rechtsradikaler aus Aurich, ein Richter aus Oldenburg, ein Angler aus Norden – was haben sie alle gemeinsam, Ann? Gibt es jemanden, der nicht in die Reihe gehört? Wenn du herausfindest, was sie miteinander verbindet, dann bist du dem Täter auf der Spur.*

»Ich weiß«, sagte sie, als müsse sie ihm antworten. »Die Morde sind nicht zufällig geschehen. Und Spix gehört nicht in die Linie.«

Ann Kathrin wäre am liebsten an den Deich gefahren, um einen freien Kopf zu kriegen. Jetzt musste es reichen, das Fenster zu öffnen. Sie machte ein paar Atemübungen, während der Wind hereinwehte. Jetzt fühlte sie sich wieder ganz allein. Als würde sie die Anwesenheit der beiden Männer beschwören, rief sie laut: »Und was, wenn Niklas den Mord an Spix nur gestanden hat, weil er davon ausgeht, dass seine Mutter ihn getötet hat? Was, wenn der Junge nur die Mutter schützen will, und die Mutter wiederum gesteht den Mord, um ihren Sohn zu schützen? Dann hätten wir nicht nur ein falsches Geständnis, sondern zwei ... «

Sie hielt den Kopf aus dem Fenster. Unten auf dem Marktplatz stand ein Zeuge Jehovas mit seinen Heftchen, doch niemand beachtete ihn.

Ubbo Heides kritische Stimme ertönte von hinten: »Du darfst die Fakten nicht ignorieren, Ann. Das Blut an Spix' Hals.«

Sie fuhr herum, als ob Ubbo Heide wirklich im Raum wäre und sagte gegen die Wand: »Das kann auch ganz andere Ursachen gehabt haben. Ich leugne doch gar nicht, dass es einen Streit zwischen ihnen gegeben hat. Vielleicht ist Spix wirklich mit dem Messer auf Niklas losgegangen, hat ihn an der Hand verletzt. Der Junge hat ihn geschlagen, hat ihn gewürgt. Eine schlimme Auseinandersetzung beim Angeln, und das war's. Das hat die Pläne unseres Serienkillers vielleicht sogar durchkreuzt. Möglicherweise passte es ihm gar nicht in den Kram. Außerdem glaube ich, dass Sommerfeldt recht hat. Es ist kein Serienkiller. Es ist ein Hitman. Die Frage ist also, wer hat ein Interesse daran, diese Menschen töten zu l a s s e n? Jemand bezahlt dafür, da bin ich mir ganz sicher.«

Frank Weller hatte die Hoffnung aufgegeben, er könne die Spurensicherung loswerden und heute Abend für Ann Kathrin eine Fischsuppe kochen. Die Wohnung galt tatsächlich als Tatort. Die Vermutung lag nahe, dass hier jemand umgebracht worden war. Die Leiche würde möglicherweise ganz woanders wieder auftauchen, vielleicht gar zur Schau gestellt werden. Weller hielt das alles für unwahrscheinlich, aber Beweise konnte er für seine Vermutungen nicht anführen. Das Haus im Distelkamp Nr. 13 wurde versiegelt.

Selbst Kater Willi war verunsichert und zog sich in die Nachbarschaft zurück. Er benutzte seine Katzenklappe nicht.

Rita und Peter Grendel boten Weller und Ann Kathrin sofort ein *Nachtasyl* an, wie Rita es nannte. Die Ferienwohnung in ihrem Haus war mit allem ausgestattet und hatte auch eine große, brauchbare Küche. Trotzdem war Weller jetzt nicht mehr nach Kochen zumute. Er wusste gerade gar nichts mit sich anzufangen, er hatte nicht mal Lust auf ein Buch, und Literatur besaß sonst für ihn eine magische Anziehungskraft. Er stellte sich vor, ein Glas Rotwein zu trinken und den ganzen Mist für einen Moment zu vergessen. Doch dazu war er wieder viel zu pflichtbewusst.

Da Klatt sein E-Bike hatte, nahm er sein altes Reservefahrrad ohne Elektrounterstützung. Er hatte zwar nicht mehr vor zu arbeiten, aber er wollte zurück in die Polizeiinspektion. Er wollte in Anns Nähe sein. Die schlimmen Angriffe im Netz gingen nicht spurlos an ihr vorbei, auch wenn sie so tat, als könne sie das alles abtropfen lassen.

Noch bevor Niklas die verklebten Augen öffnen konnte, spürte er, dass seine Arme lang ausgestreckt waren. Tatie hatte einen Besenstiel durch seine Hemdsärmel geschoben und die Handgelenke mit Teppichkleber daran gebunden.

Durch die Stange schmerzte Niklas' Nacken. Er konnte seine Finger bewegen, aber nichts damit greifen. Paketschnur schnitt in seinen Hals. Er konnte den Kopf kaum bewegen. Das andere Ende der Schnur war am Fenstergriff befestigt.

Seine Beine spürte er gar nicht. Sie waren wie abgestorben. Fest umwickelt mit Klebeband. Er versuchte, die Zehen zu bewegen, aber er wusste nicht, ob der Befehl auch wirklich unten in den Zehen ankam.

Immerhin, die Finger hatte er noch unter Kontrolle.

In seinem Mund befand sich ein Knebel. Niklas kämpfte gegen einen Brechreiz an.

Wenn ich mich übergeben muss, dachte er, werde ich ersticken. Er atmete durch die Nase ein und auch wieder aus.

Er konnte die anderen Zimmer nicht überprüfen, doch er vermutete, allein in der Wohnung zu sein. Zum ersten Mal seit langer Zeit hoffte er, von seinen Eltern gehört zu werden. Er hatte nur einen geringen Spielraum, aber er konnte mit dem Oberkörper von rechts nach links wippen. Dabei gab das Zusammenstoßen von Besenstiel und Heizung jeweils ein *Kloink*-Geräusch ab.

Wenn meine Eltern das hören, dachte er, werden sie hochkommen und nach dem Rechten sehen. Vor ein paar Jahren war die Heizung mal kaputt gewesen, hatte Knall- und Zischgeräusche von sich gegeben und die gesamte Familie eine ganze Nacht wach gehalten. Für den Klempner war das Ganze keine große Sache gewesen, doch sie hatten damals schon fast befürchtet, ihr Haus würde explodieren.

Bei jeder Links-Rechts-Bewegung, bei jedem *Kloink*, schnitt das Paketband in seinen Hals. Die Fessel saß genau überm Kehlkopf, wodurch er sogar Schwierigkeiten hatte zu schlucken. Jedes Auf- und Abhüpfen seines Adamsapfels bereitete ihm Schmerzen.

Durch das Hin- und Hergewippe kam wieder mehr Leben in seine Beine. Es gelang ihm, die Füße ein Stückchen über den Boden anzuheben und dann runterknallen zu lassen.

Egal wie, dachte er, Hauptsache, ich mache mich bemerkbar.

Clemens Wewes kämpfte gegen König Alkohol, der sein Leben bisher so gnadenlos bestimmt hatte. Er begriff, dass Brandy schon lange kein guter Freund mehr war. Der Stoff, der ihn einst so locker gemacht hatte, war inzwischen zum tyrannischen Herrscher geworden.

Clemens musste sich eingestehen, dass er sich diesem Diktator widerstandslos unterworfen hatte. Der Suchtdruck stieg mit den Sorgen. Die große Lüge, ein kleiner Schluck könne gleich Erleichterung bringen, zerrte auch jetzt an ihm. Er wusste, dass es falsch war, aber er wollte es trotzdem. Der Verstand nutzte ihm wenig. Verstandesmäßig hatte er die Situation durchdrungen, aber sein Verstand war in seiner inneren Regierung höchstens noch als stellvertretender Berater tätig, kurz davor, pensioniert oder rausgeworfen zu werden.

Hatte Christina wirklich jeden Vorrat vernichtet? Konnte eine Ehefrau so gemein sein? Wollte sie ihn leiden sehen? Nicht mal in eine Kneipe konnte er gehen. Er hatte im Moment einfach alles gegen sich: die Pandemie. Seine Frau. Seine alten Arbeitskollegen … Es lief nicht mehr rund für ihn.

Er raffte sich auf, um zum Supermarkt zu fahren. Er musste sich mit Stoff eindecken. Wenn nicht mindestens noch eine volle Flasche in Reserve war, wurde er nervös. Hatte nicht jeder zu Hause einen gefüllten Barschrank? Eine Flasche Klaren im Eisfach und Whisky und Cognac im Wohnzimmer?

In diesem Zustand ging er nicht gern einkaufen. Er hatte Angst, es könnte ihm entgleiten. Wenn der Durst so heftig in ihm brannte, dass die Glieder schmerzten und ein plötzlicher Schweißausbruch seine Kleidung muffig riechen ließ, dann hatte er Angst, in der Öffentlichkeit die Kontrolle zu verlieren. Das war bisher nur einmal passiert. Vor gut zwei Jahren, als es ihm ziemlich mies gegangen war. Im Edeka-Center in Norden bei Götz. Er hatte es nicht länger ausgehalten, die Schlange an der Kasse war einfach zu lang. Er hatte den Calvados aus dem Einkaufswagen genommen und sich einen ordentlichen Schluck genehmigt. Um bei der Wahrheit zu bleiben – zwei.

Niemand hatte Ärger gemacht. Er hatte danach alles brav aufs Band gelegt und bezahlt. Aber die Blicke der Leute verfolgten ihn noch heute. Diese Mischung aus Abscheu und Mitleid. Er hätte alle töten können, die dabei gewesen waren, um so die Schande aus der Erinnerung der Welt zu tilgen.

Sein Leben lief in verschiedenen Phasen ab. Eine – ja, die gab es auch –, da war er lange Zeit stocknüchtern. Da baute sich der Durst auf.

Danach folgte eine Zeit des kontrollierten Trinkens. Das war die beste Zeit. Er fühlte sich dann als Herr der Lage. Nicht der Alkohol beherrschte ihn, sondern er den Alkohol. Ja, das war großartig! Er hielt sich dann für einen Genusstrinker.

Während dieser Phase wurde er aber immer durstiger. Am Ende trank er sich zu Boden, falls diese elende Kotzerei ihn nicht stoppte. Jetzt wusste er nicht mehr, ob diese Tabletten ein Segen oder ein Fluch gewesen waren, der ihn fast umgebracht hätte.

Wieder bedrängte ihn dieses Gefühl, er brauche nur einen wirklich guten Cognac, nur einen edlen Whisky, und vielleicht zum Nachspülen ein Bier, dann könne er auch für immer aufhören ... Ja, so hatte er sich immer wieder selbst betrogen. Er wusste es. Er war mit dieser Methode jedes Mal gescheitert, aber er wollte es trotzdem noch einmal ausprobieren. Vielleicht klappte es ja diesmal ...

Das Hämmern der Heizung, dieses Schlagen in den Rohren, erkannte er nicht als solches. Er glaubte, es sei ein Wummern in seinem Kopf. Da waren manchmal Geräusche, die erst nachließen, wenn er etwas Hochprozentiges trank. Ein guter Brandy dämpfte das Gejaule und Gezeter der Welt, das jeden von uns umgab und das wir schließlich in uns aufnahmen, als gehöre es zu uns wie unser Leben oder das Wissen um Tod und Geburt.

Ich brauche etwas, dachte er. Ich brauche etwas oder ich drehe durch.

Christina Wewes saß in der Küche am Fenster. Von hier aus konnte sie die Straße überblicken. *Mamas Wachposten* hatte Niklas früher diesen Platz genannt. Sie hoffte, ihren Sohn gleich zu sehen. Er musste doch endlich nach Hause kommen. Wohin sollte er denn sonst?

Sie wollte ihn noch einmal in die Arme nehmen können, bevor die Polizei kam. Sie würde sowieso alles auf sich nehmen. Absolut alles. Wenigstens Niklas sollte die Chance zu einem Neuanfang bekommen.

Sie versuchte, sich das Gefängnis schönzureden. Sie sagte sich selbst, es gebe dort sogar die Möglichkeit zu studieren oder einen neuen Beruf zu erlernen. Sie sagte es laut, gegen das Fenster: »Du hältst das durch, Christina. Du hast so viel ausgehalten. Du schaffst auch das.«

Auf der Fensterscheibe hinterließ ihr Atem eine feuchte Schicht.

Sie würde sich wenigstens im Gefängnis als gute Mutter fühlen, als eine, die alles für ihr Kind tat. Nein, sie würde sich jetzt nicht um die Heizung kümmern. Jetzt war sie selbst mal wichtig. Ständig drängte sich irgendetwas oder irgendjemand in den Vordergrund. Meist ging es um ihren Mann oder um Spix mit seinen schrecklichen Ansprüchen.

Im Sommer war der Kühlschrank kaputt. Die Schnecken fraßen den Salat im Garten, und der Maulwurf verwandelte den Rasen in einen Truppenübungsplatz. Im Winter fiel die Heizung aus, oder der Wagen streikte.

Sollte Clemens sich doch darum kümmern! Das Klappern der Heizungsrohre nervte ihn ja vermutlich genauso. Jetzt geht es endlich mal um mich und um Niki natürlich, und nicht immer nur um ihn oder irgendwelchen anderen Mist.

Klatt fuhr jetzt gänzlich ohne Elektrounterstützung. Er hätte, ohne zu zögern, ein Monatsgehalt für eine volle Batterie hingeblättert. In seinen Knien tobte ein Höllenfeuer. Er verlagerte jedes Mal sein Gewicht von rechts nach links, um die Pedale runterdrücken zu können. Er wurde kurzatmig, und sein Rücken schmerzte.

Am liebsten hätte er sich heulend ins Gras geworfen. Er ließ sich von einem Schüler vorführen! Er hoffte nur, dass keine Filmchen von dem dicken Mann, der sich auf dem Rad abmühte, im Internet auftauchen würden.

Er hatte den Deich hinter sich und bog auf die Dorfstraße ein. Er fuhr direkt auf *Aggis Huus* zu. Es war dunkel geworden, und seitdem die Sonne versunken war, bitterkalt. Seine durchschwitzte Kleidung klebte wie eine Frostschicht an ihm. Er wusste, dass er krank werden würde. Niemand konnte das hier einfach so gesund überstehen. Nicht in diesem Büroanzug und erst recht nicht ohne Proviant. Auch ein sportlicher, zwanzig Jahre jüngerer Mann ohne Übergewicht hätte bei dieser Tour Probleme bekommen.

Er spürte einen stechenden Schmerz in den Ohren, und wusste nun, warum die meisten Menschen am Deich eine Kopfbedeckung trugen und ihre Ohren schützten. Er hustete, und vor seinen Augen tanzten bunte Punkte. Die Angst, das alles hier nicht zu überleben, drang aus seinem Körper in seinen Verstand. Er fühlte sich dem Tod nahe, ohne zu ahnen, dass ein Auftragsmörder auf ihn wartete.

Wenn *Aggis Huus* offen wäre … das könnte mich retten, dachte er. Er fühlte sich unterzuckert und brauchte dringend Flüssigkeit.

Kurz vor *Aggis Huus* stürzte er. Da war kein Hindernis. Er fiel einfach um. Stundenlang war er zwischen Wiesen entlanggeradelt. Und jetzt, auf den letzten Metern, auf dem harten Asphalt, ausgerechnet hier verlor er das Gleichgewicht.

Er schlug sich das rechte Knie und den rechten Ellbogen auf. Sein Hemd verfing sich beim Sturz an der Klingel und riss ein. Seine Dienstwaffe krachte auf den Boden. Die Straße war abschüssig. Er sah ihr nach, wie sie über den Asphalt sauste, als sei die Waffe ein ferngesteuertes Spielzeugauto. Er war dreckig und fühlte sich gedemütigt. Er raffte sich auf und taumelte hinter seiner Dienstwaffe her. Dabei wäre er fast noch einmal gestürzt.

Er blickte sich um, aber er suchte keine Hilfe. Er wollte nur einfach nicht beobachtet werden – oder schlimmer noch, gefilmt. Ein paar Schüler mit ihren Handys hätten ihn jetzt rasend gemacht. Er wäre in der Lage gewesen, sie mit seiner Waffe zu bedrohen.

Er war verwirrt. Er war wütend und am Ende seiner Kraftreserven. Aber er überprüfte die Sicherung seiner Heckler & Koch und steckte sie ein. Sie durfte nicht in fremde Hände geraten, das hätte ihn endgültig unmöglich gemacht.

Er ließ Wellers Fahrrad am Boden liegen und taumelte so aufrecht wie möglich auf *Aggis* Gartenterrasse zu. Er zog seine Hose höher. Sie hing so tief, sie konnte jeden Moment runterrutschen und ihn restlos blamieren.

Vielleicht habe ich Glück, dachte er. Warum soll ich heute nicht auch einmal Glück haben? Vielleicht ist die Besitzerin in ihrem Café, um aufzuräumen oder zu renovieren oder was weiß ich. Und vielleicht ist sie ja gnädig und hat Wasser für mich und irgendetwas mit Zucker.

Schilder standen noch draußen, die einmal Gäste angelockt hatten: *Frische Waffeln!* Auf einer Tafel stand, mit Kreide geschrieben: *Das beste Schnitzel kommt aus der Pfanne.*

Wie wahr, dachte er, wie wahr. Es sah einladend aus. Gemütlich. Aber coronabedingt eben doch geschlossen. Immerhin, die Holzbank stand noch einladend da. Er sank darauf nieder, kurz davor, zu heulen oder ohnmächtig zu werden.

Wenn der Junge jetzt kommt, dachte Klatt, was muss ich für einen jämmerlichen Eindruck auf ihn machen? Hat er mich vielleicht genau deshalb so herumgejagt?

Er wusste nicht mehr, was er von all dem halten sollte.

Er war auf der beruflichen Ebene jetzt dort angekommen, wo er sich auf der privaten schon lange befand: in nebliger Unklarheit.

Weller stellte sein Rad vor der Inspektion ab. Die Tour vom Distelkamp hierher hatte ihm gutgetan. Irgendjemand hatte *1312* an die Wand gesprüht. Die schwarze Farbe war verlaufen, so dass die Zahlen aussahen, als würden sie weinen.

Rupert fotografierte alles. »Die sprühen bei uns an die Wand, und wir kriegen das nicht mit. Die verarschen uns, wo wir danebenstehen!«, schimpfte er.

»Die sind sauer auf uns«, kommentierte Weller.

»Was soll das überhaupt heißen, 1312? Sprüht da einer seinen Geburtstag auf die Wand, damit wir nicht vergessen, ihm etwas zu schenken?«, fluchte Rupert.

»Nee«, sagte Weller, »ich denke, das ist wegen Niklas Wewes.«

»Hat der am 13. Dezember Geburtstag?«

»Nein, vermutlich gefallen ein paar Jugendlichen unsere Ermittlungen gegen ihn nicht. Kann man ja verstehen. Die halten eben zusammen.«

Weller wollte in die Inspektion, aber Rupert hielt ihn fest: »Ja, und was hat diese Zahl dann zu bedeuten? Ich kapier das nicht.«

»Die Zahlen stehen für die Buchstabenfolge im Alphabet, Rupert.«

Rupert glaubte zu verstehen und dechiffrierte den Code: »ACAB ... Ja, und was soll das sein? Irgend so eine scheiß neue Band?«

»Nein, das ist Englisch. *All Cops are Bastards.*«

»Hm. Englisch. Wir haben es also mit Gymnasiasten zu tun.«

Weller wollte los, doch Rupert hielt ihn: »Woher weißt du so'n Scheiß, Weller? Irgendein Fortbildungskurs?«

»Nein, ich lese nur gerne Romane. Das Ganze kommt aus Amerika und in der amerikanischen Kriminalliteratur ...«

Rupert unterbrach ihn: »Schon gut, so genau wollte ich es gar nicht wissen. Du immer mit deinen Büchern ...«

Weller ließ Rupert stehen und öffnete die Tür zur Inspektion. Marion Wolters war gerade dabei, Feierabend zu machen. Sie packte ihre privaten Plastikdöschen und -schächtelchen zusammen, in denen sie ihr Essen hin- und hertransportierte. Sie hatte sich mal wieder vorgenommen abzunehmen. Aber nicht heute. Heute war einfach noch nicht der Tag dafür. Sie wollte sich heute nicht von Pülverchen ernähren. Sie entschied sich, auf dem Heimweg beim *Smutje* vorbeizugehen, in der Hoffnung, dass sie dort einen Lammburger oder einen Krabbenburger zum Mitnehmen kaufen konnte, wenn sie schon nicht ins Lokal durfte.

»Na, kommst du Überstunden machen?«, fragte sie Weller.

Er konterte knapp: »Nein, ich feiere sie hier gerne ab. Polonaise durch die ganze Inspektion. Macht unheimlich Spaß.«

»Na, dann viel Freude«, lachte sie.

Weller ging zu Ann Kathrin ins Büro. Sie freute sich echt, ihn zu sehen. »Mir fehlt ein Gesprächspartner, Frank. Ich rede schon mit meinem toten Vater und mit Ubbo, der gar nicht da ist.«

Weller sagte nicht: *Das machst du doch ständig, Ann.*

Er wies auch nicht darauf hin, dass sie manchmal mit der Kaffeemaschine verhandelte, mit dem defekten Auto oder einem Geldautomaten. Er sagte nur ruhig: »Ich bin ja jetzt da, Liebste.«

»Irgendetwas«, sagte Ann Kathrin, »machen wir falsch. Wir schätzen etwas falsch ein oder verstehen etwas nicht, Frank. Wir müssen den Jungen finden. Der Junge ist nicht schlecht. Ihm wurde nur übel mitgespielt.«

Frank nickte. Er hatte es schon viel zu oft gehört und leierte es deswegen uninspiriert runter: »Jaja, sind nicht alle Täter auch Opfer?« Er winkte ab.

»So meine ich das nicht«, sagte Ann. »Nicht so einfach. Ich frage mich, wo er ist … Er ist zu Bettina gegangen, weil er ihr vertraut. Er hat nicht viele Menschen, die ihn verstecken würden und auch die Möglichkeit dazu hätten. Um die Nächte draußen zu verbringen, ist es noch zu kalt.«

»Wir könnten«, schlug Weller vor, »ein paar leerstehende Gebäude durchsuchen. Das alte Doornkaat-Gelände. Das alte Gesundheitsamt. Die alte Schule in Ekel.« Er wollte seine Aufzählung fortsetzen.

»Was würdest du tun, wenn du in seiner Situation wärst?«, fragte Ann.

Es hatte keinen Sinn, wenn Ann Kathrin solche Fragen stellte, zu antworten: *Ich wäre doch nie in so einer Situation.* Sie verlangte von ihren Kollegen, dass sie sich in Täter und Opfer hineinversetzen konnten. Nur so war man ihrer Meinung nach in der Lage, sie nachzuvollziehen und am Ende den Fall zu lösen.

»Ich würde auf jeden Fall nicht nach Hause gehen«, sagte Weller.

»Warum nicht?«, fragte Ann.

»Erstens scheint mir jeder andere Ort angenehmer als genau der, wo der ganze Horror seinen Ursprung nahm, und dann hätte ich Angst, dass die Polizei dort zuerst nach mir sucht.«

»Haben wir ja«, sagte Ann. »Rupert war da. Er hat sich auch die Ferienwohnung oben vorgeknöpft. Die Besitzerin ist natürlich nicht in den Hotspot zurückgefahren, sondern hiergeblieben. Ist zwar nicht erlaubt, kann ich aber gut verstehen.«

»Ich wäre zu einem Freund gegangen«, sagte Weller fest entschlossen, musste sich selbst aber eingestehen, dass ihm keiner einfiel, der damals in der Lage gewesen wäre, ihn auch zu verstecken, denn sie wohnten alle noch bei ihren Eltern.

»Er kann auch«, sagte Ann, »in irgendeine leerstehende Ferienwohnung eingebrochen sein und es sich dort gemütlich machen. Im Moment stehen Hunderte leer. Da hat er wahrlich eine große Auswahl.«

»Er kann also überall sein«, stellte Weller resigniert fest. »Genauso wie seine Mutter. Was glaubst du, was in deiner Wohnung passiert ist?«

»Irgendjemand hat dort Frau Wewes aufgespürt und ist auf sie losgegangen.«

»Wer?«, fragte Weller.

»Ihr Sohn oder ihr Mann«, vermutete Ann. »Jemand, der eine irre Wut auf sie hat.«

»Möglicherweise unser Killer«, orakelte Weller.

Clemens Wewes verließ die Wohnung und stieg in sein Auto. Er hatte sich entschieden, nicht zum Combi oder zu Edeka Götz zu fahren, sondern zur Tankstelle. Das war am unauffälligsten.

Die Auswahl an guten Spirituosen hielt sich dort zwar in Grenzen, Bier und Wein knallten ihm einfach nicht genug, er brauchte schon etwas Hochprozentiges, aber er war im Moment auch nicht wählerisch. Er gestand sich zu, kein Genuss-, sondern ein auf Wirkung ausgerichteter Trinker zu sein.

Er fuhr los, und schon nach wenigen Metern fürchtete er, sein Portemonnaie zu Hause vergessen zu haben. Er trug Latschen an den Füßen. Jetzt ärgerte er sich, dass er sich nicht mal die Mühe gemacht hatte, richtige Schuhe anzuziehen.

So weit bin ich also schon runtergekommen, dachte er. Barfuß, in einer Trainingshose, mit Gummilatschen, fahre ich zur Tanke, um Schnaps zu kaufen.

Er tastete seine Hose nach einem Portemonnaie ab und achtete nicht auf die Fahrbahn. Er suchte nach einem Scherz, den er in der Tankstelle machen könnte, um die unangenehme Situation zu überbrücken.

Saufen wir uns den Lockdown schön, schoss durch seinen Kopf. Er fand es ganz lustig, kam aber nicht mehr dazu, die Wirkung des Satzes auszuprobieren, denn das Auto durchstieß einen Gartenzaun. Das rechte Vorderrad pflügte schon einen Vorgarten um. Er riss das Lenkrad nach links, und der Wagen donnerte gegen eine Laterne. Ein Airbag blähte sich auf, und irgendein chemisches Pulver flog in sein Gesicht, das seinen linken Augapfel verätzte.

Er schälte sich mühsam aus dem Auto. Er erwartete, beschimpft zu werden, aber nichts geschah. Er war in den

Vorgarten eines leerstehenden Ferienhauses gebrettert. Der Wagen hatte sicherlich an Wert verloren, fuhr aber noch. Er stieg wieder ein, ließ den Motor aufheulen und fuhr zurück nach Hause.

Ich muss etwas trinken, dachte er. Ich muss vorher etwas trinken. Ich kann so nicht mal in eine Tankstelle. Ich muss mich noch einmal auf den Pegel bringen, den ich brauche, um richtig zu funktionieren. Dann werde ich mein Leben ordnen, und danach höre ich auf oder trinke nur noch so wie die anderen: Weil es mir schmeckt ...

Als Klatt den Mann sah, wusste er sofort, dass der nicht vorhatte, ihn wieder gehen zu lassen. Er kapierte aber noch nicht, wer ihm warum eine Falle gestellt hatte. Er war sich so sicher gewesen, mit Niklas telefoniert zu haben. Die verzweifelte, jugendliche Stimme passte nicht zu diesem Typen. Der sah entschlossen aus und kaltblütig.

Klatt wollte schon zu seiner Waffe greifen, doch dann sah er die Frau und dachte: Mein Gott, hab ich die Nerven blank. Das ist nur ein Touristenpärchen auf der Suche nach einem Platz zum Ausruhen. Vielleicht wollten sie hier zu Abend essen und wussten noch gar nicht, dass geschlossen war. Man hat sich an diesen Lockdown ja noch nicht gewöhnt.

Klatt scherzte: »Ist leider geschlossen. Ich hab mich auch geärgert, könnte jetzt gut ein Schnitzel vertragen.«

Der Mann sagte nichts, checkte nur mit Blicken die Gegend, als würde er versuchen, durch die Wände und die geschlossenen Fenster zu schauen.

Im Gegensatz zu dem Mann sah die Frau sehr aufgeregt aus. Sie sprach Klatt an: »Was haben Sie gemacht? Haben Sie sich verletzt?«

Klatt deutete auf sein zerrissenes Hemd und die Hautabschürfungen. »Bin mit dem Rad gestürzt. Hab mich einfach verkalkuliert. Es gibt ja keine Möglichkeiten mehr, irgendwo einzukehren und etwas zu trinken. Ich glaube, ich bin unterzuckert. Haben Sie vielleicht irgendetwas? Mir würden schon ein paar Bonbons helfen oder ein Stück Schokolade.«

Der Mann nahm Abstand und lehnte sich gegen die Eingangstür des Cafés. Er beobachtete Klatt und die Frau mit kritischen Blicken. Die Frau kam näher. »Ich habe«, sagte sie, »etwas zu trinken im Auto. Soll ich Ihnen etwas holen?«

Klatt nickte rasch und hoffte, dass so, wie er sich auf die Bank gefläzt hatte, seine Heckler & Koch unbemerkt geblieben war. Er veränderte seine Sitzhaltung.

»Ich mach das schon und hole auch den Verbandskasten«, sagte der Mann und verschwand aus Klatts Blickfeld. Die Frau sah sich seine Hautabschürfungen an.

Sie waren ein ganz harmloses Pärchen, hoffte er. Aber er musste sie loswerden, denn ihre Anwesenheit würde Niklas verscheuchen.

Der Mann kam mit einem Verbandskasten zurück. Er öffnete ihn geschickt und holte Pflaster und einen sterilen Wundverband heraus.

»Wir fahren Sie auch gerne zu einem Arzt«, sagte er.

Klatt bedankte sich, lehnte aber ab: »Ich warte hier auf jemanden.«

»Hier? Ein Rendezvous?«

Der Mann bat Klatt, den Arm anzuheben, weil er ihn verbinden wollte. Klatt tat es.

Der Mann griff seine Waffe, ließ Klatts Arm los, sprang nach hinten, sah sich die Dienstwaffe an und sagte: »Die gute alte Heckler & Koch. Wenig Treffsicherheit, dafür immer mal wieder Ladehemmungen.« Er lachte: »Ich finde es gut, wenn wir besser ausgestattet sind als unsere Gegenspieler.« Er hielt die Pistole der Frau hin und sagte: »Erzähl mir jetzt nicht, du hast es nicht bemerkt?«

»Doch«, log sie, »natürlich.«

»Willst du es machen?«, fragte er jetzt. Es klang sehr sachlich. Er warf die Heckler & Koch einmal hoch und fing sie wieder auf. »Aber bitte nicht hiermit. Der Knall weckt die ganze Nachbarschaft.«

»Wer sind Sie?«, fragte Klatt. »Was wollen Sie von mir?«

»Du darfst mich Sensenmann nennen, alter Mann. Es sei denn, sie wird es tun. Weißt du, ich lerne sie an. Sie ist noch ziemlich neu. Aber ich glaube, sie hat Talent. Was meinst du? Es ist doch bestimmt schöner für dich, von zarter Frauenhand zu sterben als von mir ins Jenseits befördert zu werden, oder? Also, wenn ich mich entscheiden dürfte, ich an deiner Stelle würde sie wählen.«

Klatt schluckte und fragte sich, ob er schon halluzinierte oder ob das hier wirklich geschah. Er kratzte sich. Ja, das hier war die Wirklichkeit.

»Ich persönlich habe überhaupt nichts gegen Sie. Obwohl man nicht gerade sagen kann, dass ich auf Bullen stehe. Aber Sie sind mir eigentlich völlig gleichgültig. Es ist rein geschäftlich. So, wie ein Fleischer ein Schwein tötet, so machen wir das auch. Emotionslos. Bloß zerlegen wir Sie hinterher nicht in alle Einzelteile. Ihr gutes Stück müssen wir Ihnen leider abschneiden, das hat unser Auftraggeber so verlangt. Es soll ein Exempel statuiert werden. Na ja, der übliche Scheiß.

Sie kennen sich ja aus mit so etwas.« Tatie sah auf die Uhr. »Komm jetzt, Schatz«, forderte er. »Mach schon. Wenn wir uns beeilen, können wir zum *Tatort* wieder zu Hause sein.«

Sie zierte sich. »*Tatort*? Läuft denn heute ein *Tatort*?«

»Es läuft immer irgendwo ein *Tatort*«, konterte er und fand das wohl witzig. »Falls du es mit dem Messer machen willst«, sagte er zu Anke, »dann wird das eine Riesensauerei. Du musst erst durch das Fett durchstechen. Bis du zum Herzen kommst ...« Er winkte ab. »Ich würde ihm lieber die Halsschlagader durchschneiden, da kommst du einfacher dran.«

Anke starrte ihn an. Tatie holte aus dem Verbandskasten jetzt einen langen Dolch. »Mach schon«, forderte er sie auf. »Wir erkälten uns hier noch.«

Klatt machte einen Versuch. Er wuchtete sich hoch und wollte zwischen den beiden durch auf die Straße. Er stieß Anke um, an Tatie kam er aber nicht vorbei. Der stoppte ihn mit zwei Faustschlägen. Einen gegen die Leber und einen direkt auf die Nase. Klatt sah augenblicklich nichts mehr und fiel auf die Knie.

»Mach endlich, Anke! Der blutet hier jetzt alles voll. Das wird 'ne Riesensauerei.«

Clemens Wewes riss zu Hause die Tür auf. Geradeaus ging es in seine Wohnung, die Treppe daneben führte hoch in die Ferienwohnung. Er entschied sich, die Treppe zu nehmen. Dieser versnobte Sven mit seinem Versicherungsbüro im Ruhrgebiet hatte garantiert etwas zu trinken in seiner Ferienwohnung. Was war Urlaub ohne einen guten Schluck?

Anke Reiter würde ihm bestimmt etwas davon anbieten. Sie wusste genau, dass sie kein Recht hatte, jetzt in der Ferienwohnung zu sein. Sie würde sich anständig verhalten und ihn, den ehemaligen Wohnungsbesitzer, bewirten. Nach ein, zwei Gläschen wäre er dann fähig, sich selbst etwas Neues zu besorgen und dann all seine Probleme anzugehen.

Er stolperte auf der Treppe, fing sich aber wieder. Er klopfte und klingelte, doch niemand machte auf. Wenn man diese alte Stubenhockerin mal braucht, dann ist sie spazieren gegangen, dachte er. Sonst verbarrikadiert sie sich oft tagelang in der Bude und geht nicht vor die Tür, weil sie Migräne hat oder irgendeinen anderen erfundenen Mist.

Er fischte sein Schlüsselbund aus der Joggingjacke. Es hingen viel mehr Schlüssel daran als nötig. Einer von ihnen passte zu dieser Tür. Er wusste nur nicht genau, welcher.

Er probierte mehrere aus. Beim dritten hatte er Glück. Er schloss auf, blieb dann aber vorsichtshalber kurz stehen und rief durch den Flur: »Frau Reiter? Ich bin's, Clemens von unten! Sie können mir vielleicht aushelfen, ich komme nur, weil ich … «

Er sprach es nicht aus. Jetzt fand er gut, dass sie nicht zu Hause war. Das ersparte ihm die Peinlichkeit. Er stellte sich vor, er könne gleich eine Flasche aus Reiters Getränkevorrat holen und es würde vielleicht nicht einmal auffallen.

Jetzt, als er hier oben stand, war das Klappern so laut, es konnte nicht mehr aus seinem Kopf sein. Er fragte sich, ob er es im Auto noch gehört hatte.

Das Klappern wurde wilder, ja immer schneller. Auf der Suche nach einer Flasche Cognac, einem Whisky oder einem guten Brandy sah er dann seinen Sohn.

»Mein Gott«, rief er, »was ist denn mit dir, Niki? Du siehst aus wie der gekreuzigte Jesus, bloß an der Heizung mit einem Besenstiel, statt ...«

Niklas' Antwort bestand nur aus einem »Mmpff ... uff ...«

Schon war Clemens bei ihm, wusste aber nicht, was er zuerst tun sollte. Er fand keine Schere, um die Klebebänder zu durchschneiden. Niklas warf seinen Kopf vor und zurück, so dass er gegen die Heizung knallte. Sein Vater kapierte. Er musste zuerst den Knebel lösen. Er riss das Teppichband vom Gesicht seines Sohnes. Niklas würgte. Sein Vater zog das Tuch aus seinem Mund. Hustend japste Niklas: »Die bringen einen um! Den Klatt! Ich brauch ein Telefon! Papa, schnell! Und was zu trinken, und schneid mich los, verdammt nochmal!«

Ann Kathrin stand nah bei Weller. Obwohl sie sich nicht berührten, wurde es wärmer für sie, als würde er Hitze ausstrahlen. Sie sah ihn an. »Über kurz oder lang werden Mutter und Sohn nach Hause zurückkommen«, sagte sie. »Und sei es nur, um ein paar Sachen zu packen, mit denen sie dann zu Verwandten fahren oder zu Freunden.«

»Die räumen vielleicht ein Konto ab, fahren zu mehreren Bankautomaten oder so. Aber ich würde an ihrer Stelle nicht nach Hause zurückgehen, sondern mir irgendwo anders etwas Neues kaufen. Mein Gott, glaubst du wirklich, die packen ihre Koffer wie andere Leute, die in Urlaub fahren?«

»Ja«, gab Ann Kathrin zu, »das glaube ich.«

Sie sah es ihm an: Er fand das naiv. Sie erklärte: »Das sind keine Killer, Frank. Das ist im Grunde eine ganz normale Familie, denen nur die Probleme aus dem Ruder gelaufen sind. Probleme, wie sie mehr oder weniger alle haben.«

Tatie hatte den sterilen Mullverband zweckentfremdet und wie einen Strick um Klatts Hals gewickelt.

Anke hielt es nicht mehr aus: »Hör auf!«, bat sie Tatie. »Er ist doch kein Hund.«

»Nein«, gab Tatie zu, »einen Hund würde ich niemals so behandeln. Ich hatte mal einen Hund.«

Er zerrte an dem Verband. Klatt röchelte.

Anke hielt das Messer in der Hand, als wolle sie die Stabilität der Klinge prüfen.

»Nun mach schon, worauf wartest du noch?«, fragte Tatie.

Anke schüttelte den Kopf. »Ich kann das nicht. Ich … ich bin nicht wie du.«

Tatie wunderte sich: »Ach, wird jetzt das Teufelchen zum Engelchen? Willst du ihn retten? Glaubst du, dass er dir das irgendwie danken wird? Wie geht dein Leben dann weiter? Spielst du wieder das Hausmütterchen für deinen Sven, der andere flachlegt, während du für ihn Gulaschsuppe einweckst?« Er nahm Anke das Messer ab. »Glaubst du wirklich, du könntest wieder in dein altes Leben zurückgehen? Du bist eine andere geworden, meine Liebe. Du hältst es da keine vierundzwanzig Stunden mehr aus. Wenn man einmal diese Grenze überschritten hat, dann … «

Er hielt einen Moment inne und schüttelte den Kopf, als

hätte das alles ohnehin keinen Sinn und er wolle die Sache nur noch so schnell wie möglich hinter sich bringen.

Klatt wollte auf allen vieren durchs Gartentor zur Straße krabbeln. Die Mullbinde an seinem Hals straffte sich. Tatie zog daran und spottete: »Komm zurück, Fiffi! Hier herrscht Leinenpflicht!«

Als würde Anke erst jetzt bewusst, was geplant war, sagte sie mit imponierender Fassungslosigkeit: »Du kannst ihn doch jetzt nicht so einfach …« Sie sprach nicht weiter, sondern wischte sich mit dem Handrücken eine Träne von der Wange.

Drei Möwen saßen auf dem Dach und schauten neugierig zu. »Das sind die Geier der Küste«, erklärte Tatie. »Die werden sich als Erstes seine Augen holen. Aber glaub nicht, dass ich einfach nur ein brutaler, eiskalter Killer bin. Nein, so ist das nicht, meine Liebe.«

Er zog Klatt an der weißen Hundeleine zurück und fragte ihn mit gespielter Freundlichkeit: »Gleich ist es vorbei. Kann ich noch irgendetwas für dich tun? Soll ich jemandem etwas ausrichten? Glaubst du an irgendeinen Gott? Dann kannst du schnell ein Gebet sprechen. Aber beeil dich.«

Klatt blieb stumm. Vielleicht auch, weil sein Hals so zugeschnürt war.

Tatie erkannte an Klatts Gesicht, dass er sich noch nicht seinem Schicksal ergeben hatte. Er glaubte immer noch an einen Ausweg und suchte ihn. Seine Blicke tasteten Taties Körper ab.

Wenn es ihm gelingt, eine Waffe zu greifen, wird er sofort Gebrauch davon machen, dachte Tatie. Er trat nach Klatt. »Komm mir nicht zu nahe, Dicker! Die meisten«, erklärte er Anke, »kommen mit so Sprüchen wie: *Sag meiner Frau und meinen Kindern, dass ich sie liebe.* Es ist eigentlich öde, immer derselbe Mist. Im Leben haben sie sich nicht besonders um Frau und Kinder gekümmert, aber kurz bevor sie abkratzen, werden sie plötzlich tolle Familienpapis oder religiös. Du glaubst gar nicht, wie viele dann die Nähe zu Gott suchen. – So, genug geredet. Letzte Chance vertan. Jetzt bist du dran, Klatt. Das Ende des Lockdowns wirst du nicht mehr erleben, Alter.«

Anke stieß Tatie zur Seite. Der Mullverband fiel auf den Boden. Sie stellte sich schützend vor Klatt.

»Mach dich doch nicht lächerlich, Süße«, grinste Tatie.

Der Seehund in Ann Kathrins Handy jaulte. »Na«, lachte Tatie, »das ist doch mal ein origineller Klingelton.«

Als der Notruf einging, schaltete Hauptkommissarin Sylvia Hoppe sofort. Sie wich von dem üblichen Fragenkatalog ab und versuchte augenblicklich, Ann Kathrin Klaasen zu erreichen. Aber Ann ging nicht an ihr Handy.

Sylvia kontaktierte Weller.

Wellers Handy spielte »Piraten Ahoi!«. Bei *Hisst die Flaggen, setzt die Segel* hatte er es schon am Ohr. Ann Kathrin ging neben ihm her. Die beiden wollten für heute Feierabend machen und bei ihren Nachbarn Rita und Peter Grendel übernachten.

Wie immer war Wellers Handy viel zu laut eingestellt. Er hielt es sich nie ans Ohr, sondern immer gut zwanzig Zentimeter vom Kopf weg. Ann verstand also jedes Wort.

»Hier Sylvia. Ann geht nicht ran. Ich habe einen Notruf von den Wewes.«

Ann sprach, ohne Weller das Handy aus der Hand zu nehmen: »Schalte uns durch. Von wo ruft er an?«

»Aus Norddeich. Hier ... «

Weller und Ann Kathrin hörten schon am Ton, dass sie mit einem Menschen sprachen, der unter maximalem Druck stand und kurz davor war durchzudrehen. Niklas' Stimme überschlug sich: »Ich bin nicht der Mörder, den Sie suchen! Tatie ist es! Er will gerade den nächsten Mord begehen!«

»Wo bist du?«, fragte Ann Kathrin. »Wir kommen sofort.«

»Nein, nein, nicht zu mir. Ich brauche keine Hilfe. Sie müssen zu Aggis Huus nach Neßmersiel!«

»Habe ich das richtig verstanden? Zu Aggis Huus nach Neßmersiel?«

Ann Kathrin und Weller begannen gleichzeitig zu rennen. Dabei machten sie synchrone Schritte, als hätten sie es eingeübt. Als sie draußen waren, drückte Weller Ann Kathrin das Handy in die Hand.

Sie nahmen den silberblauen Dienstwagen, den Rupert bei Verhaftungen gern als *unseren Müllwagen* bezeichnete.

»Was machen sie in *Aggis Huus*? Geht es um Aggi?«, fragte Ann Kathrin voller Sorge.

»Nein, um einen von euch. Klatt oder Blatt oder so. Wenn sie nicht mehr in *Aggis Huus* sind, dann ist er schon tot. Sie wollen die Leiche in der Ludgeri-Kirche ablegen.«

Weller gab Gas. Er fuhr quer über den Marktplatz. Er verstieß gegen Ann Kathrins Grundsatz: *kein Blaulicht. Blaulicht warnt die Täter.*

»Ja, danke!«, stöhnte Ann Kathrin genervt.

Er benutzte es jetzt nur, um aus Norden rauszukommen.

Die Straßen waren leer. Schon am Kreisverkehr schaltete Weller das Blaulicht wieder ab.

»Ist der Mörder alleine?«, brüllte Weller.

Da Niklas nicht sofort antwortete, wiederholte Ann Kathrin die Frage: »Ist er alleine? Haben wir es mit mehreren Tätern zu tun?«

Niklas' Stimme veränderte sich. Er rückte nicht gern mit der Sprache raus. Die Sprachhemmungen, wenn jemand eigentlich bereit war, eine Aussage zu machen, aber etwas Bestimmtes zurückhielt, erkannte Ann Kathrin selbst jetzt am Handy.

»Niki, das ist wichtig!«

»Kann sein, dass er eine Frau dabeihat.«

»Wie ist er bewaffnet?«

»Keine Ahnung. Er hat 'ne Knarre und 'n Messer. Er ist ein sehr gefährlicher Mann.«

»Bist du verletzt, Niklas?«

»Mein Vater ist bei mir. Ich brauche keinen Arzt.« Jetzt begann er zu weinen. Durch sein Schluchzen war er kaum noch zu verstehen. »Retten Sie Anke! Er wird sie auch umbringen. Der tut nur so freundlich …«

»Ist Anke die Frau, die er bei sich hat?«, fragte Weller.

»Ja. Anke Reiter.«

Der Kontakt zu Niklas brach ab.

Ann Kathrin sagte zu Weller: »Wir brauchen ein Mobiles Einsatzkommando und …«

Weller sah so demonstrativ geradeaus, als hätte er keine Zeit, sich im Moment mit solchen Fragen zu beschäftigen. Er maulte: »Wenn wir uns nicht beeilen, brauchen wir stattdessen einen Leichenwagen und die Spusi.«

Sie fuhren schon am Flugplatz Norddeich vorbei Richtung

Hagermarsch. Auf der Ostermarscher Landstraße begegnete ihnen niemand. Für den nachtblauen Himmel und die Schönheit dieses sternenklaren Abends hatten sie beide keine Aufmerksamkeit übrig. Dabei spiegelte sich das Glitzern der Sterne auf dem Polizeiwagen, als hätte es gerade Diamanten geregnet.

»Ich hoffe, du hast deine Waffe dabei«, gestand Weller, der genau wusste, wie widerwillig seine Frau eine Waffe trug. Sie war viel zu nachlässig damit, und heute könnte es brenzlig werden, das spürte er genau.

»Wer clever ist, braucht meist keinen Ballermann«, sagte sie und fügte hinzu: »Und wer einen Ballermann braucht, ist meist nicht clever.«

Weller schlug gegen das Lenkrad und schimpfte: »Ann! Heißt das jetzt Ja oder Nein?«

»Es heißt genau das, was ich gesagt habe.«

Zähneknirschend presste Weller seinen Protest heraus: »Mann, wenn ich solche Sprüche höre!«

»Beruhig dich«, mahnte sie ihn und zeigte ihm ihre Heckler & Koch.

Weller schaltete das Licht aus, als sie auf den Parkplatz fuhren. Er fuhr keineswegs mit quietschenden Reifen direkt vor dem Haus vor, sondern hielt ordnungsgemäß, wie er es auch als Gast tat, auf dem dafür vorgesehenen Parkplatz und ging dann mit Ann Kathrin ein paar Meter zu Fuß. Heute liefen sie, und zwar gebückt. Er sicherte den Eingang zur Terrasse, Ann Kathrin versuchte es von hinten.

Klatt hatte das Messer am Hals und glaubte nicht mehr daran, dass es für ihn noch eine Rettung geben könnte. Er war dieser Frau dankbar, die zumindest versucht hatte, noch ein gutes Wort für ihn einzulegen. Tatie hatte ihr ins Gesicht geschlagen, und sie blutete aus der Nase. Klatt ahnte, dass er sie auch umbringen würde. Der machte keine Gefangenen, der hinterließ verbrannte Erde. Er war ein echter Profi, der brauchte keine Zeugen. Erst recht keine Frau mit Gewissensbissen.

Klatt hoffte, dass es keine Halluzination war. Er sah gegen den Sternenhimmel eine Silhouette. Ein, zwei Sterne, die er gerade noch dort am Himmel hatte funkeln sehen, waren plötzlich weg. Kletterte dort jemand übers Dach? War das Ann Kathrin Klaasen? Er traute sich nicht hinzugucken, um seine Retter nicht zu verraten. Er versuchte jetzt, Zeit zu gewinnen: »Nun mach schon!«, forderte er Tatie auf.

Er fragte sich, ob das der richtige Ansatz war, um Zeit zu gewinnen, oder ob er damit nur den Startschuss gegeben hatte. Deshalb fügte er hinzu: »Mir tut eh schon alles weh. Mein ganzer Körper ist eine einzige Schmerzquelle. Na los, schneid mir den Hals durch. Du tust mir einen Gefallen, wenn du mich umbringst. Ich selbst würde es nicht machen. Mein christlicher Glaube ist mir da im Weg. Aber ich habe schon oft darüber nachgedacht. Es ist geradezu lächerlich, mir mit dem Tod zu drohen. Ich habe Cholesterin- und Leberwerte, die dürfte es eigentlich gar nicht geben, esse aber jeden Morgen zwei Spiegeleier. Meine Prostata ist so groß wie ein Fußball. Meine Tochter hasst mich so sehr, dass sie sich einem Linksradikalen an den Hals wirft, nur um mich zu ärgern. Meine Frau wartet nur darauf, dass sie endlich meine Lebensversicherung kassieren kann, um dann ein freies Leben zu führen. Glaub mir, du tust allen einen Gefallen, wenn du mich ... «

»Bei mir ist das anders«, rief Anke. »Ich hänge am Leben! Ich fange gerade erst an zu leben. Erst in den letzten Tagen habe ich überhaupt begriffen, was das bedeutet. Ich habe gelebt wie ein Hamster, eingesperrt in einen Käfig. Ich will jetzt nicht sterben! Ich ...«

Ein metallenes Klicken ließ Anke verstummen. Alle sahen in die Richtung, aus der das verräterische Geräusch gekommen war. Der Lichtkegel einer Taschenlampe suchte Taties Gesicht.

»Lassen Sie die Waffe fallen und heben Sie die Hände. Mein Name ist Ann Kathrin Klaasen. Ich bin Hauptkommissarin bei der Mordkommission Aurich.«

Frank Weller gab sich nicht zu erkennen, sondern blieb im Hintergrund. Er hoffte, dass Tatie ihn nicht bemerkt hatte. Frank hielt seine Dienstwaffe mit ausgestreckten Armen in beiden Händen und zielte auf Tatie. Allerdings stand Anke Reiter so ungünstig, dass er Gefahr lief, sie zu treffen. Er wartete auf eine gute Gelegenheit.

»Lassen Sie das Messer fallen!«, forderte Ann Kathrin noch einmal. »Sie haben keine Chance. Das Gebäude ist umzingelt, die Straßen sind abgesperrt. Wenn Sie jetzt vernünftig sind, wird das später für Sie sprechen.«

Tatie lachte. Es klang echt. »Soso, es wird für mich sprechen. Na, da freuen wir uns aber alle! Wenn ich nach all den Morden nun einen fetten Bullen überleben lasse, der sich eigentlich den Tod wünscht, was kriege ich dann dafür? Einmal die Woche zehn Minuten Freigang im Hof?«

Während Ann Kathrin mit Tatie sprach, gab Weller Anke Zeichen. Sie hatte ihn gesehen. Er versuchte, sie mit der Hand so zu dirigieren, dass er ein freies Schussfeld bekam. Sie verstand ihn und kam mit vorsichtigen Bewegungen seinen Wünschen nach.

»Ich werde Ihnen jetzt genau sagen, was wir machen, gute

Frau. Sie werden Ihre Knarre auf den Boden legen und mit dem Fuß zu mir rüberkicken. Dann kommt Ihr Kollege mit erhobenen Armen, und Sie fesseln sich gegenseitig. Sonst stirbt erst er hier, und dann packe ich mir … «

Er zog Anke zu sich ran. Weller ließ seine Waffe sinken.

Klatt versuchte, sich zu befreien. Die Klinge des Messers sauste durch seinen Hals. Mit einem gurgelnden Schrei fiel Klatt zu Boden. Er hielt sich beide Hände gegen die Wunde am Hals.

Weller war chancenlos. Er fluchte: »Scheiße! Scheiße!«

Tatie riss Anke jetzt zu sich. Sie trat und schlug um sich.

Ann Kathrin wusste, dass nur wenig Zeit blieb, um Klatt zu retten. »Auf den Boden!«, rief sie, und Anke war klug genug, sich einfach fallen zu lassen. Ann Kathrin feuerte.

Für einen Moment hörte sie nichts mehr. Der Lichtkegel der Taschenlampe tanzte von links nach rechts über die Terrasse. Klatt wand sich am Boden.

Anke raffte sich auf und rannte an Weller vorbei zur Straße. Sie versteckte sich hinter dem Polizeiauto.

Ann Kathrin sprang in den Innenhof. Tatie saß mit dem Rücken gegen die Wand gelehnt. Er richtete Klatts Pistole auf Ann Kathrin und schimpfte: »Du gottverdammtes Luder! Das wirst du bereuen!«

Wellers Kugel traf ihn neben dem Ohr und tötete ihn sofort.

»Ein Notarzt!«, schrie Ann Kathrin. »Wir brauchen sofort einen Notarzt!«

Dann war sie bei Klatt. Er starrte sie aus weit aufgerissenen Augen an. Zum ersten Mal in all den Jahren empfand sie etwas für ihn. Sie hatte ihm oft die Pest an den Hals gewünscht, aber jetzt tat sie alles, um ihn zu retten.

Weller telefonierte die Rettungskräfte herbei und ging zu

Anke Reiter, die hinter dem Polizeiwagen zusammengebrochen war. Sie zitterte und hyperventilierte.

»Ich kann einfach nicht mehr stehen. Meine Beine gehorchen mir nicht mehr ...«, japste sie.

»Sind Sie verletzt?«

»Nein, ich glaube nicht.«

Da Weller so schnell keine Plastiktüte zur Hand hatte, hielt er ihr einen Gummihandschuh hin. »Atmen Sie da rein. Das hilft.«

Sie verstand, was er wollte. Fünf weiße Finger richteten sich vor ihren Augen auf, als sie in den Handschuh blies.

Dirk Klatt lag in der Ubbo-Emmius-Klinik. Mehrere Schläuche liefen in seinen rechten Arm. Er bekam noch Sauerstoff, aber er war wach und klar orientiert zu Zeit und Raum, als Ann Kathrin Klaasen sein Krankenzimmer betrat. Er erkannte sie trotz Mundschutz sofort. Diese Augen und diese wirren Haare waren halt unverwechselbar.

»Ich brauchte«, sagte sie zur Begrüßung, »eine richterliche Anordnung, um überhaupt zu Ihnen reinzukommen.«

»Wird das dann hier ein Verhör?« Seine Stimme war gut verständlich, aber noch schwach.

»Wegen Corona ist mein Besuch offiziell eine Zeugenbefragung.«

Er hob seine linke Hand, sie fiel aber schlaff wieder aufs Bett zurück. Sein teigiges Gesicht war weich, seine Lippen und Wangen zitterten. Er hatte Tränen in den Augen, aber das kam nicht von den Schmerzen. Dagegen hatten sie ihm gute Mittel gegeben. Er suchte nach Worten.

Ann Kathrin überbrückte die Sprechpause mit einem Lob für die Mitarbeiterinnen der Ubbo-Emmius-Klinik: »Das sind richtige Künstler hier.«

Klatt versuchte zu lächeln. »Ja, wenn wir die noch eine Weile machen lassen, sehe ich besser aus als vorher.« Dann wurde er ernster: »Ich verdanke Ihnen mein Leben, Frau Klaasen.«

Sie schüttelte den Kopf. »Nein, im Grunde verdanken Sie das Niklas Wewes. Ohne den Jungen hätten wir keine Chance gehabt. Es war ihm wichtig, Sie da rauszuhauen. Dieser Tatie ist tot, Herr Klatt. Die Serie dürfte damit beendet sein. Aber wir kennen seinen Auftraggeber nicht. Den hat er uns nicht mehr verraten. Ich bin mir nicht mal sicher, ob er ihn selbst kannte. Warum, Herr Klatt, standen Sie auf seiner Liste? Was wollte der von Ihnen? Was verbindet Sie mit einem Lehrer in Emden, einem Richter aus Oldenburg und einem Rechtsradikalen aus Aurich?«

»Ich weiß es nicht, Frau Klaasen«, behauptete Klatt.

Ann Kathrin sah nicht so aus, als ob sie ihm glauben würde.

»Aber ich werde alles tun, um diesen Auftraggeber hinter Schloss und Riegel zu bringen«, versprach er.

»Erst werden Sie mal schön gesund«, verlangte Ann.

»Ich weiß, Frau Klaasen, dass es nicht immer einfach zwischen uns war. Ich gelte nicht gerade als umgänglicher Typ, und ich befinde mich in einer schwierigen Phase meines Lebens. Aber ... «

»Aber was?«

»Ich bin Ihnen etwas schuldig. Wenn es etwas gibt, das ich für Sie tun kann, dann ... «

Ann Kathrin lächelte: »Sie meinen, eine Beförderung oder so etwas? Nein, danke. Ich habe auch kein Interesse daran,

Martin Büschers Position zu übernehmen. Aber es gibt da etwas, das Sie für mich tun könnten ...«

»Raus mit der Sprache.«

»Es ist nicht ganz legal, aber ... Ich glaube, es ist trotzdem richtig ...«

»Ich höre.«

Ann Kathrin trat näher an sein Bett und flüsterte. Was sie zu sagen hatte, war nicht für fremde Ohren bestimmt.

Ann Kathrin wollte das Gespräch mit den Wewes nicht in der Polizeiinspektion führen. Sie suchte sie zu Hause auf. Sie hatte sogar Kuchen von ten Cate geholt, fand es im letzten Moment aber unangemessen, mit einem Tablett voller Sahne- und Tortenteilchen aufzutauchen. Sie ließ alles im Auto. Weller, die alte Naschkatze, würde sich bestimmt darüber freuen, und in solchen Fragen war Rupert auch immer gerne behilflich.

Clemens Wewes saß in seinem Sonntagsanzug, mit ordentlich gebundener blauer Krawatte und weißem Hemd im Wohnzimmer. Der Tisch war gedeckt, das Teegeschirr mit der ostfriesischen Rose, Sahne, Kluntje, und Niklas half seiner Mutter, den selbstgebackenen Käsekuchen zu teilen und die einzelnen Stücke heil auf die Teller zu befördern. Es roch gut in der Wohnung. Mit einer Teezeremonie zu beginnen und ein Stückchen Torte zu essen lockerte die Situation ein wenig auf. Es gelang ihnen sogar, zunächst ein paar Worte übers Wetter zu verlieren, über die Unterschiede zwischen Bünting- und Thiele-Tee und diese neue Krankheit, vor der alle Angst hatten.

Nachdem Ann Kathrin die Hälfte ihres Käsekuchen-stückchens verspeist hatte, rückte sie mit der Sprache raus: »Ich bin natürlich nicht gekommen, um mit Ihnen über Corona oder ostfriesische Traditionen zu diskutieren, sondern ...«

Christina Wewes machte einen gefassten Eindruck. Sie faltete die Hände wie zum Gebet. »Sie sind gekommen, um mich zu holen. Ich werde Ihnen keinerlei Schwierigkeiten machen und gestehe alles. Falls ich in U-Haft muss, habe ich bereits meine Sachen gepackt, aber ich verspreche Ihnen auch, nicht wegzulaufen, sondern zum Prozess zu kommen und ich nehme jedes Urteil an. Ich werde nicht in Berufung gehen. Hauptsache, meinem Sohn passiert nichts.«

Niklas drehte den Kopf zur Seite. Er kaute auf der Unter-lippe herum und wusste nicht, wo er hingucken sollte. Ihm war das alles sehr unangenehm. Er ballte die Fäuste.

»Im Grunde ist alles meine Schuld«, meldete sich Clemens Wewes zu Wort. »Ich habe das meiner Familie aufge-bürdet, weil ich selber zu schwach oder zu feige war, mich dem Kampf gegen den Alkohol zu stellen.« Er knallte die weiße Schachtel mit den Antabus-Tabletten auf den Tisch und sagte zerknirscht: »Ihr braucht sie mir nicht mehr heim-lich zu geben. Ich nehme sie selbst, wenn ich die Sucht nicht anders kontrollieren kann ... Vielleicht helfen die Pillen mir ja, das erste Glas stehen zu lassen ...«

»Es gibt«, erwähnte Ann Kathrin fast beiläufig, »in Norden die Anonymen Alkoholiker. Niemand ist hier wirklich allein, wenn man Hilfe sucht ...«

»Mama war es nicht«, sagte Niklas, »sondern ich habe ...«

Frau Wewes hielt ihrem Sohn den Mund zu. Er wollte weitersprechen und wehrte sich dagegen.

»Ich wollte Ihnen einen Vorschlag machen«, sagte Ann Kathrin. »Meinen Besuch hier bei Ihnen hat es nie gegeben. Und was ich Ihnen jetzt sage, bleibt unter uns.«

Die drei lauschten.

»Der Killer ist tot. Er hat in meinem Beisein und in dem meines Kollegen Frank Weller die Morde gestanden. Er war ein Auftragsmörder, er hat es für Geld gemacht. Wir gehen davon aus, dass auch Uwe Spix zu seinen Opfern gehörte. Für mich stellt sich das so dar: Niklas ist mit Herrn Spix zum Nachtangeln gefahren. Das hat Taties Pläne durchkreuzt. Er wollte ihn eigentlich an diesem Abend töten. Es ist zu einem Streit zwischen Niklas und Herrn Spix gekommen. Dabei hat Spix Niklas mit dem Fischmesser verletzt. Niklas hat Spix gestoßen und gewürgt, daher stammt das Blut an der Kleidung des Opfers. Dann ist Niklas nach Hause gefahren. Sie, Frau Wewes, haben seine Wunden hier versorgt und das war's. Den Rest hat Tatie erledigt. Als er versucht hat, die Geschlechtsteile seines Opfers abzuschneiden, ist er wohl von anderen Nachtanglern gestört worden und geflohen.«

»Das würden Sie für uns tun?«, fragte Frau Wewes.

»Mein Kollege Frank Weller, Herr Klatt und ich sind der Meinung, man könne es so in die Akten schreiben. Auch Herrn Klatt gegenüber hat Tatie die Morde gestanden.«

»Warum machen Sie das für uns?«, fragte Clemens kleinlaut.

»Ich glaube, dass alles andere das Leid nur vergrößern und fortsetzen würde. Wer hat etwas davon, wenn Ihre Familie restlos zerstört wird? So haben Sie alle drei eine zweite Chance. Nutzen Sie sie!«

Ann Kathrin erhob sich. Niklas lief ihr hinterher. »Frau Klaasen?«

Sie drehte sich zu ihm um. Er umarmte sie. »Ich weiß«, sagte er, »man muss eigentlich Abstand halten. Aber ich muss Sie jetzt einmal drücken.«

Das verstand sie nur zu gut.

ENDE

Ich habe das Schreiben an diesem Roman wie eine Befreiung erlebt.

Ostfriesensturm ist mein bisher persönlichstes Buch in der Reihe meiner Kriminalromane. Wie wohl viele Schriftsteller benutze auch ich mein Leben als Steinbruch, aus dem ich meine Romane hole. Ohne vorher mit einer kriminellen Jugendbande gelebt zu haben, hätte ich den Roman *Dosenbier und Frikadellen* nicht schreiben können. Auch Drehbücher wie *Svens Geheimnis* (ARD, 1995) oder *Weil ich gut bin* (ARD, 2001) hätte es ohne diese Erlebnisse vermutlich nicht gegeben.

Meine Reiseerfahrungen spiegeln sich in den Romanen wider, Gespräche mit Tätern, Opfern und Ermittlern.

Aber diesmal musste ich tiefer hinabsteigen, hatte nicht mehr das Gefühl, in einem Steinbruch zu arbeiten, sondern tief in die Grube einzufahren und in einem dunklen Flöz nach der Wahrheit zu suchen. Ich musste runter in die Hölle der eigenen Kindheit.

Ich wurde in Gelsenkirchen-Ückendorf groß. Nicht gerade im feinsten Viertel der Stadt. Meine Mutter leitete ein kleines Friseurgeschäft, neben uns gab es ein Café, das *Mohrenstübchen* hieß und wo es wunderbar roch. Auf der anderen Seite neben dem Friseurgeschäft war ein Tante-Emma-Laden, gegenüber ein Tapetengeschäft und eine Kneipe. Vor dem Haus fuhr die Straßenbahn Richtung Bahnhof vorbei. Die Bochumer Straße war so etwas wie der Ku'damm von Ückendorf.

Der Krieg hatte in vielen Seelen tiefe Verletzungen hinterlassen, ja, ich wurde in einer unglaublichen Lebensgier groß. Man wollte endlich wieder essen, trinken, feiern und keine Angst mehr haben. Die Worte *Therapie* oder *Therapeuten* kannte ich nicht. Stattdessen gab es Bier, Schnaps, Kneipen und Wirtinnen. Heute geht man vielleicht zur Supervision, damals setzte man sich an die Theke.

Viele Frauen gingen zum Friseur und schütteten dort ihr Herz aus.

Als kleiner Junge stand ich oft daneben, hörte zu, wenn sie von ihren kaputten Ehen und Problemen sprachen. Alkohol spielte eine große Rolle. So mancher versuchte, seine Probleme wegzusaufen. Mein Vater gehörte zu ihnen. Er konnte ein witziger, fröhlicher Kerl sein, aber wenn er zu viel trank, stürzte er ab und wurde völlig unberechenbar. Ich konnte, Minuten bevor die Stimmung umschlug, es schon an seinem Gesicht sehen. Dann wurde der nette Mann, den man gern zum Freund gehabt hätte, zu einem rigiden Spießer, der versuchte, die Naziregeln in seiner Familie umzusetzen, unter denen er selbst gelitten hatte.

So sehe ich es heute. Als Kind empfand ich nur Angst.

Vorausschauend versuchte ich, alles richtig zu machen, um nicht Auslöser für seine Wut zu sein. Doch damit scheiterte ich natürlich regelmäßig. Einmal flippte er völlig aus, weil die Schlüssel im Wohnzimmerschrank nicht in einer Linie ausgerichtet waren. Ich wusste nicht mal, dass das so sein sollte. Für ihn war es Anlass genug, völlig durchzudrehen.

Zunächst terrorisierte er meine Mutter und schickte mich ins Bett. Wenn ich versuchte, den Helden zu spielen, und mich vor sie stellte, um sie zu schützen, war ich dran.

Ich war noch nicht im ersten Schuljahr, da erzählte eine Kundin meiner Mutter von einem *Wundermittel*, das ihren schrecklichen Mann, der sie oft verhauen hatte, lammfromm machen würde. Man konnte es nicht einfach im Tante-Emma-Laden kaufen, aber die Kundin kannte Mittel und Wege und gab meiner Mutter etwas zum Ausprobieren.

Ich war dabei, als sie es anweisungsgemäß machte. Sie drückte eine kleine weiße Tablette in eine Weinbrandbohne. Angeblich war die Tablette geschmacks- und geruchsneutral. Worte, die mir heute noch den Schauer über den Rücken rieseln lassen, wenn ich sie höre oder lese. Dahinter verbirgt sich nämlich der Gedanke, jemandem ein Medikament geben zu können, ohne dass die Person davon weiß.

Meinem Vater war wegen Trunkenheit am Steuer der Führerschein abgenommen worden. Für einen Lkw-Fahrer keine sehr komfortable Situation. Den Frust ließ er an uns aus. Meine Mutter heulte schon und schaffte es nicht, ihm die Weinbrandbohne zu geben. Sie bat mich, es zu tun. Ich solle ihm sagen, es sei ein Trost, weil er so ungerecht behandelt worden war.

Ich tat, was sie von mir verlangte, und ich fühlte mich als Held dabei. Als Retter meiner Mutter.

Er bedankte sich sogar dafür, aß die Weinbrandbohne und goss noch ein Bier hinterher. Kurze Zeit später wurde ihm schlecht. Er übergab sich, kroch auf allen vieren durch die Wohnung und brauchte Hilfe.

Nein, meine Mutter rief keinen Arzt. Gemeinsam brachten wir ihn ins Bett und stellten einen Eimer daneben. Die Nacht über hörte ich sein Stöhnen und Würgen und mehrfach den Satz: »Ich verrecke, ich sterbe!«

Meine Mutter behauptete, das käme nur vom Saufen. Sie

einigten sich dann darauf, der *Aufgesetzte*, den er bei seinem Kumpel getrunken hatte, sei wohl schlecht gewesen.

Dies war ein entscheidender Abend. Ich fürchtete, mein Vater könne sterben und fragte mich, was dann aus uns werden sollte. Doch am anderen Morgen sah meine Mutter wie befreit aus. Endlich hatten wir eine Methode gefunden, uns zu wehren. Nie wieder sollte er solche Macht über uns haben.

Eine Weile schien mir das Mittel ein Segen zu sein. Wenn er nach Hause kam und zum Wüterich wurde, bekam er eine Pille, die »ihn friedlich machte«. Das alles geschah nicht jeden Abend, aber gefühlt doch gut einmal pro Woche.

Mit der Zeit dann bekam meine Mutter Angst vor Entdeckung. Sie schärfte mir ein, ich dürfe niemandem davon erzählen, dann müsse sie ins Gefängnis und ich käme in ein Erziehungsheim. Nach allem, was ich über Erziehungsheime wusste – und wie sie damals wohl auch in Wirklichkeit oftmals waren –, war mein Zuhause, verglichen damit, ein Sommerurlaub, in dem es eben nur manchmal regnete.

Ich wurde ziemlich gut darin, meinem Vater Tabletten einzupfeifen, wie ich es damals nannte. Noch heute frage ich mich, warum er es nie gemerkt hat. Manchmal flog ein Essen an die Wand, weil er glaubte, ihm sei davon schlecht geworden. Doch immer fanden sich auch noch andere Gründe. Ein Streit, zu große Aufregung, Überlastung bei der Arbeit, schlechter selbstgebrannter Schnaps.

Viele Jahre fürchtete ich, mein Vater könne durch das Medikament sterben, alles würde auffliegen, meine Mutter käme ins Gefängnis und ich stünde völlig schutzlos in der Welt. Ich fragte mich, ob meine Tante Mia mich dann aufnehmen würde oder meine Oma.

Die Beschaffung des Medikaments wurde mit der Zeit immer schwieriger. Ich holte »die Tabletten« für meine Mutter in einer Apotheke, wo mir ein Apotheker in einem neutralen Umschlag etwas gegen Bargeld überreichte. Ich musste immer an der Tür warten, bis niemand sonst im Verkaufsraum war, dann winkte er mich zu sich, sah mich kritisch an und fragte: »Schickt deine Mutter dich?« Ich nickte stumm und bekam ein kleines Päckchen.

Die Pillen waren in einer weißen Dose ohne jede Aufschrift.

Immer schwankte ich hin und her – war das alles ein Segen oder ein Fluch? War es gut oder böse?

Eine Möglichkeit, den Albtraum zu beenden, schien es nicht zu geben. Es lief viele Jahre.

Ehescheidungen, Entzugskliniken, Therapien oder die Anonymen Alkoholiker gab es in meiner Welt damals nicht.

Ich selbst habe später vierzehn Jahre Therapie gebraucht, um mit den Dingen irgendwie fertigzuwerden. Noch immer beschäftige ich mich in meinen Büchern mit Fragen nach Gut und Böse, Richtig und Falsch. Nicht immer sind die Antworten einfach. Überhaupt habe ich gelernt, einfachen Antworten auf komplizierte Fragen zu misstrauen.

Ich bin nicht Niklas Wewes aus *Ostfriesensturm*. Meine Mutter ist nicht Christina und mein Vater nicht Clemens Wewes. Aber ohne die Erfahrungen in meinem Elternhaus hätte ich diesen Roman vermutlich so nicht geschrieben.

Niklas flüchtet in die Kunst. Musik, Malerei und Literatur helfen ihm, zu einem anderen zu werden und die Dinge aus anderen Perspektiven zu sehen. So war es für mich.

Literatur, Musik und Kunst waren meine Lebensretter. Als ich lesen lernte, war das eine Befreiung für mich. Statt Spielball der Ereignisse zu sein, konnte ich mit einem Buch in der Hand zum Piratenkapitän werden, der sein Leben selbst bestimmte.

Einmal habe ich mich als Kind verplappert und dann lange in der Angst gelebt, wir könnten verraten werden. Eine Person hatte plötzlich Macht über uns, weil sie etwas wusste, das geheim bleiben sollte. Auch dies spielt in meinen Romanen wieder eine Rolle. Ich weiß, wie es sich anfühlt, erpressbar zu sein und kenne die Furcht, verraten zu werden.

Ostfriesensturm hätte ich, solange meine Eltern lebten, nicht schreiben können. Inzwischen sind beide tot. Ich hoffe, ihre Seelen haben Frieden gefunden.

Klaus-Peter Wolf

Leseprobe

Klaus-Peter Wolf
OstfriesenGIER

Der neue Fall für
Ann Kathrin Klaasen

Dieses Buch erscheint
im Februar 2023

Die Amtseinführung der neuen Polizeidirektorin Elisabeth Schwarz ging gründlich schief. Was erstens daran lag, dass Rupert sie als Alice Schwarzer begrüßte und dann noch Wellers Handy während ihrer Grundsatzrede *Piraten Ahoi!* spielte.

Das alles hätte sie vielleicht noch professionell weggelächelt, aber dann explodierte draußen auf dem Parkplatz am Fischteichweg in Aurich Dirk Klatts Auto. Er saß zum Glück nicht drin, sondern flanierte am ostfriesischen Buffet vorbei und wog ab, was dagegen sprach, erst Lamm und dann Fisch zu essen. Vielleicht würde er dafür den Nachtisch weglassen, obwohl die Rote Grütze mit Vanillesoße sehr gut aussah. Er, der Hesse, hatte sich inzwischen sogar an Matjes gewöhnt und in den letzten Monaten fünfzehn Kilo abgenommen.

Seinen Hals zierte eine lange Narbe. Die Stiche, mit denen die Wunde vernäht worden war, wirkten wie Tätowierungen. Für Rupert sah er jetzt noch mehr nach Frankensteins Monster aus, aber das sagte Rupert nicht.

Gleichzeitig mit der Amtseinführung sollte Martin Büschers Verabschiedung in den Ruhestand gefeiert werden. Rupert hatte auf seine ureigene Art versucht, Büscher davon abzuhalten: »Martin«, hatte Rupert gesagt, »überleg dir das mit der Pensionierung noch einmal. Einen gefährlicheren Job als Rentner kenne ich gar nicht.« Nach einer Pause hatte Rupert hinzugefügt: »Kaum einer überlebt das wirklich.«

Martin Büscher zu Ehren wollte der Polizistinnenchor singen, der es durch seine Eigenkomposition *Supi, dupi, Rupi* zu ziemlicher Berühmtheit gebracht hatte. Der Song war als Spottlied auf Rupert gedacht gewesen. Ein Spaß – mehr nicht –, doch irgendwer hatte bei den Proben wohl ein Handy mitlaufen lassen. Seitdem geisterte der Song durchs Internet. Inzwischen gab es verschiedene Cover-Fassungen, die von Bands gesungen wurden.

Zum Auftritt des Chors kam es aber nicht mehr. Frau Schwarz, die vierundfünfzig Jahre alt war, nach eigenen Aussagen zwei Ehen und zwei tödliche Krankheiten überlebt hatte, brach ihre Rede kurz nach der Detonation ab. Sie hatte, wie viele der Anwesenden, für einen Moment die Hoffnung gehabt, der Lärm könne etwas mit den Bauarbeiten im *Caro* zu tun haben. Das Einkaufszentrum lag direkt neben der Polizeiinspektion. Manchmal ließen sie sich von dort asiatisches Essen kommen oder holten sich in den Pausen einen Döner.

Als die Ersten nach draußen strömten, knüllte die neue Polizeidirektorin den Zettel zusammen, auf dem sie die Zahlen für ihren Vortrag festgehalten hatte. Sie wollte eigentlich frei reden, doch bei Zahlen war sie penibel. Sie hatte Respekt vor der hohen Verantwortung, die sie jetzt für die einundzwanzig Dienststellen und die vierhundertzwanzig »Bediensteten« hatte. Sie war jetzt für eine Viertelmillion

Einwohner verantwortlich und wenn die Urlauber kamen, wuchs die Zahl rasant an. Aurich, Wittmund, Esens, Norden, Wiesmoor und die Inseln. All das wollte sie aufzählen und sie hatte lange darüber nachgedacht, ob sie Polizistinnen und Polizisten sagen sollte oder lieber Polizist*innen. Eigentlich fand sie das Gendern richtig. Aber es sah dämlich aus und hörte sich verkrampft an. Das Wort Kolleg*innen ging ihr nur schwer über die Lippen, darum sagte sie jetzt »Bedienstete der Polizei«. Aber das hörte sich ein bisschen nach Servicekräften an, als würde hier gekellnert und man könnte bei der Polizei ein Schnitzel mit Pommes bestellen.

Sie wollte so gern alles richtig machen und von allen gemocht werden. Nun stand sie kreidebleich neben Ann Kathrin Klaasen auf dem Innenhof zwischen Glasscherben und Autoschrott. Statt eine feierliche Rede zu halten, blieb ihr nur noch der schlichte Satz: »Jemand führt Krieg gegen uns.«

Ann Kathrin Klaasen sah gar nicht so aus, wie Elisabeth Schwarz sie sich vorgestellt hatte. Sie kam ihr unscheinbar vor. Nicht Lichtgestalt, sondern eher verhuscht. Nicht extrovertiert, auf Wirkung bedacht, sondern nachdenklich. Ruhig. Natürlich kannte sie Fotos der legendären Kommissarin, hatte Ausschnitte von einigen Talkshow-Auftritten gesehen und sie hatte unzählige Geschichten über sie gehört. Vor allen Dingen wusste sie, dass Ann Kathrin Klaasen ihren Posten abgelehnt hatte. Es war ein seltsames Gefühl, neben der Frau zu stehen, deren Vorgesetzte sie ab jetzt war, nur weil sie selbst nicht leitende Polizeidirektorin werden wollte.

Wahrscheinlich, dachte Elisabeth Schwarz, ahnte diese Ann Kathrin Klaasen, dass es kein Traum, sondern ein Albtraum werden würde.

»Ein Anschlag auf einen Polizeibeamten ist ein Anschlag

auf uns alle. Auf unsere freiheitliche Gesellschaft als Ganzes«, sagte sie zu Ann Kathrin Klaasen so laut, dass alle Umherstehenden im Hof sie hören konnten.

»Klasse. Damit kommt man in der Presse bestimmt gut an«, konterte Ann Kathrin Klaasen, »aber leider in der Ermittlungsarbeit nicht wirklich vorwärts. Es wurde nicht irgendein Auto in die Luft gesprengt, sondern das von Dirk Klatt. Es ist das zweite Mal, dass ein Mordanschlag auf ihn verübt wird. Es ist gut, wenn wir uns alle gemeint fühlen. Aber zunächst versucht man, ihn umzubringen. Und wir müssen gemeinsam herausfinden, warum.«

Elisabeth Schwarz schwieg betreten. Das war die erste kalte Dusche, dachte sie und musste sich gleichzeitig eingestehen, dass Kommissarin Klaasen recht hatte. Für einen kurzen Moment fragte Elisabeth Schwarz sich, ob hier etwas lief, das man ihr verschwiegen hatte. Ein Gangsterkrieg gegen die Polizei? War sie dann als Chefin die Nächste? Hatte Frau Klaasen deswegen abgelehnt, den Posten zu übernehmen? War Martin Büscher nicht etwa ausgebrannt, sondern einfach nur ängstlich?

Gut zwei Dutzend Einsatzkräfte, die eigentlich zur Feierstunde gekommen waren, befanden sich im Innenhof. Die Fenster waren offen, viele sahen von dort aus runter. Es war ein einziges Durcheinander und Herumgewusele. Einige Kollegen überprüften ihre Autos.

Frank Weller stand auf Zehenspitzen zwischen den Glassplittern. Er reckte sich und brüllte: »Ja, seid ihr denn alle wahnsinnig geworden? Rein mit euch! Geht in Deckung, aber sofort! Das war ein Bombenanschlag!«

Seine Worte lösten ohne jeden Widerspruch eine Flucht ins Gebäude aus. In Sekunden war der Parkplatz menschenleer.

Das hätte ich sagen müssen. Das wäre meine Aufgabe gewesen, ärgerte Elisabeth Schwarz sich. Prima Einstand. Ich versage noch während der Begrüßung. Schon beim ersten Problem, das auftaucht.

Rupert erklärte allen laut, ohne von irgendwem gefragt worden zu sein: »Das ist eine alte Terroristentaktik. Sie lassen eine Bombe hochgehen und locken damit Schaulustige und Rettungskräfte an. Dann erst kommt die eigentliche Explosion, die einen noch viel höheren Schaden anrichtet ...«

Weller guckte Rupert sauer an. Der wusste nicht, was er falsch gemacht hatte, korrigierte aber vorsichtshalber: »Also, ich meine, der zweite Anschlag kostet noch mehr Menschenleben als der erste, deshalb hat der Kollege Weller völlig zu Recht ...«

»Rupert, halt endlich die Fresse! Fordere lieber Sprengstoffexperten an«, zischte Weller. Rupert nickte gelehrig.

»Es wird keine zweite Bombe geben«, sagte Ann Kathrin. »Der Anschlag galt Klatt, und entweder wollten die ihn hier vor aller Augen in unserem Innenhof töten oder sie wollten uns nur demonstrieren, dass sie es jederzeit tun könnten.«

Klatt hatte sich auf der Toilette eingeschlossen. Weller klopfte: »Was ist? Durchfall? Kommen Sie raus, Mensch! Wir müssen reden.«

Klatt war zittrig, als er Weller gegenübertrat. Sein Anzug schlabberte an seinem Körper.

»D ... das ... galt mir ...«, flüsterte er und betastete die Narbe an seinem Hals. Es fühlte sich an, als sei sie wieder aufgeplatzt.

Alle Ostfriesenkrimis von Klaus-Peter Wolf sind als Hörbuch erhältlich!

© Wolfgang Weßling

Wolf ist ein wahrlich ausgezeichneter Rezitator seines eigenen Werks. Er kann mit der Stimme spielen, kann Sätze zerdehnen und hüpfen lassen und Szenen leidenschaftlich formen, dass es ein Genuss ist.
Elisabeth Höving, WAZ

Ein Krimi mit Anspruch also, wie immer bei Klaus-Peter Wolf. Dazu viel Action und ab und an ein bisschen Komik zur Entspannung.
Erla Bartmann, Bayern 5

Das Zusammenspiel der Protagonisten, insbesondere der Disput zwischen Ann-Kathrin und ihrem Macho-Kollegen Rupert ist unterhaltsam.
Aurelia Wendt, NDR Kultur über das Hörbuch »Ostfriesenangst«

Kennzeichnend für die Krimis von Klaus-Peter Wolf ist nicht nur die innige Verzahnung mit der norddeutschen Region und ihrem speziellen Menschenschlag, sondern auch der Umstand, dass Wolf die Hörbücher stets als Autorenlesung veröffentlicht.
Martina Jordan, Main-Echo

5 CDs ISBN 978-3-8337-4359-7

Klaus-Peter Wolf
Rupert undercover – Ostfriesisches Finale
Der neue Auftrag. Kriminalroman

Rupert hatte sich nie im Leben besser gefühlt. Er lebte in zwei Welten, wechselte problemlos zwischen seinem Leben als Hauptkommissar und seinem Undercover-Job hin und her. Doch nie würde er den Moment vergessen, als die unheimliche Stimme am Telefon sich als Frederico Müller-Gonzáles vorstellte. Da wusste Rupert: Sein Leben war jetzt vorbei. Oder er musste sofort die undichte Stelle finden.

»Ostfriesisches Finale« ist der dritte Undercover-Roman mit Rupert, der Lieblingsfigur vieler Fans.

ca. 400 Seiten, Klappenbroschur

Weitere Informationen finden Sie auf
www.fischerverlage.de

AZ 596-70617/1

Jeder Mensch sollte ein selbstbestimmtes und würdevolles Leben bis zum letzten Augenblick führen können. Sterben ist ein Teil des Lebens.

Ein Hospiz kann diesem Anspruch gerecht werden und zugleich den Angehörigen den Abschied erleichtern. Als Schirmherr für den Bau des Hospiz am Meer bin ich Ihnen deshalb sehr dankbar, wenn Sie uns eine Spende zukommen lassen.
Hier unser Spendenkonto:

Förderverein Stationäres Hospiz Norden e.V.
Spendenkonto: IBAN DE 04 2835 0000 0145 4027 98
BIC BRLADE21ANO Sparkasse Aurich-Norden